DE TRUDEAU FACTOR

Juris Jurjevics

De TRUDEAU FACTOR

NIEUWENDAM

the house of books

Oorspronkelijke titel
The Trudeau Vector
Uitgave
Viking, New York
Copyright © 2005 by Juris Jurjevics
Copyright voor het Nederlandse taalgebied © 2006 by The House of Books,
Vianen/Antwerpen

Vertaling
Harry Naus
Omslagontwerp
Studio Jan de Boer BNO, Amsterdam
Omslagdia's
Getty Images/Joel Rogers, en Masterfile
Foto auteur
Rosa Jurjevics
Opmaak binnenwerk
ZetSpiegel, Best

ISBN 90 443 1467 x
D/2006/8899/38
NUR 332

Opgedragen aan
Edvards Sudmalis
en
Alexander Nikitin
Grigory Pasko
Igor Sutyagin

'*Een woord is als een mus.*
Eenmaal vrijgelaten is het niet meer te vangen.'

– GENERAAL-MAJOOR VALENTIN JEVSTIGNEJEV
Plaatsvervangend chef van het directoraat
Stralings-, Biologische en Chemische Wapens
van het ministerie van Defensie

1

Veertig graden onder nul en het werd nog kouder. De winter had ingezet, de zon was al ondergegaan en inmiddels niet meer dan een verre, bleke lichtband tussen de bevroren woestenij – het ijs waarop ze stonden – en het egale uitspansel. Zo laat in oktober verscheen het eigenaardige zonlicht feitelijk niet meer boven de einder. De vage, zilverkleurige lichtband die het amper voor elkaar kreeg om aan de horizon een halo te vormen en de sterren in deze eerste arctische nachten te doen verbleken, maakte van de purperachtig-zwarte lucht een peilloze leegte. Maar zelfs die smalle, matte lichtstrook zou verdwijnen naarmate de winter zijn greep versterkte. Over nog eens vierentwintig uur zou de duisternis compleet zijn. Melkwegen en sterrenbeelden zouden de hemel dan verlichten.

In het licht van Verneaus zaklamp leek zijn chauffeur op een psychedelische vogel. Zodra de witte synthetische stof van de opbollende poolpakken de gloed weerkaatste, lichtten de fluorescerende uiteinden van de garens fel oranje op. De poolhelm en capuchon maakten het plaatje compleet: een uit de kluiten gewassen versie van het pinguïnkostuum dat Verneaus zoon had gedragen tijdens de dierenzegening op de meest recente St.-Franciscusdag, in Montreal. Onder elke andere omstandigheid zou hij om die herinnering geglimlacht hebben. Momenteel was hij er echter niet voor in de stemming.

Hoog boven hen golfde het poollicht als een gigantisch gordijn. Het ragfijne roze en fletse groen deinde in lange slierten, gevormd door magnetische krachten op plaatsen waar het veldmagnetisme bijzonder intens gebundeld was. Verneau kreeg het niet voor elkaar om de plaats van die kleurvegen te bepalen, om te beoordelen of de aurora centimeters of kilometers van je gezicht verwijderd was. Vroeger had het poollicht op een omen geleken, een zeldzaam fenomeen zo ver in het noorden. Maar de laatste tijd waren zeer veel dingen eigenaardig te noemen.

Emile Verneau had nog nooit meegemaakt dat het radiocontact met poolonderzoekers zo definitief verbroken was. Zijn grootste vrees bestond eruit dat iemand in een ijsspleet was gevallen, of in het open water van de polynya. Dat zou echter de volledige radiostilte niet verklaren, tenzij... tenzij ze alle vier tegelijk in het ijskoude water waren gegleden, waarbij hun Sno-Cat door verzwakt ijs was gezakt of in een watergeul richting ijszee was gereden. Zelfs het poolpak was dan niet in staat je te beschermen. Bij die gedachte mompelde Verneau enkele uitgelezen Quebec-krachttermen.

Bij de rand van een vlakke uitgestrektheid bleef zijn chauffeur staan, waarna hij zich omdraaide en Verneau zwijgend naar zich toe wenkte. Ze hadden de polynya bereikt, een natuurlijk open water in de poolkap. Het 'meertje' trotseerde de vrieskou en bleef de hele winter open. Het rimpelloze water rook naar pekel.

Over het platgetreden ijs liepen verscheidene coaxkabels en rode tuidraden – allemaal aangekoekt met ijs en zout – kronkelend naar de rand van het open water. Ongetwijfeld bevond het radiografisch bestuurde onbemande duikbootje zich in de ijszee, cirkelend als een haai terwijl hij zijn geprogrammeerde elliptische rondjes maakte.

Met zijn zaklamp scheen de chauffeur langs de rand van het meertje, op zoek naar een teken dat erop duidde dat de anderen waren verongelukt en in het water lagen. Aandachtig bekeken ze de talrijke voetafdrukken en volgden die langs de kabels in de richting van de opblaasbare schuiltent, ongeveer dertig meter verderop. Een tent die dankzij de interieurlichten granaatrood oplichtte. Er waren geen silhouetten van mensen te zien. Buiten stonden geen voertuigen. De grote Sno-Cat was weg, net als de kleinere sneeuwscooter. *Niemand thuis*, zoals het reddingsteam al eerder had gerapporteerd alvorens zich te verspreiden om aan de zoektocht te beginnen.

Alex Kossuth, Junzo Ogata, Annie Bascomb, de Russische glacioloog Minskov en Lidiya Tarakanova. Ze werden allemaal vermist. Het was de bedoeling dat Tarakanova die ochtend zou vertrekken. De anderen waren naar het kamp gegaan om haar uit te zwaaien en om de driemaandelijkse mariene tests uit te voeren en gegevens van het radiografisch bestuurde duikbootje te downloaden. Die middag hadden ze echter niet gereageerd op de afgesproken controle vanuit de basis. Evenmin konden ze worden opgeroepen op hun voertuigradio's of de ontvangers aan hun poolpakken. Inmiddels was de helft van de mensen op poolstation Trudeau gealarmeerd en op pad gegaan om hen te zoeken.

In de tent zoemde de transformator. Het apparaat kreeg stroom dankzij de rij gestaag draaiende windmolens die buiten aan holle palen van ongeveer vier meter hoog waren bevestigd. In het vertrek waren twee opvouwbare werkstations opgezet, waarbij tussen de inschuifbare poten tentdoek was gespannen. Een ervan had de hoogte van een bureau, terwijl een omgedraaid krat als stoel diende. Het andere werkstation – op de gewatteerde vloer – deed dienst als laag nachtkastje dat net hoog genoeg was geplaatst om ervoor te zorgen dat een wetenschapper die met een laptop en een sonometer werkte comfortabel op een luchtbed kon zitten. Vlakbij lag een half leeggegeten pakje gedroogde bessen, verpakt in folie.

Geen tekenen van geweld, terwijl ook alle apparatuur nog leek te functioneren. Zo te zien was alles er nog. Verneau was blij dat hij niet werd geconfronteerd met de gevolgen van een eventuele beer die aan het plunderen was geslagen.

De werkplek van Ogata lag er zoals altijd netjes bij, en die van Annie Bascomb, al even typisch, in volslagen wanorde. Het dichtgetrokken afscheidingsgordijn was meer bedoeld om haar rotzooi te maskeren dan om haar privacy te garanderen. Alex Kossuth was halverwege een van zijn schaakspelletjes, het bord lag keurig op zijn luchtmatras. Het plekje van Minskov wekte de indruk niet gebruikt te zijn, maar dat was evenmin ongewoon. Die man had iets tijdelijks over zich, alsof hij op doorreis was. Het luchtbed van Tarakanova was ingepakt, haar slaapzak opgerold, haar poolpak opgevouwen, met de helm erbovenop gelegd.

Op het bed ernaast, boven op de slaapzak, vond hij de PDA van Junzo Ogata. Hij scrolde door het projectjournaal. Niets aan zijn aantekeningen kwam ongewoon op hem over; notities betreffende hun reis vanaf het Arctic Research Station Trudeau naar het veldonderzoekskampement, hun omzichtige methodologie in een veeleisend poolgebied, de saaie en veeleisende procedure van goedgetrainde en al te geschoolde geesten die zich met details bezighielden en gegevens verzamelden. Alles aan het werk was voorspelbaar – behalve de omgeving.

Hij las de laatste aantekeningen; hun slaapcyclus en de agenda voor de volgende ochtend. Berekeningen in een geel venster aan de zijkant, kanttekeningen die eventueel aan de database en aan het officiële rapport werden toegevoegd. Het zoutgehalte van het water, de opwellingen, de gegevens van de zwaartekrachtmeter betreffende het aardgetijde en de automatische getijdemeter. Verneau hield zijn hoofd schuin om een notitie te kunnen lezen, een onbeholpen schrijfstiftkrabbel op het PDA-scherm: *Ignis fatuus*. Hij herkende de term niet. En het handschrift evenmin – het was niet de keurige geometrische stijl van Ogata. Dat van Kossuth misschien?

Opnieuw vloekte Verneau. Vier wetenschappers konden toch niet zomaar verdwijnen in het midden van deze woestenij. De radio in de tent stond aan en functioneerde. De apparatuur registreerde de gegevens.

Zou dit een pratical joke kunnen zijn? Vanavond werd het jaarlijkse zonsondergangfeest gehouden; de laatste zonsondergang en als zodanig de officiële advent van de winter. Met behulp van de voorraadspullen van het poolstation flanste iedereen kostuums in elkaar en haalde streken met anderen uit, een soort Vastenavond vóór de maanden van de arctische vastentijd. Hij zou graag willen geloven dat dit slechts een kinderachtige vastenavondstreek was.

De chauffeur tikte met een opengeslagen notitieboekje tegen de arm van Verneau, die het ding herkende als het dagboek van Annie. Hij nam het aan en begon haar aantekeningen te lezen.

20 oktober
Gisteravond hadden we een afscheidsfeestje georganiseerd. Rozijnen-cake met cointreau in onze thee. Lidiya Tarakanova vertrekt vandaag als de onderzeeboot tot de polynya weet door te dringen. De opening van het meertje wordt elke dag drastisch en op een verre van ken-merkende wijze kleiner naarmate het daglicht afneemt en we volledig omsloten worden door de arctische nacht. Dit jaar moet dat lijken op het vinden van een modderpoel in een woestijn.

Maar ze hadden de 'poel' gevonden. Dr. Tarakanova was opgepikt, waar-na ze weer waren vertrokken. Annie Bascomb had haar vertrek op haar karakteristieke wijze met veel vrolijkheid gerapporteerd: *Goddank voor de kleine bewezen diensten... ze is vertrokken! Hoera.*

Met een glimlach deed Verneau het notitieboekje van Annie dicht. Wan-neer de omstandigheden anders waren geweest, zou hij ook een dronk op haar vertrek hebben uitgebracht. *Das vedanya, Lidiya*, dacht Ver-neau. Opgeruimd staat netjes. Tjonge, wat was dát een vervelend mens. Veeleisend, zeurderig, moeilijk. Een heel jaar lang was ze een collega uit de hel geweest.

Via de kortegolf klonk een opgejaagde stem in zijn oor; zijn chauffeur riep hem naar buiten.

Er klonk een regelmatig onderbroken piepgeluid. Een van de leden van het reddingsteam riep de anderen op met behulp van haar noodradioba-ken. Vervolgens hoorde hij een stem; de Sno-Cat was gesignaleerd. Pool-station Trudeau, vierentwintig kilometer zuidoostelijker gelegen, beves-tigde het bericht en vroeg om op de hoogte te worden gehouden. De chauffeur van Verneau raadpleegde inmiddels zijn GPS-apparaat en kaart van polyetheen. Het radiobaken bevond zich vierhonderd meter verder-op, ruwweg in de richting van de heuvel die aan een rotspartij deed den-ken en die ze Mackenzie's Mount noemden.

'Kom, we gaan,' zei Verneau. Hij stapte in de hoge cockpit van de Sno-Cat, waarna de motor werd gestart en het voertuig, met het brede chas-sis, op zijn zachte, zeer brede banden draaide nog voordat Verneau de kans had gekregen zich in zijn veiligheidsgordels vast te snoeren.

Merde. Klotegordels. Waren die dingen wel noodzakelijk? De kruis-snelheid van de Sno-Cat was slechts dertig kilometer per uur. De elek-trische motor werd gevoed door aluminiumbatterijen, waardoor starten in de vrieskou geen probleem was, en de waterstofmotor zorgde ervoor dat het milieu op ideale wijze gespaard werd, want daarop had de Royal

Commission gestáán. Goeie genade, wat verlangde hij naar het snelle acceleren van een verbrandingsmotor. Een van rupsbanden voorziene, met benzine aangedreven sneeuwscooter die half zo groot was, kon twee tot drie keer zo snel optrekken. De gevolgen voor het terrein konden hem gestolen worden. Hij wilde zo snel mogelijk bij zijn manschappen zijn. In het poolgebied kon elke minuut waarbij je aan de kou werd blootgesteld fataal zijn.

'*Hostie*,' schold Verneau. Hij werd misselijk van het slingerende voertuig. 'Dit ding doet me denken aan een strandbal.'

'*Vhat?*' De chauffeur draaide zich half naar hem om. Zijn gezicht achter het vizier van de helm was onzichtbaar.

'Niets. Geef nou maar gas,' zei Verneau. '*Allez, allez. Schnell,* verdomme.'

Het was beduidend donkerder en kouder dan toen ze bij de polynya waren gearriveerd. Zelfs de wasbleke, rode lichtstrook aan de horizon was verdwenen. De digitale cijfers op het afleesvenster in Verneaus helm gaven 13.47 uur aan.

Een van rupsbanden voorziene catamaran van het medisch team – een groter en sneller voertuig – passeerde de sneeuwmobiel langzaam en behoedzaam, als een jacht tijdens een gezapige cruise. De medische staf, onder wie de verpleegster van het poolstation en een aantal onderzoekers dat zich vrijwillig als medisch assistenten had aangemeld, bevond zich in een van de twee rompen, terwijl hun uitrusting in de andere lag. De twee helften waren verbonden met aluminiumbuizen die doorbogen terwijl de catamaran soepel de ijscontouren volgde. De winch, opgehangen in het midden, sloeg als een alarmbel tegen zijn frame.

Vanuit de andere richting verschenen zeven paar koplampen, die de vermiste wetenschappers in de lichtbundels hielden. Nog meer voertuigen met een hoog chassis naderden met deinende lichten over de golvende ijsvelden. IJs van één jaar oud had een glad en effen oppervlak, maar dit oude pakijs was overal even bultig. Het voertuig van Verneau hobbelde eroverheen en schommelde naar alle kanten.

De lichtbundels kwamen samen, met in het midden ervan een lichtvlak dat steeds groter en feller werd. Het omgevende ijs lichtte als gevolg van het gebundelde lumen blauw en groen op.

De kokers met licht bleven op drie gestaltes rusten die ruggelings op het ijs lagen.

'*Kurat*,' vloekte de chauffeur in het Estisch terwijl hun voertuig een heuveltje opreed en aan de andere kant ervan als een slee naar beneden gleed. Hij worstelde met de pook terwijl de machine zijwaarts verder glibberde. Uiteindelijk kreeg hij de Sno-Cat onder controle en parkeerde hem vervolgens naast de grotere catamaran.

Het drietal was nu duidelijk zichtbaar. De naar voren uitstekende helmvizieren glinsterden als evenzoveel snavels van gevelde vogels. Het leek of ze sidderden, maar Verneau realiseerde zich dat het gezichtsbedrog was als gevolg van de synthetische garens die trilden in de milde bries. Feitelijk lagen ze daar roerloos.

Verneau sprong uit het voertuig en volgde het jachtige medisch personeel dat via de intercom in het Frans en Duits naar elkaar schreeuwde. Hun zware ademhaling klonk hard in zijn koptelefoon.

Twee artsen bogen zich over Junzo Ogata, de Japanse laserdeskundige. Annie Bascomb lag twintig meter verder, naast Minskov. De twee lichamen lagen er eigenaardig verwrongen bij, als slangenmensen uit een circus; de benen van de Rus raakten bijna de achterkant van zijn helm.

De artsen knielden naast Ogata, Bascomb en Minskov. Hun limoenkleurige reflectorstrips lichtten fel op in de gloed van de koplampen. Verneau en de anderen liepen machteloos heen en weer.

Een arts liet een voorverwarmde zuurstofcilinder op het ijs vallen en trok aan de donzen buitenlaag van Ogata's poolpak, waarna hij de slappe, vochtabsorberende laag en de strakkere bodystocking openscheurde. Het vrijgekomen vocht, in combinatie met de warmte, verdampte onmiddellijk en bevroor als confetti in de lucht.

Ruw drukte hij de elektroden van een hartmonitor tegen het ontblote gedeelte van de walmende borstkas, die als gevolg van de rijp onmiddellijk een grijze kleur aannam. De monitor lichtte op, er verschenen rode cijfers en nauwelijks zichtbare e.c.g.-lijnen. Enkele cijfers. Minimale hartfunctie.

De arts begon Ogata te intuberen. Warme zuurstof, vermengd met lucht, stroomde onder druk en met een temperatuur van veertig graden Celsius de longen in en warmde het lichaam van binnenuit op om de mogelijk fatale gevolgen te neutraliseren van het verkilde bloed dat zich vanuit de armen en benen naar het hart van het gereanimeerde slachtoffer drong. Een hartstilstand kon in deze contreien catastrofaal zijn.

Verneau drentelde bezorgd heen en weer terwijl de arts de naald van een geïsoleerde injectiespuit in het dijbeen van Ogata stak, dwars door de verschillende lagen van zijn glanzende poolpak heen, waarna hij naar voren reikte en een ooglid omhoogschoof om de pupil te controleren.

Er was geen pupil te zien. De arts schoof het andere ooglid omhoog. Ook geen pupil.

De ogen moeten naar boven zijn gerold nadat Ogata buiten bewustzijn was geraakt, dacht Verneau. Of het hoornvlies was bevroren en wit geworden. De Inuit hadden wel verhalen over jagers van wie de pupillen wit waren bevroren. Verneau knielde op het harde ijs neer om de situatie wat beter te bekijken. De ogen van Ogata waren niet bevroren, maar verdwenen. De pupillen, de irissen – ze waren weg. Alleen de witte sclera was overgebleven.

14

Emile Verneau keek de Duitse arts Uli aan en verwachtte een verklaring, maar de man was verwoed bezig met het geven van hartmassage. '*Komm, komm,*' riep hij ongeduldig.

Er kwam geen beweging in de longen, zelfs niet toen Uli met zijn volle gewicht boven de borstkas van Ogata hing.

'*Mein Gott.*' Hij gromde als gevolg van de inspanning en deed nog enkele wanhopige pogingen, waarna hij vol ongeloof op zijn hurken ging zitten.

'Hij kan onmogelijk zo bevroren zijn. Zijn ledematen zijn niet verstijfd. De helmschuif is open, waardoor het gezicht enigszins is blootgesteld, *ja*, maar de bodysuit is intact.'

Gegrom en gefluister vulden het radiokanaal. Verneau keek op naar de artsen die naast de twee andere wetenschappers geknield zaten en hen probeerden te reanimeren. De intercom klikte op het moment dat Uli zijn microfoon openzette. Hij zei echter niets. Verneau drukte op de in de handschoen bevestigde schakelaar van zijn eigen microfoon.

'Uli?'

De jongeman keek vluchtig op, zijn gezichtsscherm was na zijn vergeefse inspanningen beslagen met condens.

'Ze zijn dood,' zei Uli in het Engels, waarna hij zachtjes in het Duits vervolgde: '*Wir können nichts machen.*'

Kalm had hij gezegd dat ze niets meer voor hen konden doen, waarna hij weer verderging met het onderzoeken van Ogata.

'*Zu spät,*' zei hij schor. Te laat. Een van zijn teamleden schudde langzaam zijn hoofd en dekte het gezicht van Minskov af.

Bij de in een cirkel staande groep arriveerden steeds meer reddingswerkers. Met hun zaklampen schenen ze bij terwijl ze zich allemaal stomverbaasd iets naar voren bogen. Een mengelmoes van geroep en gejammer; er werd over en weer over de radio gepraat in wel zes, zeven talen. Sommigen zaten vol ongeloof op handen en voeten naast hun overleden collega's. 'Hoe heeft dit kunnen gebeuren?' hoorde hij Christian zeggen. Er klonken nog meer stemmen op de kortegolf. 'Annie, Annie,' herhaalde iemand zachtjes tussen de meertalige kakofonie door.

Verneau wendde zich van het tafereel af en stapte uit de verblindende, van schaduwen verstoken gloed. Kilometers boven hen golfde het poollicht in de vorm van helderwitte en rode lichtdraden steeds feller omhoog, tot het op vuurwerk ging lijken; exploderend prismatisch licht in een holle hemel. Elke goudkleurige lichtveeg veroorzaakte op de radio's een golf van statisch geruis. De waaierende lichtslierten begonnen op ongeveer honderd kilometer hoogte zichtbaar te worden, stegen op tot wel honderdzestig kilometer hoger in het zwerk en strekten zich vervolgens duizenden kilometers golvend uit over het arctische uitspansel. Verneau voelde zich oneindig klein toen hij naar dat kolossale plafond van licht keek.

Het ijs van de poolkap kraakte luid, als houten schepen in een storm, terwijl enorme ijsplaten langs elkaar heen schuurden. Nog nooit had de ijszee zo desolaat geleken. Verneau draaide zich om en staarde naar de overleden Junzo Ogata, Annie Bascomb en Minskov.

Overal verspreid lag uitrusting. Enkele Japanse collega's van Junzo Ogata hadden zich in een halve cirkel bij zijn voeten verzameld en zaten daar gehurkt, met gebogen hoofd.

Verneau wist niet wat hem nu te doen stond. Zijn onderbenen voelden verdoofd aan, alsof hij daardoor zijn evenwicht niet kon bewaren. Hij probeerde zichzelf te dwingen om logisch na te denken.

De luidste stemmen in zijn koptelefoon waren afkomstig van de Duitsers. Opgewonden praatten ze tegen elkaar terwijl ze probeerden te analyseren wat er was gebeurd. Hij kon niet volgen wat ze zeiden, maar op dat moment kon hem dat ook niet schelen. Hij beefde.

'*Verdammt! Wo ist Kossuth?*' zei een van hen.

Iedereen die Duits kende, keek prompt op. De heftige emoties vanwege het feit dat ze drie lijken hadden aangetroffen, had hen doen vergeten dat ze naar vier personen op zoek waren geweest. Waar was Alex Kossuth?

Langzaam draaide Verneau zich om en probeerde in de omgeving kleurverschil, beweging, een licht te zien.

Het was een vergeefse poging.

De Sno-Cat van de wetenschapper, zag hij nu, was tegen een muur van ijs opgereden en daar tot stilstand gekomen. De dashboardverlichting was nog steeds aan, de koplampen bleken in de ijsrichel gedrukt. Het bescheiden onderbroken gepiep van het noodradiobaken klonk in zijn koptelefoon. In de overweldigende stilte begon het geluid steeds harder te klinken.

Verneau keerde terug naar de verlichte cirkel van mensen, reikte naar Uli die roerloos op het ijs zat en vond de drukknop op zijn onderarm, waarna hij het doordringende alarm uitzette.

Alex Kossuth hoorde de opgewonden radio-oproepen, en merkte toen dat het noodradiobaken ermee ophield. Hij deed zijn helm af en voelde de bijtende kou meteen in zijn longen dringen. Een voor een deed hij zijn beschermende kleren uit en liet ze op de stoel van zijn sneeuwscooter vallen. Nadat hij zich helemaal had uitgekleed, ging hij op de treeplank staan, strekte zich uit, dimde de gloed van de dashboardverlichting en zette het voertuig in beweging. Vervolgens stapte hij van de sneeuwscooter af en zag de machine bonkend en glijdend over het ijs wegrijden, stuurloos over een bevroren zee.

In een oogwenk was de sneeuwscooter in een schim veranderd en verdween vervolgens stilletjes in het halfduister. Terwijl hij naar de plaats keek waar de machine uit het zicht was verdwenen, had hij het gevoel of hij in een ijskoude zee overboord was geslagen. Naakt ging Kossuth kalm in de door de wind opgehoopte sneeuw zitten en overwoog de mogelijkheden die hem openstonden.

Zonder beschermende kleren of de geïsoleerde overlevingshoes waren de opties beperkt. Misschien kon hij met zijn handen een hol uitgraven in de sneeuw, maar hij had geen gereedschap bij zich, noch een warmtebron, als je zijn blote lijf buiten beschouwing liet. Het isolerende effect van de sneeuw maakte de kou misschien minder bedreigend, maar het uitstel zou in het gunstigste geval van tijdelijke aard zijn. Hij besloot die inspanning te laten varen. Hij wilde zichzelf niet afleiden met futiele handelingen, en koos ervoor alert en bewust te blijven.

Hij had herinneringen en nostalgische gevoelens verwacht, maar de bijtende kou maakte zijn geest leeg. Zijn gezicht verstijfde, vertoonde bevriezingsverschijnselen, en zijn vingers verstramden.

Zijn bovenlijf en armspieren, merkte hij, begonnen te schokken in een poging zijn metabolisme te verhogen en warmte te genereren. Hij rilde ongecontroleerd. Ondanks het feit dat hij beefde, ademde hij zo regelmatig mogelijk. Wat voor een bericht zou hij voor hen achter kunnen laten alvorens zijn geestelijke vermogens het lieten afweten? Terwijl hij zijn hand door de losse sneeuwvlokken omhoog bracht, liet hij de ijskristallen tussen zijn verdoofde vingers door glijden; een prachtige pluim. Zand, dacht hij. Warm zand, waarbij hij zijn lichaam aanspoorde de ijzige eenvoud te negeren. Maar de snijdende kou dacht daar anders over en ging haar eigen weg.

Het linkerglas van zijn bril barstte en viel uit het montuur; de plastic brillenarmen lieten los en gleden weg.

Zijn naakte huid was verstoken van kleur. De perifere bloedvaten waren afgesloten om de overgebleven warmte te bewaren voor de vitale organen. Hij concentreerde zich op de bruine vetcellen tussen zijn schouderbladen en rondom zijn nieren – waar de meeste lichaamswarmte werd gegenereerd – en probeerde zijn gedachten te fixeren op hun activiteiten.

Was hun overlevingstraining maar niet zo gedetailleerd en expressief van opzet geweest: de manier waarop zich in het lichaamsvocht ijs vormde, waarbij de cellen gedehydreerd en samengedrukt werden, waardoor de elektrolytenbalans werd verstoord, en het ijs dat de celwanden verwoestte terwijl het zich een weg baande naar binnen – of naar buiten.

Kossuth wilde de ijspegels om zijn mond wegvegen. Hij kreeg dat echter niet voor elkaar. Zijn armen klampten zich vast aan zijn borstkas en weigerden die positie prijs te geven. Hij rilde niet langer. Zijn huid zag rood. Het bloed werd door zijn lichaam gepompt in een laatste poging te ontsnappen aan de binnendringende vrieskou; een wedloop op leven en dood vond in zijn aderen plaats, maar er moest steeds meer terrein worden prijsgegeven. Verzwakt keek hij omhoog naar het uitspansel en probeerde zichzelf te vervullen van de verstilde, hem omgevende schoonheid.

De fotonemissies waren wonderlijk – een pulserend omhullend web in roze, groen en wit; een indrukwekkend, deinend dradenlaken. Was hij aan het hallucineren? Zo ver noordelijk verscheen dit fenomeen nooit. Violette slierten schoten als bliksems door de lucht. Magnetosferische elektronen stroomden de hoogte in, raakten de bovenste atmosfeerlagen en exciteerden de gassen en deeltjes, waardoor de stikstof stralend blauw werd en de zuurstof erboven geelgroen. Hij probeerde zich de wiskundige vergelijking van het deeltjestraject tijdens elke tijdsfase te herinneren, maar dat lukte hem niet. Hele gebieden van zijn bewustzijn waren weggevallen.

Ergens in zijn lichaam, een plaats die hij niet kon duiden, voelde hij een snerpende pijn. In een poging de pijn onder controle te houden hield hij zijn adem in. Wanneer de hypothermie voldoende had ingezet, zou een beroerte hem wellicht voor verdere kwellingen behoeden. Hij boog zich naar voren en kreeg het voor elkaar een voet vrij te maken. Half geknield probeerde Kossuth overeind te komen.

Op dat moment had hij geen gevoel meer in zijn lichaam. Hij vroeg zich af waarom dat zo plotseling was gebeurd. Opeens dacht hij het te begrijpen. Aangezien zijn lichaamsvocht was bevroren, had hij door te gaan staan wellicht zijn ruggengraat gebroken.

2

Jessie Hanley schermde haar ogen af tegen het heiige Californische zonlicht en keek toe terwijl haar zoontje over het strand rende, waarbij hij de zeevogels bij zijn aasemmer wegjoeg door woeste ninjasprongen te maken. Ze zocht in haar handtas naar een stiekeme sigaret, in de overtuiging dat hij zich te ver weg bevond en het te druk had met slag leveren tegen de meeuwen om het te merken. Ze stak de sigaret aan, ademde diep in en blies de rook uit. Zijn blijdschap zorgde ervoor dat ze aan de zomeravond tijdens zijn laatste bezoek moest denken. Hij had toen gespeeld tussen de kuit schietende grunions langs het strand van Malibu en rondgesprongen in het water om de onrustige vissen op te scheppen; zijn lichtbruine ogen glinsterden van verwondering.

Door naar Joey te kijken zag ze de jongensversie van haar eigen gezicht. Hoge jukbeenderen, diepliggende lichtbruine ogen en een forse kin, wat gunstig was om de slagen van het leven te kunnen incasseren. Haar neus was ooit smal en ietwat gebogen geweest, zoals die van hem. Maar hij was een keer gebroken geweest ten gevolge van een klap van een surf- plank, en de artsen hadden een neus herschapen die te perfect was, een die totaal niet voor haar gezicht bedoeld was. Een die eruitzag alsof hij per ongeluk aan haar gezicht was geplakt.

Haar zoon was slungelachtig, net als haar oudste broer en zijzelf, maar hun sluike muisbruine haar was hem bespaard gebleven. Zijn haardos was krullerig en vuurrood, compleet met bijpassende sproeten. Vanaf het moment dat hij geboren werd, had ze van zijn haar gehouden. 'Hij ziet eruit als een Ierse setter die te lang in de regen heeft gestaan,' had ze duizelig van de inspanning gezegd. De kraamverpleegster had erom ge- lachen, maar haar ex niet. Hij had haar verwarrende gevoel voor humor nooit weten te waarderen.

Hanley zuchtte en nam een laatste trek aan haar sigaret. Dit lange weekend – het had langdurige onderhandelingen met haar ex vereist – was bij lange na niet lang genoeg. Ze had nog maar twee dagen die ze met haar zoontje kon besteden, waarna ze hem pas weer tijdens de kerstvakantie zou zien. Verdomme. Waarom hadden ze hun zaakjes niet fatsoenlijk kunnen regelen, omwille van Joey? Haar ex was echter voort- durend boos geweest door de onevenredige eisen die haar baan aan haar stelde, en hij verweet haar dat ze haar werk belangrijker vond dan het gezinsleven. Hij had niet helemaal ongelijk gehad. De beschuldi- ging klonk zeker waarheidsgetrouwer toen hun huwelijk op de klippen liep.

'Het is erg genoeg dat jouw met drugs doorspekte studentenjaren er de oorzaak van zijn dat je in de Verenigde Staten geen medicijnen kon stu- deren. Het is erg genoeg dat jij een studie aan een tweederangs school in het buitenland moest betalen door te gaan werken als mortuariumassis- tente. Maar nu heb jij je bul. Je hoeft je niet meer met dat bizarre gedoe bezig te houden.' Hij kon maar niet begrijpen waarom ze nog steeds midden in de Nevadawoestijn op haar knieën zat en pestvlooien van kar- kassen schraapte, of waarom ze onderzoek deed naar het feit dat zwarte vrouwen in Mississippi een verhoogd risico op borstkanker liepen, of waarom ze door de Susquehanna River waadde die geteisterd werd door de blauwe vleesvlieg. Het maakte niet uit dat ze haar diploma op een tweederangs school had gehaald. Die bul had haar hoe dan ook van een professioneel honorarium met zes cijfers moeten voorzien, in plaats van dat waardeloze overheidssalaris dat ze nu had. 'Je had voor Pfizer kunnen werken, eersteklas kunnen reizen en rijk kunnen worden met het speculeren met aandelen Viagra.'

Een eindeloze litanie. Het was niet veilig om in de Rocky Mountains teken achterna te zitten, of gemuteerde kikkers in Minnesota, of om onderzoek te doen naar de kerkhofkoorts in Indiana, of naar geïnfecteerde muizen in de reservaten in Utah, of om rond te kruipen in de aircoschachten van hotels in Florida terwijl je op zoek was naar god weet wat voor insecten, of om oude koeienstront langs veepaden op te graven terwijl je naar miltvuursporen zocht die door een of andere mafkees waren verzameld en naar de Belastingdienst verstuurd – samen met de mest.

Hun verkering was een schitterende tijd geweest. Destijds bewonderde hij haar onderzoekende, nieuwsgierige aard. En zij dacht dat ze de gozer had gevonden die datgene wat ze wilde gaan doen, wat ze wilde zijn, aankon en die er geen probleem mee had dat ze zich omgaf met eclectische rotzooi. Maar toen ze eenmaal getrouwd waren, was de nieuwigheid er snel van af. En het verdween zonder een spoor achter te laten nadat Joey was geboren. Haar man was van een drugsminnende student Engels in een professorale zeikerd veranderd.

'Wat moet Joey wel niet denken wanneer zijn tweeënveertigjarige moeder de garage vult met in glazen houders opgesloten kolonies van Australische vleesetende mieren, bladmieren uit Costa Rica, voorraadmieren uit Arizona, en prairiehonden, koldermuizen en gemuteerde cavia's in formaldehyde?' Hij specificeerde de talloze verschrikkingen, de levende en de dode, in hun kooien, flessen en dozen.

'Ik ben bang om een la open te trekken. Het gaat er niet alleen om dat ze een onverbeterlijke sloddervos is,' legde hij nauwgezet en ijverig uit aan de scheidingsbemiddelaar. 'Ik heb het gevoel dat ik bij een necrofiele vrouw woon!'

Jij weet daar alles van, dacht ze terwijl ze naar zijn laster luisterde. Ze besloot echter om de bemiddelaar de details aangaande hun verre van inspirerende seksleven te besparen. Wijselijk hield ze voor de verandering eens haar mond.

Jarenlange tirades over haar gebreken en de periodes dat ze niet thuis was hadden de rancune zo diep in hun huwelijk ingebed, dat zelfs hun boosaardige scheiding geen verlichting bracht. De voortgang tijdens dat proces bood hun alleen maar de gelegenheid hun verbolgenheid verder uit te spinnen. Alleen Joey hadden ze gespaard en een veilige haven geboden. Het pleitte voor hen dat ze hun kind niet gebruikten als boodschapper voor hun beschuldigingen jegens elkaar. Niettemin was de scheiding er de oorzaak van dat de jongen op school maanden achteropraakte, met name wat lezen betrof, waar hij altijd al moeite mee had gehad. Vanwege Joey's leerproblemen had ze ermee ingestemd dat hij bij zijn vader in Berkeley bleef, waar het schoolhoofd een speciaal programma aanbood dat bij jongens als hij voor wonderbaarlijke resultaten zorgde. In elk geval had zij het probleem op die manier gerationaliseerd, en zo had zijn vader het idee bij hem aan de man gebracht. De waarheid was gecompliceerder. Hoewel ze zielsveel van Joey hield, twijfelde ze nog steeds of ze vanbinnen voldoende geprogrammeerd was voor het moederschap. Zij had daar vroeger als ontvangende partij geen ervaring mee gehad, en nu wist ze niet zeker hoe ze met het moederschap moest omgaan.

Hanley ging staan en sloeg het zand van haar katoenen sporttrui en korte broek, waarna ze door de branding slenterde die schuimend en golvend over het strand schoof. Een grote golf dwong haar achterwaarts terug het strand op. De geur en smaak van de oceaan maakten haar hongerig.

Ver weg op het strand zwaaide Joey opgewonden en riep naar haar. De enorme hengel om vanaf het strand mee te vissen was in het zand gezet en maakte een indrukwekkende boog. De jongen had beet! Hanley joelde. Ze sprintte door het schuim van de branding naar hem toe. Tegen de tijd dat ze bij hem was gearriveerd, stond de hengel echter weer kaarsrecht. Joey keek chagrijnig.

'De lijn is gebroken, mam.'

Hanley nam hem in haar armen. 'Dat moet dan wel een walvis zijn geweest. Tjonge! Hé, daar hoef je je niet voor te schamen, hoor. Het wordt trouwens kil. Zullen we naar de Marina del Rey rijden en een groenteburger als lunch gaan eten?'

'Alsjeblieft, alsjeblieft, mag ik een gewone hamburger hebben? Die pepers zijn verschrikkelijk lekker.' Hij trok een gezicht.

'Inderdaad, heel *verschrikkelijk*,' plaagde ze en trok ook een gezicht. 'Wat zou je denken van een kalkoenburger als compromis?' Het was niet nodig hem bang te maken voor BSE. Ze vond het niet nodig om het risico van een besmetting te nemen wanneer haar eigen zoon in het geding was.

'Ja, prima... die zijn wel oké.'

Na de scheiding was er veel voor nodig geweest om hem te troosten, en voor moeder en zoon om de band weer aan te halen. Ze maakte zich zorgen over het feit dat ze hem om de paar maanden verwende en dat dat misschien de enige manier was om zich ervan te verzekeren dat ze in zijn leven zou blijven.

Ze pakten hun spullen en de hengeluitrusting en sjokten vervolgens naar de oude pick-up die in de berm van de Pacific Coast Highway geparkeerd stond. Tijdens het laatste reisje hadden ze HANLEY & SON op de portieren geschilderd, een klus die ze had bedacht om Joey geïnteresseerd te krijgen in kalligrafie, net als de wedstrijdjes die ze had georganiseerd met betrekking tot het lezen van kentekenplaten, bumperstickers, reclame- en verkeersborden – alles om Joey gedurende de paar weken dat ze hem elk jaar bij zich had te trainen in zijn leesvaardigheden. Hanley gooide hun tas en de hengels in de open laadbak en stapte barrevoets in de cabine. Joey klom aan de andere kant in de auto en nestelde zich naast zijn moeder.

'Mam, wat kunnen we allemaal met deze bestelwagen gaan doen?'

'De wereld ligt aan je voeten.' Hanley pakte haar zonnebril die op het dashboard lag. 'Enig idee?'

De motor sloeg aan en ze begaven zich zuidwaarts in de richting van het kustplaatsje Del Rey.

'Tjonge, de auto glimt wel, al is het een hoop oud ijzer. Hoe heet dat spul dat we daarvoor gebruikt hebben?' Joey knipperde met zijn ogen door het weerkaatsende licht. 'Misschien zouden we dat goedje kunnen verkopen.'

'Een decoratief glansmiddel, gemaakt van diatomeeën.'

'Diato... wat?'

Hanley glimlachte. 'Kiezelwier. Een piepkleine plantensoort met siliciumdioxide in de celwanden. In dit geval gefossiliseerde.' Ze wees naar de weg. 'Zie je de middenstreep? Zoals die glinstert?'

'Ja.'

'Het zit ook in die verf. Vandaar dat de streep oplicht wanneer er 's avonds licht op schijnt. Dat doen diatomeeën. Sommige geven zelfs daadwerkelijk licht af.'

'Zoals de spullen in mijn chemiedoos? De dingen die je mij hebt laten zien?'

'Precies. De fluorescerende emulsies. Heel goed.' Vluchtig keek ze haar tienjarige zoon aan. 'Je hebt een goed geheugen.'

'Ja, behalve als het om de spelling gaat.' Joey keek terneergeslagen.

'Straks gaan we samen een potje huilen,' zei Hanley. De ochtendmist trok op. 'Luister, schat... je moet voorkomen dat je er verdrietig van wordt. Het gaat er alleen maar om waarop de nadruk wordt gelegd. Het denkvermogen van de meeste mensen is op een bepaalde manier georganiseerd. De hersenen van jou zijn veel origineler aangelegd, anders geordend. Daarom ben jij zo goed in wiskunde. Maar bepaalde dingen, zoals woorden, zie jij nu eenmaal in een andere...'

'Volgorde.'

'Precies. Dat betekent niet dat je niet slim bent. Ik meen echt wat ik zeg. Ik ben degene die alles weet over hoe je de school aan je laars lapt. Jij doet echter je best en haalt goede cijfers. Alleen is jouw denkwereld niet synchroon afgestemd op die van je klasgenoten. Hé, het komt vanzelf goed. Het zit in je genen. Uiteindelijk bereik je gegarandeerd een fase waarin alles zich schikt.' Ze veegde het haar uit haar gezicht. 'Veel mensen met dyslexie... mensen die anders lezen... worden later verbazingwekkend getalenteerde fysici of architecten. In hun hoofd zien ze de dingen driedimensionaal. Luister je?'

Joey zweeg. Hij was afgeleid en keek aandachtig naar het strand en de olietankers die voor de kust voeren.

Ze reikte naar hem en trok de jongen tegen zich aan.

Koken met Joey. Jessie maakte er een spelletje van. Hij was graag bezig met het omrekenen van een recept van zes naar twee personen, en zij bracht er wat leesvoer in aan door hem de benodigde kruiden te laten brengen of door hem ingrediënten hardop te laten voorlezen. Hij was dol op haar geroosterde 'kip' van tofoe en zijn recept voor bananen-en-peren-Jell-O was een onverwacht genoegen. Uitgeput door de lange dag die ze samen hadden doorgebracht, ging Joey vroeg naar bed. Toen Hanley haar avondpillen op een rijtje legde, en de kruiden en vitaminen – hun ochtenddoses – klaarlegde, kreeg ze een telefoontje van haar baas, Lester Munson. Hij droeg haar op zo snel mogelijk aanwezig te zijn bij een vergadering, het ging om een noodsituatie.

Ze hing op en begaf zich naar haar computer om een blik te werpen op de gegevens die Munson haar had verstuurd. De drie slachtoffers kenmerkten zich alleen door het geslacht en een letter: de slachtoffers A en C waren van het mannelijk geslacht, slachtoffer B was een vrouw. Het onderzoek van de weinige resterende rode bloedcellen was opmerkelijk te noemen. Het longweefsel was al bijna even eigenaardig, hoewel de monsters niet gemakkelijk te onderzoeken waren als gevolg van de satelliettransmissies. Niettemin kon ze zien dat de passages van de mond naar de bronchioli verkalkt waren. Het normaliter beweeglijke kraakbeen was hard en broos geworden. De longblaasjes en alveolaire buisjes waren beschadigd, de slijmvliezen en ademhalingsspieren geatrofieerd. Alleen al dat weefselverlies zou fataal zijn geweest, zeker in het extreme klimaat waarin deze mensen hadden gewerkt.

Hanley kon zich niet herinneren dat ze zoiets al eens eerder onder ogen had gekregen. De staat waarin het weefsel verkeerde was verschrikkelijk en tegelijk zeer fascinerend. Wat had deze ravage aangericht? Betrof het een bedrijfsongeval? Waarmee waren ze op die ijsschotsen mogelijk aan het werk gegaan, met als gevolg deze weefselschade?

Hanley nam haar portie pillen in een keer in haar mond en spoelde alles weg met vers kweekgrassap, waarna ze even ging kijken of Joey al sliep.

'Ik vrees dat ze me nodig hebben op het centrum. Ik heb mevrouw Feliz al gebeld. Zij komt op mijn favoriete zoon passen.'

'Je enige zoon, mam.'

Hanley trok een gezicht. 'Weet je dat zeker? Ik blijf last houden van die flashbacks. Iets over een ontvoering door buitenaardse wezens.'

Joey joelde. Hij was een grote fan van X-*files* en dit was zijn favoriete grap.

'Rond middernacht ben ik weer terug. Ga jij nou maar slapen.'

Joey frunnikte aan het geplastificeerde identificatiekaartje dat aan de zak van haar werkoverhemd was vastgeklemd. 'Zijn jij en dr. Ruff nog steeds boos op elkaar?'

'Boos op elkaar? Op Roughage? Nee. We zijn goede vrienden.'

'Echt waar?'

'Niet echt, nee, maar op een dag maken we het weer goed.' Hanley boog zich naar voren en gaf hem een nachtzoen. 'Droom lekker, wonderkind.'

'Doe ik,' mompelde hij, waarna hij het licht uitdeed. Zijn ogen waren al dicht.

3

Een zestal leidinggevende stafleden zat rond een vergadertafel. Langs de muren hadden de ondergeschikte collega's op tweedehands sofa's, leunstoelen en gebietste klaslokaalstoelen plaatsgenomen – het decor van het Infectious Diseases Center. Zij waren hier om te observeren, om hun mond te houden en te leren.

Aan tafel sloeg een golf opwinding toe op het moment dat een reeks beelden via de aan de satelliet gekoppelde computer naar hun laptops en de hoog aan de wand aangebrachte monitors werd verstuurd. Door de deur arriveerde nog meer materiaal, aangedragen door assistenten en in de vorm van vellen papier, uitgedeeld aan de verzamelde stafleden. Lester Munson, directeur van de afdeling Besmettelijke Ziekten, stak zijn handen omhoog om de aanwezigen tot stilte te manen.

'Goed. Bedankt dat jullie zo snel zijn gekomen. We zijn om advies en expertise gevraagd en ik heb goede hoop dat we enkele nuttige inzichten kunnen bieden. Jullie zijn allemaal in de gelegenheid gesteld om je in de materie betreffende deze drie gevallen te verdiepen. Tot nu toe komt het allemaal heel uniek op me over. Uitdagend, om het maar eens zwak uit te drukken. In deze zaak zullen we onze deskundigheid moeten bundelen. De lui van poolstation Trudeau zullen vanavond veel beter slapen wanneer we ze kunnen vertellen wat er bij hen aan de hand is. Heeft iemand een idee? Zullen we eens gaan brainstormen? De eerste indrukken, graag.'

'Wauw,' mompelde Hanley tegen Cybil Weingart, die naast haar zat. 'Het paranormale vragenuurtje. Heb je een probleem? Leg het voor aan juffrouw Cleo. De eerste drie, eh, minuten van je belletje, eh, zijn eh, gratis.'

'Het ligt voor de hand dat een giftige stof als de meest waarschijnlijke oorzaak mag worden gezien,' zei Cybil. 'Dat zou verklaren waarom ze op dezelfde manier en zo snel zijn overleden. De aangerichte schade in het longbereik suggereert dat ze iets hebben ingeademd... dus geen maag-darmprobleem.'

'Goed,' zei Munson. 'Laten we daar in eerste instantie vanuit gaan.'

'Nog iets wat mij aan inhalering doet denken... de verwrongen lichamen. Ze lijken op zenuwgasslachtoffers, op Koerden die door Saddam met behulp van Sarin zijn gevriesdroogd. Zenuwgas tast ook meteen de ogen aan; een van de favoriete manieren om het lichaam binnen te dringen.'

'Pardon,' zei Henry Ruff. Zijn gezichtsuitdrukking straalde afkeuring uit. 'Gevriesdroogd?'

'Ja.' Cybil stak haar handen stram voor zich uit, een ijselijke pantomime. 'Je weet wel, ze waren versteend... spasme.'

'Oké, we richten ons op een soort ingeademde toxine. Mike, jij houd je bezig met bedrijfsgeneeskunde,' zei Munson met vooruitgestoken kin. 'Enig idee waarmee we ons wellicht geconfronteerd zien?'

Mike Petterson had zijn gespierde benen op tafel gelegd. Hij had nog steeds zijn zeilkleren en dekschoenen aan. Hij was linea recta van zijn woonboot in de jachthaven hierheen gegaan. 'Misschien kunnen ze hun aandacht eens gaan richten op de krachtcentrale van het poolstation, en op de draagbare elektrische energiebronnen, en op het voertuigonderhoud. Zo'n poolstation gebruikt ongetwijfeld exotische metalen en katalysators om schone energie te produceren, toch?'

'Ongetwijfeld,' zei Munson. Hij opende de poten van zijn leesbril om de papieren te bekijken waarop de inventaris van de poolbasis was vermeld. 'Zilver, cadmium, chroom, kwik.'

Petterson knikte. 'Stuk voor stuk dodelijke stoffen. Stel dat de drie slachtoffers in contact zijn gekomen met een van die metalen, in combinatie met laten we zeggen verdampte zuren?'

'Je bedoelt dimethylsulfide en soortgelijke stoffen?' vroeg Munson. 'In voldoende hoge concentraties zou dat spul ernstige verbranding en necrose van mond, ogen en longen veroorzaken.'

Petterson knikte. 'Convulsies, delirium, coma.'

'Oké,' zei Munson. Hij gaf een teken aan zijn jongste medewerker, die plichtsgetrouw *ingeademde toxines/chemicaliën, metalen* op het bord schreef.

Henry Ruff, half omgedraaid naar de jongere personeelsleden die zich achter in het vertrek bevonden, zei op een schoolse toon: 'Als metalen de oorzaak zijn, zijn er misschien sporen van die stoffen in de vingernagels te vinden.'

Hanley hing in de stoel naast Cybil en bekeek Ruff, die er glorieus professoraal bij zat. Zoals altijd was hij smetteloos gekleed in een onberispelijke laboratoriumjas over een geperste kakibroek en een wit, gesteven overhemd met een gele vlinderdas.

'Ze zijn erg snel overleden, Henry. Ik betwijfel of ook maar iets de tijd heeft gekregen om bij hun vingernagels te komen.'

Zij en Ruff hadden nooit goed met elkaar kunnen opschieten. Ruff liet er geen twijfel over bestaan dat hij haar veelbewogen academische carrière afkeurde, en zijn superieure houding kon haar gestolen worden. Ze draaide haar honkbalpetje naar voren, waarna ze haar gevlochten paardenstaart door het gat boven de plastic klikbandje haalde, waardoor het haar er aan de achterkant uitstak. De voorzijde van het verbleekte honkbalpetje was voorzien van een geborduurde banaan, de mascotte van de universiteit waar ze gestudeerd had, de U.C. Santa Cruz. 'Die banaan is toevallig het staatsembleem van Californië,' zei ze altijd tegen iedereen die ernaar vroeg. Haar door de zon gebruinde huid vormde haar enige make-up en toch zag ze eruit als een adolescent, ondanks het feit dat ze de veertig al gepasseerd was.

Cybil Weingart blies rook uit een mondhoek en keek op van haar notities. Zij en Hanley waren de enige leidinggevende vrouwelijke stafleden in de kamer, en Cybil was de enige die het zich kon permitteren om in aanwezigheid van Munson te roken zonder daarop afgerekend te worden. Ze wendde zich tot Petterson. 'Wil je daarmee zeggen dat een zeer krachtig chemisch reagens de oorzaak kan zijn van de schade aan longen, ogen en ander weefsel?'

'Precies,' antwoordde Petterson. 'Er is bijvoorbeeld iets misgegaan met hun voertuig. Dat zou best kunnen.' Hij keek naar zijn notities. 'Of in hun "poolpakken voor extreme klimaatomstandigheden". Kortsluiting in de bedrading, met als gevolg warmtestuwing en een soort smeulende verbranding? Uiteraard ben ik maar aan het gissen. Zeker is dat de snelheid waarmee dat fatale ongeluk heeft plaatsgevonden een dergelijk scenario suggereert... een trage chemische reactie met als resultaat uitzonderlijk bijtende dampen.'

'Klinkt aannemelijk.' Munson knikte.

De lichaamstaal van Cybil maakte duidelijk dat zij nog niet bepaald overtuigd was, maar ze zei dat niet hardop. Met half dichtgeknepen ogen tuurde ze naar een röntgenfoto die zonet was gedownload. 'Waarom zien die er zo raar uit? Een transmissieprobleem?'

Munson zei: 'Misschien zien ze er zo vreemd uit omdat ze met het röntgenapparaat van een tandarts zijn gemaakt.'

'Is dat een grapje?'

'Nee. Hun draagbare röntgenapparaat heeft er de brui aan gegeven, waardoor de tandarts van het poolstation snel iets in elkaar heeft geknutseld.'

'Slimme tandarts.'

Het gesprek stokte op het moment dat er opnieuw gegevens werden gedownload. Iedereen zag het gebeuren op hun laptops of keek ernaar op de grote monitors die aan het plafond aan de voorzijde van het vertrek waren gemonteerd. Hanley geeuwde – ze was moe van het strand-uitje met haar zoon – en keek vervolgens aandachtig naar het nieuwe materiaal.

'Excuseer,' zei ze. 'Hier staat dat ze op een plaats bij open water aan het werk waren. Stel dat ze schelpdieren hebben aangetroffen, waarna ze besloten die als aanvulling van hun gevriesdroogde campingvoedsel te beschouwen? Iedereen zou dat doen... als je die troep eet, lijkt het of je met zaagsel vermengd plaksel aan het verorberen bent. Als ze schelpdieren hebben gegeten, waren ze misschien geïnfecteerd. *Fusarium?* Sommige *Fusarium*-schimmelstammen zijn binnen vierentwintig uur dodelijk als je ze met het eten binnenkrijgt. En *Fusarium* is absoluut zeker in de poolgebieden te vinden.'

Munson liet zijn assistent *schelpdieren* en *Fusarium* op het bord schrijven. Kim Ishikawa stak zijn hand op timide wijze omhoog.

'Zou je, conform het idee van Jessie, kunnen denken aan schelpdier-vergiftiging met verlammingsverschijnselen?' zei hij. 'Rood getij? Je zou daar last van kunnen krijgen na het eten van Alaskaanse oesters. Saxitoxine. Het fytoplankton dat door oesters wordt gegeten, produceert die stoffen. Zo is het toch, Cybil?'

Cybil Weingart knikte. 'Volgens de meest recente theorie worden saxitoxines geproduceerd door bacteriën die zich in het plankton bevinden. Het probleem is dat ze in laboratoriumomstandigheden die bacterie wel zover kunnen krijgen dat ze dat toxine gaat aanmaken, maar dat de hoeveelheden zeer bescheiden van omvang zijn. Volgens de theorie van een laboratorium heeft de bacterie die toxine aangemaakt en die vaardigheid vervolgens overgedragen aan het plankton door middel van wat men "transkoninkrijkvoortplanting" noemt.'

'Transkoninkrijkseks? Goeie genade, stel je de pornomogelijkheden eens voor!' zei Hanley luid. 'Daar zou Catharina de Grote nog een puntje aan kunnen zuigen!'

Iedereen in het vertrek schaterde van het lachen. Munson maakte een gebaar dat ze stil moesten zijn, waarna Cybil verder kon gaan met haar verhaal. 'Nou ja, welk wezen die gifstoffen ook aanmaakt, de weekdieren vormen de gastheer waarin die stoffen zich cumulatief ophopen; sommige ervan herschikken de toxinestructuur zelfs en maken de gifstoffen krachtiger. Het gaat niet alleen om oesters, ook om veel andere twee-kleppige dieren, waaronder mosselen en sint-jakobsschelpen. In feite alle weekdieren die hun voedsel door middel van filtering in zich opnemen. De gifstoffen richten daarbij geen schade aan, en hoe meer ze eten hoe meer toxines ze in zich opnemen. Deze gifstoffen kunnen jarenlang in de gastheer verblijven. Een effectieve verdediging tegen roofdieren. Sommige grotere schelpdieren eten tweekleppigen, compleet met de gifstoffen, en ondervinden er geen nadelige gevolgen van. Maar zodra de mens die eet... bingo. Verlammingsverschijnselen, verzwakking, ademhalings-problemen, een algemene slechte spiercoördinatie in armen, nek en benen. Verder duizeligheid, tijdelijke blindheid, onsamenhangende spraak en altijd maar weer die convulsies. Doorgaans zijn de gevolgen niet dodelijk. Maar als het saxitoxine een fatale uitwerking heeft, kan het binnen enkele uren met je gebeurd zijn. De borstkaspieren raken verlamd en de ademhaling stopt.'

'Goeie beurt,' zei Munson. 'Dit profiel past bij veel zaken die hier de revue passeren. Saxitoxine. Waarom klinkt dat zo vertrouwd?'

'Omdat,' zei Cybil, 'saxitoxine als biologisch wapen altijd hoog op de hitparade heeft gestaan. Als je het soortelijk gewicht in aanmerking neemt, is saxitoxine duizend keer giftiger dan cyanide. En zes keer giftiger in combinatie met zuur... zoals dat in de maag voorkomt. In zijn U2-spionagevliegtuig had Gary Powers zelfmoordcapsules bij zich waarin saxitoxine zat. Nixon heeft verklaard dat onze voorraden zijn vernietigd. Enkele jaren geleden gaf de CIA echter toe dat ze nog steeds wat van dat spul tot hun beschikking hebben. Naar verluidt hebben ze bepaalde hoeveelheden van die voorraad naar onderzoekscentra verstuurd. Het moet dus voor ons mogelijk zijn wat van die testmonsters in handen te krijgen.'

'Veel succes,' mompelde Hanley.

Munson leunde naar achteren in zijn stoel. 'Ik zal wat telefoontjes gaan plegen.'

'Weet je,' zei Hanley, 'ik lees vaak dat verontreinigende stoffen in het water een van de redenen vormen dat het rood getij in Zuid-Californië een toenemend probleem aan het worden is. Het betreft iets dat de voortplanting frustreert. Die beesten blijven de gifstoffen aanmaken, maar hebben geen kroost om die toxines aan door te geven. Ze worden dus stuk voor stuk giftiger. Ik vraag me af of de extreme kou hetzelfde effect kan hebben en de potentie van de toxines vergroot.'

'Je bedoelt dat de concentratie gifstoffen een dodelijk niveau bereikt?' vroeg Munson. 'Goeie vraag. Kim, zou jij je daar eens in kunnen verdiepen?'

Ishikawa knikte.

'Nu we toch over de krachtigste toxines in de natuur nadenken,' ging

Cybil door, 'moeten we ook het tetrodontoxine in de kogelvis in over-weging nemen... die vis waar de Japanse gourmets zo dol op zijn.' Ze wendde zich tot Ishikawa. 'Hoe noemen ze dat gerecht ook alweer, Ishi?'

'Fugu.'

'Fugu. In Japan zijn speciale chef-koks die een vergunning hebben ge-kregen om de kogelvis zo te bereiden dat er net voldoende van het toxine in de vis blijft zitten om je wat van die opwinding te bezorgen. Natuur-lijk krijgen elk jaar een paar verkwisters meer dan waarvoor ze betaald hebben, waarna ze het loodje leggen.'

'Wat zijn de symptomen als het tetrodontoxine betreft?' vroeg Mun-son.

'Verdoofd gevoel, zwakte, snelle bloeddrukdaling, verlamming van le-dematen en borstspieren.'

'Maar zijn er zover noordelijk wel tetrodontidae?'

'Dat zoek ik uit,' zei Ishikawa enthousiast. Hij maakte een aanteke-ning.

Ruff wendde zich tot Cybil Weingart. 'Om al datgene wat besproken is op poolstation Trudeau te testen, vereist een monster van hetgeen ze hebben gegeten en een dierproef met een muis. Natuurlijk staat die me-thode bloot aan veel valse positieve uitkomsten, maar meer kunnen ze waarschijnlijk niet doen met de middelen die ze in een researchbasis in de woestenij tot hun beschikking hebben.'

Geërgerd schudde Hanley haar hoofd. Ruff probeerde indruk te ma-ken door Cybil in aanwezigheid van de stagiaires te beleren alsof zij niet al wist wat hij haar vertelde. Zelden deed hij dat bij zijn mannelijke col-lega's, maar zij en Cybil waren gedurende elke vergadering minstens één keer het slachtoffer. Door hun leeftijdsverschil maakte Cybil er zich met een spottend lachje van af, maar Hanley had niet zoveel geduld. Henry Ruff mocht dan wel een serie Ivy-bullen en manchetknopen van Phi Beta Kappa hebben, zij had een verdomd imposant curriculum vitae waar hij zich goed van bewust was.

Enkele jaren geleden hadden ze ruziegemaakt tijdens een onderzoek naar gifstoffen in een kantoor van een politiecommissaris in Los An-geles. Hun wederzijdse minachting was in de openbaarheid gekomen. Munson had ieder apart genomen en hen op hun nummer gezet, waar-na ze onwillig akkoord waren gegaan met een wapenstilstand. Zo nu en dan moest Munson echter nog steeds tussenbeide komen, zoals de vader van ruziënde kinderen tijdens een uitzonderlijk lange autorit.

Munson stak zijn kin naar voren, waarna *saxitoxine* en *tetrodontoxine* deel gingen uitmaken van de lijst van mogelijke agentia. 'Iets aan toe te voegen, mensen? Stel dat de stoffen niet zijn ingeademd... of in het maag-darmstelsel zijn opgenomen, zoals Jessie suggereerde?'

'Normaliter zou ik ook de huid onderzoeken,' zei Cybil. 'Maar hun poolpakken en helmen staan er borg voor dat geen enkel stukje huid aan de lucht wordt blootgesteld, dus die mogelijkheid kunnen we uitsluiten.'

Ruff trok aan zijn manchetten en sloeg een ernstige toon aan. 'De lichamen zijn beslist op een aantal manieren verminkt,' zei hij. 'Ik zie echter geen verwijzing naar mogelijke maag-darmproblemen.' Hij keek Hanley met een vergenoegde blik aan. 'Om te beginnen is er geen braaksel waargenomen, en diarree al evenmin.' Hij plukte iets van zijn mouw. 'Bovendien zijn er geen bloedingen. Ze zijn dus niet doodgebloed. Dankzij deze gegevens kunnen we meteen veel dingen uitsluiten. Ik denk zelfs dat we verdorie een hele reeks mogelijke boosdoeners kunnen wegstrepen die in de noordpoolgebieden simpelweg niet zouden kunnen overleven.' Hij drukte een vinger tegen zijn lip. 'In feite ben ik sterk geneigd me af te vragen wat *überhaupt* in die extreme omstandigheden kan overleven. En dan die gedeformeerde bloedcellen,' vervolgde Ruff, waarbij hij zijn vingertoppen voor zijn gezicht tegen elkaar aan hield, zijn meest markante pose. 'Wat moeten we daarvan denken?'

'We zijn benieuwd,' mompelde Hanley.

De assistent van Munson liet een uitvergroting van de bloedcellen zien op de grote monitors. De weinige overgebleven rode bloedcellen waren vervormd door datgene wat erin was doorgedrongen en ze had laten scheuren.

Munson kneep zijn ogen halfdicht. 'Wat suggereer je daarmee, Henry?'

Enthousiast als een schoolmeisje stak Hanley haar hand op. Die indruk werd nog eens versterkt door haar versleten sportschoenen en haar blauwe werkshirt dat over haar olijfgroene korte broek hing. Munson knikte met gefronste wenkbrauwen en wantrouwig in haar richting. 'Dr. Hanley?'

'Een van de slachtoffers had de Russische nationaliteit, is het niet? Dr. Ruff wil dus misschien zeggen dat het hamer-en-sikkelcelanemie betreft.' Er klonk een afkeurend gegrom door het vertrek; een prop papier vloog naar haar toe.

'Wat een ongelooflijke... flauwekul!' riep Ruff geërgerd.

'Nu we het daar toch over hebben,' zei Hanley, plotseling bezield en zich tot Ruff wendend: 'Weet je wat onze prominente Nobelprijswinnaar wijlen dr. Linus Pauling over dat onderwerp heeft gezegd?'

Ruff was verontwaardigd. 'Over welk onderwerp?'

'Over flauwekul!' Hanley schreeuwde het woord er bijna uit. 'Hij zei dat ideeën de bullshit van de wetenschap vormen. En jij, dr. Ruff, zit beslist vol met...' Er werd hoorbaar naar adem gesnakt door de jongste medewerkers, '... ideeën.'

'Jessie!' riep Munson boos.

'Nou ja, hij heeft dat wel degelijk gezegd. Pauling...'

'Dat kan me geen moer schelen,' zei Munson terwijl hij over zijn neusrug wreef.

De jongste medewerkers grinnikten. Cybil Weingart liet haar blauwe ogen naar boven rollen en keek Hanley aan. 'Jij zou zelf ook wel een klysma kunnen gebruiken, meid.'

Er klonk gelach. Hanley veinsde dat ze zich gekwetst voelde, maar moest onwillekeurig toch ook lachen. Cybil was haar vriendin. Zij mocht haar plagen, zelfs als het ging om haar meer bizarre gezondheidspassies – en de tegenstrijdigheden op dat gebied. Cybil noemde haar graag het 'aan nicotine verslaafde' natuurmeisje. Hanley antwoordde dan vervolgens dat nicotine als medicinale plant een lange en kleurrijke geschiedenis heeft.

'Alsjeblieft, mensen,' zei Munson. 'Kunnen we ons nu weer op de minder pietluttige onderwerpen gaan richten? Ik heb twee vragen.' Munson stak twee vingers – een V – in de lucht. 'De eerste... hoe zijn ze overleden? De tweede... aangezien ze daar de komende vijf maanden vastzitten, rijst de vraag in hoeverre de honderden andere wetenschappers en personeelsleden de komende winter in gevaar zijn.' Hij liet zijn blik over de groep glijden die rond de tafel zat; zijn opgetrokken wenkbrauwen leken op vraagtekens.

'Hebben ze het vierde groepslid gevonden?' vroeg Kim Ishikawa. Het werd stil in de kamer. Iedereen hield zich weer bezig met de macabere realiteit, de reden van het feit dat ze zich in dit vertrek bevonden.

Munson keek vluchtig op naar zijn assistent, die vervolgens zijn hoofd schudde. 'Tot nu toe hebben we niets vernomen over zijn toestand,' zei Munson. Hij richtte zich weer tot de mensen die rond de tafel zaten. 'Goed. De dodelijke stof heeft hoogstens enkele uren nodig gehad. 's Ochtends leefden ze nog, tegen de middag werden ze vermist. En in de vroege namiddag werden ze dood aangetroffen. Drie mensen zijn vrijwel gelijktijdig overleden, met verminkte ogen en verwoest longweefsel.'

Jessie Hanley schudde kalm en ernstig haar hoofd. 'Mijn god, als dit een biologische kant heeft, waar moeten we dan in hemelsnaam beginnen? Volgens de binnengekomen gegevens werkten de leden van die groep niet eens samen op het poolstation. Alles wat ze gemeen hadden, was het feit dat ze gedurende enkele dagen op het kampement werkzaamheden uitvoerden. Als ze daar aan biologische stoffen waren blootgesteld, zou hun afweersysteem niet de tijd hebben gehad om antistoffen te vormen.'

'Er is iets dat ik niet begrijp,' zei Petterson. Zijn bleke oogleden staken schril af tegen de rest van zijn anderszins gebruinde gezicht. 'Waarom roepen ze niet de hulp in van de instanties in Atlanta? Is dit niet een noot die de federale dienst moet kraken voordat men het werk aan ons uitbesteedt?' Hij legde zijn gebruinde armen over elkaar. 'Het is allemaal zeer interessant en zo, maar hoe kunnen wij om advies worden gevraagd als zij nog niet op deze zaak zitten?'

Lester Munson snoof. 'Daar heb je gelijk in.' Een moment lang staarde hij naar de schoenzolen van Petterson. 'De Centers for Disease Control vormt de voor de hand liggende keuze betreffende dit onderzoek. In zoverre ik het begrijp is de CDC niet acceptabel voor de Canadian Royal Commisson die de verantwoordelijkheid heeft over poolstation Trudeau. Vergeet niet dat de Public Health Service een poot is van onze regering. De instantie maakt deel uit van Defensie. De Canadezen willen de CDC niet betrekken bij hun civiele basis. Wij zijn een particuliere non-profitorganisatie, net als het Arctic Research Station Trudeau. Vandaar dat wij, en niet Atlanta, zijn gevraagd door de Royal Commission.'

'Geweldig,' zei Petterson. 'Wij vormen dus slechts de politiek opportune oplossing.'

'Luister,' zei Munson, 'wij zijn door de NIAID gevraagd om te helpen bij het onderzoek. Het National Institute ondersteunt ons... ook met salarissen, anders zouden wij ons werk niet kunnen doen. Men wil dat wij dit aanpakken. Einde verhaal.'

Henry Ruff was echter niet op andere gedachten gebracht. 'We hebben het over een Canadees eiland, is het niet? En kennelijk ligt dat tamelijk gevoelig bij hen. Laat ze dus hun eigen zeer bekwame gezondheidsinstantie inschakelen. Die organisatie is ongetwijfeld veel vertrouwder met de arctische omstandigheden dan wij hier in zuidelijk Californië.' Hij schudde zijn hoofd. 'We zijn in het verleden ver van huis gegaan, maar dit is onredelijk. In hemelsnaam, wij zijn geen Canadese ambtenaren van de gezondheidsdienst en niet bepaald gespecialiseerd in de noordelijke poolgebieden. Ik sta in dit geval achter Mike.'

'Beste Henry.' Hoewel Lester Munson verzoeningsgezind klonk, voelde iedereen in het vertrek dat de spanning zich opbouwde. 'Wij zijn niet ingelicht betreffende hun afwegingen. Wel is zeker dat wij zijn gevraagd. Wij worden geacht assistentie te verlenen. We willen ons niet het ongenoegen van onze weldoeners op de hals halen, dat verzeker ik je. Vertrouw me in deze zaak, Henry.'

'Doe niet zo paternalistisch tegen me, Lester,' zei Ruff gepikeerd.

Doorgaans genoten deze twee heren van elkaars gekoesterde wrok, waarbij ze zich beiden strijdlustig opstelden en graag de confrontatie aangingen. Ditmaal liet Munson zich echter niet verleiden.

'Hoe het ook zij,' kwam Bernard Piker tussenbeide. Hij wees met de steel van zijn pijp naar Munson om zijn woorden te beklemtonen. 'We hebben nu een indruk gekregen hoe klein de naald in de hooiberg is. Heb jij, Lester, enig idee van de omvang van die bepaalde hooiberg?'

Piker zag eruit als een wetenschapper die door een castingbureau kon zijn gestuurd. Zijn borstelige wenkbrauwen leken op een bepaalde rupsensoort, zijn haar was ongekamd, compleet met een uitgegroeide baard, en zijn bril rustte op het puntje van zijn neus. Hij fronste zijn aanzienlijk hoge voorhoofd en vervolgde: 'We hebben het niet over een aantal meteorologen dat aan het kwartetten is in een poolhut en zo nu en dan een weerballon de lucht in laat. Ik heb die projecten van Trudeau gevolgd. Het betreft een basis van een miljard dollar. Daar werken enkelen van de briljantste wetenschappers die op deze wereld te vinden zijn. Geofysica, hydrologie...' Bij de opsomming van de disciplines gebruikte hij zijn vingers, '... mariene biologie, glaciologie, cryogene wetenschap, hydro-akoestiek, astronomie, meteorologie, klimatologische diagnostiek, coronagrafie. Goeie genade, zij hadden daar afgelopen jaar hun eigen inwonende artiest. Elk experiment dat je maar kunt bedenken wordt daar uitgevoerd, en de financiering betreft bedrijven- en regeringsfondsen. Het Arctic Research Station Trudeau heeft zelfs exotische levensvormen geïmporteerd voor vergelijkende studies... er zijn samenwerkingsverbanden met universiteiten en andere researchwinkels, van de NASA en de McGill University tot Polz Pharmaceuticals en de Universiteit van Moskou. Dit is de grootste hooiberg die je je maar kunt voorstellen.'

'Oké, goed,' zei Cybil. 'Misschien hebben ze in hun eigen laboratoria een nieuw virus of een bacterie losgelaten en zichzelf geïnfecteerd.'

'Ze zijn ongetwijfeld allemaal doodsbenauwd,' zei Piker terwijl hij aan zijn pijp, die niet aan was, zat te puffen. 'Een gerechtvaardigde angst, als je het mij vraagt. Ik bedoel, stel je eens voor dat zich dit opnieuw voordoet. Goeie genade. De federale dienst, de Canadezen... iedereen moet erbij betrokken worden, en snel ook. Als er iets dodelijks in hun laboratoria of uitrusting zit... iets van deze omvang... tjeses.'

'Heel goed, Bernie,' zei Munson, in de hoop dat Petterson en Ruff hem wat meer de vrije teugel lieten.

Piker legde zijn pijp neer. 'Verzeker me er tenminste van dat onze regering niet een of ander extravagant, dodelijk experiment in dat gunstig afgezonderde laboratoriumcomplex aan het financieren is.'

'Kom, kom,' zei Munson ongeduldig. 'Er is geen enkele aanwijzing dat er iets stiekems aan de hand is. Afgezonderd? Zeker wel. En dat is feitelijk het goede nieuws. Dat oord zou er niet geïsoleerder bij kunnen liggen... geen toegangswegen, geen vakantieoorden, geen steden. Wat daar ook mag zitten, het gaat nergens anders heen. In dat opzicht zijn we tenminste in het voordeel. We hebben het niet over Hongkong, Peking of Toronto. Het catastrofale gevolg van dat "iets" is echter zeer indrukwekkend. Wat je noemt een verdomd krachtig agens.'

'Luister hier eens naar,' zei Petterson. Hij las de meest recente gegevens die zonet waren rondgedeeld. 'Ik ben op bladzijde drie van dit nieuwe bundeltje papieren. Op de ochtend van het voorval is het vijfde lid van het gezelschap opgepikt door een onderzeeboot bij de opening in het ijs, op de plaats waar die onderzoeksmensen hebben gekampeerd en gegevens verzamelden.'

'Een Amerikaanse duikboot?' vroeg Ruff, die opkeek van zijn aantekeningen.

Petterson schudde zijn hoofd. 'Nee. Een Russische.'

'Nou dan.' Munson kauwde op zijn lip. 'Daarmee weten we wat we aan die natuurlijke afzondering van andere bevolkte gebieden hebben. Niettemin kan die vijfde man wellicht enkele waardevolle bijzonderheden geven over wat zijn collega's net voordat ze het loodje legden precies aan het doen waren.'

'Die vijfde persoon is een vrouw,' zei Cybil.

'Maakt niet uit,' zei Munson. 'Dan is het een vrouw.'

Ishikawa sloeg enkele toetsen aan en haalde een gedownload bestand te voorschijn. 'Er komen micrografische kleurenfoto's binnen van het longweefsel dat van twee van de slachtoffers is afgenomen. De binnenkant van de long doet denken aan een sneeuwstorm.'

Hanley, die haar laptop niet had meegenomen, kwam overeind en ging achter Ishikawa staan. Ze tuurde over zijn schouder mee, waarbij ze met haar honkbalpetje een schaduw op het scherm wierp en aldus de reflecties verminderde. De assistent van Munson zette het beeld op de grote plafondmonitors. Hanley keek beurtelings naar de foto van het longgebied en de uitvergroting van de bloedmonsters. Munson zag dat ze in vervoering was geraakt. Niemand anders van zijn staf kon een medische eigenaardigheid zo waarderen als Hanley.

Munson schraapte zijn keel. 'Henry,' zei hij, waarbij hij zijn aandacht op Ruff richtte, 'je bent het er toch mee eens, dat schade aan het centrale en autonome zenuwweefsel catastrofaal zou zijn geweest?'

'Mmm, ja.' Ruff schikte zijn vlinderdas en genoot van het feit dat zijn mening op prijs werd gesteld. 'Maar de oorzaak is nog niet echt duidelijk, niet vanaf deze afstand. Waarschijnlijk zullen we dat pas te weten komen zodra iemand die zaak eens van dichtbij gaat bekijken of ons weefselmonsters opstuurt.'

Munson had gewacht tot iemand daarmee op de proppen zou komen. Hij keek rond naar zijn verzamelde stafleden. 'Je hebt gelijk, dat lijdt geen twijfel, Henry. Het begint erop te lijken dat dit een veldonderzoek vereist.'

Aan de zijkanten van het vertrek werd verrast gemompeld. De jongste medewerkers keken elkaar aan, waarna ze hun aandacht weer op hun superieuren richtten, die stil waren gevallen.

'Kom op nou,' zei Munson met gestrekte armen. 'Willen jullie niet allemaal verschrikkelijk graag weten hoe een ultramoderne arctische researchbasis er van dichtbij uitziet?'

'Ooo,' zei Hanley overdreven verrukt. 'Honderdvijftig romantische nachten... en nachten... en nachten... in een bevroren, zonloze pracht, ver weg van de gekmakende beschaving. Je wilt zelfs niet weten wat het feit dat je je zo dicht bij de magnetische noordpool bevindt misschien met je chakra's en meridianen doet.'

Met een ruk haalde Ruff op bedreven wijze de bril van zijn neus. 'Zeg je in feite betreffende dit onderwerp dat ze meer willen dan alleen onze meningen en adviezen? Dat ze daadwerkelijk willen dat we daar de handen uit de mouwen steken? Ik dacht dat er geen contact meer met de buitenwereld zou zijn gedurende... hoelang... zes maanden?'

'Vijf maanden,' antwoordde Munson. 'Zich bij de buitenwereld voegen? Nee, ze kunnen niemand op transport stellen. Zeer zeker niet zolang de zon onder de horizon blijft. Maar naar de poolbasis reizen is iets anders.' Hij maakte een voor een oogcontact met zijn leidinggevende stafleden. 'Volgens de Amerikaanse luchtmacht en de Canadese kustwacht is er nog steeds tijd genoeg om erheen te gaan.'

Piker glimlachte breed. 'Ik neem genoegen met een foto van twintig bij vijfentwintig uit de *National Geographic*, compleet met cirkels, pijlen en kaderteksten, dank je wel.'

'Het betreft de voortreffelijkste arctische researchbasis die ooit ontworpen is.' Munson hield zijn hoofd schuin en keek naar een aan de muur bevestigde uitvergroting van het Arctic Research Station Trudeau. 'Jullie moeten toch een béétje nieuwsgierig zijn geworden, dan kan niet anders. En wat te denken van de kans dat jullie in het majesteitelijke gezelschap van enkelen van de briljantste wetenschappers onderzoek gaan doen naar het onbekende agens X?' Niemand verroerde zich. 'Niet allemaal tegelijk, alsjeblieft.'

Doorgaans stonden Petterson en Hanley als kandidaten voor veldonderzoek boven aan de vrijwilligerslijst van Munson. Geen van beiden hapte echter toe.

'Grapje zeker,' zei Petterson. 'Eind oktober? Een arctische researchbasis? Ik dacht dat jij zei dat die Russische duikboot tot in de lente de laatste transportmogelijkheid was.'

Henry Ruff was sceptisch. 'Ze konden geen paramedisch personeel naar die vrouwelijke arts op Antarctica sturen, nadat ze bij zichzelf de diagnose borstkanker had gesteld. Zijn ze echter wel in staat een of andere bofkont van een epidemioloog uit Los Angeles midden in de winter naar de noordelijkst gelegen poolgebieden te brengen?'

'*Vrouwelijke* arts? Alsjeblieft, zeg!' riep Hanley uit. 'Tjeses, wat komt mij dit de keel uit. Dat klinkt als de naam van een slechte punkband. Zou jij graag "mannelijke arts" genoemd willen worden?'

'Ik prefereer "heer dokter",' zei Ruff.

'Heren. Dames. Moet ik het feit dat jullie zwijgen interpreteren als een serieuze overweging van mijn voorstel?'

'*Dames?*' riep Henry Ruff uit, die zich plotseling ridderlijk ging gedragen. 'Lester Munson, we mogen geen vrouw naar die woestenij sturen.'

'Wij?' Hanley herhaalde wat hij had gezegd. Cybil maakte een gebaar dat ze haar mond moest houden.

'Ja,' zei Munson met gebogen hoofd terwijl hij naar zijn handen keek. 'Misschien heb je gelijk. Dit zou weleens geen geschikte werkopdracht voor iedereen kunnen zijn.' Hij keek Petterson en vervolgens Hanley veelbetekenend aan. 'Dit is een harde noot. Alleen al om er te komen zal een uitdaging zijn.'

'Waar heb je het verdomme over?' sputterde Hanley tegen.

Munson dacht goed na over zijn woorden alvorens hij ze uitsprak. Hanley was trots op haar reputatie als laatste-toevlucht-epidemioloog, maar tot nu toe had ze niet toegehapt. Het kon niet anders of die Canadese poolbasis vormde voor haar een aanlokkelijk aanbod; ze was de verpersoonlijkte nieuwsgierigheid. Ze moest alleen op de juiste wijze over de drempel worden geholpen.

'Ik bedoelde alleen te zeggen... dit lijkt mij geen klus voor iemand met kinderen, zeker niet voor een alleenstaande ouder. En, zeker, ik verwacht niet dat elke vrouw staat te juichen wanneer ze hoort welke gevaren aan deze opdracht verbonden zijn.' Hij gedroeg zich zo manipulatief als maar zijn kon, maar daar gaf hij niet om. Hij moest daar een van zijn beste mensen zien te krijgen voordat de vluchten ernaartoe niet meer mogelijk zouden zijn. Als hij dat voor elkaar kreeg door op de concurrerende toer te gaan en de juiste snaar bij haar te raken, dan zij het zo.

Hanley was des duivels. 'De vrouwen die hier werken hebben het in het verleden niet slecht gedaan. Het zal verrekte moeilijk zijn om er te komen. Wat heeft dat dus in godsnaam te maken met wie erheen gaat? Wat een onzin.' Ze boog zich naar Cybil Weingart toe en zei: 'Heb je een sigaret voor me?'

'Nee!' blafte Munson. Hanley keek verlegen. 'Heb jij echt het gevoel dat je bent opgewassen tegen deze job?' vroeg hij op een vriendelijkere toon.

Het werd stil in het vertrek.

Hanley haalde haar schouders op. Ze ervoer zowel de roepende uitdaging als die vlaag van schuldgevoelens. Dit was precies het soort riskante klussen waarvan haar ex had gezegd dat geen enkele moeder – en zeker niet de moeder van zijn kind – die hoorde aan te nemen. Voor een deel was het met hem eens. De gedachte dat ze Joey een halfjaar niet zou zien, maakte haar sprakeloos. Wanneer ze deze opdracht aannam, zou dat namelijk de consequentie zijn. Was het echter niet net zo belangrijk hem te laten zien wat het betekende om gepassioneerd om je werk te geven?

'Jessie?'

'Ik denk van wel,' zei ze langzaam. 'Hier horen geen beperkingen aan vast te zitten.'

'Bedoel je daarmee te zeggen dat je dezelfde kansen hoort te krijgen?'

'Natuurlijk.'

'Wat zou jij nodig hebben voor die klus... hypothetisch gezien?'

'Hypothetisch... ik heb Kim Ishikawa beslist hier nodig. Een ononderbroken link met een aantal databanken. Kim, kun jij alvast gaan nadenken over het soort testmateriaal dat er moet worden ingepakt?'

Munson keek Ishikawa aan. Hoewel hij en Hanley ogenschijnlijk zeer verschillend waren, hadden ze tijdens het uitvoeren van de twee laatste opdrachten goed samengewerkt. Bij hen was er sprake van een eigenaardig maar effectief partnerschap. Ishikawa voelde zich in het gezelschap van computers meer op zijn gemak dan bij mensen, en Hanley de kettingrookster peuterde bij mensen zowel op charmante als intimiderende wijze informatie los waarvan ze niet wisten dat ze die hadden. Samen waren ze inventief, ze boekten voortgang terwijl ze een vreemde combinatie waren die de basis van hun samenwerkingsstijl was gaan vormen.

Lester Munson keek Hanley strak aan. 'Weet je het zeker? Want wanneer je er eenmaal bent gearriveerd, is er geen weg terug meer.'

'Krijg ik een maand vakantie wanneer ik terug ben?'

'Geen probleem.'

Ze zweeg even. 'Hé, de noordpool was goed genoeg voor Superman en Frankenstein.' Ze probeerde zorgeloos over te komen.

'Wil je er nog een nacht over slapen?' vroeg Munson.

Ze keek hem weer aan. Hij bood haar de mogelijkheid om zonder gezichtsverlies van gedachten te veranderen. Als ze dat wilde kon ze de handdoek in de ring gooien. Hij gedroeg zich respectvol tegenover haar, wat als zodanig een zorgwekkende waarschuwing was.

'Als ik dat doe, zet ik niet door.' Ze keek hem strak aan. 'Het is nu of nooit.'

Munson haalde zijn schouders op, alsof hij toegaf, alsof *zij hem* had overgehaald. 'Oké.'

Iedereen applaudisseerde en begon te praten. Ruff grinnikte. 'Je hoeft nu tenminste niet je magnetische matrasovertrek in te pakken.'

Munson glimlachte zowaar. Het feit dat de spanning was weggevallen, was voelbaar in de kamer. Niemand was er bepaald van gecharmeerd geweest om deze opdracht aan te nemen, dus waren ze overdadig in hun goede wensen. De weinigen die fysiek misschien gekwalificeerd waren, leken absoluut niet verdrietig dat ze waren overgeslagen.

'Oké, mensen,' zei Munson. 'Het is bijna middernacht.'

'Verdorie!' riep Hanley uit. 'De oppas! Cybil, en iedereen... *mañana*.' Ze sprong overeind, rende naar de deur en verdween uit het zicht.

'We gaan morgen verder,' zei Munson. 'Maar in alle vroegte, en uitgeslapen... jullie allemaal.'

De vergadering was afgelopen. Munson keerde terug naar zijn kantoor en was blij dat Hanley had ingestemd. Deze opdracht, voelde hij, zou een min of meer onorthodoxe aanpak vereisen – haar sterke kant. Ondanks het feit dat ze irritante fratsen uithaalde, was hij oprecht dol op haar. Ze kwamen elkaar tamelijk vaak tegen in de Palomino Club en andere country-and-western-kroegen die in Los Angeles waren opgericht door hierheen verhuisde zuiderlingen. Door een zonderling toeval waren ze beiden afkomstig uit de Chickahominy River Valley in Virginia, hoewel ze in de economische context tegenpolen van elkaar waren. Hij kwam uit een welgestelde familie die zich generaties lang met de verbouw van tabak had beziggehouden, een erfenis die hij had getart door bij Volksgezondheid te gaan werken. Hanley was de vierde van vijf kinderen uit een gezin dat zich financieel eigenlijk geen kroost kon veroorloven.

Het professionele giswerk van Hanley was zo onorthodox als haar achtergrond. Hoe ze eraan kwam, was moeilijk te doorgronden. Haar inzichten leken niet altijd logisch. Munson had Hanley ooit een wichelroede als geschenk gegeven na een bijzonder inspirerende opdracht. Ze had de dood van twee metroreparateurs in Wenen opgelost door met het maffe idee te komen – en vervolgens de bewijzen te presenteren – dat de arbeiders er zich niet van bewust waren geweest dat ze een middeleeuws massagraf in het centrum van de stad hadden blootgelegd. De vrijgekomen toxische gasbel had hun dood veroorzaakt.

Iedere epidemioloog gokte er zo nu en dan op dat hij het bij het juiste eind had, maar de slagen in de lucht die Hanley maakte sloegen soms nergens op. Ze deed echter een gooi, waarna iedereen zich vierkant geconfronteerd zag met het dodelijke agens: de middeleeuwse grafkuil in Wenen; het lood uit een benzinetank van een afgelegen tankstation lekte in het putwater van een voorheen heel normale familie en maakte de gezinsleden krankzinnig. En dan de zaak die haar reputatie bezegelde: drie onverklaarde doden in een Latijns-Amerikaanse gemeenschap in de stad New York. Toen de forensische deskundigen de flat van het meest recente slachtoffer ondersteboven haalden, had Hanley opgekeken van haar notitieboekje, een trek aan haar sigaret gedaan en op nuchtere toon aan een rouwend familielid gevraagd hoelang de overledene al behekst was geweest. En ze had verdomme nog gelijk ook.

In haar eentje was Hanley een inventieve geest, maar ook een ongeleid projectiel. Maar met Ishikawa die haar in de gaten hield, had Munson echter een betrouwbaar duo tot zijn beschikking. Ishikawa was methodisch en vindingrijk, een verstandige man die zichzelf in toom kon houden. Hoewel hij het rustigst van de twee was, bleek hij in sommige opzichten ambitieuzer en de drijvende kracht die Hanley het zetje gaf dat nodig was om de sprong te wagen wanneer de logische gedachtegang bij een afgrond eindigde. Maar wanneer Hanley al te enthousiast werd, was hij in staat haar van de rand vandaan te houden.

Op het moment dat het scherm van zijn bureaucomputer oplichtte, veegde Munson met een zakdoek over zijn voorhoofd. Opnieuw waren er gegevens van Trudeau binnengekomen. Een voor een kwamen de vellen uit de snelle printer. Men had het lichaam van de vierde wetenschapper gevonden. Alexander Kossuth, een Hongaarse meteoroloog, was kennelijk niet het slachtoffer geweest van datgene wat de anderen had omgebracht. Om een nog onbekende reden had hij zijn beschermende poolpak uitgetrokken en zichzelf aan de elementen blootgesteld. Geen zichtbare longbeklemming, geen beschadigingen aan de ogen. Hij leek gezond, alleen was hij diepgevroren.

Cybil Weingart kwam langs. Ze was gekleed om te vertrekken en hield de papieren vast met dezelfde gegevens over het vierde lijk.

Munson zei: 'Wat denk je hiervan? Zou het dezelfde blootstelling geweest kunnen zijn, maar alleen zogezegd in een ander jasje?'

Cybil schudde haar hoofd. 'Moeilijk te geloven dat iets zich in drie gevallen op dezelfde manier presenteert en in het vierde geval zo totaal anders. Als je mijn deskundige mening als geneeskundige wilt... deze man heeft zichzelf in een waterijsje omgetoverd.'

4

De drijver, met daaraan bevestigd de antennedraad, kronkelde ongemerkt omhoog uit de donkere diepte van de fjord tot net onder het wateroppervlak. Als de Noren de boei later zouden vinden, kwamen ze niet meer te weten dan in het geval van de andere aangetroffen boeien die zo nu en dan in hun kustwateren in de netten verstrikt raakten, of die soms drijvend in een van hun fjorden werden ontdekt.

De antennedraad was bijna helemaal uitgerold en deed vervolgens wat hij moest doen. Een en zes tienden van een seconde later was de transmissie achter de rug.

Buiten het Noorse dorp Randaberg liepen kilometerslange ontvangstkabels kriskras over vierhonderd hectare land. Het gigantische net ving het signaal op en legde het automatisch vast, waarna de dienstdoende technicus werd gewaarschuwd.

In Engeland ving de legerbasis Menwith Hill, net buiten de stad Harrogate in Yorkshire, om 03.40 GMT dezelfde transmissie op. Het signaal werd meteen via landlijnen doorgestuurd naar het decodeergebouw in Bath. Teruggespeeld met gefaseerde, vertraagde snelheid werd het radiobericht – kortegolf – door de dienstdoende officier al snel geïdentificeerd als een gecodeerd signaal en in de hoofdcomputer gevoerd om de gegevens te vergelijken met de andere onbeduidende data betreffende de hoogontwikkelde Russische marinecodering. Hun marinevloot mocht dan op sterven na dood zijn, hun coderingssysteem was verre van verwaarloosd. Niettemin was er altijd een kans dat dit nieuwe stukje informatie de sluier omtrent het grote coderingsraadsel zou oplichten.

Na enkele uren wisten de officier en zijn ondergeschikten niet meer dan toen ze waren begonnen. Al hetgeen ze konden herleiden was de waarschijnlijkheid dat een Russische onderzeeboot een hoge prioriteitscode had verstuurd vanuit een sector binnen de Noorse territoriale wateren.

De Britse verbindingsofficier, een kapitein, trok een wenkbrauw op naar zijn Amerikaanse collega. 'Onverzettelijk en ongebroken,' zei hij. 'Laten we hopen dat de Noren niet toevallig dat lamlendige ding vinden.' De Engelsman geeuwde. 'Anders moeten we een hele hoop knullen in een hele hoop tijdzones wakker maken.'

Admiraal Roedenko arriveerde in de antichambre van de Russische minister van Defensie en trof er de leden van de Tsjechische delegatie aan. Plichtsgetrouw stonden ze naast hun gastheer terwijl officieren van de verschillende diensten eraan kwamen om hun respect te betuigen voordat ze gingen deelnemen aan de belegering van de voorraad wodka en bier.

De meesten waren in burgerkledij, merkte de admiraal, en er was – zag hij – in feite een groot aantal civiele personen onder de militairen in burger, onder wie een prominente historicus en een ernstige kunstcriticus. Deze vermenging van werelden was een recente en modieuze innovatie met de bedoeling de sociale evenementen op het ministerie van Defensie op te vrolijken.

Delicatessen sierden de buffettafels. Mannen bogen zich met hun omvangrijke buik over de schalen met paddestoelen – rood met witte hoedjes – gehaktballetjes van lamsvlees, gerookte steur, pijlinktvissalade en asperges. Onhandig prikten ze in worstjes en plakjes ham. Hun glazen en borden schokten vervaarlijk terwijl ze met elkaar wedijverden om de uitgelezen hapjes.

De historicus en kunstcriticus hielden de groep voor gezien, schikten enkele stoelen als een tweezitsbankje en namen plaats. Ze bogen zich naar elkaar toe voor een wel zeer ernstige gedachtewisseling, zo populair onder de intellectuele oogappels van het regime. Grementov, de historicus, leek bijna door verdriet overmand als gevolg van gewetenswroeging; met duim en wijsvinger kneep hij in zijn onderlip. Hoe ging die mop ook alweer? *Wat is de definitie van een Russische historicus? Een man die in staat is het verleden te voorspellen.*

Liever scherp staal dan dit botte gereedschap, meende Roedenko. Wie zou ooit hebben gedacht dat deze verpletterende middelmatigheid alles zou erven? De verschrikkingen van de jaren dertig en veertig waren niet te beschrijven geweest, en de tijd had – heel genadig – zijn pijn, de herinneringen aan die lange, desolate periode, gestild. Onwillekeurig vroeg Roedenko zich echter af of die periode niet beter was dan deze krachteloze leegheid in de vorm van pluimstrijkers die geil waren op bezoldigingen en pronkten met hun creditcards terwijl de nieuwe kapitalisten en de *mafiya* zich uit de voeten maakten met de natuurlijke rijkdommen en industrieën van de natie, en regeringsbeambten die een deel van hun miljardenwinsten aan steekpenningen opstreken.

Hij goot de wodka door zijn keel en zette het lege glas met een klap op het dienblad van een passerende ober. Tijdens een opportuun moment glimlachte hij flauwtjes naar zijn gastheer die zich achter in de kamer bevond en tikte daarbij op zijn horloge – iets urgents. Voor deze ene keer was dat de waarheid. Panov had hem opgebeld voor een persoonlijk gesprek. *Een van onze neefjes is vannacht niet thuisgekomen. De familie maakt zich bezorgd.* Ze hadden afgesproken dat ze elkaar om kwart voor drie in het appartement van de admiraal zouden ontmoeten.

De premier knikte minzaam en de admiraal glipte uit de zaal met het hoge plafond, waarna hij de achterste trap nam naar de vierde verdieping, waar zijn geleende kantoor zich bevond. Het bureau van zijn secretaresse was verlaten. Hij deed zijn overjas aan, tikte tegen de zakken om de inhoud te checken – de reflexen van een ouder wordende man – en riep door de open deur naar zijn adjudant, waarna hij hem instrueerde dat de chauffeur hem diende op te pikken bij de *gastronom* in de Arbatstraat.

Hij vertrok via de voorste brede trappen van de vierde verdieping naar de begane grond, waar hij zijn uniformpet opzette en zijn handschoenen aantrok alvorens in de lange middagschaduwen te stappen. De kille lucht was vitaliserend. De hele ochtend had hij in veel te warm gestookte kamers gezeten en geluisterd naar het eeuwige geruzie over de marine die al dan niet uiteindelijk het allereerste vliegdekschip met een vaste ondersteuning zou gaan bestellen. Nu de Amerikanen op het punt stonden de zoveelste drijvende luchthaven te water te laten, had het opperbevel het voorstel afgestoft om met een Russische tegenhanger op de proppen te komen, met als bijkomend verschijnsel het aloude gehakketak over welke vloot aanspraak op dat vliegdekschip mocht gaan maken.

Vanwege de hoge geografische breedtegraden waar de Russische Noordelijke Vloot opereerde, was Roedenko's vroegere commando op genadige wijze uit de woordenstrijd gehaald. De admiraal had zich welwillend geconformeerd aan zijn kameraden. Hierdoor werden de mededingers tot drie gereduceerd. De sector waar de Baltische Vloot zich ophield, werd eveneens al snel doorgestreept. Bleven over de bevelhebbers van de Pacifische Vloot en de ingeperkte Zwart-Zeevloot om er hun tanden op stuk te bijten. Een academische kwestie, vond Roedenko, die amper luisterde. De stroom aan fondsen na het ongeluk met de *Koersk* – een ongeluk dat ze zichzelf hadden toegebracht – was tijdelijk en misleidend; de laatste van de toekenningen zou binnen niet al te lange tijd een andere bestemming krijgen of als fonds opdrogen en verdwijnen in de volgende boekhoudcyclus. Zijn collega's draaiden zichzelf een rad voor ogen. Hun glorieuze marine was verleden tijd. Schepen werden in het havengebied 'geparkeerd' omdat er geen fondsen waren om ze te onderhouden. En deze ouwe dwazen droomden van nieuwe geldstromen. Hun ondergeschikten maakten samenzweringsplannen om ongewenste duikboten aan Zuid-Amerikaanse drugskartels te verkopen, terwijl de oude garde zich koesterde in dagdromen over een verloren gegane glorie die nieuw leven werd ingeblazen. Belachelijk.

Waar waren die gecompliceerde landingsbanen überhaupt nog voor nodig wanneer de straaljager die verticaal kon opstijgen bij de hand was? De ijdelheid van de marine en de bezorgdheid van de bureaucraten in de doema trotseerden het gezond verstand. Het waren nog steeds opgeblazen lui die onophoudelijk de schijn ophielden dat ze de dienst in ere zouden herstellen, zelfs na het fiasco in de Barentszzee en het verlies van de *Koersk*, hun geweldige symbool van gelijkwaardigheid met betrekking tot het Westen. Na veel gejammer hadden ze die titanische jachtduikboot gerealiseerd. Een onderzeeër die bijna de omvang had van het vliegdekschip waar ze kwijlend achteraan zaten. Twintigduizend ton. Hoewel de krakende ex-bolsjewieken nauwelijks nog in staat waren hun gulp dicht te maken, zorgde het Amerikaanse spook er nog steeds voor dat ze zich opgepept voelden. Gelijkwaardigheid! Wat een idioten. In de straten waren de soldaten aan het bedelen, de matrozen hadden nauwelijks te eten in hun barakken en hun bevelhebbers spendeerden hun energie aan hardop fantaseren over dat drijvende, zowaar nucleair aangedreven mammoetvliegveld. Dankbaar ademde Roedenko de kille, bijtende lucht in.

Vijftig jaar lang was bij de slagorde van de marine de nadruk gelegd op de duikboot. Het grootste gedeelte van de marinevaartuigen bestond nog steeds uit onderzeeërs – een simpel feit. Zijn commando alleen al had zich ooit mogen beroemen op een eigen luchtmacht, bestaande uit vierhonderdvijftig toestellen, en driehonderd vaartuigen, waarvan tweederde uit duikboten bestond. Alleen al tweehonderd onderzeeboten stonden onder zijn bevel. Nu beschikte de marine in totaal over zestig duikboten, waarvan er slechts twintig de moeite waard waren. En de marine had het erover om er twee aan India te verhuren om aan contanten te komen. Maar de bevelhebbers wilden minstens één aanvalsgroep hebben zoals die van de Amerikanen, met als middelpunt een vliegdekschip met vaste ondersteuning. Ze argumenteerden dat de nationale buitenlandse politiek er wel bij zou varen, dat de Russen hierdoor hoe dan ook op de een of andere manier ergens hun spierballen konden laten zien, dat de nationale trots wat werd opgevijzeld en dat – tussen haakjes – de politici dan herkozen zouden worden. De blauwdruk van de *Kiev* was zonder enige twijfel uit de bureaucratische mausoleums afkomstig.

Dus waarom bleef hij dan?

Roedenko raakte zijn verdoofde wang aan. De temperatuur daalde. Opnieuw een front. De mensen die in de rij stonden te wachten tot de trolleybus eraan kwam, stampten met hun voeten op de grond. Achter de piek van het gebouw van het ministerie van Buitenlandse Zaken kolkten grijze en purperen wolken, geladen met regen of vroege sneeuw. In de Arbat liepen Moskovieten gebogen in de straffe wind. Schoolkinderen met rugzakken liepen achterwaarts tegen de bries in en botsten tegen vrouwen aan die gezicht en hoofd – op de ogen na – in strakke sjaals hadden gewikkeld, of ze hadden bontmutsen op. Groepjes recentelijk rijk geworden Moskovieten bleven bij elke modieuze winkel in de wijk staan en praatten geanimeerd in hun mobiele telefoons. Hoe luidde de westerse uitdrukking ook al weer? *Winkel tot je er bij neervalt.*

Het groepje buiten de *produkti* week respectvol voor deze gedistingeerd uitziende admiraal in zijn donkerblauwe zware overjas en met zijn uniformpet met klep. Dit was een van de weinige overgebleven privileges van de officieren van zijn generatie, maar zelfs deze achting was niet langer een vanzelfsprekendheid. Prompt haalde Roedenko het voor hem achtergehouden pakje kaviaar en de gerookte witvis op en bestelde vervolgens nog een kilo *kolbasa*, waarna hij het aantrekkelijke nieuwe winkelmeisje met de dikke blonde vlecht plaagde en daarna pas vertrok. Zijn auto stond bij de stoeprand geparkeerd. De chauffeur stapte snel uit, salueerde en opende het achterportier voor de admiraal. Op de passagiersstoel zag Roedenko een enorme winkelzak van IKEA, in geel en blauw; het pand bevond zich bij het monument Kilometer 41, het ooit fiere, waardige gedenkteken van de plaats waar het oprukkende Duitse leger dankzij de wilskracht en het bloed van de Russen tot staan was gebracht. Een gedenkteken dat nu midden op de parkeerplaats van de genoemde winkel stond.

De sedan begaf zich tussen de auto's van buitenlands fabrikaat door, waarna de chauffeur de omweg nam waarop de admiraal zo gesteld was.

Ze passeerden volle winkels, waaronder een van de twintig McDonald's-restaurants die als evenzoveel puisten in de hoofdstad stonden. Daarna waren de vervallen herenhuizen aan de beurt. Huizen waarin de adel uit vervlogen dagen had gewoond. Tegenwoordig huisden er rijke ondernemers, en de *mafiya*, en er waren kleine middenklasserestaurants in geherbergd, en recentelijk opbloeiende ondernemingen. In zijn jeugd had zijn vader hem door deze luisterrijke straten gevoerd; de oude man had hem alle ingewikkeld gedecoreerde steenfaçades aangewezen, de trotse stenen arenden en de Polovtsiaanse afgodsbeelden die de ingangen bewaakten. Roedenko was in het bijzonder in zijn sas met de van dikke muren voorziene stallen waarin ooit de kennels van de tsaar waren ondergebracht. Zoals zoveel plechtstatige huizen waren ook de kennels na de oorlog gesloopt om plaats te maken voor de Novy Arbat, een weg met zes rijbanen tussen het pand van Buitenlandse Zaken en het Kremlin.

De chauffeur draaide zijn auto behoedzaam uit de Vakhtangovstraat en de Novy Arbat op, waar hij gas gaf en op dat moment de Audi's en BMW's trotseerde. Een uitdaging die slechts zeer tijdelijk van aard was, omdat de geïmporteerde voertuigen zijn oude sedan moeiteloos inhaalden.

Chroesjtsjov had de Novy Arbat verbreed tot acht rijbanen en er aan weerszijden kolossale torens van beton en glas laten bouwen. Torens die in omvang en slechte smaak de neoklassieke, architectonische monstruositeiten van Stalin uitdaagden. Ze hadden erg hun best gedaan om de overblijfselen van vorige regimes met wortel en tak uit te roeien en hun nieuwe orde op een daarvoor geschikte reusachtige schaal te proclameren. Wat een verspilling. Als toevoeging aan die stadsbeschimping verschenen tegenwoordig gigantische reclameborden waarop Amerikaanse frisdranken en Europese kledingwinkelketens werden aangeprezen. Roedenko deed zijn ogen dicht en liet toe dat de wiegende auto hem rust schonk, een gewoonte als gevolg van een leven dat op zee was doorgebracht.

Misschien was de tijd aangebroken om zich terug te trekken. De marineacademie wilde zijn Zwarte-Zeepet en jas van zeehondenleer om die in een glazen vitrine ten toon te stellen, als de trofeeën van een schooljongen. Diende hij zijn memento's over te geven? Als bemanningslid van een onderzeeër had hij recht op anderhalf maandsalaris voor elke maand die hij had gediend. Dat bedrag zou voldoende zijn om als relatief goed pensioen te dienen voor iemand die geen kostwinner was. Speciale door de ministerscommissie verleende vergoedingen zouden dat pensioen nog wat opkrikken. Hij kon zich terugtrekken in Sochi en genieten op de zwarte kiezelstranden. Verdomme, waarschijnlijk hadden ze het nagelaten om hem met pensioen te laten gaan, gewoon om reden dat ze dan wat geld konden uitsparen. Hij was goedkoper wanneer hij in actieve dienst bleef.

De auto reed langzamer en stopte bij de gewelfde entree van zijn woonflat, een gigantische, elegante douairière uit een ander tijdperk. Roedenko stak het pakje onder zijn arm en wierp een blik op zijn horloge. Het was halfdrie. De chauffeur hield het portier voor hem open, waarna hij een keurige buiging maakte en vervolgens het vaandeltje aan het rechterspatbord oprolde en in het omhulsel schoof terwijl de admiraal met grote passen de enorme vestibule inliep. Gezeten aan een ruwhouten tafel in de weelderige hal zaten de dames, een vertrouwd trio. Zij waren de bewaaksters van het 'pand' en tevens de eerste defensielinie. Een van hen zat achter een zwarte, ouderwetse telefoon om bezoekers aan te kondigen. Hij knikte als groet terwijl hij door de marmeren lobby naar de geornamenteerde liftkooi liep. Zonder iets te zeggen zette de portier de lift in beweging. Dreunend en hotsend ging de liftkooi naar boven. Roedenko's vierkamerflat bevond zich halverwege deze toren, die uit dertig verdiepingen bestond.

Alles in het gebouw was degelijk uitgevoerd. Geconstrueerd met grote betonnen platen in gotische bruidstaartbouwstijl waar de architecten van Stalin het meest van hielden. Deze woontoren maakte alle andere gebouwen in de wijde omtrek klein. De ouwe bok had er zelf opdracht toe gegeven. Oorspronkelijk waren er vier identieke torens gebouwd om samen met deze de vijfpuntige sovjetster te vormen: vijf bolwerken die door de uitblinkers van de stad werden bewoond. Ministers, acteurs, NKVD-officieren, wetenschappers, artiesten. Roedenko hoorde nog bij de oorspronkelijke bewoners. De meesten waren allang overleden. Hun flats waren aan de kleinkinderen gegeven of onderverhuurd. Hij had vernomen dat de nieuwe rijken een privé-zwembad op zijn terrasdak gingen bouwen.

Onder Roedenko's directe buren bevond zich de pretentieuze dwaas die het Institute for American Studies runde. Verder een van Bolshoi's prima ballerina's en haar negentienjarige vriendin. En een onbekende maîtresse van een nu oude wereldberoemde gewichtheffer. En een zeer sociale Amerikaanse vice-president van een nieuwe commerciële bank, en boven hem enkele oude militaire bevelhebbers die getrouwd waren met hun werk, zoals ook admiraal Roedenko, voormalig commandant van de Russische Noordelijke Vloot, 'Rode Banier'.

Zoals bij de meeste mannen van zijn leeftijd die zo'n beroep hadden, was ook Roedenko's privé-leven door de oorlog op onherstelbare wijze veranderd. Hij was verloofd geweest met een jeugdliefde, zoals dat zo vaak ging, maar dat was vóór de glorieuze intocht van de Wehrmacht in Rusland. Zijn verloofde stierf van ontberingen toen de Duitsers zich uit hun geboorteplaats Taganrog, aan de Zee van Azov, terugtrokken. Een stad die gebouwd was op de fundamenten van een oud fort, en achtervolgd door geweld. De Turken hadden de stad twee keer met de grond gelijk gemaakt, de Genuezen één keer. Daarna, tijdens de Russische Revolutie, volgden de Witte Troepen, de verraders, van Daniken. En tot slot de Duitsers; eerst in de Eerste Wereldoorlog en vervolgens in de Tweede Wereldoorlog. Zijn beide zussen, zijn drie tantes, zijn oma van moeders kant, zijn vader, zijn moeder – ze waren daar allemaal overleden. Hij was er nooit meer naar teruggegaan. Een rampzalig oord.

Alleen zijn oudere broer Alyosja had de oorlog overleefd. Ironisch genoeg omdat hij op een veilige manier ver van Taganrog de fascisten aan het bevechten was geweest. Hij was gewond geraakt, maar had de strijd niet met zijn leven hoeven te bekopen. Alyosja moest nu rondkomen van zijn vergoeding en paste op de datsja van Roedenko, een bescheiden optrekje ten zuiden van Moskou. Een pand dat hem drie jaar daarvoor als beloning door de marine was gegeven; een erkenning van zijn lange, loyale dienstperiode en zijn buitengewone waarde tijdens de gerechtelijke vervolgingen na de Grote Patriottische Oorlog. Roedenko was er nooit in geslaagd zijn broer, die nu achter in de tachtig was, over te halen Moskou en zijn indrukwekkende appartement – met uitzicht op de Yuza – te komen bekijken. Alyosja prefereerde het gezelschap van zijn bruine kippen.

Met een metalig geluid kwam de liftkooi tot stilstand. De portier met de vaalgele gelaatskleur opende met geweld de geboende kooideur, waarna de admiraal uitstapte en nadrukkelijk de boerse manieren van de man negeerde. De deur – Style Moderne – en de koperen traliedeur – Deco – gingen met een klap achter hem dicht. Op een dag zou hij die onverbeterlijke trotskist doodschieten, maar niet vanavond. Roedenko glimlachte terwijl hij het pakje van de ene hand naar de andere bracht en in de zakken van zijn zware overjas naar de sleutels van zijn deur met dubbel slot zocht. De deur van zijn oudste buur, een filmster uit de jaren vijftig, stond zoals altijd open; de twee andere deuren waren afgesloten en versterkt met metaal. Roedenko merkte dat zijn voordeur niet was afgesloten. Hetzelfde gold voor de binnendeur aan het eind van de foyer. Het immens hoge plafond en de kale parketvloer benadrukten op overdreven wijze de verlatenheid van het pand. Toch werd hij onmiddellijk gewaar dat hij niet alleen was.

'Georgi Michailovitsj!' De vertrouwde stem van tweede onderminister Panov klonk hard terwijl de man uit de schaduw van de leunstoel bij de decoratieve open haard te voorschijn kwam en het glas hief naar zijn oude rivaal.

Roedenko glimlachte breed en oprecht terwijl hij zijn zware overjas uitdeed. Vervolgens stapte hij naar voren en stak zijn armen uit om zijn vriend te omhelzen.

'Jevgeni Aleksandrovitsj.' Hij klopte Panov op de schouders en drukte een kus op beide wangen.

'Wat krijgen we nou?' Panov veinsde onaangenaam verrast te zijn. 'Probeer je een oude scheepsmaat neer te slaan met een dode vis?' vroeg hij terwijl hij naar het pakje in de hand van Roedenko wees.

Roedenko lachte terwijl hij de knoopjes van zijn uniformjas losmaakte en zich naar de keuken begaf. 'Heb je lang moeten wachten?' riep hij over zijn schouder.

'Nee hoor,' riep Panov terug. 'Ik was vroeg. De huisknecht liet me binnen. Hopelijk vind je dat niet erg.'

Op de rand van de porseleinen gootsteen pakte Roedenko de gerookte vis uit en deed de kaviaar in een schone schaal. Beide legde hij op een dienblad, samen met de aromatische kolbasa van een kilo, die hard was, en bezaaid met peperkorrels. Nadat hij waterglazen en borden uit de kast had gehaald, keerde hij terug naar de woonkamer, waar hij de kristallen kaviaarschaal naast een bord met brood en boter plaatste, vervolgens zijn uniformjas uitdeed en die over de rugleuning van zijn bureaustoel hing.

Panov stond nog steeds. 'Ik moet toegeven dat ik me, om de tijd door te komen, meester heb gemaakt van jouw Schotse whisky.' Schaapachtig hief hij zijn lege glas.

Roedenko wuifde de voorgewende verontschuldiging weg. 'Wil je nog een glas voor bij de kaviaar? Schenk ons beiden een glas in, wil je?'

Panov was niet iemand die gastvrijheid weigerde. Hij vulde zijn glas bij en schonk een whisky in voor zijn gastheer. Gedurende het grootste deel van hun leven waren de twee mannen rivalen geweest. Eerst als frontofficieren die het bevel voerden over duikboten, daarna als adjudanten op het marineministerie, tot helemaal boven op de promotieladder. Maar het was allemaal zo snel voorbijgegaan. Het lot had hen uitgekozen als stichters van de meest hachelijke militaire poot van de Sovjet-Unie, maar de voortschrijdende ouderdom had hun geestdrift getemperd terwijl veel jongere technocraten hen voorbijstreefden. Als twee oorlogsmonumenten behingen de kameraden Roedenko en Panov zich plichtsgetrouw elk jaar opnieuw met hun verworven medailles terwijl ze ernstige herdenkingsvieringen bijwoonden inzake oorlogen die lang geleden gewonnen waren – en de enkele nederlagen – terwijl de pennenlikkers van het *apparat* promotie maakten en met hun productiviteitscertificaten en mobiele telefoons pronkten.

De admiraal schonk zichzelf en Panov opnieuw een glas in en maakte het zich gemakkelijk op de kleine sofa tegenover Panov. De namiddagzon zakte naar de horizon en het licht weerkaatste flonkerend in hun glazen. Ze brachten een toast uit op deze spontane reünie. Wanneer Panov hem in het verleden een bezoek bracht, betekende dat doorgaans dat een of ander kruiperig ontwikkelingsland opnieuw behoefte had aan een welsprekende, goed uitziende marineattaché met een revers vol medailles en de kledingtoelage van een admiraal. Zo nu en dan had Roedenko geluk gehad. Bijvoorbeeld die drie voortreffelijke jaren in Rome als tweede ambassadesecretaris. Met volle teugen had hij van het Westen genoten, en van zijn Britse geliefde, en zich gekoesterd in haar prachtige taal, haar cultuur, haar parfum. Meer dan zijn gevierde oorlogsverleden, zijn staat van dienst, hield zijn talenknobbel – vooral de talen die zij sprak – hem in de running.

'Op de paus,' zei Roedenko en hief zijn glas.

'Op de paus.' Terwijl Panov het glas naar zijn mond bracht, keek hij op en aanschouwde aandachtig het grote olieverfschilderij dat boven de schoorsteenmantel hing.

'Ah,' zei hij. 'Je hebt nog meer kunst verzameld.'

'Ja. Inga Dobenskaja.'

'Niet bepaald Socialistisch Realisme,' zei Panov grinnikend. Met half dichtgeknepen ogen staarde hij naar het doek om in het afnemende daglicht de details beter te kunnen zien. 'Een zeer eigenaardig landschap, vergeven van schaars geklede meisjes op... een strand?'

Roedenko haalde zijn schouders op. 'Zij was afkomstig uit Molokan. Wie heeft ooit de geesten kunnen doorgronden van christenen uit Molokan? Niettemin heeft ze indrukwekkende schilderijen gemaakt. Heel krachtig, zelfs als je ze niet helemaal begrijpt. Hoe dan ook, het doet me denken aan de tijd die ik in mijn jeugd op het strand doorbracht. En aan iets anders.' Roedenko kreeg nu iets afwezigs over zich.

'Ja, inderdaad. Nu weet ik het weer,' zei Panov. 'Jij hebt me toen aan haar voorgesteld tijdens een feestje in Leningrad. Die avond, het admiraliteitsbal in 1950, ergens in die buurt. We waren... tjonge... nog geen dertig.'

'Ja,' zei Roedenko. 'Volgens mij was dat in 1952. Jouw geheugen is nog prima in orde.' Hij keek op naar het schilderij en staarde er een ogenblik naar. 'We hadden toen een kortstondige relatie.'

'Waar is ze nu?'

'Sinds lang verdwenen,' zei Roedenko.

'Het Westen?' vroeg Panov terwijl hij zijn glas nog eens volschonk.

Roedenko, die een slok nam, schudde zijn hoofd en wees – glas in de hand – naar boven. 'De hemel,' zei hij, waarna hij terugzakte in de sofakussens en zijn boord losmaakte. 'Hoe gaat het met je familie?'

'Best wel goed, bedankt dat je het vraagt. Mijn kleinzoon is net terug van zijn laatste contractjaar in het Verre-Oosten. Hij kwam terug als een rijke Siberiër uit het nieuwe territorium. Daar is dat nog steeds mogelijk zonder dat je je bij de *mafiya* hoeft aan te sluiten.'

Panov kwam half uit zijn stoel, schepte enkele zwarte kaviaarparels uit de kristallen schaal en legde ze op een stukje zacht, beboterd witbrood. Hij had een fraai pak aan, zoals dat een onderminister van het ministerie van Defensie betaamde. Slechts een enkeling zou echter zijn zwierige militaire manier van doen en rechte houding hebben gemist. Hij had er altijd als een militair uitgezien: groot, onverschrokken, spottend de confrontatie met het gevaar tegemoet zien. Maar Roedenko zag dat hij ouder was geworden. De ooit stralende glimlach van de jongensachtige marineofficier was nu krijtachtig en doorzichtig, zelfs grijs op plaatsen waar zijn vullingen erdoorheen schenen. Zodra hij lachte, glinsterde een gouden kies. De diepe kraaienpoten werden niet alleen veroorzaakt door het feit dat hij vroeger met half dichtgeknepen ogen om zich heen had getuurd omdat het licht op zee zo fel was.

'Blijf je vanavond eten?' vroeg Roedenko. 'Ik zou gekookte vis kunnen bereiden. Er is een fles pure Schotse whisky; ik heb overwogen om die voor je naamdag naar je te versturen.'

Terwijl Panov een slok nam, schudde hij zijn hoofd. 'Bedankt, commandant,' plaagde hij. 'Laat ik dat maar niet doen. En het spijt me bovendien dat je plannen voor vanavond aan enkele wijzigingen onderhevig zijn.'

'O ja? Je kunt maar beter meteen uitleggen wat je bedoelt.'

'Een klus voor mijn departement. Een opdracht die bekendheid met bepaalde gebieden en alle mogelijke kennis over onderzeeboten vereist.'

Roedenko ging rechtop zitten en sloeg Panov tegen de zijkant van zijn knie. 'Jevgeni Aleksandrovitsj, ik ben zelfs ouder dan jij. Je denkt toch niet dat ik op mijn leeftijd nog in staat ben te gaan avonturieren? Ik kan amper nog mijn papierhandel aan.'

Panov schudde zijn hoofd en wuifde aldus het protest weg, waarna hij zijn glas naast het bord met brood neerzette. 'De Noordzee,' zei hij. 'We moeten erachter zien te komen wat er met een van onze schepen is gebeurd. Het wordt vermist in een gebied dat jij goed kent, dat was althans ooit het geval.'

Het zonlicht was volledig verdwenen, waardoor de kleuren in de kamer verfletsten. Roedenko ging staan om de lamp op zijn bureau aan te doen, want hij wilde het gezicht van Panov duidelijk zien.

'Alweer een schip vermist? Daarover is mij niets ter ore gekomen.'

'Dat zal ook niet gebeuren. In dit geval zitten we absoluut niet te wachten op een nieuwscircus.'

Roedenko knikte. 'Waar is deze precies uit het zicht verdwenen?'

'In de Sognefjord,' zei Panov. 'Kun jij je dat oord nog herinneren?'

De Sognefjord. Glasachtig zwart. Wanneer was hij daar voor het laatst geweest?

'Je weet dat best nog wel, Georgi Michailovitsj,' vervolgde Panov. 'Toen we de duivel hebben bedankt voor die ijsvrije fjorden.'

Roedenko glimlachte. In de oorlog had hij zeer gevaarlijk verstoppertje gespeeld, waarbij hij in en uit de fjorden en kustinhammen gleed om Duitse konvooien aan te vallen die de Oostzee bevoeren, en om nazi-oorlogsbodems te treiteren die in de oceaancorridor naar Moermansk geallieerde koopvaardijschepen achtervolgden. Roedenko had zijn tegenstanders vernederd. Ooit had hij zelfs een U-boot tot zinken gebracht terwijl die aan de oppervlakte lag te treuzelen. Pas jaren later had hij aan klassen van de marineacademie uitgelegd waarom de vijandelijke onderzeeër niet de diepte was ingegaan om te kunnen ontsnappen. Het schip werd op fatale wijze belemmerd door een fuik die het achter zich aan sleepte, net een ondergedompelde maar nog drijvende vaas. Roedenko zou zich dat groene opake oog in de ondiepe put altijd herinneren, een verbluffende glimp in de toekomst, zoals voorspeld door de wapenmeesters van het Reich – de neus van een raket.

'Die vermiste duikboot... wat kun je me erover vertellen?' vroeg hij aan Panov.

De onderminister zette zijn glas op het houten bijzettafeltje naast zijn leunstoel. 'De *Vladivostok*, K-517, Tweede Eskader. Akula-klasse, uitgebreid gemodificeerd; nucleair aangedreven, uitermate wendbaar en stil. Aan boord bevindt zich gespecialiseerde afluister- en sonarapparatuur. En twee SB-4 zeebodemtrawlers voor bergingen onder water.'

'J-klasse?'

'Ja.'

'Bewapend?'

Panov zuchtte. 'Niet echt. Alleen torpedo's. Geen raketten. Conventionele bewapening. Negenentachtig bemanningsleden; vijf officieren. De opdracht was het vergaren van informatie. En er is een burger aan boord. Een aan een poolstation verbonden wetenschapper die ze daar hebben opgepikt.'

'Wie is de commandant?'

'Rachevsky. Misschien ken je hem. Hij woont in de buurt van Kem.'

'Inderdaad. Een rustige commandant. Prima. Hij zal zijn zenuwen moeten kunnen bedwingen. En die boot bevindt zich beslist in de Noorse wateren?'

Panov knikte. 'De laatste transmissie was gisterochtend en bevatte geen informatie, geen details. Alleen een gecomprimeerd, snel uitgezonden noodsignaal.'

'Heb je een dossier voor me meegebracht?' vroeg Roedenko. Hij keek om zich heen of hij een tas zag.

'Alsjeblieft zeg.' Panov dwong zichzelf tot een flauw lachje. 'Je wordt vanavond nog op de hoogte gebracht. Op het ministerie van Defensie. Tsjernavin is met het vliegtuig onderweg vanuit St.-Petersburg. Eventuele documenten kun je daar inzien.'

Dit betekende dat er buiten het ministerie geen dossier over het incident bestond. Roedenko boog zich enigszins naar voren en nam een sigaret uit de doos die geopend tussen hen in lag. 'Sorry, rook je nog?' vroeg hij terwijl hij de fraaie doos aan zijn gast aanbood. Panov straalde. Hij was erg gevoelig voor het kleinste gebaar van sociale genegenheid.

'De boot is uitgerust met een uitstekend luchtverversingssysteem,' zei Panov, 'en kan het zeer lange tijd onder water uithouden. De baas wil dat de bemanning gered wordt...'

'O ja?'

'... maar dan wel ónder water.'

'Onder water?' zei Roedenko. 'Zelfs operaties die vanaf de oppervlakte worden uitgevoerd, zijn zelden succesvol. Een reddingsplatform onder water is nog nooit uitgeprobeerd.' Langzaam inhaleerde hij de rook en genoot ervan. 'Ik heb zo mijn twijfels.'

Jaren geleden had hij deelgenomen aan de zoektocht naar een atoomonderzeeër die in de Atlantische Oceaan werd vermist. Destijds waren de rompen verre van geavanceerd, vergeleken met wat men tegenwoordig maakte. Alle hoop op het redden van de bemanning bleek vergeefs. Ze durfden niet verder af te dalen dan de maximumdiepte en hadden om die reden magnetometers en televisiecamera's aan lange kabels laten zakken. Met veel moeite en geluk hadden ze de boot gevonden, of wat er nog van over was.

Deskundigen waren weken bezig geweest met het achterhalen hoe de onderzeeër ten onder was gegaan. Uiteindelijk kwamen ze tot de conclusie dat de bemanning de ballasttanks niet had leeggeblazen; de motor kon het gewicht simpelweg niet aan. De waterdruk boven de duikboot was te groot voor de schroef, waardoor het vaartuig naar beneden werd gedwongen, de achtersteven eerst. De afdaling ging vier keer sneller dan de normale maximumsnelheid. Met ruim honderd mijl per uur schoot de onderzeeboot de diepte in. Driehonderd meter, vierhonderd meter... Op zeshonderd meter diepte implodeerde de romp, die openbarstte als een eierschaal. Alles wat brandbaar was – papier, film, zeep, olie, alcohol – explodeerde door de hitte als gevolg van de onvoorstelbaar hoge druk. Gelukkig was de bemanning toen al dood, aangezien elk bloedvat open was gescheurd. De wrakstukken lagen over een afstand van verscheidene vierkante kilometers over de zeebodem verspreid. Roedenko bleef er niet graag bij stilstaan.

'Georgi...'

Roedenko hield een hand omhoog. 'Het is mogelijk... in theorie.'

Roedenko wilde weten hoelang de *Vladivostok* op patrouille was geweest. Enigszins verrast kreeg hij te horen dat dat één maand was. Een lange reis voor een Russische onderzeeboot. Ze waren nooit maanden aan één stuk op zee geweest, zoals de Amerikanen dat deden. Door de kwijnende budgetten werden de routes en de tijd op zee nog verder ingekrompen. In elk geval was vlak na de ramp met de *Koersk* uiteindelijk het reddingsmateriaal verbeterd om de bevolking tevreden te stellen. Als dat niet het geval was geweest, dan had dit gesprek niet eens hoeven plaats te vinden.

'Zou de motor, die mogelijk radioactieve straling lekt, eventueel het probleem kunnen zijn?'

Panov tuitte zijn lippen en maakte een ontwijkend gebaar met zijn hand. 'De admiraliteit heeft vorige week twee radiorapporten ontvangen over haaruitval, hoewel dat laatste in bescheiden mate het geval was. Dat kan echter net zo goed het gevolg zijn geweest van stress na de langdurige reis. De uitkomsten van de stralingstests in het schip waren negatief.'

Roedenko veronderstelde dat de onderzeeër misschien langs een van de rotswanden in de fjord had geschuurd. Wanden die honderden meters diep in het water staken. Of dat ze tijdens het manoeuvreren bij de zeebodem tegen een ongewone rotspartij waren gebotst. Of dat ze zich geconfronteerd hadden gezien met een ernstig mechanisch defect. Het lag voor de hand dat ze in het allerergste geval gedetecteerd en onderschept waren.

Panov bracht te berde dat dat onwaarschijnlijk was. 'Er is in de uren na het noodsignaal van de *Vladivostok* geen ongewone toename van Noorse militaire communicatie of activiteit geregistreerd. De Noren zijn nog niet op de hoogte van het feit dat er zich een Russische duikboot in hun territoriale wateren bevindt.' En *als* de reddingsactie onder water zou plaatsvinden, dan kwamen ze dat ook nooit te weten. Als het project slaagde, dan zou dat de eerste keer zijn.

Roedenko schonk twee glazen halfvol met water en dronk zijn glas in één teug leeg. Panov volgde zijn voorbeeld.

De admiraal ging staan en telefoneerde met de marinebasis van de Noordelijke Vloot in Moermansk, waarbij hij opdracht gaf zijn plunjezak te laten inpakken. In de badkamer pakte hij alleen zijn pillen, die hij in zijn zak stak. Zeelui nemen nooit veel bagage mee, dacht hij terwijl hij een blik wierp op de bescheiden rij foto's die zich op het ladekastje naast het bed bevond.

Toen hij terug was, legde Panov de borden in de gootsteen. De glazen waren eveneens opgeruimd, de whisky stond weer in de kast en hij had zijn jas al aan.

'Klaar, admiraal? Tsjernavin verwacht ons om zeven uur. We hebben nog net voldoende tijd om snel een hapje te eten.'

Roedenko knikte.

De chauffeur van Panovs oude Zil bracht hen naar Hotel Metropol, waar ze op een hoge verdieping dineerden. Ze hadden uitzicht op de groene daken van het Kremlin, pal aan de overkant van de rivier. De vijf spilvormige torenspitsen waren aan het uiteinde voorzien van enorme rode sterren van glas. Als windvanen draaiden ze mee in de bries. Het restaurant was vrijwel leeg, op een Engels gezelschap van toeristen en een stel onsmakelijke types in Italiaanse kostuums na. De vergulde spiegels benadrukten de verlatenheid die het vertrek karakteriseerde.

Panov en Roedenko staarden naar de citadel die baadde in het licht van de sterke lampen, en naar de weerspiegeling ervan in de enorme ramen. De admiraal herinnerde Panov aan de winters, vlak na de oorlog, toen Galitsin nog leefde, die zich met zijn vrouw en geadopteerde Chinese dochter in een luisterrijk appartement van het Kremlin had teruggetrokken. Met kerst kwamen ze daar allemaal samen omdat er geen andere plek was die hen bond en waar ze heen konden.

'Zo lang geleden,' zei Panov weemoedig.

Het menu van het Metropol was geweldig, maar Roedenko had niet veel honger, ondanks het feit dat de admiraliteit de rekening betaalde. Hij bestelde een eenvoudige gegrilde steurschotel en Panov gepaneerde lamsvleesballetjes en gebakken aubergine met pijnappelpitten als vulling, gevolgd door een copieus dessert – kleine abrikozen- en kiwitaartjes. Toen de koffie werd geserveerd, excuseerde de admiraal zich en ging naar de toiletruimte.

Zijn haar was overal even wit en accentueerde zijn blauwe ogen. Zijn gezicht had meer rimpels dan de zee golven had. Waarom zou iemand van zijn leeftijd zelfs maar overwegen om een missie op zee op zich te nemen? Hadden Panov en zijn superieuren daar niet over nagedacht?

Natuurlijk hadden ze dat, realiseerde hij zich. Als die onderzeeër van de Baltische Vloot niet te redden was en meedogenloos in de val zat, wie kon dan beter doen wat nodig was dan een zeer betrouwbare vlagofficier van een ander commando? Een commandant zonder persoonlijke kennis van de mensen die zich in de duikboot bevonden. Liever een achtenswaardige – en vervangbare – oude man die allang de pensioengerechtigde leeftijd had bereikt dan een jongere officier met twijfels en nog een carrière voor de boeg. Nee, admiraal Roedenko was de ideale persoon voor dit schoonmaakproject.

Om tien minuten voor zeven verlieten ze het hotel en kuierden ze door de lange straten naar hun bestemming. In de houder boven de deur wapperde de vlag van de Russische marine.

'Zeven uur precies,' zei Roedenko.

Met de *Vladivostok* was al zestien uur en twintig minuten geen radiocontact meer.

5

De gedachte dat Roedenko een stem in deze zaak had, werd snel ge-smoord. Admiraal Vladimir Nikolajevitsj Tsjernavin, opperbevelhebber van de Russische marine, ontving hen persoonlijk in een bescheiden vergaderkamer. Naast de perfect geboende art deco-vergadertafel, die zo groot was dat er twaalf mensen aan konden zitten, vormde de omvang-rijke uitstalling van rode vaandels, beschadigd door vijandelijk vuur, het enige opmerkelijke kenmerk van dat vertrek. Vaandels die tussen het glas geklemd waren, het geheel voorzien van zwarte lijsten.

'Admiraal Roedenko, wat fijn dat u prompt hebt gereageerd,' zei de opperbevelhebber. Hij maakte een gebaar dat ze aan de vergadertafel van walnotenhout mochten plaatsnemen. 'Wellicht bent u er al van op de hoogte dat we een probleem hebben met de K-517.' Panov bevestig-de dit met een knikje. 'De *Vladivostok* was op een gevoelige missie. Ik hoef u niet uit te leggen dat de aanwezigheid van ons oorlogsschip in de territoriale wateren van een andere soevereine natie uiteraard vereist dat we in deze zaak de grootste zorgvuldigheid betrachten.'

Tsjernavin had onder Roedenko bij de Noordelijke Vloot gediend ter-wijl hij na een snelle carrière uiteindelijk zijn huidige rang had bereikt. Roedenko kende hem als een man die scherpzinnig, omzichtig en zeer nauwgezet was. Wat er ook diende te gebeuren, moest worden uitgevoerd, anders... En het diende in alle stilte volbracht te worden. Vandaar dat voor deze klus een beroep werd gedaan op Roedenko's bewezen expertise.

Tsjernavin vouwde een grote kaart, een dwarsdoorsnede, van de *Vla-divostok* uit. Hij ging gedetailleerd in op de modificaties in de verschil-lende compartimenten en karakteriseerde de officieren, eindigend met commandant Rachevsky.

Hij deed een stap naar achteren en aanschouwde de dwarsdoorsnede. 'Ondanks de grote waarschijnlijkheid dat het luchtverversingsysssteem adequaat functioneert, is de kans nihil dat een schip de reddingsactie kan uitvoeren. De Noren zouden zo'n poging in een mum van tijd ontdek-ken. Een reddingsactie onder water door een andere onderzeeër is nog nooit geprobeerd. Maar een prominente voorstander van de mogelijk-heid van zo'n procedure is naar ik heb begrepen een admiraal van de Noordelijke Vloot... ene G.M. Roedenko.'

Panov keek vluchtig naar Roedenko, maar zei niets.

Tsjernavin rolde een zeekaart uit. De bovenste helft bestond uit een weergave in hemelsblauw en bruin van de in totaal tweehonderd kilometer lange Sognefjord. Het onderste gedeelte vormde een corresponderende dwarsdoorsnede van de middelste vaargeul van de fjord.

'De glaciale trog in de fjord kent weinig opvallende bodemkenmerken. Diep, vlak en recht. Afgezien van een zwerfkei hier en daar, en wat ander zandachtig gletsjerpuin, heeft de zich terugtrekkende gletsjer weinig achtergelaten. Het grootste gedeelte van de vaargeul is vlak en zeer diep.' Met de punt van zijn pen tikte Tsjernavin op een flauwe bocht in de fjord, op achtendertig kilometer uit de kust. 'De bestemming van de *Vladivostok*. Het was de bedoeling SB-4 zeebodemtrawlers in te zetten om als geheim aangemerkt materieel van de zeebodem te verwijderen.'

Roedenko knikte. Hij begreep waaraan de commandant refereerde. Aan het eind van de jaren zeventig, toen de op het land gestationeerde raketinstallaties achterhaald waren, gezien hun kwetsbaarheid bij een rechtstreekse aanval, hadden de Amerikanen overwogen hun raketinstallaties ondergronds op rupsbanden te zetten, waardoor ze verplaatst konden worden en er een absurd spelletje kiekeboe met de intercontinentale ballistische raketten ontstond. Van de kant van de sovjetmarine ontwikkelde commandant Tsjernavin een tegenoffensief – de strategische inzet van onderzeeërs met atoomraketten. Het plan vereiste dat de Zee van Ochotsk in het Verre Oosten, de grillige kustgebieden van Zweden en de ijsvrije Noorse fjorden uitgebreid in kaart werden gebracht. Deze schending van de territoriale wateren was systematisch van opzet. Ten eerste om de terreinkenmerken onder water in kaart te brengen. En ten tweede om de schuilplaatsen te selecteren voor de onderzeeërs die daarna zouden volgen en die stuk voor stuk bewapend waren met raketten die zeer goed in staat waren om met meervoudige thermonucleaire kernkoppen doelen in Noord-Amerika en Europa te raken. De criteria voor deze plaatsen waren eenvoudig van aard: ze moesten de duikboten bescherming bieden tegen detectie. De steile, hoge fjordwanden maakten het zelfs de meest geavanceerde surveillanceapparatuur uiterst moeilijk. Dat gold ook voor de temperatuurverschillen en de densiteit van de stromingen aldaar – sommige waren zilt, weer andere zoet – waardoor de gegevens van de infraroodsensoren en zelfs de sonar geblokkeerd en vervormd werden. Bovendien vroren die fjorden nooit dicht. Zodra de plaatsen bepaald waren, konden de duikboten zich daar schuilhouden. Hun raketten waren vervolgens in staat om in minder dan een kwartier hun bestemming te bereiken.

De verfrissende strategie van Tsjernavin werd de hoeksteen van een nieuwe doctrine, een ingenieus plan om met raketten uitgeruste sovjetonderzeeërs op vrijwel onneembare posities te stationeren. Tests bewezen dat die list uitermate effectief was. Vanaf deze plaatsen waar raketten afgevuurd konden worden, kon de Russische onderzeebootdienst op goedkope wijze het wapenarsenaal van het Westen nog een tijdje langer op afstand houden. Nu was zelfs een preventieve aanval mogelijk terwijl het Westen de druk opnieuw opvoerde. In strategisch opzicht waren die plaatsen van onschatbare waarde, terwijl ze vrijwel niets kostten. Datgene wat de Russische technologische productie niet had kunnen waarmaken, kreeg Tsjernavin dankzij zijn eenvoudige strategie moeiteloos voor elkaar. De Partij versnelde zijn promotie, met in het kielzog die van een groot aantal hoge officieren, onder wie Roedenko.

Het uitgraven en bewaken van Tsjernavins onderwaternesten had de hoogste prioriteit gekregen. De nauwkeurigheid van een raket was niet groter dan de precisie waarmee de lanceerpositie werd berekend. Twee conventioneel bewapende onderzeeërs van de Strategische Nucleaire Strijdmachten hadden de delicate opdracht gekregen die plaatsen in de Noorse en Zweedse wateren op uiterst nauwkeurige wijze te bepalen en voorbereidingen te treffen die plaatsen uit te graven en te voorzien van passieve elektronische detectieapparatuur die de positie van naderende patrouillerende schepen kon vastleggen. De apparatuur was gebaseerd op in Japan vervaardigde sonarboeien, ofwel qua energieopwekking onafhankelijke afluisterapparatuur die alle geluiden in de buurt naar de aanwezige dienstdoende onderzeeër doorseinde. Elke duikboot was uitgerust met elektronisch screeningmateriaal om uit het ratjetoe van onderwatergeluiden alle mogelijke geluiden van andere schepen te selecteren. Elke van raketten voorziene duikboot bleef zijn positie tot zo'n twintig dagen houden, waarna hij werd afgelost door een andere onderzeeër.

Vervolgens werden de reusachtige Akula en Delta I-IV duikboten gebouwd. Deze waren krachtig genoeg om zich door drie meter noordpoolijs omhoog te drukken en vervolgens hun intercontinentale ballistische raketten af te vuren. Deze enorme onderzeeërs voeren nooit zuidelijk van de Noorse Zee, maar bevonden zich alleen noordelijk daarvan. De Barentszzee en de poolzeeën werden hun permanente operatiegebied.

Roedenko haalde diep adem; het was warm in de vergaderkamer. De Koude Oorlog was voorbij, verleden tijd. Die illegale plaatsen waren hinderlijk en vormden mogelijk zaken die de recentelijk benoemde opperbevelhebber van de marine in verlegenheid konden brengen. Kennelijk was de admiraliteit bezig die nesten op te ruimen en alle sporen uit te wissen. Tot op de dag van vandaag was Roedenko dankbaar dat de bij de Noordelijke Vloot horende onderzeeërs van de Strategische Nucleaire Strijdkrachten nooit onder zijn commando waren gevallen.

'Vragen, onderminister?' vroeg Tsjernavin, waarbij hij zich eerst tot Panov en vervolgens tot Roedenko wendde: 'Admiraal?'

Roedenko boog zich naar voren, waarbij hij zijn onderarmen op de tafel liet rusten, de handen gevouwen. 'Als de Noren de *Vladivostok* vinden, of ons in hun voortuin ontdekken, hoe zien mijn orders er dan uit?'

Tsjernavin nam de voormalige commandant met half dichtgeknepen ogen op, waarbij hij op een Aziaat leek. Deze manier van doen vormde slechts een van de redenen waarom zijn ondergeschikten hem De Tartaar noemden.

'Bied verzet, breng ze tot zinken. Geef uw commando onder geen enkele omstandigheid op. U laat de *Vladivostok* niet aan hun genade over. De identiteit en aanwezigheid van de onderzeeër mogen niet te verifiëren zijn. Dat is van het allergrootste belang.'

'Begrepen, commandant.'

'Haal de bemanning uit de *Vladivostok*. De boot zelf is vervangbaar. Vernietig hem.'

'Welke steun mogen we vóór of na de redding van onze zustervloot verwachten?'

Tsjernavin zweeg even. 'Ik vrees dat niets beschikbaar zal zijn tot u uw missie hebt volbracht en open zee bereikt. Verschillende trawlers zullen zogenaamd toevallig in de buurt zijn, net buiten de territoriale wateren. Het helikopterschip *Novosibirsk* vaart nu de Oostzee op en gaat niet ver van de monding van het fjord op manoeuvre. Zodra u vertrekt, kiezen Yak-36 gevechtsvliegtuigen en Ka-25 helikopters het luchtruim. Het schip heeft gezelschap van twee torpedobootjagers van de *Sovremenny*-klasse. Ze zijn snel inzetbaar om uw flanken te verdedigen. Neem geen radiocontact met ze op. Alleen met St.-Petersburg. De admiraliteit zal zich aldaar bekommeren om de ondersteunende zaken.'

Panov had de armen voor de borst over elkaar geslagen. 'En wat te denken van een hospitaalschip voor het geval er manschappen ernstig gewond zijn?'

Tsjernavin knikte. 'Prima. Goed gezien.' Hij riep zijn adjudant. 'Laat het dichtstbijzijnde hospitaalschip meteen koers zetten. De admiraal keert over de Oostzee terug. Geef het hospitaalschip dus een onderscheppingskoers. Vergeet niet dat we niet te veel vaartuigen richting Sognefjord willen hebben om te voorkomen dat we ons in de kaart laten kijken voordat de admiraal het kanaal uit is. Zodra hij uit de fjord is, maakt iedereen dat hij wegkomt, in de richting van de oceaan.'

De adjudant draaide zich prompt om en marcheerde weg. Zijn zware voetstappen klonken luid in de verlaten gang.

'Wat moet er gebeuren wanneer de bemanning niet gered kan worden?' vroeg Panov.

57

Tsjernavin richtte zich tot admiraal Roedenko. 'U zult doen wat gedaan moet worden.'

Roedenko en Panov wisselden een blik.

Tsjernavin keek weer naar zijn notities, waarna hij al lezend over zijn neusrug wreef. 'Nog iets. Het heeft hoge prioriteit.'

Hij haalde een waterdichte, gele trommel te voorschijn. Een die niet groter was dan een lunchtrommel, en voorzien van hoofdletters: ARS-T. Roedenko en Panov keken elkaar vluchtig aan. Geen van beiden herkende het metalen ding. Bovendien was er duidelijk geen plaats voor vragen. Tsjernavin plaatste het voor hen op de tafel.

'Een trommel als deze zal zich in de persoonlijke kluis van de commandant bevinden. Zorg dat u die in uw bezit krijgt.'

Tsjernavin pakte een open envelop die bij zijn elleboog lag. Hij hield die schuin, waarna er een sleutel aan een kralenkettinkje uit viel. 'Dit is een kopie van de sleutel die past op de veiligheidskluis van de bevelvoerende officier. Er zitten nog eens zes van die sleutels in, bestemd voor de andere reddingswerkers.' Hij schoof de envelop in de richting van de admiraal. 'Mocht de noodzaak zich voordoen.'

'Ja, commandant,' zei Roedenko.

'Welnu...' Tsjernavin ging staan en gaf hun kort maar krachtig een hand. 'Mijn adjudant,' ging hij verder, 'zal uw instructies doorgeven aan de beveiligde haven in Kem en voor onmiddellijk transport zorg dragen. Voor informatie en verzoeken kunt u zich vanaf nu tot hem wenden. Waar is-ie?'

De jongensachtige luitenant kwam terug met een dienblad, waarop echter slechts twee koppen koffie stonden.

'Admiraal,' zei Tsjernavin. 'Ik verwacht u midden van de week terug in St.-Petersburg. Zorg ervoor dat u op tijd bent.' Hij gunde hem een strak glimlachje.

'Ja, commandant.'

'Goedenavond.' Tsjernavin gaf een teken aan zijn adjudant.

'Goedenavond,' zei Panov terwijl hij ging staan. Roedenko volgde zijn voorbeeld.

De luitenant stond in de houding terwijl de commandant de kamer uitliep.

Panov zuchtte ongegeneerd, deed vervolgens zijn colbert uit en hing die over de rugleuning van zijn stoel. 'En wat moeten we verdomme daarvan denken?' zei hij terwijl hij een gebaar maakte in de richting van de felgele trommel.

'Ik heb geen flauw idee,' zei Roedenko. Hij richtte zijn aandacht op de zeekaart. 'Op dit moment moeten we enkele moeilijke logistieke zaken afwegen en beslissingen nemen.'

Panov liep om de tafel heen en keek over de schouder van de admiraal mee. Roedenko was een lijst aan het opstellen. Panov las hardop voor terwijl Roedenko verder schreef: 'Dieptemeters, respirators, stretchers, medische spullen en medisch personeel. Met welke duikboot zou jij dit warenhuis naar Noorwegen willen vervoeren?'

'Ik dacht aan de *Roes*. De romp is versterkt en de motoren afgeschermd met geluidwerend materiaal. De duikboot ligt in de haven van Kem, heeft geen raketten aan boord en is voorzien van een toegevoegd reddingscompartiment. Het tweede kan snel worden geplaatst.'

Panov grinnikte luid. 'De *Roes*. Ik neem aan dat die relschopper van jou daar nog steeds het bevel over voert.'

'Commandant Nemerov is een ervaren officier,' zei Roedenko zonder van zijn werk op te kijken. 'Luitenant!' riep hij naar de adjudant. 'Waarschuw de onderzeebootdienst in Kem. Zorg ervoor dat ze een raketbuis op de boot van commandant Nemerov installeren, en dat ze er een drukcabine met een luchtsluis aan vast lassen. Leg de situatie uit aan commandant Nemerov. Laat hem ervan doordrongen zijn dat we voor deze opdracht uren en geen dagen hebben. Zorg ervoor dat hij in alle stilte twee artsen inroostert. O, en vier gekwalificeerde duikers. Vervolgens moet de duikboot naar het omheinde, beveiligde havengebied worden gesleept. En betracht alstublieft geheimhouding.'

Hij wendde zich tot Panov. 'We hebben die extra duikers nodig voor het geval de *Vladivostok* dieper ligt dan hij hoort te liggen.' De luitenant maakte aanstalten om de gang in te lopen, maar Roedenko riep hem terug. 'Verzeker je ervan dat ze weten dat ze die reddingsduikboten moeten testen.' Hij keek Panov aan. 'De Sognefjord is op sommige plaatsen erg diep. Wel twaalfhonderd meter, naar ik me herinner... ruim zeshonderd vadem. Volgens mij heb ik ergens in mijn kwartieren in Moermansk zelfs een Britse zeekaart van dat gebied liggen.'

'Wilt u dat die zeekaart wordt opgehaald, meneer?' vroeg de luitenant.

Een moment lang keek Roedenko hem vragend aan. 'Nee, nee. Het betreft een verouderde en ondeugdelijke kaart. Deze zijn veel geschikter.' Hij krabbelde iets op een stukje papier dat hij vervolgens aan de adjudant overhandigde. 'Wie zich voor zijn dienst heeft aangemeld, mag het vaartuig niet meer verlaten. Dit zijn mijn rendez-vouscoördinaten met de *Roes*. Geef ze alstublieft door aan commandant Nemerov, samen met mijn opdracht het zeegat te kiezen zodra het materieel is geïnstalleerd en de manschappen aan boord zijn. De aanpassingen van de drukkamer kan hij op zee laten uitvoeren. De *Roes* moet een zo groot mogelijke voorsprong krijgen.'

'Ja, meneer,' riep de luitenant. Hij haastte zich het vertrek uit.

Roedenko en Panov verzamelden de papieren en pakten hun petten. Terwijl ze door het gebouw liepen was de admiraal de route aan het uitstippelen. Buiten, in de kille avondlucht, was de wachtende chauffeur van de sedan uit de auto gesprongen om het portier voor hen open te houden, maar Panov maakte een gebaar dat hij uit hun buurt diende te blijven.

'Laat ons een moment alleen.'

De chauffeur knikte.

'Waarom heeft die onderzeeër koers gezet naar de Sognefjord?' vroeg Roedenko.

'Volgens mij is het een geldkwestie,' antwoordde Panov. 'Of, beter gezegd, gedreven door gebrek aan geld. De admiraliteit is blut. We zijn nog armer dan Thailand, als je dat nog niet gemerkt hebt. Die verdomde baht is meer waard dan de roebel. Elke dag brengt een vliegtuig uit New York honderddollarbiljetten in bulk naar ons land, zodat de ondernemers, tussenpersonen en dieven echte valuta hebben om mee te spelen. Tegenwoordig verkiezen ze echter de euro.'

'Wat heeft dat met deze situatie te maken?'

'Heel treurig. Ongetwijfeld hebben ze de commandant van de *Vladivostok* opgedragen een extra karwei uit te voeren. De opruiming van dat oude duikbootnest stond in dat opzicht op de tweede plaats.'

'En wat was de hoofdtaak?'

Panov zei: 'Iemand ophalen van een wetenschappelijk researchstation in de Canadese archipel... die vrouw kwam daarvandaan.'

'De poolkap?'

'Een eilandje op een ijsvlakte. Een geopolitieke modelonderneming. Het staat er bol van wetenschap en goede wil. Erger dan Soros. Bah! Waarom verspillen we onze karige inkomsten daaraan?'

Roedenko stak een gehandschoende duim uit naar de deur van het ministerie. 'De schatkist is leeg en hij stuurt een duikboot om die vrouw op te halen?'

Panov kreeg een weifelende trek op zijn gezicht. 'Ja, daar lijkt het op.'

'En nu heeft die duikboot eraan moeten geloven.'

'Wat je zegt,' zei Panov.

De admiraal trok zijn handschoen uit en stak een hand naar hem uit. Panov deed hetzelfde. Ze omhelsden elkaar, hielden elkaar bij de schouders vast.

'Goede reis,' zei Panov. 'Dat de fjorden je nog een keer gunstig gezind mogen zijn.'

Afgeleid door alle details die hij in Moermansk nog moest regelen, stapte Roedenko in de Mercedes van het ministerie. Panov bleef maar praten, ook al ging het portier dicht. De auto, die bij de stoeprand geparkeerd stond, trok zo snel op dat de admiraal nauwelijks kans kreeg om naar hem te zwaaien. Panov had iets gezegd dat hij maar half gehoord had. Zijn vriend werd almaar kleiner terwijl hij nog steeds een hand in de hoogte hield.

De grote auto schoot over de middelste rijbaan van de boulevard. Een rijbaan die uitsluitend gereserveerd was voor kopstukken, hoogwaardigheidsbekleders en hulpdiensten. Met hoge snelheid reden ze naar de luchthaven, naar het vliegtuig dat hem naar Kem zou brengen. Desondanks zou commandant Nemerov van de *Roes* tegen de tijd dat hij in Moermansk arriveerde al op open zee zijn.

6

Hanley vreesde het gesprek met haar ex. Hij stelde haar niet teleur.

'Jij moet hebben geweten dat hij diepongelukkig zou zijn over het feit dat hij zijn komende... hoeveel zijn het er... drie bezoeken zal missen. Of zijn het er vier? Hij zal ontzettend verdrietig zijn bij de gedachte dat hij je de komende vijf maanden niet te zien krijgt.'

Hanley zuchtte verslagen.

'Natuurlijk,' zei hij. 'Jij gaat hoe dan ook. Jouw werk heeft alle prioriteit. Dat weten we allemaal. En wij moeten de consequenties aanvaarden. Jij klaagt dat ik Joey meeneem op een reis van duizend mijl, maar je moet toegeven dat dit jou verdomde goed uitkomt. Dan heb jij meer tijd over voor die lijken van jou.' Hij gromde. Hanley merkte echter dat dat niet bij zijn commentaar over haar hoorde.

'Alles in orde?' vroeg ze.

'Mijn maag.'

'Alweer? Heb je die zevendaagse ontgiftingskuur geprobeerd? Misschien moet je wat antioxidantia en chroom nemen, je bloedvaten schoonmaken. Misschien is een bescheiden lymfdrainage eveneens op zijn plaats.'

'Waarom doet jouw advies altijd denken aan gazononderhoud?' bromde hij.

'Probeer op z'n minst een klysma,' zei Hanley. 'Dat zal een deel van het probleem oplossen.'

'Alsjeblieft,' zei hij geïrriteerd. 'Krijg je van iemand betaald om zieltjes te winnen? Levert dit commissieloon op?'

'Hou op, zeg.'

'Ik ben blij voor je dat jij in Californië geacclimatiseerd bent en dat jouw zelfrealisatie je heeft gebracht waar je nu bent. Ik vind het prachtig dat je in het heden leeft, dat jij je lot in eigen handen hebt genomen en dat positivisme jouw motto is, en dat jij het licht in je wezen hebt gevonden. Ik ben blij voor je dat jij je blokkades hebt weggenomen, dat jouw meridianen, chakra's en marma's een goede toekomst tegemoet mogen zien, dat jij je innerlijke zelf hebt laten ontwaken, en dat jij je lottonummers door de I Tsjing laat bepalen. Ik wil dat je nieuwe energie- en synergieniveaus bereikt, *en* niet te vergeten syzygie realiseert. Ik wil dat jij je levenskracht eert en dat je straalt als een verdomde kaars in de nacht. Maar ik wil nooit en te nimmer een klysma proberen. *Heb je dat begrepen?'*

Ze trok de hoorn weg van haar oor. 'Oké.'

Hij hing op.

'Dag,' zei Hanley zachtjes tegen zichzelf. 'Ik hou ook van jou.' Ze smeet de hoorn op de haak. 'Shit.' Ze deed haar zonnebril op en griste de autosleutels van de balie. Toen ze naar buiten liep, zat Joey al in de pick-up.

Een bloemachtig wezen bloeide in de getijdepoel. De uiteinden van de blaadjes waren voorzien van vuurrode sensoren.

'De *Laila cockerelli*,' zei Hanley. 'En daar is een *Peltodoris*.'

'Die ziet eruit als een aardappel.' Joey zat in kruiphouding aan de rand van de rotspoel.

'Zeker weten.'

'Wat eten ze?'

'Sponzen.'

'O ja? En waar zijn die oranje dingen voor bij die andere daar?' Hij wees ernaar.

'Aha.' Hanley keek blij. 'Dat zijn de spijsverteringsklieren. Een soort magen.' Ze keek naar haar zoon, die een intense trek op zijn gezicht had. Aandachtig keek hij ernaar. Opeens voelde ze een steek.

'En dat dan?' vroeg de jongen. 'Dat spul dat er zo schuimachtig uitziet. Wat is dat?'

Met opgeheven hand maakte Hanley een schaduw om de reflectie op het wateroppervlak tegen te gaan. 'Dat zijn algen,' zei ze. Ze schepte wat van de viezigheid op.

'Bah.' Joey trok een gezicht.

'Nee, hoor. Algen zijn geweldig. Zonder algen zouden we het zonder handlotion, aardolie, filmrolletjes, pudding, bier en zelfs chocolademelk moeten stellen.'

'Chocolademelk? Zit dat spul in chocolademelk? Gadver!'

Hanley knikte. 'Mmm. En ze eten riooltroep. Een paar kerels hebben de algen zelfs overgehaald om aan olievervuiling te knabbelen. Heb ik jou ooit verteld over het blauwe-algendieet?'

'Misschien moet ik daar wat van meenemen in het vliegtuig,' zei Joey. 'Het moet hoe dan ook lekkerder zijn dan dat zogenaamde eten dat je daar krijgt.'

Hanley glimlachte.

Joey keek zijn moeder vluchtig aan. 'Wanneer vertrek je?'

Ze stak de handen in haar zakken. 'Morgen, laat op de dag. Eerst naar Edmonton, in Canada. Daarna reis ik verder naar Alaska. Van daaruit word ik naar het onderzoeksstation gebracht, dat op een door ijs omgeven eiland ligt.'

'Op de noordpool?'

'Bijna.'

Joey ging staan. 'Kom mee, mam.'

Hanley kwam overeind en volgde haar zoon over een rotspartij naar het strand.

'Ik vind het echt heel vervelend dat ik niet vóór kerst thuis ben.'

'Ja,' zei Joey. 'Maar maak je over mij geen zorgen. Pap neemt me mee naar Sea World.'

'Luister, tijdens mijn afwezigheid mailen we elkaar, en wanneer we weer samen zijn, gaan we een experiment doen. In een kliniek in Berkeley zijn ze een computerprogramma aan het ontwikkelen waarmee jij aan de slag kunt. Iemand is er daar achter gekomen hoe je een computer moet programmeren om een persoon met dyslexie te voorzien van zijn eigen woordomzettingen. De computer ziet de tekst zoals jij die waarneemt. We hebben hun wat gedeeltes van jouw huiswerk opgestuurd, en in de kliniek heeft men de lettervolgordes van jou gedecodeerd. Ze maken nu een programma dat jou kan helpen met lezen. Je moet het echter wel willen proberen. Het is nodig dat je ervoor open blijft staan, Joseph Hanley-Brown.'

'Je klinkt weer als een hippie.'

'Ik ben een hippie. Ik heb het plan opgevat om jou vóór het einde van je volgende bezoek bruinwier te laten eten.' Ze greep haar zoon bij de revers vast. 'En hoe denk je nu over dat computerprogramma?'

'Oké, mam... ik zal het proberen.'

Ze glimlachte. 'Zo wil ik het horen.'

Joey keek zijn moeder strak aan.

Hanley zei: 'Ik ga je verschrikkelijk missen.' Ze pakte hem bij de schouders vast.

De jongen duwde haar handen weg en liep wrokkig weg. De moed zonk haar in de schoenen.

'Echt waar, Joe.'

De jongen hield zijn pas in en draaide zich om. 'Ik ook,' zei hij, waarna hij naar haar toe rende om haar te omhelzen.

7

De *Roes* verliet Kem en voer de Witte Zee op, in noordelijke richting, om vervolgens in een boog een westelijke koers aan te nemen, waarbij de onderzeeër de Barentszzee doorkruiste naar de Noorse Zee. Al die tijd voeren ze onder water om de grote ijsschotsen te mijden. Toen ze eenmaal in de Noord-Atlantische Drift zaten, die ervoor zorgde dat dankzij de hoge zoutniveaus de kustwateren ijsvrij bleven, namen ze de vertrouwde zeeroute langs de Noorse kust en kwamen ze aan de oppervlakte om het dek aan te passen.

De instrumenten in de controlekamer straalden een gloed uit die aan het dashboard van een auto in het donker deed denken. De meters werden van binnenuit verlicht om het nachtzicht van de man bij de periscoop niet te verminderen. Het licht in het vertrek zelf was gedimd, waardoor er een eigenaardig serene sfeer was ontstaan. De enige andere lichtbron werd gevormd door de korte verticale schacht in de commandotoren. Een schacht die naar de erbij behorende buitenbrug voerde. Het tochtte er; in de controlekamer was het ijzig koud.

Kapitein-ter-zee der eerste klasse Vasily Sergejev Nemerov stak zijn hand in de natuurlijke lichtcirkel aan de voet van de ladder en keek op zijn horloge, een voortreffelijk Amerikaans uurwerk voor militair gebruik, compleet met zwarte wijzerplaat, radiumcijfers en -wijzers. Het was zijn meest trotse bezit dat hij jaren geleden tijdens het kaarten had gewonnen van een kolonel van de mariniers.

'Luitenant, ik ga naar boven,' zei hij tegen zijn navigatieofficier. 'Let op die kerels terwijl ik weg ben, wil je? De kok is de aanmonstering misgelopen en torpedo-officier Grishov vereert ons weer met een van zijn moeders recepten. Zorg ervoor dat iedereen bij de les blijft.'

De bemanningsleden grinnikten zonder van hun instrumenten en meters op te kijken. Nemerov nam de trap naar het open luik, boven aan de commandotoren, en begaf zich naar de kleine commandocockpit, de buitenbrug van de onderzeeër.

De *Roes* deinde op de golven. Met een formidabele honderdtweeënvijftig meter kiellengte en een geweldige omtrek was de commandobrug niet meer dan een kraaiennest, waar het erg krap was, zeker voor drie mannen die in dikke winterkledij waren gestoken. Om ruimte te maken stuurde de commandant een van zijn wachten naar beneden, waarbij hij de matroos op de schouder sloeg terwijl die langs hem schuifelde.

Nemerov trok zijn pet met klep strakker over zijn hoofd en keek met een onderzoekende blik naar de lucht. Het donkere uitspansel had een purperen kleur. Aan de horizon was een spookachtige, witte gloed in de vorm van een strook te zien. De zee was zoals hij die wilde hebben, hoewel iets aan de ruwe kant. De golven schuimden in de straffe wind en het dreigde te gaan sneeuwen. Ondanks de annulering van het boordfeestje om het derde jaar van zijn commando te vieren, was Nemerov heel tevreden dat hij zich op zee bevond, weg van het vloothoofdkwartier in Moermansk en de onderzeebootbunkers in Kem.

Nog een paar zeemijl aan de oppervlakte, en dan zouden ze met heel wat meer dan alleen hier en daar een ijsschots strijd moeten leveren. Waar was de admiraal, verdomme! De *Roes* bevond zich bijna in positie. Daar kwam bij dat de duikboot er bepaald niet onopvallend bij lag met de rook die uit raketbuis zes walmde.

Het luik ervan was helemaal opengezet om de schadelijke gassen als gevolg van de laswerkzaamheden benedendeks af te voeren. De ballasttanks waren gedeeltelijk gevuld om de *Roes* zo stabiel mogelijk te houden terwijl er beneden gewerkt werd, en om het gewicht van de verwijderde raketten te compenseren. Alleen de luchtdoelraketten waren overgebleven, die vanaf het dek op elk gegeven moment uit de compartimenten konden komen om in positie te worden gebracht, en slechts zes torpedo's, waarvan twee van sonarsneeuw voorziene dummy's.

Twee sigaarvormige duikboten waren op de achtersteven bevestigd, compleet met gekoppelde luiken om ze van benedendeks toegankelijk te maken. De reddingsduikboten konden tot op een diepte van vijfhonderd meter opereren. Ze werden aangedreven door hogesnelheidwaterjets, waardoor zijdelingse bewegingen en manoeuvres mogelijk waren om de ontsnappingsluiken van de onbruikbare onderzeeër aan die van de reddingsduikboten te koppelen, met de bedoeling de overlevenden eruit te halen om ze vervolgens naar de *Roes* te transporteren, waar de medische staf op hen wachtte.

Nemerov keek op zijn voortreffelijke horloge en dacht aan dat kostbare uur en twintig minuten. Dat was de tijd die nodig bleek om de extra duikboot in de juiste positie te takelen, en om vier lege raketbuizen te installeren voor de drukkamer en de luchtsluis, waarna de eerste laswerkzaamheden voltooid konden worden. Desondanks was een voorbereiding van vier uur voor de *Roes* meer dan voldoende om de trossen los te gooien. Het mocht een klein wonder heten.

Hij keek naar de lucht. De satellieten zouden in deze omstandigheden geen enkele moeite hebben om de *Roes* te vinden. Infraroodsensoren waren in staat de drie warmte uitstralende plaatsen van een ijsbeer op te pikken, laat staan de lasbranders die staal lieten smelten en de dichte, ozonrijke rook die puffend uit het open luik van de op het voorste dek geplaatste raketbuis walmde.

Onder de kiel, en bevestigd op de zeebodem, seinde akoestisch opsporingsmateriaal ongetwijfeld motorgeluiden van de *Roes* door, en niet te vergeten de geluiden van het kolkende, schuimende kielzogwater achter de romp. In satellieten op honderden kilometers boven de duikboot bevonden zich andere instrumenten die de lichte fluctuaties van het aardmagnetisch veld opspoorden, veroorzaakt door de metaalmassa van het schip. Enkele verdomde Amerikanen hadden zelfs een manier uitgevogeld om de onbeduidende waterorganismen te detecteren die dood in het kielzog van de onderzeeër waren achtergebleven. Organismen die gevolgd konden worden als een spoor van broodkruimels in zee. Ze wisten dat de *Roes* zich hier ophield.

Benedendeks zaten de diepzeeduikers in de drukcabine van Britse makelij. De cabine bevond zich vastgeklemd in het voorste gedeelte van de duikboot, waar de raketbuizen waren bevestigd. De duikers zouden daar gedurende de hele operatie blijven in een luchtdruk die gelijk was aan de waterdruk. Verbazingwekkend genoeg konden duikers dieper gaan dan de reddingsduikboten. Maar elke dertig meter waterdiepte vereiste twee uur in een cabine van ongeveer drieëneenhalve bij tweeëneenhalve meter; er was tweeënzestig uur voor nodig om duikers op een diepte van negenhonderdtwintig meter te krijgen, ofwel de maximale diepte waarbij ze in flexibele duikpakken konden werken.

Eenmaal op de plaats van bestemming zouden ze zich uit de drukcabine en in de luchtsluis begeven, waarna ze hun duikpakken zouden aantrekken. Daarna zouden ze de luchtsluis vergrendelen en die laten vollopen met water. Vervolgens zouden ze in de ernaast gelegen, aan de luchtsluis vastgelaste raketbuis gaan en over een afstand van zes meter door de buis zwemmen, waarna ze het luik achter zich lieten en zich gekoppeld wisten met lucht- en waterslangen die hen voorzagen van respectievelijk een heliumrijk luchtmengsel en een gestage stroom van door de reactor verwarmd water dat in hun pakken circuleerde om de lichaamstemperatuur in de ijskoude zee op peil te houden.

De reddingsduikboten, elk bestuurd door één bemanningslid, zouden pas later worden ingezet. De diepzeeduikers zouden helpen wanneer er gekoppeld moest worden aan de ontsnappingssluiken van de *Vladivostok* en verdere assistentie verlenen.

Tot de getroffen onderzeeboot was gelokaliseerd, zaten de duikers opgesloten in de drukcabine en moesten ze het eentonige proces van luchtdrukregeling ondergaan, waarbij ze snacks aten en toekeken hoe de luchtsluis ernaast aan de gele wand van de holle raketbuis werd gelast die naast hun volgepropte cabine verschillende verdiepingen hoog opdoemde.

Een grote ondergedompelde ijsschots schampte de boeg van de *Roes*. Het kabaal weerklonk door het hele schip, alsof er een enorme klok werd geluid. Toen de wacht dat geluid hoorde, liet hij zijn verrekijker zakken en staarde naar de witte ijsklomp die langs de romp schraapte. Op de commandobrug klingelde de intercom. Nemerov haalde de microfoon van de haak en drukte de knop in. 'Nemerov.'

'We zijn bij de ontmoetingsplaats gearriveerd, commandant.'

'Bedankt, luitenant. Verminder de snelheid tot vier knopen. Radar- of radiocontact met vliegtuigen?'

Er ging een moment voorbij. 'Geen toestellen op de radar, commandant. Geen vliegtuigcommunicatie in onze buurt, behalve die van de burgerluchtvaart. De Noren in Andøya kletsen wat af.'

'Bedankt, controlekamer.'

Nemerov plaatste de microfoon terug. Nog meer ijsschotsen bonkten tegen de boegplaten. De metalen romp resoneerde terwijl het ijs schrapend passeerde. Op de Noorse luchthavens in Trondheim Bodo, Sola, Evenes en Bardufoss bleef het rustig. Alleen in Andøya, in het testgebied van hun experimentele raketten, was activiteit gaande. De Noren gebruikten enkele patrouillevaartuigen en verkenningsvliegtuigen. Verder beschikten ze over enkele al wat oudere F-16 gevechtsvliegtuigen, P-3B patrouillevliegtuigen en E-3A vliegende radarstations. Doorgaans kwam er altijd wel een vliegtuig langs. Ditmaal was er echter niets dat erop wees dat er verkenningsactiviteiten plaatsvonden en dat hun passage langs de bergachtige kust werd gevolgd.

Opnieuw pakte de commandant de microfoon. 'Verminder de snelheid tot twee knopen. Net voldoende vaart om de boot stabiliteit te geven.'

'Ja, commandant. Twee knopen, commandant,' antwoordde de dekofficier van beneden. 'Commandant. We hebben een vliegtuig op de radar. Een toestel nadert vanuit noordwestelijke richting.'

'Hoever hiervandaan?'

'Tweehonderd kilometer.'

Het was gaan sneeuwen. Nemerov beschermde zijn ogen tegen de grote sneeuwvlokken. 'Ik heb twee manschappen op het dek nodig. U voert het commando, luitenant.'

Twee matrozen reageerden vrijwel onmiddellijk op de oproep. Beiden droegen oranje reddingsvesten en hadden twee reservevesten bij zich – een voor de commandant en een voor de wacht.

Plotseling – zonder het minste geluid te maken – flitste een jachtbommenwerper boven hun hoofd voorbij. De naverbranders lichtten op. Daarna een verschrikkelijke dreun, gevolgd door de walm van motorbrandstof.

Het toestel boog scherp af en minderde zichtbaar vaart terwijl de piloot gas terugnam en het toestel een wijde boog liet beschrijven. Langzaam nam hij snelheid terug terwijl hij recht op de duikboot af vloog. Vijfenzeventig meter boven de voorsteven kwam het toestel in de lucht tot stilstand en begon vervolgens verticaal te dalen.

'Alle motoren stop,' beval commandant Nemerov. Zonder aandrijving was de duikboot overgeleverd aan de genade van de wind en de golven. Nemerov volgde twee anderen die zich over de ladder naar beneden begaven, naar het hellende dek. Tien meter boven hen ging aan de onderzijde van de Yakovlev Yak-38 *Forger* een luik open en verschenen twee benen die in de lucht bungelden. Vastgesnoerd in een tuig, terwijl zijn plunjezak aan een taliereep hing, kwam de admiraal aan een haspellijn naar beneden, in de wind heen en weer zwaaiend als de slinger van een pendule.

Nemerov en zijn manschappen haastten zich naar voren en liepen behendig over het schuine, deinende dek dat niet van een reling was voorzien. De recht naar beneden gerichte uitlaatgassen van de gierende motoren van de Forger drukten hun dikke kleren strak tegen hun lichamen aan. De matrozen grepen de plunjezak van de admiraal op het moment dat het ding voorbij kwam gezwaaid en legden de bagage op het dek. Een van hen haakte de plunjezak los en haastte zich er, gebukt tegen de naar beneden gerichte uitlaatgassen van de beide straalmotoren, mee terug naar de commandobrug.

De admiraal hing boven hen en bungelde van stuur- naar bakboord en vice versa. Hoewel hij net buiten bereik was, kregen ze het uiteindelijk toch voor elkaar om zijn haspellijn te grijpen. Nemerov en de matroos grepen hem ieder bij een enkel vast en haalden hem naar beneden tot hij op het dek zat. Beiden hielden ze hem met een hand vast terwijl ze aan de veersloten van zijn tuig rukten. Op een hoge golf deinde het dek de hoogte in, waardoor de lijn slap ging hangen. Vervolgens zakte de duikboot de diepte in; de lijn begon zich met enorme snelheid strak te trekken. In een reflex hielden Nemerov en de matroos de admiraal steviger vast. De veersloten van het tuig klikten echter open, waardoor de admiraal – glimlachend – tussen hen in bleef zitten.

Traag ging de Forger verticaal de hoogte in, draaide langzaam en boog af om vervolgens weer horizontaal te gaan vliegen. Nemerov bukte zich om bij de admiraal de geluidsreducerende koptelefoon af te doen.

'*Welkom aan boord, meneer,*' riep hij hard. '*Fijn dat u even komt aanwippen.*'

Hij hielp de admiraal overeind, waarna de matroos hem naar de commandobrug bracht, vervolgens de korte ladder op hielp en hem door het luik naar beneden leidde.

Terwijl Nemerov zich op de duikboot een weg naar voren baande, passeerde hij voorzichtig raketbuis zes, waarvan het scharnierluik open-stond als het deksel van een oude Turkse koffiepot. Bijtende rook walm-de naar buiten. Een katrol hing dwars over de opening; gasflessen wer-den naar het desbetreffende dek gehesen aan lijnen die in de buis hingen. Terwijl hij daar plat op zijn buik lag, tuurde hij door de rookwalmen naar beneden. De lasvlam was verblindend, het smeltmiddel brandde en stroomde van de lasstaaf; het staal werd aan het schip vast gesmolten. Het werk had iets rauws, iets overmatigs, maar hij kreeg er vertrouwen door dat de lasnaden stand zouden houden. Toen de werktuigkundige Nemerov zag, begon hij langs de buiswand via een touwladder naar bo-ven te klimmen.

'Hoelang nog?' riep Nemerov hard.

'Twee minuten, niet langer,' riep de officier terug.

Nemerov pakte zijn hand en hielp hem naar boven. 'Goed gedaan. Haal je manschappen daar zo snel mogelijk uit. We moeten gaan.'

Het lasapparaat ging uit. De gedetacheerde lasser floot naar de werk-tuigkundige. De klus was geklaard. Nemerov en de officier hesen de lij-nen voor de gas- en zuurstofflessen omhoog. De lasser begon via de lad-der naar boven te klimmen.

'Snel,' brulde Nemerov door de buis, waarna hij tegen de dienstdoende officier zei: 'Gooi het lasmateriaal overboord. De zee in ermee... de ci-linders, alles. Opschieten. Daarna gaan jullie naar beneden. Ik wil met-een gaan duiken.'

De luitenant knikte en gaf opdracht aan de manschappen die aan dek kwamen.

Nemerov draaide zich om en liep met grote stappen terug naar de commandotoren, waar hij zich op de brug begaf en de microfoonknop indrukte. Op zijn teken ging het luik open. Op het voorste dek vergren-delde de lasser de hydraulische raketbuis en gooide het lasmateriaal over boord. Nemerov wachtte tot ze klaar waren en via het bemanningsluik naar beneden waren gegaan.

Na een teken van Nemerov trok de brugwacht zich terug. De com-mandant verliet de brug, klauterde over de ladder naar beneden en trok het luik dicht, dat hij eigenhandig zekerde. Het afdichtingslicht ging op groen; het luik was nu waterdicht afgesloten. Nemerov gleed langs de leuning naar beneden en stond vervolgens achter de roerganger. De dek-officier gaf opdracht de luchtdruk in de duikboot te regelen.

In een hoek van vijf graden verdween de *Roes* langzaam in de ijskoude golven. Het schrapen van de ijsschotsen was opgehouden; het werd stil. Het was elf uur 's ochtends in de Noorse Zee.

Torpedo-officier Lagir zette thee in de officiersmess. De glazen zagen er donker uit door de klonten aardbeienconfiture. Met twee vingers hield admiraal Roedenko het hete glas aan de bovenrand vast en liet de damp zijn hand opwarmen. De artritis knaagde aan zijn knokkels. Onopvallend drukte hij zijn voeten stevig op de vloer om de bloedcirculatie in zijn benen weer op gang te krijgen. 'Ik ben oud,' zei hij tegen zichzelf. 'Ik ben oud.'

Aan de eettafel zat Nemerov de instructies van het ministerie te lezen. De admiraal had hem die persoonlijk overhandigd. Toen Roedenko even van zijn thee nipte, werd hij zich bewust van het alomtegenwoordige gezoem van het luchtverversingssysteem en keek hij rond in de smetteloze, goed ingerichte mess. Gecapitonneerde stoelen. Abrikooskleurige wanden. Geluiddicht. Een tijdrooster met betrekking tot de joggingbaan in het torpedo- en raketcompartiment. Hoe verschillend was dit alles vergeleken met de benauwde, lekkende ijzeren buizen waarin hij en zijn kameraden in oorlogstijd hun leven hadden gewaagd. De officierskajuit was toen niet groter dan een telefooncel. En de hydrauliek werd handmatig bediend met koperen wielen waaraan ze zich afbeulden. Dat waren toiletemmers vergeleken met de steriele kracht en de gigantische omvang van een duikboot als deze. Zij hadden als ratten geleefd, tot aan de enkels in het water, en ze ademden stinkende lucht in die afwisselend bloedheet en ijskoud werd, en ze waren voortdurend bang.

De *Roes*-manschappen die de wacht hielden, deden dat terwijl ze van alle gemakken waren voorzien. En ze genoten van een warme maaltijd, van een film en een warm bed. Niemand achtervolgde hen of spookte rond in hun dromen. Opgespoord en doelwit worden was voor hen net zo min werkelijkheid als een computerspelletje. De enige echte zorg ging uit naar de uitbetaling van hun salarissen.

Roedenko blies in zijn thee om die te laten afkoelen en zag de subtiele verandering in de gelaatsuitdrukking van Nemerov terwijl deze zijn orders met betrekking tot de missie aan het lezen was. Die zelfverzekerde zwierigheid vervaagde, hij nam een bedachtzamere houding aan. Zo nu en dan sloeg Nemerov de zeekaart erop na die bij de papieren was gevoegd.

Vasily Sergejevitsj Nemerov was indertijd nog maar een jonge knul, een gewone matroos aan boord van een kruiser van de Noordelijke Vloot. In die periode viel hij op bij de admiraal en kreeg hij het aanlokkelijke aanbod om aan de Hogere Marineschool van Leningrad de officiersopleiding te gaan volgen. Zoals Roedenko had verwacht, bleek Nemerov een briljante kandidaat en studeerde hij na een opleiding van vijf lange studiejaren als beste van de klas af. Nog steeds koesterde hij dat moment: de twee compagnies cadetten stelden zich op, de nationale vlag bewoog amper als gevolg van de hitte. Cadet V.S. Nemerov had kniehoge laarzen en een blauw uniform aan met rode galons en reversplaten. Verder had hij een vergulde riem om en zijn pet hield hij in zijn witgehandschoende hand, de traditionele rode anjer in de andere. Om de beurt legde elke afgestudeerde zijn bloem naast die van zijn klasgenoten bij het marinegedenkteken, waarna ze in een rij gingen staan om de sovjetmarinemanschappen te eren die hen waren voorgegaan. Maar Vasily Sergejevitsj, de medaillewinnaar, de beste van zijn klas en dus de laatste man in de rij, was uit die rij gestapt en langzaam over het open terrein gemarcheerd, het plein waar de toeschouwerstribune met de genodigden en de stafleden zich bevond. Hij had zijn bloem aan vice-admiraal Roedenko overhandigd, waarna hij zijn pet opzette en op formele wijze voor de man salueerde die veeleer een vader dan een mentor voor hem was geworden.

Deze inborst was de grootste kracht én kwetsbaarheid van de jongen, want de marine steunde geen afwijkend gedrag. Zelfs met zijn gouden medaille, het feit dat hij op voortreffelijke wijze was afgestudeerd, had het hem verschillende extra jaren gekost om toegelaten te worden tot de oude marineacademie aan de Neva, om verder te studeren. Zijn promoties had hij niet in de schoot geworpen gekregen. Hetzelfde gold voor zijn lidmaatschap van de Communistische Partij. Deze ontwikkeling had hem gematigd, maar ook gehard.

Roedenko nam grote slokken van zijn thee. Een matroos kwam binnen. Zwijgend overhandigde hij een notitie aan de commandant. Nemerov las het bericht en richtte zijn aandacht vervolgens weer op de zeekaart en de richtlijnen.

'Admiraal,' zei hij. Zonder op te kijken schoof hij de notitie naar Roedenko toe.

Deze hield zijn hoofd een beetje naar achteren om de tekst zonder bril te kunnen lezen. Op de radar was achter de *Roes* een andere onderzeeër waargenomen die hen met een snelheid van tweeëndertig knopen schaduwde.

Nemerov zei: 'Nu we onder water zijn, kunnen we de snelheid opvoeren en ontsnappen.'

'Er zullen andere vaartuigen komen,' zei Roedenko. 'Ze zullen ons opwachten.'

'Inderdaad.' Nemerov legde de zeekaart terzijde en keek de admiraal aan. 'Ik kan mijn officieren en bevelvoerende bemanningsleden maar beter op de hoogte brengen.' Hij wees naar de zeekaarten en instructies. 'Ik zal iemand sturen om u naar uw hut te begeleiden.'

Roedenko glimlachte. 'Dank je wel, dat zou fijn zijn. Ik heb het nodig om enkele uurtjes plat te gaan.'

Nemerov knikte en excuseerde zich. Twee matrozen kwamen te voorschijn om Roedenko's plunjezak en het dienblad met de thee op te halen. De hut waarnaar ze hem begeleidden lag dichtbij – het was die van Nemerov. Aangezien hij nu de hoogste in rang was, was deze hem gedurende de periode dat hij in de duikboot verbleef ter beschikking gesteld.

Zoals veel andere vertrekken in de onderzeeër had de hut een pastelblauwe tint gekregen. Het kleine watercloset was lichtgroen geschilderd. Het comfort liet hem sterk aan thuis denken. Roedenko deed zijn schoenen met rubberen zolen, zijn tuig en zijn waterdichte overall uit.

De vermoeidheid en spanning eisten hun tol. Hij boog zijn rug naar achteren om de stramheid, diep in zijn binnenste, tegen te gaan. Moeizaam probeerde hij zijn schouders te masseren. Ondanks het strikte regime – 's ochtends zwemmen en massages in het badhuis Sanduna – kon geen enkele oefeningenreeks de accumulatie der jaren helemaal neutraliseren. Toch bleef hij zich verbazen over het feit dat hij oud was geworden, want vanbinnen voelde hij zich niet zo. Soms ervoer hij zich zelfs als jong, dezelfde waaghals die de verhalen over veertien oorlogspatrouilles kon navertellen.

Heel even herinnerde hij zich de tijd toen hij zeventien was. Voor het eerst fungeerde hij als de derde wacht midscheeps. Elke andere hogere officier op de brug was gesneuveld tijdens een luchtaanval. Hij nam het commando over, manoeuvreerde het vaartuig huiswaarts en bleef vervolgens het commando houden. Hij was op zee achttien geworden, inmiddels commandant vanwege het simpele gegeven dat hij wist te overleven.

Hij pakte zijn Zwarte-Zeepet uit en legde die over de kap van de kleine bureaulamp. Hoe vertrouwd en voortreffelijk waren die eigenaardige gewaarwordingen met betrekking tot een onderzeeboot die diep onder water zijn weg vond. Het was zo lang geleden. Hij voelde dat zijn lichaam zich langzaam aanpaste aan de druk en de snelheid.

Roedenko ging aan het kleine bureau zitten en bewoog zijn tenen op en neer. Ter decoratie lag op het bureau een nautische miniatuurkaart van de aardbol onder een dikke laag beschermend plastic. Roedenko liet een vinger over de kaart glijden. God had de Rode Marine niet begunstigd met strategisch gunstige bases. Toen de oorlog was uitgebroken, moest de Baltische Vloot door de Grote Belt en het Skagerrak. De Zwarte-Zeevloot zag zich gehinderd door de Dardanellen in de Egeïsche Zee, bij de ingang van de Middellandse Zee, en door de Straat van Gibraltar, de zee-engte tussen de Atlantische Oceaan en de Middellandse Zee. In de Grote Oceaan werd zelfs de machtige Aziatische Vloot – ooit bestaande uit honderd atoomonderzeeërs en achthonderddertig schepen die in de marinehavens van Vladivostok en Petropavlovsk lagen – opgesloten door de eilanden van Japan.

Wanneer er een oorlog uitbrak, zouden de vloten meteen kwetsbaar zijn, zoals de nazi's zo bekwaam hadden gedemonstreerd. In de zomer van 1941 hadden ze de Baltische Vloot vrijwel ingesloten in de haven van Leningrad. En die situatie hadden ze instandgehouden gedurende de periode dat er gevochten werd. In juli van hetzelfde jaar neutraliseerden de Duitsers de Zwarte-Zeevloot door de havens van Sevastopol en Odessa te bezetten terwijl de enorme Pacifische Vloot nutteloos voor anker lag en niet meedeed aan de strijd tegen Japan. Alleen de Noordelijke Vloot was uitgevaren om slag te leveren.

De oplossing om deze voorbeschikte nationale geografie in dat opzicht het hoofd te bieden, was zwak te noemen, en dat bleef zo gedurende de vele jaren dat er in dat toenmalige beleid geen verandering kwam. In oorlogstijd moesten de drie vloten via de verschillende zee-engten spitsroeden varen naar de open oceaan. Een strategie die de eenvoud zelf was, naar ook nutteloos. Amerikaanse satellieten hielden elke vierkante zeemijl in de gaten, en overal waar hun verkenningsvaartuigen en -vliegtuigen speldenprikken aan de sovjetdefensie uitdeelden, testten ze aldus met opzet de elektronische reflexen van de verschillende vloten en de Russische luchtverdediging aan de sovjetgrenzen. De informatie die zij vergaarden, was ongetwijfeld van nut geweest om tegenstrategieën te bedenken met betrekking tot het vergrendelen van de zee-engtes, precies zoals de Duitsers dat voorheen hadden gedaan.

Toch hadden ze deze verweesde strategie talloze keren vergeefs in de praktijk getoetst – totdat Tsjernavin een ingenieuze truc introduceerde die bestond uit het creëren van onkwetsbare aanvalsposities voor de onderzeeërs binnen en buiten de van alle kanten omsloten zeeën, waardoor een complete onderzeebootvloot zich niet gedwongen zag een aangrijpende, beangstigende uitval naar open zee te doen. Raketten die vanuit de territoriale wateren van de hun bevriende landen werden afgevuurd, zoals de Zee van Ochotsk, de Zweedse baaien en de diep landinwaarts stekende Noorse fjorden, konden net zo gemakkelijk het thuisland van de vijand bereiken als de raketten die vanuit de diepte van de oceanen hun weg vonden. Bovendien was het veel onwaarschijnlijker dat die aanvalsposities werden ontdekt voordat de eerste raketten onderweg waren. Om die afgezonderde duikboten aan te vallen, zouden de Amerikanen bombardementen in bevriende landen moeten gaan uitvoeren. Dat zou catastrofaal, ondenkbaar zijn. Zelfs tegenwoordig was men met de westerse technologie niet in staat duikboten te traceren die in zulke natuurlijke beschermde posities verkeerden. Posities die Tsjernavin had vastgesteld.

Niettemin was Roedenko blij dat hij het commando had gevoerd over de enige vloot die zich niet gehinderd zag door zulke geografische moeilijkheden. De Noordelijke Vloot werd niet belemmerd door flessenhalzen en had zestienhonderd zeemijl aan Noorse grillige kustgebieden tot zijn beschikking als mogelijkheid om de Atlantische Oceaan te bereiken of om simpelweg in noordelijke richting te varen. Dankzij deze bewegingsvrijheid werd de Noordelijke Vloot de belangrijke marinepoot van de Russen. Zonder fondsen, zonder de Unie van Socialistische Sovjet-Republieken, bleef dit gegeven recht overeind. Roedenko glimlachte en herinnerde zich een aforisme dat hij zich eigen had gemaakt, een uitspraak van een vastgoedbons wiens campagnebijdragen hem het Amerikaanse ambassadeurschap bij het Vaticaan had opgeleverd: *plaatsbepaling, plaatsbepaling, plaatsbepaling.*

Roedenko pakte de telefoon en liet de dienstdoende officier weten dat hij tijdens de volgende wisseling van de wacht gewekt wilde worden. Hij was moe, zelfs een beetje duizelig. De voorbereidingen en het feit hij zich vervolgens naar de kust had gehaast, hadden hem zwaar op de proef gesteld. Sinds hij voor het laatst had geslapen, waren vele uren verstreken. Toen hij languit was gaan liggen, hield iets hem wakker. Iets dat hij in een glimp had gezien terwijl hij uit de cockpit van het verticaal opstijgende Forger-straalvliegtuig naar beneden keek en het toestel in een duikvlucht over de *Roes* vloog, knaagde aan zijn bewustzijn. Het was iets dat hij aanvankelijk niet had kunnen duiden. Ja! Nu herinnerde hij het zich weer. De codecijfers van het vaartuig waren op slordige wijze overgeschilderd. Nu herinnerde hij zich wat hij Panov nauwelijks hoorbaar had horen zeggen tijdens hun afscheid op die winderige straathoek in Moskou. 'Geen vlag. Je vaart niet onder een vlag.'

Melodramatische kletskoek. Als de Britten of Amerikanen hen dicht genoeg waren genaderd om de reddingsduikboten op het dek te kunnen zien, zou de helft van hun marinevloten uitvaren. Ga slapen, beval hij zichzelf – je moet gaan slapen. Hij nestelde zich op een zij terwijl hij nog steeds zijn uniform aanhad. De barokke, gouden ankeremblemen aan zijn revers glinsterden tussen de weelderige lauwerkransjes.

De assistent-navigator van de USS *Swordfish* keek naar het intermitterende oranje echosignaal op zijn radarscherm. Het signaal verdween vervolgens terwijl de Russische onderzeeër de antenne en de periscoop introk en onder water verdween. Hij liep door het vertrek en bleef achter de sonarofficier staan, aan wie de surveillanceverantwoordelijkheid zonet was overgedragen.

'Doelbevestiging,' blafte de assistent-navigator.

De sonarofficier deed verslag van de gegevens die met behulp van zijn in de voorsteven bevestigde passieve geluidssensoren waren verzameld. 'Doel ligt vooruit en stabiliseert op vijfenveertig meter diepte.' Hij zweeg even, waarna hij bekendmaakte: 'Snelheid neemt toe.'

De assistent-navigator grimaste en riep de dienstdoende officier op die zich op de commandobrug bevond. Deze startte de duikprocedures en wendde zich tot de wachten die zich om hem heen op de treeplank rondom het periscoopplatform bevonden.

'Beveilig de brug, naar beneden,' schreeuwde hij boven de huilende noordenwind uit, waarna hij de bemanningsleden telde die hem passeerden terwijl ze naar beneden gingen. Zoals de plicht en het gebruik het voorschreef, was hij de laatste man die de brug zou verlaten en vervolgens de luikvergrendeling activeerde.

'Zet de klemhaken van het luik vast,' bulderde hij terwijl hij afdaalde naar het dek van de commandotoren.

De duikofficier was allang verdiept in de eentonige opsomming van zijn checklist.

'Druk.'

'Veertien p.s.i. en de druk neemt toe,' antwoordde een matroos.

'Luiken?'

'Gesloten,' riep iemand anders die de rij bleekgroene lichtstroken controleerde. Ze gaven aan dat alle luiken dicht waren en dat de duiksystemen goed functioneerden.

Met de bedoeling zich aan de tactiek van de Russische onderzeeër aan te passen, beval de dienstdoende officier een flauwe duikhoek, in de hoop dat het feit dat ze onder water gingen niet met onnodig veel lawaai gepaard ging. Aan de oppervlakte hadden ze zich op de achtergrond gehouden, en hij was tevreden dat de Russische radar hen niet had gedetecteerd.

Het nam enkele minuten in beslag om de voorgeschreven diepte van vijfentwintig meter te bereiken. Uiteindelijk, nadat de duikboot horizontaal was gaan liggen, gaf hij toestemming tot de wisseling van de wacht, waarbij op de posten de Gouden de Blauwen vervingen. De Blauwen gingen staan, ze waren al laat voor de lunch. In de maand dat ze onderweg waren, hadden ze de helft van hun voedselvoorraden aangesproken. Tegen de middag, nadat ze gegeten hadden en moe waren, zouden ze de middagploeg uit hun couchettes halen, waarna ze zelf gingen slapen en de 'Swingers' naar de ontbijttafel zouden schuifelen.

Werken in zes afzonderlijke ploegen vereiste goede samenwerking, coordinatie en strikte nachtrustwisselingen, zelfs in een grote Amerikaanse atoomonderzeeër als deze. De bemanningsleden noemden dat *hot bunking* omdat de gedeelde bedden nog steeds warm waren nadat de ene ploeg de andere had vervangen.

De commandant verscheen pas laat op zijn post, samen met de Gouden, en nam het commando over.

'Wat is Ivan aan het doen?' vroeg hij aan de eerste officier.

'Hij gaat de engte in. Zoals gebruikelijk, behalve dan als het om de snelheid gaat. En er zijn geen ontwijkende manoeuvres. Geen geluids- of waterstroomafleidingen. Volgens mij een exemplaar uit de Viktor-klasse. Een echte schoonheid. Groter dan een voetbalveld.'

'Snelheid.'

'Op volle kracht. Een nieuw snelheidsrecord op de renbaan van de Euraziatische Plaat.'

'Hoe snel precies?'

'Vierenveertig knopen.'

'Ruim tachtig kilometer per uur? Goeie genade.'

De eerste officier boog zich dichter naar het sonarscherm toe. 'Eerst vuur in een raketbuis, gevolgd door een rendez-vous met een verticaal opstijgend en landend straalvliegtuig. En nu heeft-ie de vaart erin. Die makker heeft een piekdag.'

De turbine – 1800 pk – van de *Swordfish* had een topvermogen van niet meer dan dertig knopen. De Russische boten waren verontrustend sneller en konden dieper duiken dan elke andere Amerikaanse onderzeeër. Het was een gegeven waar de commandant mee in zijn maag zat. Hij had echter geen andere keus dan de operationele oplossing op dit moment als adequaat te accepteren, zoals bevolen door het Noord-Atlantisch Hoofdkwartier in Norfolk. De lopende opdracht was om de surveillance- en opsporingsactiviteiten betreffende de Russische duikboot over te geven aan een andere onderzeeër zodra de Rus aan de Amerikaanse monitors van deze onderzeeër wist te ontsnappen. In stilte vroeg hij zich af wat ze verdomme nog tegen Russische duikboten konden uitrichten wanneer de zaak uit de klauwen liep.

De commandant kneep in zijn hals. 'Weten ze dat wij ons hier bevinden?'

'Volgens mij niet, commandant,' zei de eerste officier. 'Waarschijnlijk kan hen dat ook niet schelen. Sinds ze onder water zijn, hebben ze maar twee keer een sonarping losgelaten. Onze sonar is in de passieve stand gebleven, de voorsteven op hun achtersteven gericht... precies in hun kielzog. De sonarverstrooiing moet voldoende zijn om ons erachter te verschuilen, commandant.'

De commandant knikte. De schroefturbulentie van de Russische onderzeeër zou van pas komen om de *Swordfish* te camoufleren. Tenzij Ivan als voorzorg voor een afleidingskoers koos om de geluiden en de kielzogstroom te smoren en een strak rondje voer om de eigen sonar van de kielzogverstrooiing te bevrijden, zou die locomotiefonderzeeër nooit te weten komen dat ze zich in de buurt ophielden.

'Roerganger,' zei de officier. 'Blijf zo lang mogelijk achter de Rus hangen. Tom, steek de radioantenne uit. Waarschuw me zodra de Fleet Ocean Surveillance ons uit dit Russische probleem haalt nadat de *Beaumont* het signaal heeft opgepikt en dus verder gaat met deze zaak.' Fluisterend zei hij tegen zijn luitenant: 'We kunnen ze niet bijhouden. Verdomde gênant. Weten ze daar in Rusland niet dat ze bankroet zijn?'

8

Munson had Hanley laten weten dat ze onderweg tegen niemand die ze ontmoette ook maar iets mocht loslaten over haar opdracht. 'Alleen over koetjes en kalfjes praten.' Dat bleek geen enkel probleem. Op de luchthaven in Edmonton waren feestvierende Japanse artsen met hun echtgenotes de enige reizigers die ze tegenkwam. Ze waren via een directe vlucht vanuit Tokio gekomen om het noorderlicht boven de Canadese vlakte te bekijken. De dames stapten uit het vliegtuig en waren van top tot teen in nertsbont gehuld, en voorzien van bontmuts en Vuitton-tas.

Zoals gepland ontmoette Hanley een ruiggeklede ex-medewerker van poolstation Trudeau. Hij diende haar bij te praten en haar naar het noorden te begeleiden.

'Dr. Hanley? Hoe maakt u het?'

'Zeg maar Jessie. Hallo,' zei Hanley, die zijn donkerblonde krulhaar en zijn pientere bruine ogen aanschouwde. Net onder zijn linkerwang had hij een onbeduidend littekentje. Voor de rest was hij perfect: energiek, goedgemanierd, met de stem van een radionieuwslezer, en voorzien van een heerlijk geurende eau de cologne. Een geur die haar zodanig afleidde dat ze het voor elkaar kreeg zijn voornaam te missen, als hij die al had genoemd. Wel hoorde ze dat hij 'Stevenson' zei. Een moment lang vroeg ze zich af of meneer Stevenson zonder voornaam het op prijs stelde wanneer hem werd verteld hoe lekker hij rook.

Nadat Hanley en Stevenson amper tijd hadden gekregen om in de cafetaria een snelle snack te nuttigen, werden ze aan boord van een toestel van de Canadese luchtmacht met bestemming Anchorage gepropt. Het vliegtuig had verscheidene uren op hen gewacht.

In Anchorage moesten ze overstappen in een ander toestel. Elk successievelijk vliegtuig was groter, maar er gingen ook meer mensen mee. Bovendien leek de uitrusting zich onderweg te verveelvoudigen. Hanley kende de bestemming van deze vlucht niet, en niemand kwam uit eigen beweging met die informatie. Uiteindelijk legde Stevenson uit waarom dat zo was.

'Hoe we jou op Trudeau afleveren is politiek gezien een enigszins riskante zaak. Op de lange termijn is het voor jou misschien beter dat je

77

niet op de hoogte bent van de details omtrent de route. Het volstaat te zeggen dat wij tien provinciale regeringen hebben. Gewoonlijk moet elke regering vermurwd en op de hoogte worden gehouden.'

'Maar *jij* vertegenwoordigt toch de regering?'

'Zo werkt dat hier niet. Het is hier niet zoals bij jullie in de Verenigde Staten. Integendeel zelfs. Stel je eens voor dat het Zuiden de Burgeroorlog zou hebben gewonnen; dat is zo ongeveer de situatie waarin wij ons bevinden. Wij vormen een confederatie van sterke staten met een zwakke centrale regering. Volg je me nog?'

'Ja! Zullen we al onze Republikeinen naar jullie sturen?'

'Dat lijkt me geen goed idee.' Stevenson glimlachte. 'We hebben er zelf meer dan genoeg.'

'Ik begrijp nog steeds niet waarom jullie daar niet zelf willen gaan kijken. Ik bedoel de Canadese gezondheidsdienst.'

Stevenson bolde zijn wangen op, zoals een kind dat doet. 'Eigenlijk is het heel simpel. Een computer heeft jou geselecteerd als iemand die gezien de gegeven omstandigheden het meeste succes kan boeken. In overeenstemming met dat advies heeft de Royal Commission over arctische zaken de uitnodiging verstuurd.'

'Mijn persoontje? Specifiek?'

'Inderdaad, met naam en toenaam. Er waren vier kandidaten; jij stond boven aan die lijst. Gegeven de kenmerken en factoren gaf de computer jou de meeste kans om erachter te komen waar het poolstation zo mee te kampen heeft.'

'Klootzak,' gnuifde Hanley luid. 'Ik vraag me af hoe hoog Ruff op de lijst heeft gestaan.'

'Pardon?'

'Niets. Ga door.'

'Hoe dan ook, dat is ons verhaal. Het feit dat je toevallig geen Canadese bent, is mooi meegenomen. Want als de keuze op een Canadees was gevallen, en die keus vervolgens in Ottawa bediscussieerd zou worden... tot in de ministerraad toe... zouden steevast tweedracht en het uitlekken van informatie het gevolg zijn geweest. Op z'n Canadees, dus.'

'Ja,' zei Hanley. 'In de Verenigde Staten is het niet anders.'

Het landingsgestel kwam kreunend en krakend naar buiten.

'We gaan landen.'

De lucht was betrokken, een kiezelkleur, hoewel Hanley uitrekende dat het pas twee uur 's middags was. De meedogenloze kou maakte witte wolkjes van hun adem en verdoofde hun benen terwijl ze zich naar de luchthaventerminal haastten.

De lunch werd zwijgzaam genuttigd als gevolg van de vermoeidheid en een jukebox die veel herrie maakte: '*Als het lente is in Alaska, dan is het veertig graden onder nul in Nome.*' Meteen na de lunch begeleidde Stevenson haar naar een verlaten kleedruimte van een al even verlaten recreatiezaal. Daar stelde hij haar aan haar nieuwe kleren voor. Die lagen uitgespreid op een poolbiljart.

'Dit is een poolpak.'

De uitrusting zag er idioot uit. De buitenste kledinglaag was van reflecterend materiaal, vervaardigd van synthetische garens – zacht en wit. De uiteinden van de garens waren iriserend oranje.

'Net een enorme vogel.'

'Des te beter. Vogels vormden de inspiratiebron; het dicht bij elkaar staande verenkleed van de koningspinguïn in combinatie met de donzen kledij van de Inuit. Het geheel vormt een perfect isolerende buitenlaag.'

Onder de buitenste laag bevond zich de tweede gevederde laag, waarvan de garens naar binnen toe wezen en tegen een gemetalliseerde laag bevestigd waren die de derde laag vormde.

'Dat is je verdampingsbarrière.' Zonder die laag, verklaarde Stevenson, zouden de lichaamstemperatuur en de vochtigheid niet op de juiste wijze gereguleerd kunnen worden. 'Vocht is je vijand. De eerste ontdekkingsreizigers dachten de vrieskou op de noordpool te kunnen trotseren door zich in almaar meer lagen wol te hullen. Ze realiseerden zich echter niet dat wanneer ze eenmaal begonnen te transpireren, de wol het vocht niet kon afvoeren... vocht dat begon te bevriezen. Hoe meer wollen lagen ze aanbrachten, hoe kouder ze het kregen. Uiteindelijk stierven sommigen terwijl ze als mummies in lagen wol waren gewikkeld.'

De volgende laag bestond uit een glinsterend korset. Stevenson noemde het een *gilet*, om de borstkas mee te bedekken. De door het lichaam opgewekte warmte passeerde eerst die laag voordat de lucht in de helm stroomde. Onder dat alles bevond zich een ventilerende bodystocking. Stevenson hield het ding in de hoogte. 'Een kunstmatige huid, geïnspireerd op Inuit-kledij en gemaakt van de darmen van zeezoogdieren. Het darmweefsel is opmerkelijk soepel en taai en zorgt ervoor dat het transpiratievocht weg kan, terwijl vocht van buiten niet kan binnendringen. Dit kledingstuk heeft dezelfde kwaliteiten.'

Stevenson toonde Hanley hoe ze het poolpak laag voor laag diende aan te trekken, waarna hij met zijn rug naar haar toe ging staan om haar de gelegenheid te geven het zelf te proberen. Verrassend gemakkelijk deed ze de kleren aan. Met de handen tegen de heupen ging hij vervolgens naar achteren staan en nam de balans op. 'Dat heb je heel knap gedaan.'

'Ik heb vaak kunnen oefenen met beschermende kleren,' zei ze. Hanley schaterde het uit terwijl ze zich in de lange gewichthefferssspiegel bekeek.

'Wanneer dit alles achter de rug is, zou ik auditie kunnen gaan doen voor *Sesamstraat*, of misschien als mascotte voor de Lakers kunnen dienen.' Ze streek haar 'verenkraag' glad. 'Schattig.' Stevenson voelde zich beledigd als gevolg van wat hij als een blijk van geringschatting aan het adres van de techniek beschouwde. Ze had dat echter niet gemerkt.

'Het poolpak,' vervolgde Stevenson kil, 'produceert geen extra warmte. Op schitterende wijze krijgt het poolpak het voor elkaar de lichaamswarmte te reguleren. Het design maakt zogezegd gebruik van de menselijke fysiologie. De metabolische processen van de drager vormen de thermale motor en het belangrijkste reguleringssysteem. Voordat dit ontwerp werd toegepast, vereisten de eenvoudigste buitenwerkzaamheden in de meedogenloze arctische omstandigheden verschrikkelijk veel energie. Wat in een gematigd klimaat binnen enkele minuten kon, nam in het poolgebied uren in beslag. Alleen al ademhalen was hard werken. Om de lucht te verwarmen... doorgaans ingeademd met een temperatuur van ongeveer min veertig graden Celsius, en de uitgeademde lucht is zevenendertig graden Celsius... was een regelrecht uitputtende bezigheid,' zei hij. 'Alle organen werden overbelast, alleen al om de lichaamsfuncties in stand te houden en er dus voor te zorgen dat je niet doodging, laat staan dat je in deze omgeving ook nog werkzaamheden kon uitvoeren.'

Ze kon zien dat het Trudeau-poolpak van een opmerkelijke kwaliteit was. Het betrof niet zomaar een kunstmatig verwarmingssysteem, noch slechts een beschermende barrière tegen de kou, maar een onmiskenbare aanvulling van de eigen fysiologische systemen; een pak dat de inadequate lichaamsfuncties sterk verbeterde, waardoor er een micromilieu werd gecreëerd dat comfortabel aanvoelde, ondanks het feit dat de externe condities als zodanig bijna ondraaglijk waren.

'Zeer ingenieus,' zei ze. 'Ik ben ondersteboven van de technische aspecten ervan.' Hij was gevleid door haar duidelijk oprechte enthousiasme en voelde zich enigszins schuldig vanwege het feit dat hij haar verkeerd had beoordeeld.

Tot slot werden de handschoenen aangetrokken. Zeer isolerend, maar toch dun materiaal, gehuld in een want die naar believen uitgedaan kon worden en waarin zich de microfoonschakelaar bevond. 'De ontvangers,' verklaarde Stevenson, 'zijn in de rechterknieholte van het poolpak geïntegreerd. Studies ter plekke hebben uitgewezen dat dat de beste plaats is om schokken door valpartijen en andere ongelukken te weerstaan. De schakelaar voor het noodradiobaken bevindt zich bij de linkeronderarm.'

'Werkelijk verbazingwekkend.'

'Inderdaad. De microchips en ontvangers van het poolpak functioneren dankzij de enige synthetische energiebron,' zei Stevenson, 'afkomstig van kleine batterijen die in de elleboogholte van het poolpak zijn bevestigd om ze te beschermen tegen de kou. Oké, nu zijn we toe aan de helm.' Hij pakte de helm van de pooltafel en gaf hem aan Hanley.

Het betrof een zwarte helm, van de naar voren uitstekende klep – die aan een korte vogelbek deed denken – tot boven het voorhoofdgedeelte, tot aan de zijkanten en het kingedeelte. Het hals- en nekgedeelte en de gezichtsplaat hadden een zilveren kleur. Ze deed de helm op.

'De helmuitrusting is voorzien van een zelfstandig werkende luchtbevochtiger, een noodradiobaken, ontvangers, oortelefoons, microfoon...'

'Wat? Geen sportzender?' vroeg Hanley. 'Ik wil mijn geld terug.' Ditmaal glimlachte Stevenson.

Nadat ze de helm op de juiste wijze had opgedaan en de luchtdichte afsluiting van de naden onder de kraag had geschikt, toonde Stevenson aan Hanley hoe ze de systemen in werking moest zetten en de knoppen en schakelaars in de handschoenen hoorde te bedienen. In de periferie van haar gezichtsveld in de helm verscheen een groen lichtje.

'Hé,' riep Hanley. 'Volgens mij heb ik de grote lichten aan.'

'Nee,' zei Stevenson. 'Dat lichtje wil alleen maar zeggen dat je oliepeil oké is en dat de motor perfect loopt. Zodra het op geel springt, heb je een probleempje. Rood betekent dat er sprake is van een ernstig defect. Stop dan onmiddellijk met wat je aan het doen bent en zoek een toevluchtsoord.'

'Begrepen,' zei Hanley. 'Dit is écht geweldig.'

'Vragen?' Hij keek tevreden.

'Stel dat ik nergens beschutting kan vinden?'

'Maak dan een toevluchtsoord,' zei Stevenson terwijl hij een allesomvattend gebaar maakte, alsof ze zich inmiddels op het ijs bevonden. 'Er is voldoende materiaal om mee aan de slag te gaan. Veel ijs, een beetje sneeuw. Sneeuw is te verkiezen. Kijk...'

Hij trok aan een ring die aan een metalen oog in de mouw hing. Er kwam een naar wat leek losse draad te voorschijn, zo dun als een haar en volledig intrekbaar.

'Dit ziet er niet bepaald indrukwekkend uit, maar het betreft een synthetische vezel waarvan de vervaardiging is gebaseerd op de proteïnestructuur in spinnendraad, sterker dan staal. Met behulp van dit garen kun je eigenhandig een iglo bouwen. Je snijdt ermee door het ijs, om ijsblokken te maken. Sneeuw is het materiaal waarnaar je op zoek moet gaan. Als je het niet voor elkaar krijgt om ijsblokken te maken, zoek je sneeuw en graaf je je in. Ga nooit op het ijs liggen. IJs is veel kouder. Maar maak je geen zorgen. Voordat iemand jou op pad laat gaan, zul je nog heel wat lessen achter de rug hebben.'

'Wanneer beginnen we aan de volgende etappe?'

Stevenson aarzelde. 'Het weer in het gebied waar het poolstation ligt, is het aan het verslechteren. We blijven hier wat rondhangen tot daar de weersomstandigheden verbeteren. We willen namelijk niet dat de wind je helemaal tot in Siberië blaast. Of dat je als een deltavlieger in de Noordelijke IJszee terechtkomt.'

'Bedankt.' Ze deed haar helm af en bewonderde zichzelf in de spiegel. 'Mijn zoontje zou dit pak helemaal te gek vinden. Maar een iets betere vormgeving zou niet misstaan, toch?' zei ze terwijl ze haar pluizige achterste bekeek.

'Geloof me, je zult straks dankbaar zijn voor al dat isolerend materiaal.'

'Hé, ik klaag niet, hoor. Je zou me eens in een biologisch pak moeten zien... ik zie er dan uit als het onwettig kind van Caspar het vriendelijke spookje en het Michelinmannetje.'

Stevenson lachte.

'Hoe koud is het nu precies op Trudeau?'

'Ongeveer min tweeënvijftig graden Celsius, en...'

'Hoeveel graden Fahrenheit is dat?'

'Ongeveer min zestig.'

'Oei,' zei Hanley. 'Dan vriezen mijn *nalgitas* eraf.'

Stevenson zwaaide naar een sergeant van de Amerikaanse luchtmacht. De man stond in de deuropening bij de lockers. 'Hoe ziet de planning eruit, chef?'

'Wanneer u er maar klaar voor bent, meneer,' antwoordde de sergeant. Hij ritste zijn parka dicht en deed zijn capuchon op.

Hanley volgde Stevenson en de crewchief het asfalt op naar een gesloten bestelwagentje. Ze stapten achterin voor de korte rit naar hun vliegtuig. In tegenstelling tot de kleinere toestellen waarin ze tot nu toe hadden gereisd, was de C-141 Starlifter gigantisch groot, met vier enorme straalmotoren, twee aan elke vleugel. Ze parkeerden bij het gapende vrachtluik, aan de staartzijde, waarna de crewchief hen voorging in de buik van het toestel. Aan weerszijden, in de lengterichting tegen de wanden, bevonden zich gecapitonneerde, comfortabele zitplaatsen, waarvan de twee rijen naar elkaar waren toegewend. Het midden werd gedomineerd door vrachtrails; het geheel was breed genoeg om een metrotrein te herbergen.

'Tjeses,' zei Hanley, die het lange, ruime vrachtgedeelte bekeek. 'Dit is geen vliegtuig, maar een gevleugelde danszaal. Hier kun je tanks in kwijt.'

'O, maar dat gebeurt ook, mevrouw,' zei de crewchief.

De gigantische motoren werden een voor een gestart en droegen aldus elk afzonderlijk bij aan het helse kabaal tot ze uiteindelijk alle vier een hoog gegier voortbrachten. 'Dit is geen toestel voor de burgerluchtvaart,' schreeuwde Stevenson, waarbij hij refereerde aan het duidelijk ontbreken van geluidsbeperkende maatregelen. Hij gebaarde naar Hanley om de schakelaars in haar handschoen om te zetten. De derde klik zorgde ervoor dat het meeste kabaal werd buitengesloten en dat ze aan de intercomfrequentie van het toestel werd gekoppeld.

Een hydraulische dreun – het vrachtluik werd gesloten – vulde de ladingruimte. Hanley begaf zich naar de voorzijde en hield prompt haar pas in. Ze was overdonderd door de aanblik van een eivormig object. Het had de omvang van een strandbuggy. Een buggy die, bevestigd op een met wieltjes uitgeruste pallet, op de vrachtrails was gezet. 'Dat lijkt op een afgekeurd ruimteproject.'

'Het werkt ongeveer op dezelfde manier,' zei Stevenson. 'Dit is jouw persoonlijke achtbaankarretje. Dit ding biedt jou op weg naar beneden veiligheid en geborgenheid. De luchtmachtmensen van jullie noemen hem *Stilletje*.'

'Charmant. Wordt-ie vaak gebruikt?' vroeg Hanley.

Stevenson trok een gezicht. 'Maar één keer.'

Hanley fronste haar wenkbrauwen. 'Nou ja, we weten in elk geval dat jij het hebt overleefd. Hoe erg was het reisje?'

'O, nee hoor, ik heb daar niet in gezeten. Ik heb alleen geduwd. Maar de etalagepop is er ongeschonden uitgekomen.'

'Hé, okido!' zei Hanley. 'Ik heb altijd al gedacht dat ik, als het niks werd met mijn baan, nog crashdummy kon worden.'

'Helaas, eh, waren de weersomstandigheden ongunstig, waardoor het even duurde voordat we het ding gevonden hadden.'

'Ik zal er niet naar vragen.'

'Dat kun je inderdaad maar beter niet doen.'

Stevenson kneep zijn ogen halfdicht en wreef over zijn voorhoofd.

'Wat is er?' vroeg ze.

'Hoofdpijn.'

'Dat komt door de stress,' zei ze meelevend. 'Ik heb precies datgene wat jij nodig hebt. Een genezende energietechniek zal...'

'Nee, dank je wel,' zei Stevenson. Hij keek geamuseerd. 'Ik heb aspirine ingenomen.'

'Hé, aspirine is slechts een ingewikkeld verkregen concentraat van de wilgenbast. De mensen schijnen te vergeten dat tachtig procent van onze moderne medicijnen oorspronkelijk afkomstig is uit de plantenwereld.'

De crewchief gaf hun een teken dat ze aan één kant plaats moesten nemen, waarna hij de veiligheidsgordel omdeed. Met behulp van een koptelefoon hield hij contact met de cockpit. Het vliegtuig taxiede naar de startbaan, waarna de neus in de wind werd gedraaid en het toestel in de remmen hing terwijl de motoren steeds meer toeren maakten, wat enkele minuten aanhield. Het deed denken aan de Niagarawatervallen, vond Hanley. Langzaam werden de remmen losgelaten, waarna de Starlifter zich traag over de startbaan begaf en almaar meer snelheid maakte. Toen ze het luchtruim kozen, ving Hanley een glimp op van een verlicht bord, aan het einde van de startbaan.

U verlaat nu
luchtmachtbasis Elmendorf
in Anchorage, Alaska.
Wij wensen u een goede reis.

Hanley deed haar ogen dicht en probeerde de huidige omstandigheden en gebeurtenissen op een rijtje te zetten, maar haar denkvermogen hield absoluut geen gelijke tred met haar wensen. In gedachten beleefde ze opnieuw het feit dat ze Joey op het vliegtuig naar San Francisco had gezet, en hoe ze daarna de middag in het Centrum had doorgebracht; Munson had nerveus gekletst, en dan dat saaie uurtje met die debiel van Personeelszaken die de verzekeringspolissen met haar doornam. Hij had het bovendien over die aanvulling van een miljoen dollar waar Munson voor had gezorgd. Daarna volgde een medische keuring – haastwerk – terwijl ze een nieuwe wilsbeschikking met betrekking tot haar woninghypotheek dicteerde. Vervolgens een laatste telefonische schermutseling met haar ex. De hele dag bleef ze zichzelf eraan herinneren om naar buiten te gaan en afscheid te nemen van de zon voor de komende vijf maanden. Maar toen ze die kans kreeg, was het al te laat. En nu zat ze hier, ergens boven de arctische woestenij, en wachtte ze tot ze in een ei zou worden uitgestoten door een vliegende walvis op honderden meters boven... het niets.

Ze haalde haar laptop uit de tas, zette hem aan en trok de antenne uit. Verdomd als deze computer de door de satelliet doorgeseinde informatie niet zou downloaden; zelfs de plek waar ze zich nu bevond was bereikbaar. Ze trok haar handschoenen uit, controleerde haar mails en bekeek een nieuwe update van Ishikawa, informatie van poolstation Trudeau. Beetje bij beetje was die informatie binnengekomen over anomalieën omtrent het verdere pathologisch onderzoek. Het enige goede nieuws was dat op Trudeau tot nu toe niemand anders symptomen vertoonde van hetgeen – wat dat ook mocht zijn – hun drie collega's had omgebracht. Een e-mail van haar zoontje bewaarde ze voor als ze de rest had gelezen. Hanley glimlachte in zichzelf en voelde zich ontroerd door het contact en het feit dat zijn generatie een totaal geblaseerde houding aannam als het om technologie ging: Joey vroeg of ze hem kon helpen met zijn huiswerk, alsof ze zich slechts aan het eind van de straat bevond en zich niet met grote snelheid naar de rand van de aarde begaf. Ze probeerde hem te mailen, maar de computer werkte niet mee – de satellietverbinding was verbroken.

Ze keek naar haar handen die op het toetsenbord lagen. Door de zon gebruind. Rimpels. Nagelriemen. Vingertoppen. Spierweefsel.

'En ik wil dat alles eraan blijft zitten,' zei Hanley tegen zichzelf terwijl ze zich niet realiseerde dat de microfoon openstond.

'Maak je geen zorgen,' zei Stevenson. 'Je kunt maar beter wat gaan slapen. We hebben een lange reis voor de boeg.'

'Dat zal een stuk gemakkelijker zijn als ik van jou toestemming krijg het poolpak uit te trekken.'

'Ik heb liever dat je het aanhoudt. Het is belangrijk dat je eraan gewend raakt om het gedurende lange perioden te dragen.' Op treffende wijze probeerde Stevenson indruk bij haar te maken wat betreft de dodelijke vijandigheid van de koude poolstreken. 'Bij vijfendertig graden onder nul en een windsnelheid van vijftig kilometer per uur heb je zonder beschermende kleren veertig seconden de tijd om een goed heenkomen te zoeken. Blootgestelde huid bevriest in minder dan een halve minuut. Bij min vijftig graden Celsius en geen wind klappen gewone banden uit elkaar, scheuren menselijke lichaamscellen, breekt metaal alsof het glas is en desintegreert glas alsof het roest betreft. Bovendien...'

'Ja, ja, ik snap het,' zei ze. 'Bovendien verandert antivries in beton.'

'Vergeet die antivries,' kwam de crewchief tussenbeide. 'Goeie genade, wanneer het op deze hoogte koud genoeg wordt, begint onze vliegtuigbrandstof in slik te veranderen en de hydraulische olie in klei. We worden dan een vliegend rotsblok. Je wilt hierboven niet zijn wanneer de zwaartekracht het roer overneemt. Als de temperatuur verderop te laag wordt, draaien we meteen om.'

'Je klinkt als mijn ex,' zei Hanley, die zich uitrekte. 'Hij is ook zo'n paniekzaaier. Zelfs ik begin me af te vragen of ik het bijltje er niet gewoon bij neer moet gooien.'

Terwijl de Starlifter met bulderend geraas naar het noorden vloog, verflauwde het noorderlicht. De waaierende lichtvegen kwamen te voorschijn en vielen weer uiteen. De groene lichtstroken, met roodschakeringen, vervaagden. Daaronder bevond zich een uitgestrekte, onvruchtbare woestenij. Geen bomen en al evenmin insecten. De eigenaardige kleurloze ruimtegondel leek een geschikt voertuig voor zo'n vreemd oord, dacht Hanley.

'Waar zijn we nu?'

'Nog steeds boven Alaska.'

'Wanneer passeren we de poolcirkel?'

De crewchief zette een schakelaar van zijn koptelefoon om, waarna hij verbinding had met de cockpit. 'Meneer, onze passagier wil weten wanneer we breedtegraad zesenzestig drieëndertig bereiken.' Hij zweeg even en luisterde. 'Ja, meneer,' zei hij. Vervolgens wendde hij zich tot Hanley. 'Zoals ik al vermoedde zijn we die al gepasseerd, mevrouw.'

'Wat gepasseerd?' vroeg Hanley.

'De poolcirkel.' De crewchief maakte een opwaartse beweging met zijn kin in de richting van de volslagen duisternis achter de wanden van het toestel. 'We bevinden ons in de... de diepvries.'

'Ja,' zei ze, waarna ze zich half omdraaide op haar zitplaats en naar buiten keek. 'En het lichtje van die diepvries is beslist uit.'

Inmiddels was het niet koud meer in het vliegtuig. Hanley deed haar helm af en liet het motorgebulder over zich heen komen.

'Ik ga mediteren,' zei Hanley. Ze deed haar ogen dicht.

Hoewel ze alle opkomende gedachten probeerde te bannen, bleef het moeilijk om niet aan Joey te denken. Ook dacht ze aan het feit dat haar ex haar verweet dat ze egoïstisch was, en dat hij in dat opzicht gelijk had, want haar carrière bleek belangrijker dan haar kind. Toen Joey nog klein was, was het leven zowel moeilijker als eenvoudiger. Joey was blij zolang hij zijn speciale kostbaarheden maar in zijn broekzakken had zitten. Elke avond voordat zijn kleren in de was gingen, haalde hij ze voorzichtig te voorschijn, waarna hij ze 's ochtends weer op methodische wijze opborg in zijn zakken. Een stukje vlakgom in regenboogkleuren, een op een velletje papier afgebeelde beer, een wollen bolletje in de vorm van een vingerpoppetje voor aan een sleutelhanger met kettinkje, verschillende mysterieuze stenen, 'kleingeld' (dollarcenten), 'het grote geld' (een kwartje) en een verbogen kompas. Ze zuchtte. Met spijt in haar hart begon ze te mediteren en stelde zich daarbij voor dat ze tijdens de regelmatige in- en uitademing een ballon opblies en weer liet leeglopen.

Het vliegtuig helde enigszins over en maakte een koerscorrectie, waarna het toestel weer horizontaal ging vliegen. Hanley strekte zich uit op de ruime zitplaats en probeerde het dikke poolpak te schikken. Stevenson was jaloers op haar. Het leek of Hanley iemand was die overal een dutje kon doen. Dat talent zou ze goed kunnen gebruiken in het gebied waar ze heen ging; een wereld waar dag en nacht niet bestonden.

Toen ze enkele uren later wakker werd, overhandigde Stevenson haar een sandwich en een thermoskan, waarna hij een formulier en een pen uit zijn zak opdiepte.

'Wat is dat?' vroeg Hanley. Ze wikkelde de krimpfolie van een rosbiefsandwich.

'Jouw douaneformulier.' Hij fronste zijn wenkbrauwen en las hardop voor: '"Voert u voedselproducten Canada in? Fruit, groenten, vlees, eieren, melkproducten, dieren, vogels, zaden, aarde, levende organismes, vaccins?"' Hij keek naar *Stilletje*, dat volgestouwd was met medische spullen en voorraden. 'Nou ja, wat niet weet, dat niet deert... neem ik aan,' zei hij, waarna hij het formulier als iets overbodigs naast zich neerlegde.

9

De eerste briefing met de officieren van de *Roes* verliep uitstekend. Met behulp van een gesloten televisiecircuit namen de vier duikers in de drukkamer deel aan de bijeenkomst.

In grote lijnen legde de commandant uit hoe de reddingsactie in haar werk zou gaan wanneer er geen complicaties opdoken en de opgesloten bemanningsleden van de onderzeeër in staat waren zich zonder hulp te verplaatsen: de bemanningsleden van de *Roes* zouden de duikboten naar de juiste plaats manoeuvreren, de koppeling tot stand brengen en de bemanning van de *Vladivostok* in groepjes van twintig personen evacueren.

Het medisch personeel bestudeerde opnieuw de stappen die genomen dienden te worden wanneer bij de overlevenden sprake was van stralingsbesmetting als gevolg van een mogelijk lekkende atoomaandrijving, en de juiste beschermende kleding voor degenen die aan boord gingen. De kleine recreatiezaal naast de ziekenboeg werd uitgerust met medische apparatuur en veldbedden. De belendende pantry was veranderd in een verplegingspost.

De werktuigkundige rapporteerde dat de lasnaden van raketbuis zes met succes waren getest, waarna de vier duikers in de drukcabine begonnen te juichen. Hun stemmen klonken hoog als gevolg van het helium dat ze inademden. De groep lachte.

Commandant Nemerov vroeg of er nog vragen waren. Op de televisiemonitor was een potige man te zien, naakt tot aan zijn middel, en met de zwarte baret van de marinecommando's. Hij had een vraag.

'Orlovsky, commandant.' Door zijn zwaargebouwde postuur klonk zijn vogelachtige stem des te ongerijmder.

'Zeg het maar, sergeant.' Nemerov fluisterde tegen Roedenko dat ze hem in Moermansk bij de passantenkazerne hadden aangetroffen. Als meesterduiker werd hij ter plekke ingelijfd, maar hij bleek nogal een grappenmaker te zijn. De vrije uren in de drukcabine spendeerde hij door met zijn falsetstem, als gevolg van het helium, sprookjes op te nemen – hij had een cassetterecorder bij zich – voor zijn neefjes en nichtjes. Ook zong hij schuine ballades voor zijn compagnons, zoals: 'Toen Alaila haar voeten waste'.

Ondanks zijn hoge stem was Orlovsky ernstig: 'Als we aanvullend materieel nodig hebben, zou ik dan mogen voorstellen een torpedobuis open te houden voor het transport van die spullen naar ons toe? Zodra we ons buiten de romp bevinden, kunnen we dat materieel ophalen. Hierdoor kan alles in een sneller vaarwater komen.'

'Beschouw dat als geregeld,' zei Nemerov. 'Nog iets?'

'Wel, commandant, aangezien u zo vriendelijk bent om dat te vragen.' Orlovsky zwaaide met een militair pamflet en vervolgde met een stem die aan een tekenfilmpersonage deed denken: 'Ik heb begrepen dat de duikbootbemanning in de rusturen van bepaalde privileges in de recreatiesfeer mag genieten... als ik me niet vergis.'

Enkele bemanningsleden begonnen te grinniken.

'Inderdaad, sergeant.'

'Bij die privileges zijn inbegrepen radioprogramma's over internationale kwesties, de inspanningen van de Russische arbeidersklasse, culturele exposities, de laatste berichten over buitengewone sportprestaties en de opening van de nieuwe vestiging van McDonald's in St.-Petersburg.'

'Wilt u CNN kunnen ontvangen, sergeant?' vroeg Nemerov.

'Er staat hier ook dat de bemanningsleden op de hoogte dienen te worden gesteld van de verschillende landen die ze passeren...'

In het vertrek werd geschaterd van het lachen. De sergeant ging echter met een stalen gezicht verder.

'... en dat die landen wellicht bezocht mogen worden.'

De bemanningsleden joelden.

'Bovendien horen ze informatie te krijgen over het culturele leven en de bezienswaardigheden van het land, ter voorbereiding op hun verlof aan wal.'

Zijn publiek lachte en applaudisseerde.

Roedenko verborg zijn gezicht achter een mok thee, terwijl Nemerov een kuchje veinsde.

'Sergeant,' zei Nemerov toen de stilte enigszins weerkeerde, 'hoe bent u op de *Roes* beland?'

Op het scherm deed Orlovsky zijn baret af, krabde zijn hoofd en dacht diep na. 'Nou, commandant... Ik herinner me dat ik tijdens de militaire parade over het Rode Plein en langs de ambassade van de Verenigde Staten aan het marcheren was. U weet wel, op de Sadovoye Koltso. Aldaar stampten we iets harder dan gewoonlijk met onze laarzen op de grond. Daarna ging ik via Moermansk terug naar mijn basis. Ik weet nog dat ik aan het feestvieren was voordat ik zou aanmonsteren op een ijsbreker met bestemming Kamtsjatka, oostwaarts, in het gebied van de Stille Oceaan. Daarna opeens... boem... werd ik wakker in deze capsule vol afval en wrakgoed, commandant. Ik dacht dat ze de *Mir* opnieuw hadden gelanceerd en dat ik in de ruimte rondtolde.'

De bemanning schaterde van het lachen. Nemerov glimlachte breed.

'We zullen proberen u zo snel mogelijk terug naar de aarde te brengen, sergeant.'

'Bedankt, commandant, dat u mijn zorgen hebt willen sussen,' sprak Orlovsky vrolijk met hoge stem. Hij maakte een buiging, waarna iedereen gierde en applaudisseerde.

De vergadering werd beëindigd. Er volgde een reeks kortdurende, door de commandant en de admiraal bijgewoonde samenkomsten voor de gespecialiseerde manschappen. Alle mogelijke scenario's op gedetailleerde wijze doornemen was eentonig maar noodzakelijk om ook maar enige kans te maken dat ze iemand van de bemanning van de *Vladivostok* zouden redden. Overleven hing af van het vooruitlopen op mogelijke onvoorziene gebeurtenissen, en overleven hoorde bij het soort successen dat op zee vóór alles ging.

Commandant Nemerov gaf opdracht om bakboord te koersen om de *Roes* behoedzaam dichter bij de kust te brengen. De kustwateren, waar het vergeven was van de rotspartijen, zouden een handje helpen om de sonarefficiëntie van de achtervolger te neutraliseren. Toen de *Roes* precies even ver van de achterliggende onderzeeër als de wachtende duikboot die zich voor hen bevond was verwijderd, beval Nemerov de bemanning van de torpedokamer in de boeg om de sonarsneeuwtorpedo in gereedheid te houden. Het aftellen was begonnen – twaalf minuten.

Omzichtig voer de *Roes* naar stuurboord. De torpedo was afgevuurd, de motoren waren stopgezet en de boordmotoren gedempt. De sonarsneeuw was een uitbarsting van versterkte replica's van geluiden die normaliter van de *Roes* afkomstig waren. Gelijktijdig detecteerde de torpedo de sonarpulsen van de achtervolger en kaatste die zodanig versterkt terug dat de echo beschouwd zou worden als afkomstig van een object ter grootte van een atoomonderzeeër.

De hoek die de desbetreffende sonarsneeuwtorpedo maakte, zorgde ervoor dat de echo zich steeds verder van de kust bewoog. Als een vaartuig zich op minder dan twee kilometer afstand ervandaan zou begeven, fungeerde die sonarsneeuw niet langer als lokaas en zou ze de radar en sonar gaan storen.

Terwijl de *Roes* boven de zeebodem hing, traceerden de passieve sonardetectieschijven de koers van de achtervolgende duikboot. De Amerikaanse onderzeeër passeerde via stuurboordzijde terwijl hij heldhaftig de radarsneeuwtorpedo achtervolgde naar de Noordzee. Na vier minuten begaf de *Roes* zich weer met gematigde snelheid naar de kust en de monding van de Sognefjord.

Vroeger, mijmerde Nemerov, hield de marine achtervolgers voor de gek door gloeiende pek op de golven te gooien. Dat goedje deed denken aan de verre lichten van een ander schip. Het moderne equivalent was ook effectief, maar de marinevoorraad bevatte nog slechts elf van die sonarsneeuwtorpedo's. Tsjernavin liet zich in dat opzicht betreffende deze missie van een zeer gulle kant zien. De commandant voelde zich aangemoedigd. Een moment lang mocht hij van zichzelf fantaseren over de herenigingsbijeenkomst in de haven wanneer ze de duikbootbemanning weer thuis hadden gebracht. De televisie- en radioprogramma's werden ervoor onderbroken, de echtgenotes van de bemanningsleden zouden aanwezig zijn.

Hij inspecteerde de zeebodem, die ze naderden, op het sonarscherm, waarna hij een gebaar maakte om de periscoop in gereedheid te brengen. De buis schoof uit de behuizing omhoog, waarbij het kijkgedeelte op borsthoogte kwam. Een bril met rode glazen beschermde hem tegen de verlichting in het vertrek.

De kustlijn vormde een zwart silhouet van bergtoppen. De opening in deze opdoemende muur van rotswanden was onzichtbaar. Alleen de apparatuur kon de precieze ligging ervan bevestigen. Met een snelheid van zeven knopen voer de *Roes* naar de monding. Nemerov stapte naar achteren, waarna de periscoopbuis weer in de behuizing zakte.

Langzaam liep hij heen en weer door de controlekamer. Volgens de sonar passeerden ze de fjordmonding en staken ze de ondiepe deltadrempel over. De kieldiepte was tachtig meter. Hij stuurde de steward weg om de admiraal te waarschuwen.

Roedenko stond snel op. Met zijn handen streek hij zijn haardos glad. Hoewel zijn droom zeer levendig was geweest, kon hij zich alleen de vrouw herinneren – Inga Dobenskaja. Hij had jarenlang niet meer op die manier aan haar gedacht. Zelfs kon het hem niet schelen dat dit omen, een overleden persoon in zijn dromen, een feit was. Toen ze nog leefde, had zij hem intens geroerd, waarom ook niet vanuit haar hiernamaals? Hij werd ouder, maar zij niet – een onmogelijkheid. Hij zuchtte en herinnerde zich haar zinnelijkheid, hoewel hem niet duidelijk was of hij zich alleen maar de droom herinnerde of dat het de tijd betrof die ze samen hadden doorgebracht. Hoelang was het geleden dat ze in het donker naast elkaar hadden gelegen? Een halve eeuw? Een nacht? Had hij van haar gehouden? In de jaren nadat ze was overleden, had hij zich gerealiseerd dat dat het geval was geweest. Waarom herbeleefde hij in zijn dromen nooit die schitterende avonden in St.-Petersburg?

Roedenko zette zijn pet op en liep door de corridor naar de controlekamer, waar hij de nerveuze groet van de dienstdoende officier beantwoordde met een knikje. Nemerov, die nog steeds ter bescherming zijn infrarroodbril ophad, stond bij de periscoopbuis die uit de behuizing omhoogkwam. Toen de periscoop hoog genoeg was gerezen om boven het wateroppervlak uit te steken, klapte Nemerov de controlehendels uit en staarde via het oculair naar buiten. Snel draaide hij de periscoop een volledige slag en controleerde de omgeving op vaartuigen, waarna hij een stap opzij deed om de admiraal de ruimte te geven.

'Admiraal.'

De admiraal schoof zijn pet achterstevoren en greep de controlehendels vast.

Achter hen vormde het zogwater van de periscoop rimpelingen tegen de achtergrond van een perfect verstild wateroppervlak. De rotswanden van de fjord rezen uit het water, honderden meters de hoogte in. Even zorgde de adembenemende immensiteit van die steile rotsen voor een knagend gevoel in zijn binnenste. Hij wilde zo intens graag de winterse nacht ervaren in deze verstilling tussen die beschuttende rotswanden in plaats dat hij in de onderzeeboot de circulerende lucht van het luchtverversingssysteem moest inademen.

Hij liet de periscoop los en stapte naar achteren. De dekofficier maakte een gebaar om het apparaat in de behuizing te laten zakken. Nemerov deed zijn beschermende infraroodbril af terwijl hij en Roedenko zich naar de commandostoelen achter de roerganger begaven, die op een iets lager gelegen platform zat, met om zijn middel een riem die aan een veiligheidsgordel deed denken en die een gelijksoortig doel diende. De duikboot was namelijk in staat om op volle kracht met de snelheid van een auto te varen.

Voorbij de monding liep de zeebodem naar beneden af. Nemerov gaf opdracht de *Roes* dieper te laten duiken en keek naar de sonarofficier die de dieptemeter in de gaten hield, alsmede de ermee verbonden computer, die zich boven de meter bevond en die de digitale uitbeelding verzorgde van de geluidsgolven waarmee de wateren vóór de onderzeeër werden gescand.

'Een open kanaal,' zei Nemerov. 'Nergens zijn obstakels waar te nemen. Net een trechter.'

'Ik hoop oprecht dat het venijn niet in de staart zit,' zei Roedenko.

Een uur verstreek langzaam. De admiraal zat te dutten in zijn stoel terwijl Nemerov toekeek hoe de roerganger en de dekofficier de *Roes* door de diepe afgrond onder water manoeuvreerden.

'De passieve sonar neemt geen scheepsmotoren waar, commandant,' maakte de dekofficier bekend.

'Schakel over op actieve sonar,' beval Nemerov. Dit was riskant als iemand de metronomische ping probeerde te detecteren, maar zonder die sonarmodus zou het onmogelijk zijn om de *Vladivostok* te vinden.

De eerste sonargolven kwamen gedeformeerd terug. Het water rondom de *Roes* had de golven volledig verstoord. Het lage zoutgehalte voorkwam dat er tot in de diepere lagen werd doorgedrongen, waardoor het sonarsignaal vervormde. 'Duik dieper,' beval Nemerov.

De roerganger volgde het bevel op. In een hoek ging de *Roes* dieper het water in en gleed de volgende waterlaag in. De sonarsignalen waaierden vanaf de duikboot gelijkmatig naar alle kanten uit en weerkaatsten duidelijk waarneembaar op de bodem van de fjord.

'Diepte?'

'Driehonderdachttien meter.'

Nemerov bewoog zijn kaakspieren om de luchtdruk in zijn oren aan te passen en tuurde omhoog naar een meter. 'Breng de *Roes* horizontaal.'

De zoektocht werd voortgezet. Ze bevonden zich dertig kilometer in de fjord en de sonarecho werd sterker en duidelijker.

'Sonarcontact,' rapporteerde de sonarofficier luid. Ergens in de diepte onder hen lag een groot metalen object.

'Sonarcontact bevestigd,' herhaalde de eerste officier.

De *Roes* ging bakboord in een wijde boog naar beneden. De akoestische projector was aangezet en zond geluidsgolven met een hoge frequentie uit. Uit de weerkaatsing van dat geluid vormde zich een beeld, bestaande uit contouren.

De *Vladivostok*.

Nemerov stootte de admiraal aan. 'De *Vladivostok* ligt ietwat overgeheld tegen de fjordwand aan gedrukt en raakt de zeebodem niet helemaal.'

Roedenko knikte en controleerde de dieptemeter. 'Als een dode vis in een aquarium,' zei hij bedroefd. 'Op deze diepte zijn de reddingsduikboten nutteloos. Alleen de duikers kunnen de *Vladivostok* bereiken.'

Telkens wanneer de *Roes* twintig meter dieper was gegaan, las een matroos hardop de gegevens van de dieptemeter af. 'Zeshonderd meter.' Nemerov kwam uit zijn stoel.

'Niet verder duiken. Stop de motoren.' Hij stapte naar achteren en keek omhoog naar een rij televisiemonitors. 'Zet de buitenkwiklampen aan.'

Twee boeglampen gingen aan en drie televisiecamera's met een laag lumenniveau. De admiraal reikhalsde om iets te kunnen zien. De beelden waren te donker om van nut te zijn.

'Motoren aan, langzaam vooruit,' zei Nemerov. 'Nog eens honderd meter dieper.'

De roerganger herhaalde het bevel en deed wat er van hem gevraagd werd. Behoedzaam daalde de *Roes* nog eens honderd meter af, en daar lag de *Vladivostok*, hulpeloos tegen een verzonken rotswand van de fjord gedrukt.

Twee koorden reikten vanaf de romp van de *Vladivostok* naar het wateroppervlak. 'De antenne,' zei de dekofficier. Hij wees naar een van de lijnen die op het scherm zichtbaar waren.

'Inderdaad,' zei Nemerov. 'En die andere... de dikkere... ziet eruit als een kabel voor de zeebodemtrawler. Ik zie echter geen SB-4.'

'Commandant... misschien is die kabel gewoon losgeraakt en naar boven gedreven.'

Nemerov gromde op een pessimistische toon. Hij vermoedde namelijk iets anders. Hun bezorgdheid ging echter voornamelijk uit naar de bewegingloze *Vladivostok* zelf en de bemanningsleden die vanaf de bodem van deze glaciale trog geprobeerd hadden contact met de buitenwereld op te nemen. Geautomatiseerd en gecodeerd bestond de essentie van die snelle transmissie uit het aloude bericht – een SOS, ofwel *Save Our Souls*.

Ze deden een poging radiocontact te leggen, waarbij ze het laagste energieniveau gebruikten om detectie te voorkomen. Het signaal werd met een extreem lage frequentie uitgezonden. Vanwege het water en de lange golflengte duurde dat erg lang.

Geen antwoord.

De duikers waren nog niet gereed om de druk op die diepte aan te kunnen. Orlovsky vroeg of hij een poging mocht wagen, maar Nemerov gaf hem geen toestemming . Het was ondraaglijk om zo dicht bij de *Vladivostok* te zijn en desondanks niet in staat te blijken assistentie te verlenen. Maar zijn manschappen opofferen had geen zin. Na een martelende periode, waarin ze alleen maar konden wachten, gaf Nemerov opdracht de duikoperatie voor te bereiden. De vier duikers zwommen uit de luchtsluis en door de koker van de ondergelopen raketbuis omhoog. De slangen en kabels rolden achter hen uit.

De *Roes* hing op slechts veertig meter van de *Vladivostok*, maar wel met de boeg ernaartoe gericht om de nadelige gevolgen te verminderen wanneer de getroffen onderzeeër ontwricht raakte en vervolgens explodeerde. Die afstand was dichterbij dan de admiraal of commandant Nemerov voor wenselijk achtte, maar door de lengte van de slangen van de duikers waren de mogelijkheden beperkt. Hoe korter de afstand die de duikers dienden af te leggen, hoe meer tijd ze aan boord van de *Vladivostok* konden spenderen en hoe meer energie ze overhielden. Om nog meer van hun krachten te sparen, leverde een gemotoriseerde slede hen af bij de verstilde onderzeeër.

Luitenant Nutsjin bewaakte de duikersintercom. Hij bevond zich in het volgestouwde, krappe hok naast de controlekamer en hield de hartslag, de lichaamstemperatuur en de erbarmelijk korte tijd die de duikers in het water konden doorbrengen in de gaten.

De berichten van de hoofdduiker waren bondig. 'De boegplaten zijn eraf gescheurd. En een deel van het duikroer is verdwenen. De romp is op sommige plaatsen ingedeukt. Er stroomt zuurstof uit naden, maar de waterdichte schotten en platen kunnen de druk aan, althans aan de kant die we kunnen zien.'

'Stralinggegevens.'

'Normale waarden, meneer.'

Nutsjin gaf opdracht aan Orlovsky, de tweede duiker, om de toestand van de flank aan stuurboordzijde te onderzoeken, ofwel de kant die tegen de rotswand was gedrukt. Scheldend perste hij zich in de ruimte tussen de enorme romp en de rotswand van de fjord, waarna hij zijn lamp aandeed en de omgeving dankzij tweehonderdvijftig watt in een zee van licht zette. Nadat hij een keer met zijn zwemvliezen had geschopt, was hij buiten het bereik van de televisiemonitors, alsof hij in een grot was verdwenen.

De kapitein en de admiraal stonden in de gang tussen de controlekamer en het verbindingsvertrek. Ze luisterden naar de berichten van Orlovsky terwijl deze duiker behoedzaam nader onderzoek deed. Hoewel hij als gevolg van het helium moeilijk was te verstaan, waren de feiten duidelijk genoeg.

'Wat ik kan zien van de stuurboordzijde... ingedrukt. Waarschijnlijk als gevolg van de botsing... tegen de fjordwand. Ik zie groeven en schrammen... in de rotswand en buitenkant van de romp. Ik denk dat de botsing... hoger heeft plaatsgevonden. Daarna is de duikboot naar beneden gegleden... terwijl er water naar binnen stroomde.'

Iedereen zweeg. Een van de artsen keek teleurgesteld, maar zei niets. Orlovsky maakte bekend: 'Ik druk me nu onder... het overhangende duikroer. Dat ziet eruit als een... een gebroken zwemvlies. Verpletterd.'

In de daaropvolgende minuten hoorden ze alleen de melodische klanken van de duikrespirators. Iedereen keek naar het lege scherm of daar werkelijk iets op te zien was. Admiraal Roedenko liep met gebogen hoofd zorgelijk rond en ging uiteindelijk dicht bij Nemerov staan. Hij sprak fluisterzacht.

'Als de overlevenden niet in de reddingsduikboten kunnen worden overgebracht, is het dan mogelijk ze te redden door de onderzeeër in zijn geheel naar het wateroppervlak te hijsen, waarbij we ervan uitgaan dat er aan boord nog enkelen in leven zijn?'

'En de orders aan onze laars lappen?'

'De orders kunnen me gestolen worden. Stel dat we een gebeurtenis versnellen? Áls we de *Vladivostok* aan de oppervlakte krijgen, en we dat snel doen, dan kunnen we de overlevenden evacueren en de duikboot vervolgens laten kelderen.'

Bijna onmerkbaar schudde Nemerov zijn hoofd. 'Wanneer we ons eenmaal naar de oppervlakte begeven, kunnen we niet meer uit dit fjord ontsnappen. Ze zullen bovenop ons zitten.'

'Tsjernavin heeft de situatie verkeerd ingeschat. Wij moeten improviseren, we mogen geen overlevenden aan hun lot overlaten. En al evenmin zal ik opdracht geven de *Vladivostok* te vernietigen als de bemanning niet gered kan worden.'

Nemerov keek geschokt. Hij had nooit nagedacht aan deze eventualiteit. De admiraal had die mogelijkheid kennelijk vanaf het begin gevreesd.

'Ik wil alle officieren spreken,' zei Roedenko op een normale toon. Nemerov gaf instructies aan de wacht, die het bevel doorgaf.

Ze kwamen onmiddellijk bij elkaar en verzamelden zich rondom de admiraal.

'De *Vladivostok* ligt te diep om de reddingscabines in te zetten,' zei hij. 'Maar tijdens hun volgende duik kunnen de diepzeeduikers die cabines zodanig aan de onderzeeër bevestigen dat er sprake is van een vlotterwerking om de getroffen onderzeeër naar de oppervlakte te brengen, waar de bemanning van de *Roes* de overlevenden zal redden.'

Hoewel er verbaasd werd gekeken, gaf niemand commentaar. Iedereen was opgewonden. De admiraal ging verder met zijn verhaal.

'We laten onze reddingsduikboten vollopen met water en brengen ze vervolgens naar de *Vladivostok*, waarna we ze na enig manoeuvreren aan weerszijden van de onderzeeër aan de romp bevestigen om daarna het water met perslucht gedeeltelijk te verwijderen. De reddingscabines zullen langzaam stijgen, als caissons, en de *Vladivostok* meenemen naar het wateroppervlak.'

'Duikers, jullie tijd is half om,' maakte de luitenant bekend.

De derde duiker meldde dat de dikke kabel die vanuit de *Vladivostok* de hoogte in ging uit het open trawlercompartiment op het achterdek afkomstig was. Het compartiment was leeg, wat betekende dat zeebodemtrawler SB-4 waarschijnlijk ergens boven hen in het donkere water zweefde. Hij volgde de kabel over een afstand van vijftig meter naar boven.

'Nummer twee,' zei de luitenant. 'We kunnen je niet zien. Orlovsky? Meld je, alsjeblieft.'

'Wacht... ik ben aan het oversteken. Ik bevind me nu bij de commandotoren. Het waterdichte luik aan de onderzijde is gesloten. Ik ben nu aan het kloppen.'

Het metalige, galmende geluid was via de luidsprekers in de verbindingskamer te horen. Orlovsky klopte nog eens vier keer. Na een lange pauze begon de duiker opnieuw te kloppen. Nog eens vijf slagen. Het geluid was aan boord van de *Roes* te horen, dus ongetwijfeld ook in alle compartimenten van de getroffen onderzeeër. Sommige manschappen deden hun ogen dicht om zich te concentreren en aldus het geringste geluid te kunnen horen.

Geen antwoord.

Orlovsky vloekte.

'Achttien minuten,' zei de luitenant monotoon.

'Met duiker drie. De SB-4 zweeft in het water... op zeventig meter boven het dek.'

'Duiker twee, dit is nummer vier, die verantwoordelijk is voor de slangen. Orlovsky, er staat te veel spanning op jouw slangen en kabels.'

'Duikers, keer terug naar de slede,' maakte luitenant Nutsjin bekend.

10

In het sterk deinende vliegtuig ging de crewchief staan. 'U kunt zich maar beter gereedmaken,' zei hij, waarbij hij naar de gondel wees. 'We hebben ongeveer vier minuten en het zal er wat ruwer aan toe gaan wanneer de landing eenmaal wordt ingezet.' Terwijl Stevenson assisteerde, hielp de crewchief Hanley behoedzaam door de opening, waarna hij haar begon vast te snoeren ter voorbereiding op haar tocht naar beneden aan een parachute. 'Wees alleen niet teleurgesteld wanneer we te maken krijgen met zij- en valwinden en dergelijke zaken, waardoor we rechtsomkeert moeten maken om jullie beiden terug te vliegen. Het kan hier zo nu en dan flink tekeergaan.'

'Mij zul je niet horen klagen,' zei ze.

'We willen niet dat u helemaal tot in China wordt geblazen.'

Toen Hanley goed in de gordels zat, waarbij haar hoofd- en neksteunen op de juiste manier waren aangepast, controleerden Stevenson en de crewchief opnieuw de zaken die met de veiligheid te maken hadden terwijl ze de noodprocedures met haar doornamen. De Canadees legde de nadruk op de plaats waar zich de nooduitrusting bevond; de crewchief wees naar de bijl die aan de wand zat vastgeklemd. 'Voor het geval u zich met geweld uit dit ei moet bevrijden. En de noodzaklampen dan? zult u vragen. In deze kou hebt u er maar tien minuten profijt van. Gebruik ze dus alleen wanneer het echt moet. Hier.' Hij overhandigde haar een knuffelbeest. 'Een sledehond. Gekregen van de Post Exchange in Anchorage. Het brengt geluk. Snapt u?'

Hanley was niet bepaald een knuffelbeesttype. Toch hield ze de hond stevig vast, geroerd als ze was door de geste.

'Bedankt, chef.'

'Ik schakel over op de Trudeau-frequentie,' onderbrak de piloot hen.

'Luister goed,' zei de crewchief, 'blijf uit de buurt van watervlaktes. Hoewel deze tobbe kan drijven, dient u koste wat kost te vermijden dat u in de nattigheid terechtkomt. Ik bedoel, hoe moeten ze u in godsnaam bereiken? Boten hebben ze daar niet, hoor.'

'Is de poolzee aan de oppervlakte niet dichtgevroren?' vroeg Hanley, wat drukker kletsend nu de adrenaline een rol ging spelen.

'Dat hoort wel zo te zijn,' zei de crewchief sceptisch. 'Ziet u deze rode hendel? Meteen na de landing trekt u eraan, zodat de parachutes worden losgekoppeld en u niet in een zeilboot verandert om vervolgens kilometers ver over het ijs te worden gesleept. Ook bestaat er dan minder risico dat u zinkt.'

'Zinken?'

'Ja, mevrouw, in het onwaarschijnlijke geval dat het ijs tijdens de landing breekt en de parachutes met water doordrenkt raken. Als zodanig is *Stilletje* een reddingsboot... hermetisch afgesloten, waterdicht. Beter dan een pak waarmee je op het water drijft. Maar wanneer de parachutezijde nat wordt, trekt ze u mee onder water.'

'Trek aan de rode hendel,' herhaalde Hanley met trillende stem, 'en koppel zo de parachutes los.' Ze merkte dat ze naar haar grootmoeders rood en zwart gekleurde gewatteerde deken verlangde; het enige aandenken uit haar kindertijd. Wanneer Joey bij haar logeerde, sliep hij eronder. Ze zou willen dat ze daar nu zelf onder lag om zich te kunnen verschuilen.

'Wat moet ik doen wanneer ik met open water te maken krijg?'

'Dan gaat u hard gillen, mevrouw. Zorg ervoor dat ze zo snel mogelijk weten waar u bent.'

Met behulp van een masker met beschermende vliegbril tegen extreme weersomstandigheden bedekte de crewchief zijn gezicht tegen de kou. De cockpitradio was te horen. '*Poolstation Trudeau, dit is Idle Bucket, over.*'

'*Idle Bucket, poolstation Trudeau.*'

Met zijn eentonige Midwesten-stem deed de piloot op ongeïnteresseerde toon verslag van de laatste fasen van de aanvliegroute. De wind was zwak. Het risico dat de gondel uit de richting van de bestemming werd geblazen, was inmiddels miniem te noemen. De Starlifter daalde om in de juiste positie te komen, waarna de gondel op negenhonderd meter hoogte uit het toestel zou worden gestoten.

'*Poolstation Trudeau, dit is Idle Bucket. Nog vier minuten voordat we gaan droppen. Verdere instructies? Over.*'

'*Idle Bucket, alles gaat volgens schema. Onze mensen zijn ingezet om de lading te halen. We hebben u gemarkeerd op drie minuten en veertig seconden. Drie minuten en dertig seconden... vijf seconden, vier, drie, twee, een, nul.*'

'*Bedankt, poolstation Trudeau. We zien uw lichten. Over en uit.*'

Op de gondel was een groot pakket bevestigd, waarin parachutes die op vierhonderdvijftig meter automatisch zouden opengaan.

'*Breng de parachutes in gereedheid,*' beval de bemanning in de cockpit. '*Maak de geleidekabels los.*'

'*Begrepen, begrepen,*' antwoordde de crewchief. Hij klauterde op de gondel. 'Parachutes gekoppeld en klaar voor gebruik. Kabels zijn verwijderd. Ik hoop verdomme dat het vrachtluik in open positie niet meteen vastvriest.'

'Nou dan, Jessie,' zei Stevenson, waarna hij haar een hand gaf. 'Het was leuk. Dat moeten we gauw eens overdoen. O ja... als je er geen bezwaar tegen hebt.' Hij haalde een pakje te voorschijn en overhandigde dat aan Hanley. 'Zou je dit alsjeblieft aan Dee Steensma willen geven?' Hanley stak een duim naar hem op. Stevenson zei: 'Oké, ik maak de gondel nu dicht.'

Het luik werd gesloten en met veersloten vergrendeld. Hanley hoorde de doffe afscheidsklop tegen het fiberglas. De crewchief zei over de intercom: 'Goede reis, mevrouw. En blijf uit de buurt van het water, hoort u me?'

In de turbulente lucht viel het vliegtuig opeens dertig meter naar beneden. 'Tjeses,' zei Hanley, terwijl ze het gevoel kreeg dat haar maag in haar borstkas drong.

'*Zestig seconden,*' maakte de piloot bekend. De vliegtuigromp leek heen en weer te deinen; de achterste vrachtluiken gingen kreunend open. Door de plotselinge temperatuurdaling werd het meteen mistig in het ladingruim.

Hanley ademde uit door haar mond, maakte haar lippen nat en keek naar de rode hendel bij haar hand. De gordels waren kruislings over haar bovenlijf vastgesnoerd, een kraag en riemen waarborgden dat haar hoofd niet kon bewegen. De ruimte om haar heen was volgestouwd met de spullen waar ze om had gevraagd: middelen tegen stuipen en metaalvergiftiging, antibiotica, fixatieoplossingen, specimenflesjes en -buisjes, een groeimedium en steriele petrischaaltjes. Verder de volledige uitrusting wanneer er sprake zou zijn van een biologisch-toxisch probleem. Maar ook een album met recente foto's van Joey, haar bloemenremedies van dr. Bach, een handboek over kinesiologie, een bandje dat Joey voor haar had opgenomen met de branding bij Laguna Beach, vijf meditatie-cd's en acht tubes organische vochtinbrengers.

'*Vijftig seconden,*' klonk het dreunend vanuit de cockpit. Het vliegtuig schokte zo heftig dat de intercomverbinding uitviel. Hanley was ervan overtuigd dat het toestel uit elkaar zou vallen.

Stevenson klopte tegen het fiberglas. 'Jessie?' Het enorme vliegtuig ging heftig op en neer in de lucht.

'Ja?'

'Hoe hebben ze jou overgehaald?' vroeg hij opgeruimd.

'Geen idee. Wil jij mij overhalen om niet te gaan? Er zal niet veel voor nodig zijn.'

'*Dertig seconden.*' De stem van de copiloot. '*Vastklampen.*'

Het klonk als een metalen zonnescherm dat omhoog werd getrokken.

De motoren brulden rauw en buiten huilde de wind. Het hydraulisch systeem bracht een laag gegier voort.

'Ik haat dit,' zei Hanley. 'Ik wil naar huis.'

De neus van de Starlifter ging omhoog en *Stilletje II* gleed onverbiddelijk over de vrachtrails – het leek een eeuwigheid te duren – en via de middenbaan van het vrachtruim naar beneden in de richting van de open achterluiken, waarna de gondel over de rand wipte, de oneindigheid in.

Plotseling werd het stil.

Hanley voelde haar maag in haar keel als gevolg van de gewichtloosheid die gepaard ging met de val. Ze had zich voorgesteld dat ze door de lucht zou zweven, maar in plaats daarvan viel ze als een baksteen naar beneden.

Nadat Orlovsky verscheidene malen tegen de duikbootromp had geslagen, wachtte hij niet langer op antwoord en zwom naar beneden, in de richting van het gapende gat aan de basis van het duikroer. De onderzeeër was voorzien van een dubbele romp; de ruimte tussen die twee lagen was opgevuld met rubber. Zijn slang was blijven hangen achter een gekarteld uiteinde van gescheurd metaal. Voorzichtig wurmde hij de slang los en zwom verder. Op deze diepte zou de geringste insnijding fataal zijn. In plaats dat hij op de terugweg dezelfde route volgde – de nauwe ruimte tussen de rotswand en de romp – begaf hij zich naar de achterkant van de duikboot. In deze gesloten ruimte zette zijn kwiklamp de duikbootflank en het onderste gedeelte van de rotswand in een felle gloed.

Het duurde niet lang of hij had nog een breuk gevonden. Deze scheur was iets langer dan die bij het duikroer, maar niet breder. Voorzichtig rolde hij de slang en de kabels tussen zijn dijen op om ze te beschermen, schopte een keer met zijn zwemvliezen en ging naar voren zonder de gekartelde scherpe randen van de scheur te raken. Binnen liet hij de lichtbundel van zijn hoofdlamp over de donkere panelen met schakelaars en wijzers glijden. Bij het roer hield hij de lichtbundel stil. De roerganger zat nog steeds vastgesnoerd in zijn stoel.

Langzaam scheen hij door de controlekamer, waarna hij de lens bijstelde en de lichtbundel vervolgens in een zeer smalle lichtstraal veranderde, waarmee hij op het luik richtte dat toegang bood tot het achterschip. Hij was in staat door de hele gang te schijnen. Zover hij kon zien, waren de luiken open. Verscheidene bemanningsleden dreven door de gang.

Lijken in zee boden steevast een griezelige aanblik omdat de stroming ze liet bewegen, maar deze... er was iets niet in orde met deze stoffelijke resten. Opnieuw scheen hij door de controlekamer en begon ze te tellen. Het waren er elf. Hij had in zijn leven naar veel wrakken gedoken en heel wat lijken gezien, maar nog nooit zoveel bij elkaar, die bovendien ook nog eens zo'n eigenaardige aanblik boden. Ze hadden allemaal een vreemde houding aangenomen, absoluut niet iets dat je zou verwachten van manschappen die verdronken waren. In plaats dat ze verslapt rondzweefden, waren hun ledematen verstard en stijf. Sommige lijken hadden een voorovergebogen houding aangenomen, weer andere waren op een onmogelijke manier achterwaarts gekromd.

Iets raakte zijn schouder. Hij deinsde naar achteren, maar was zich ervan bewust dat hij in geen geval op onvoorzichtige wijze een slingerbeweging mocht maken. Het moest zwevend wrakgoed zijn, of een van de overleden crewleden. Ja, dood, prentte hij zichzelf in. Dood en dus ongevaarlijk. Hij kalmeerde zichzelf en draaide zich om. Hij zag iemands achterhoofd, de blonde haarlokken vormden een waaier in het water. Het lijk hing ondersteboven en zat ergens aan vast. Hij pakte het bij de schouder vast en draaide het behoedzaam om. De lichaamshouding deed denken aan een menselijk embryo in een glazen houder. De gelaatstrekken waren rimpelloos, evenals de oogleden. Nog nooit had hij zo'n wit lijk gezien.

En dan die ogen! Hij trok het lichaam dichter naar zich toe. De ogen waren niet slechts naar boven in de kassen gerold. De iris en de pupillen waren verdwenen.

'*Yob tvaya mat!*'

Een roofvis? Onmogelijk. Niet in deze wateren, niet binnen dit tijdsbestek. Naast hem zweefde het been van een lijk dat ruggelings tegen het plafond was gedrukt. Hij greep een enkel vast en trok het stoffelijk overschot naar beneden, in het licht van zijn hoofdlamp.

De handen waren tussen de knieën geklemd, de gelaatstrekken verwrongen, de mond wijdopen en de ogen gesloten. Hij dwong zichzelf om een oog te openen. Wit. De gekleurde iris was verdwenen, weggevreten. Vernietigd.

Orlovsky scheen met zijn hoofdlamp door het vertrek en wilde de gelaatsuitdrukkingen van de andere lijken bekijken. De ogen die hij kon zien, zagen er precies hetzelfde uit. Een voorbijzwevende kaart streek langs hem.

'Duiker twee. Je zit aan de grens. Waar ben je?'

'In... in de controlekamer,' zei Orlovsky. Hij concentreerde zich om zijn ademhaling te beheersen.

Aan de andere kant van de lijn klonk opgewonden geroezemoes. De luitenant vervolgde: 'Wat heb je daar aangetroffen?'

'Alles is overstroomd. Elf doden. In de gang zijn er nog meer. De luiken... tussen de compartimenten... zijn open.'

De uitgestoken armen van de roerganger zweefden onder de roerhendels, net een slaapwandelende pantomimespeler.

'Duiker twee, je hebt de marge overschreden. Keer terug naar de luchtsluis.'

De luitenant moest dat twee keer zeggen voordat Orlovsky het bevel bevestigde. Behoedzaam zwom hij naar de scheur in de romp, waarna hij in een opwelling terugkeerde naar de roerganger en diens stoelgordels losmaakte. Vervolgens maakte hij een lus om zijn nek, trok hem achter zich aan naar het gat bij het duikroer en duwde het lijk de onderzeeër uit, gevolgd door Orlovsky zelf, die zijn slang en kabels beschermde.

Sergeant Orlovsky drukte zich langs de romp verder, en onder en voorbij het duikroer. De vreemde, levenloze last nam hij op sleeptouw. Het lijk schraapte langs de rotswand en bonkte tegen de duikbootromp. Pijn kan hij niet hebben, dacht Orlovsky bij zichzelf en bleef verder zwemmen. De kou drong tot in zijn duikpak door, ondanks het feit dat warm water vanuit de slang naar binnen stroomde. Zijn oren gingen dichtzitten, secondenlang hoorde hij niets meer, waarna het ademhalingsgeluid weer te horen was op het moment dat zijn oren weer opengingen. Hij voelde de last – het lijk – achter zich aan de lijn hangen tijdens deze moeilijke trip, maar hij keek niet om. De slede was verdwenen. Hij moest de afstand op eigen kracht overbruggen. Volgens de wijzer van zijn meter was het luchtmengsel voldoende om nog acht minuten te ademen; twaalf minuten als hij zuinig was met de voorraad.

Zijn kuitspieren waren grotendeels gevoelloos geworden. Niettemin maakte hij schoppende bewegingen met zijn zwemvliezen om het tempo op te voeren terwijl hij zich naar de *Roes* begaf, naar het open luik van raketbuis zes.

Halverwege moest hij stoppen om zijn kuitspieren te masseren. Toen pas keek hij om naar de getroffen onderzeeër en de last die hij achter zich aan trok. De lichtbundel van zijn lamp gleed langs de fjordwand. Hij scheen ermee omhoog tot het licht niet meer te zien was. Op dat moment voelde hij zich een bergbeklimmer – een stipje dat zich geconfronteerd zag met de immense wereld om hem heen.

11

De luitenant was furieus. Orlovsky liet de berisping sereen over zich heen komen. Hij zat op zijn duikhelm van hard plastic in de met uitrusting volgestouwde drukcabine terwijl hij naar de videocamera staarde. Nutsjin schuimbekte bijna als gevolg van zijn amper onderdrukte woede vanwege deze niet-geautoriseerde handeling, die nog wel bekroond werd met het feit dat Orlovsky een lijk aan een lus om de nek aan boord had getrokken, alsof het een gehangene betrof. 'We hebben gepaste procedures voor dit soort zaken!'

De admiraal sprak hem kalmerend toe, waarna hij Orlovsky persoonlijk begon te ondervragen.

'Vertelt u eens, sergeant... waarom hebt u de moeite genomen het lijk naar die ondergelopen raketbuis te slepen om het vervolgens met geweld door die koker naar binnen te rukken?'

De verklaring van Orlovsky was openhartig. 'Ik was bang dat niemand me zou geloven wanneer ze dit niet met eigen ogen zouden zien, meneer.'

Korte tijd later had Roedenko de duiker alles laten herhalen tegen Nemerov en de twee boordchirurgen, waarna hij de sergeant bedankte en hem op het hart drukte vooral wat uit te rusten. Orlovsky kreeg het nauwelijks voor elkaar om te knikken.

Roedenko nodigde de commandant en de medische staf uit om in zijn kajuit de situatie in alle beslotenheid te bepraten.

Een van de medische stafleden, die op het bed zat, zei: 'Het gerucht doet al de ronde dat in raketbuis zes een lijk drijft.'

Nemerov keek verontrust. 'Er hangt een sfeer van verstilde wanhoop boven de bemanning. Er wordt amper gepraat in de onderzeeër. Ik had graag gezien dat sergeant Orlovsky er tenminste aan zou hebben gedacht het hoofd van het lijk te bedekken, zodat de manschappen in elk geval die gelaatsuitdrukking bespaard was gebleven. Verschrikkelijk... die uitpuilende ogen, die afschuwelijk verwrongen kaak. Het gezicht zweeft op enkele centimeters afstand van de groothoeklens van de videocamera. Het doet denken aan een gargouille.'

De admiraal zei: 'Wanneer ze de volgende keer naar buiten gaan, kunnen de vier duikers het stoffelijk overschot wellicht in een geïmproviseerde lijkwade wikkelen en het lijk in een andere raketbuis schuiven. Op die manier hoeven ze er niet telkens langs wanneer ze gaan duiken of zich weer terug in de duikboot begeven. Voor de rest van de bemanning heeft dat wellicht ook een kalmerend effect. Een spookachtige onderzeeër is al zenuwslopend genoeg. Een stoffelijk overschot zonder lijkwade en met een koord om de nek is zeer verontrustend. En ik zie wat de getroffen duikboot betreft weinig hoop op berging van materieel of bemanning.'

Nemerov knikte. 'We kunnen ze er niet uit krijgen, of wel?' De admiraal hoefde op deze retorische vraag geen antwoord te geven. De reddingsduikboten, het extra personeel, het bleek allemaal nutteloos. Net als de bemanning was de *Vladivostok* verleden tijd. Er bleven Roedenko nog slechts drie opdrachten – de logboeken en codes te pakken zien te krijgen, de gele doos van Tsjernavin veiligstellen en eventuele sporen van het binnendringen van de territoriale wateren uit te wissen.

Heel even vroeg hij zich af hoe hij de duikers moest benaderen wanneer ze weigerden opnieuw aan boord te gaan. Vervolgens besloot hij dat het aan Nemerov was om dit mogelijke probleem aan te pakken. Roedenko was maar passagier. Hij voerde niet het commando, maar diende een opdracht te volbrengen.

'Over negentig minuten,' zei de admiraal.

Kurlak Island was verlicht als een kerstboom. De omliggende uitgestrektheid glansde in het licht van een zestal lichtfakkels. Vier verticale lichtbundels van sterke zoeklichten – ze bevonden zich bij de koepels nabij het station – kliefden de lucht.

Het was een klein eiland, niet meer dan net drie kilometer lang en anderhalve kilometer breed. Hanley had verwacht dat de poolkap wit en doorzichtig was, maar in het felle licht van de zoeklichten was het ijs purper en blauwgroen.

Als een wispelturige penduleslinger bungelde de gondel onder de parachute. Onder haar, op een ijsheuvel, bevond zich het windmolenpark van het poolstation; een groep enorme propellers en evenwijdige, gebogen wanden om de wind als in een trechter op te vangen. Het poolstation zelf bestond uit een groep koepelgebouwen en verbindingsgalerijen, met in het midden een grotere koepel; een functionerende gemeenschap van wetenschappers die zich wisten te handhaven op een met ijs bedekt eiland in een bevroren oceaan. Contouren en schaduwen verschoven terwijl de lichtfakkels bungelend aan hun parachutes naar beneden zweefden. In tegenstelling tot de lichtbundels van de zoeklichten deden de fakkels het ijs verbleken. Eronder was alles helder wit of koolzwart.

Ze was alle gevoel voor dimensie kwijtgeraakt. In het vervormende licht leken de koepels onder de top van de heuvelkam, op de landverhoging, wel twee verdiepingen hoog, waarbij het leek of een ervan omgekeerd op het ijs stond, als een reusachtige kom. Een radiotelescoop, gokte ze. Misschien een satellietschotel.

Op de ijsvlakte, op een flinke afstand van de verzameling koepelgebouwen, waren eigenaardige rechthoekige verhogingen te zien; een langgerekte verhoging stond haaks op kortere verhogingen, en leek daardoor wel iets op een Lotharings kruis. Hanley kon zich niet voorstellen welk doel dat geheel wellicht diende, waardoor haar paniekgevoelens van even daarvoor plaatsmaakten voor nieuwsgierigheid.

Op een vlakker gedeelte, pal onder haar, kon Hanley op het witte ijs vaag een schoongeveegde landingsbaan onderscheiden, die van het eiland vandaan voerde.

'*Dit is poolstation Trudeau. Over.*'

'J-j-j-ja... m-m-met dr. Jesssie Ha... nley.' Ze trilde als gevolg van de vibraties. 'I-i-ik ben hier.'

'We zien u, doctor. Ondanks het feit dat u door de wind behoorlijk afdrijft, bevindt u zich toch dicht bij de landingsplaats.'

'D-d-dank u-u-u.'

'Tot uw dienst, dr. Hanley. U staat op het punt te gaan landen. Houd u stevig vast. Poolstation Trudeau over en uit.'

De gondel raakte het ijs – en stuiterde daar twee keer hard tegenaan.

'Goeie genade,' mompelde Hanley. Ze gaf een ruk aan de rode hendel, maar er gebeurde niets.

Toen het ovale Stilletje op een kant rolde, wipte een componentenpaneel uit de radio en viel op haar schoot. Vervolgens hield het luik het voor gezien; de warme lucht in de gondel veranderde onmiddellijk in mist, de kou was een aanslag op haar longen, alsof ze in het water was gevallen. IJskoud water. Ze kon niet ademen.

Door de opwinding was Hanley vergeten de helmklep te sluiten. Snel deed ze die dicht en controleerde het lichtje, dat eerst rood knipperde en vervolgens groen werd en aanbleef – goddank. Maar de enorme parachute was niet losgekoppeld en sleurde de gondel over het ijs.

'Lieve hemel... alsjeblieft, geen open water.'

Op het radiokanaal klonken over en weer stemmen terwijl Stilletje bonkend, glijdend en krakend over het ijs schuurde. Ik ga steeds sneller, dacht ze. Nylonzakken en piepschuimchips vielen rondom haar.

Er klonk een afschuwelijk, metaalachtig geluid. Er sneed iets door de romp van de gondel, alsof er een ui werd gepeld. Een gedeelte van de romp was verdwenen, afgescheurd, maar de snelheid van de gondel nam niet eens af. Spullen en voorraden werden als specerijen uit een vaatje over het ijs gestrooid.

'Ik ben te pletter geslagen, ik ben te pletter geslagen!' schreeuwde ze.

'Ze is over de kop geslagen door een of andere ijsribbel, Jack. Kun jij erbij?' klonk een stem over de ontvanger.

'Ik denk het wel. Ik zit achter die parachute aan.'

'Hou je wielen in de gaten.'

De gondel schokte en kwam tot stilstand.

'Alles in orde, dr. Hanley?' klonk de stem uit de radio.

Hanley haalde diep adem, deed haar ogen dicht en drukte het knuffeldier stevig tegen zich aan. 'Houston, de beagle is geland.'

'Pardon?'

'Alles in orde.' Ze was duizelig van opluchting. 'Alles in orde.' Ze begon hard te lachen.

Een gehelmd hoofd met geopende klep verscheen in het luikgat boven haar hoofd. Nonchalant leunde de man tegen de rand alsof hij bij het raamkozijn van de buren stond.

'Welkom in winterwonderland. Dr. Hanley, mag ik aannemen?' Hij stak een hand naar haar uit, waarop zij zijn voorbeeld volgde. Zachtjes pakte hij die vast, alsof het de hand van een kind zou kunnen zijn. '*Quel honneur.*'

'Zeg maar... Jessie.'

'*Enchanté.*' Hij schudde haar de hand. 'Wat leuk dat de Royal Commission u heeft gestuurd. En hoe dapper van u om daadwerkelijk te komen.'

'Tot uw dienst,' zei Hanley, die aan haar gordels trok. Ze was bedolven onder de rommel, veelal verpakkingsmateriaal in de vorm van piepschuimchips die tijdens de landing uit de gescheurde pakketten te voorschijn waren gekomen. Verder lagen er een stuk of vijf, zes recente nummers van *Alaska Geographic* bij. 'Bent u gekomen om mij naar de directeur te brengen?'

'Ik ben de manager, mevrouw. Emile Verneau, bestuursmanager van het poolstation. Ik zal u een handje helpen.'

Verneau gaf haar een hand terwijl ze zich uit de gondel wurmde.

'Speelt u bridge?' vroeg hij.

'Nee. Nooit geleerd.'

'O, nou ja... goede bridgespelers komen we altijd te kort. Maar ik neem aan dat u toch amper vrije tijd zult overhouden.'

Twee in poolpakken gestoken personen begonnen de voorraden uit te laden. Ze overhandigden de spullen aan een ander tweetal dat de boel op een slee laadde. Een slee die gekoppeld was achter een opzichtig gestreept voertuig van bijna drie meter hoog, uitgerust met enorme, bolronde, fuchsiarode banden. Het gevaarte leek op een truck met van die gigantische wielen. Trucks van het soort dat ze weleens op de kabeltelevisie met elkaar had zien wedijveren in stadions. Pakweg tien van die voertuigen stonden twintig meter verderop om *Stilletje* heen geparkeerd. Een ervan was naar de parachute gereden omdat die moest worden losgekoppeld en opgevouwen.

Hanley hield haar pas in en wees. 'Heeft dát daar bijna mijn dood betekend?'

'Die ijsribbels?' zei Verneau. Hij liep naar een fantastisch gewelfde ijskiel. Ze lieten de lichtbundels van hun lampen over de plastiekachtige vormen glijden. Vormen die er slank, glad en gekronkeld uitzagen. 'Wat je hier ook doet, raak nooit met deze dingen in de clinch. Ze zijn uitermate gevaarlijk.'

Het begon harder te waaien, waardoor de ijsribbels jammerden als zingende zagen. Hanley was verbaasd. 'Ze zijn schitterend.' In het licht van Verneaus lamp bewonderde ze de kleuren.

Verneau zei: 'Dat zijn de hardste ijskristallen die je je maar kunt voorstellen. De ijsschotsen daarachter zitten vol spleten en zijn zo droog als zandsteen. Maar deze ijsribbels zijn zo scherp als metaal. Luister hier eens naar.'

Verneau maakte een dunne stang los die aan zijn pols was bevestigd. Nadat hij op een knopje had gedrukt, sprongen er in loodrechte positie klauwen uit te voorschijn. De scherpe metalen randen glommen in het maanlicht. Voorzichtig boog hij zich naar voren en schraapte met een van de bladen in de lengterichting over de bovenzijde van de gedraaide ijsribbels. Het klonk als het aanslaan van een stemvork.

Hij liet de bladen in de respectieve holtes van de stang terugklappen en gebaarde dat ze samen naar zijn eigen overmaatse voertuig moesten lopen. Hij wees naar de beugelvormige inkepingen, waarna zij aan de zijkant via het trapje naar het portier klom, dat openschoof en vervolgens plaatsnam in de ergonomische stoel. De radio produceerde statisch geruis en iemand zei iets in het Frans.

Een voor een werden de zoeklichten gedoofd. Verneau antwoordde in het Frans op wat er via de radio was gezegd, waarna de voertuigen in konvooi naar de opaalkleurige lichten van poolstation Trudeau reden. Hij telde de voertuigen die voorbijkwamen, waarna hij achter in de rij aansloot en de achterhoede vormde. Alleen het voertuig dat verstrikt zat in de parachute bleef achter; de chauffeur was nog steeds bezig de stof los te trekken.

'Wie heeft me gered?' vroeg Hanley terwijl ze naar de 'raket' keek die tussen de golvende zijde lag en geborgen werd.

'De geduchte Jack Nimit,' zei Verneau. 'Onze techneut. Jack zet ons allemaal te kijk.'

Een grote, doosvormige buggy met ballonbanden en een open achterbak kwam hen tegemoet rijden. Dat voertuig, verklaarde Verneau, was eropuit gestuurd om de gondel op te halen en de rondgestrooide voorraden te verzamelen.

'Het is een langzame rit,' zei hij. 'Ontspan u en geniet van het uitzicht.'

Toen hij dat had gezegd, doofde de laatste lichtfakkel sputterend en werd de wereld donker.

12

Vanaf een afstand leek poolstation Trudeau op de zoveelste ijsheuvel in het landschap, maar vast stond dat de windmolens die op een helling als gigantische insecten bijeen stonden, de in het rauwe weer opgeslagen energie in elektriciteit omzetten.

'Thermo-elektrische generatoren,' zei Verneau. 'In de zomer vullen we ze aan, waarbij we platinakatalysatoren met schone oxidatie zonder open verbrandingsprocessen inzetten. En waterstofcellen, die we bovendien in onze voertuigen gebruiken. En zonnecellen.'

Het koepelcomplex dat boven de ijsvlakte opdoemde, werd indrukwekkender naarmate de karavaan de ingang naderde. Een langgerekte helling werd zichtbaar en leidde naar een hooggelegen tunnel.

'Ons nederig stulpje,' zei Verneau. 'De helling en de tunnel als geheel doen denken aan de ultieme poolschuilplaats die vele generaties geleden werd ontworpen... de inheemse sneeuwhut.'

'U bedoelt een iglo?' zei Hanley. Vluchtig herinnerde ze zich een studiegroepje dat zich op de lagere school met de leefwijze van de eskimo's had beziggehouden.

'Precies. De helling voorkomt dat de lichtere, warmere koepellucht door de ingangstunnel ontsnapt, terwijl de koude lucht zeer traag en in geringe mate kan binnenkomen. Maar we hebben de hellingshoek nooit perfect kunnen krijgen. In zeldzame gevallen, wanneer het harder gaat waaien, moeten we de verst afgelegen ingang sluiten, anders ontstaat er een vacuüm en wordt de warmte linea recta het complex uitgezogen.'

'Onze koepels,' zei iemand anders met een zwaar accent in het Engels, 'zijn feitelijk volledig geïsoleerde thermische cellen, volkomen afgeschermd van de omgeving en vice versa. De noordpool is een zeer kwetsbaar oord... een droge, bevroren woestijn. De minste fysische verandering wordt vastgehouden en versterkt.'

'Bedankt, Koos,' zei Verneau over de radio. 'Je hebt helemaal gelijk.'

De karavaan kroop over de helling de tunnelingang in. Grote ijspegels hingen dreigend aan het plafond.

'Verbazingwekkend,' zei Hanley. Ze keek naar een beeldscherm waarop, naarmate ze zich langzaam hoger in het koepelcomplex begaven, de geleidelijke stijging van de temperatuur werd aangegeven.

'De tunnel zorgt mede voor een gelijkmatige temperatuurovergang en voorkomt bovendien in bepaalde mate de mist waar de meeste poolnederzettingen 's winters last van hebben.'

'Mist? Binnen?'

'Ja, compleet met regen. Echte ellende. Sommige steden in de poolgebieden zijn omgeven met een mist die volledig wordt veroorzaakt door de uitademing van mensen en dieren.'

De hellingshoek werd kleiner en ze arriveerden op een platform. Hoewel het nog steeds flink vroor, moest de temperatuur ongeveer dertig graden hoger zijn dan aan de basis van de helling.

De stoet kwam onder een langwerpig, bolvormig raam tot stilstand. Boven hen bungelden zeer goed geïsoleerde accukabels. Elk voertuig werd uitgezet, waarna de respectievelijke chauffeurs een genummerde

107

ontstekingsdoos verwijderden. Deze werden verzameld en in een kar gedeponeerd. Ondertussen liep een man de stoet af en sloot elk voertuig snel en efficiënt op de accukabels aan.

Verneau verwijderde de ontstekingsdoos, waarna het instrumentenpaneel donker werd. Hij wees naar het bolronde raam bij de ingang.

'De Externe Dienst. Deze afdeling is belast met al het binnenkomende en uitgaande verkeer. Ook vergewissen ze zich ervan dat er net zoveel voertuigen en mensen binnenkomen als er zijn vertrokken. Bovendien zien ze erop toe dat er op de helling geen ijsberen zogezegd hun kamp opslaan.' Hij zwaaide naar het grote raam. Iemand zwaaide terug.

Hanley reikhalsde. Het dak van de koepel had bovendien een dakraamfunctie. 'Wauw. Let eens op de speciale effecten.' Een vallende ster maakte een boog door het uitspansel, helderder dan ze ooit had waargenomen. En weer een. 'Alles is zo helder. De optische aspecten van dit alles zijn ongelooflijk.'

'Inderdaad,' zei Verneau. 'Dat komt door de lucht. Kurkdroog, onverstoord door convectiestromingen.'

Hanley lachte zo blij en ongeremd als een kind. 'Dit is ontzagwekkend,' zei ze. Was Joey maar hier om samen met haar van dit schouwspel te kunnen genieten.

'Kom mee.' Verneau stak een hand naar haar uit en leidde haar door een brede, gewelfde gang. Enkele meters verder maakte een bord in de vorm van een hand de passanten er in een tiental talen op attent dat ze vanaf deze plaats hun helm moesten afzetten.

'Anders worden we verder in het koepelcomplex geconfronteerd met wolkvorming,' zei Verneau terwijl hij zijn helm afzette. 'Het vocht dat niet weg kan, gaat rechtstreeks naar het plafond.' Hij haalde zijn armen uit het poolpak, waarna hij de hoogpolige buitenlaag tot aan zijn middel naar beneden stroopte. De gemetalliseerde binnenlaag glansde als een harnas. Hanley volgde zijn voorbeeld.

Een vrouw van wie Hanley dacht dat ze ongeveer van dezelfde leeftijd was als zijzelf, of enkele jaren jonger, droeg een beige overall en vilten muiltjes terwijl ze hen in de gang tegemoet liep. Haar eens zwarte, sluike en volle haardos was vrijwel helemaal voortijdig grijs geworden, maar bij haar zag het er chique uit, bijna als gepolijst staal. Emile Verneau zei: 'Dit is Deborah Steensma, onze bedrijfstandarts. Als u mij wilt excuseren. Deborah neemt het nu van mij over. Ik zie u straks wel weer.'

'Vandaag fungeer ik ook als ontvangstcomité,' zei Steensma glimlachend. 'Buiten mijn gewone werkuren ben ik activiteitenbegeleidster. Ik verzin de wekelijkse recreatieve bezigheden.'

'Aangenaam, Deborah.'

'Noem me alsjeblieft Dee. Dat doet iedereen.'

'Dee,' zei Hanley. 'Ik heet Jessie. Die knappe meneer Stevenson heeft mij een pakje voor jou gegeven, net voordat hij me uit het vliegtuig smeet.' Ze haalde het uit haar plunjezak.

'Mijn nicotinepleisters! Bedankt. Ik probeer al een tijdje te stoppen met roken.'

'Lukt dat? Ik probeer dat namelijk ook. Al pakweg twintig jaar.' Hanley streek haar lokken naar achteren. 'Weet je, ik moet zeggen dat je niet echt op een tandarts lijkt.'

Dee lachte. 'Ja, veel mensen hebben dat al tegen me gezegd. Mijn ouders wilden voor mij een gedegen carrière. "Mensen hebben altijd een tandarts nodig"... dat soort uitspraken. Zolang ik maar akkoord ging om tandheelkunde te studeren, maakte het hen niet uit wat ik er verder nog bij deed. Ik heb me nogal in antropologie verdiept. Toen de tandheelkundige faculteit een bericht ophing dat er bij de minder bedeelde inheemse gemeenschappen in Noord-Canada tandartsen nodig waren, greep ik die kans met beide handen. In vervlogen dagen hadden de Inuit allemaal een prachtig gebit. Ze aten namelijk niet veel koolhydraatrijke voedingsmiddelen. Tegenwoordig zijn de gebitten van de kinderen om van te huilen, en er is vrijwel niemand voldoende geschoold om zich in dat opzicht om hen te bekommeren.'

'Kinderen? Hier?'

'Nee, nee. Dat was zuidelijker, in Nunavut, vóórdat ik naar Trudeau ging.'

'Hoe ben jij hier terechtgekomen?' vroeg Hanley.

'Wil je de korte versie? Ik kreeg verkering met een archeoloog die in Little Trudeau ging werken. Wij arriveerden samen, waarna hij vertrok en ik bleef.'

'Weet je, ik was van plan enkele metalen vullingen te laten vervangen door niet-toxisch amalgaam.'

'Ik vrees dat je nog een tijdje moet wachten,' zei Dee meevoelend. 'Ik heb een erg drukke praktijk. De arctische kou heeft een meedogenloze uitwerking op vullingen. Het metaal krimpt en valt er simpelweg uit. Wees voorzichtig als je je buiten het poolstation begeeft.' Vluchtig keek ze op haar horloge. 'We kunnen maar beter gaan.'

Ze ging haar voor naar het volgende vertrek, dat zich kon beroemen op vijf concentrische rijen manshoge metalen kasten. In elke kast, voorzien van een label met de naam van de eigenaar, hing een poolpak aan een haak. Dee nam haar mee naar de buitenste rij, waar een kast op haastige wijze was voorzien van haar naamlabel. Een bijna blote jongeman kwam voorbij. Hanley wierp Dee een vragende blik toe.

Dee glimlachte. 'We zijn hier niet echt zedig ingesteld. Je hebt een tijdje nodig om daaraan te wennen. Deze gemeenschap is tamelijk liberaal en in dat opzicht veeleer Europees dan Noord-Amerikaans. Ben je preuts aangelegd?'

'Nee, ik ben opgegroeid in een groot gezin. Twee ouders, vijf kinderen, één tobbe. Toen ik aan de universiteit studeerde, deelde ik een appartement met twee jongens; ik heb volgens mij nog nooit zoveel privacy gekend als in die periode.'

Dee lachte. 'Ik blijf op wacht staan, dan kun jij je wassen en omkleden.'

Elke kast was praktisch een kleine kamer, zoals die waarin professionele sportlui altijd door televisieverslaggevers in het nauw werden gedreven. Hanley hing haar helm en de verschillende kledinglagen aan de daarvoor bedoelde haken, waarna ze uiteindelijk haar bodystocking uitdeed.

Ze liep naar de douchecabines, die zich in de binnenste ring bevonden, en tuurde behoedzaam achter de gebogen wanden naar de asymmetrische ruimtes. Ze koos er een uit, stapte erin en haalde een plastic hendel over om de douche aan te zetten. In petieterige maar felle straaltjes sproeide het water verleidelijk warm in haar gezicht. Ze legde haar hoofd in haar nek. Hoewel uit de douchekop slechts fijne, dampende en op mist lijkende straaltjes kwamen, bleek het effect onmiskenbaar en zelfs aangenaam. Het was duidelijk dat dit apparaat slechts een fractie nodig had van de hoeveelheid water die door een conventionele douchekop werd verbruikt.

De zeep was niet glad en evenmin weelderig schuimend, maar had een korrelige structuur. Het spul deed echter wat het diende te doen. Hanley stond talmend, neuriënd onder de douche, met het gezicht omhoog in de douchestralen. Ze was zich er niet van bewust dat er een kleine meneer was opgedoken, een Inuit met een peper-en-zoutkleurige haardos. Op een bankje vlakbij legde hij handdoeken en schone kleren voor haar klaar, waarna hij weer op spookachtige wijze verdween.

'Dat was geweldig,' zei Hanley tegen zichzelf terwijl ze haar druipende lokken naar achteren streek. 'Hé! Handdoeken. Bedankt,' zei ze, hoewel ze er niet zeker van was wie ze eigenlijk bedankte. Ze droogde zich af en bekeek het gewatteerde onderhemd, de katoenen blouse en dito broek. 'Een universele maat is voor de meesten geschikt, neem ik aan.'

'Ben je klaar?' riep Dee.

'Ongeveer.' Ze schoot in het topje. 'Ik voel me een Japanse boer. Of misschien lijk ik meer op een beoefenaar van oosterse vechtsporten. Geen ondergoed, maar ik zal net doen alsof.'

Onder het bankje stonden zachte, lichtbruine laarzen met rubberzolen en lange sokken. Ze pasten haar perfect.

Dee liep de hoek om. 'Jou staat het geweldig,' zei ze. 'Hoewel het design niet bepaald iets is om over naar huis te schrijven, staat het sommigen beter dan de rest van ons.'

Emile Verneau voegde zich weer bij hen en leidde hen verder het koepelcomplex in. 'Dee zal u naar de eetzaal brengen,' zei hij. Ik vrees dat dr. Mackenzie u op zeer korte termijn wil ontmoeten, ondanks het feit dat u een lange reis achter de rug hebt. Het spijt me dat we u meteen aan het werk zetten, maar ik ben ervan overtuigd dat u zich ervan bewust bent dat de mensen die hier verblijven liever vandaag dan morgen nieuws van u horen.'

'Prima, wat mij betreft,' zei Hanley. 'Ik ben toch veel te opgewonden om de slaap te kunnen vatten.'

Vluchtig keek hij op zijn horloge. 'Nou dan, tot over een uurtje.'

Dee zei: 'Hoewel ik zeker weet dat je dit nog vaak zult horen, wil ik echter dat het tot je doordringt hoe dankbaar we zijn dat je bereid bent gevonden ons hier te helpen. Hoewel het kader heeft geprobeerd de gelederen gesloten te houden, voeren de geruchten... en de paniek... de boventoon. Ik wil daarmee zeggen dat ik slechts de tandarts ben en dat er bij mijn deur rijen mensen staan die allemaal doodongerust zijn over dit of dat rare symptoom. We mogen dan wel allemaal wetenschappers zijn, er is door iedereen heel wat gespeculeerd. Ze hopen echt dat jij met wat antwoorden komt.'

'Op één dag vier collega's verliezen, is iets waar iedereen van ondersteboven raakt. Daar komt nog bij dat je niet weet of je bent blootgesteld geweest aan hetgeen de anderen heeft omgebracht... Het zou erg vreemd zijn wanneer de mensen zich niet ongerust zouden tonen.'

Dee keek opgelucht. 'Kom mee. Ik geef je een rondleiding.'

Dee leidde haar van de kleed- en doucheruimte door gewelfde gangen die rondom andere koepelgebouwen voerden, en door bochtige gangen en over enigszins naar boven glooiende hellingen naar van ramen voorziene uitbouwen die uitzicht boden op belendende koepels of op de ijswoestenij met daarboven het met sterren bezaaide uitspansel, waarvan alleen al een glimp voldoende was om bij Hanley een gevoel op te wekken dat haar de adem benam.

In elk vertrek dat ze passeerden zag Hanley wel ergens het felle rood van de Canadese vlag: op stickers, op honkbalpetjes, op handdoeken die over leuningen aan het drogen waren of op kleine wimpels die de tafels sierden. Zachtjes dwarrelende esdoornblaadjes waren zelfs te zien als schermbeveiliging van computermonitors. De andere constante was de officiële sporttrui, voorzien van een silhouet van de poolstationkoepels en de opdruk:

ARS TRUDEAU
NIET HET EIND VAN DE WERELD,
MAAR JE KUNT HET WEL VANAF DEZE PLAATS ZIEN

'De Britten bedienen zich van enkele obscenere varianten,' zei Dee. "ARS-Trudeau, het AaRSgat van de wereld." Kun je nagaan. Computerfreaks met te veel vrije tijd.'

De route naar de eetzaal had een kronkelende vorm, maar dat kon nu eenmaal niet anders. Rechte contouren leken hier niet te bestaan.

'Het doolhofeffect is met opzet gecreëerd,' legde Dee uit. 'Het ontwerp zorgt voor een minimale energieaanspraak op het centrale gebouw en waarborgt klimaatbellen die de gecomputeriseerde energiekostenbeheersing en terugwinning van warmte nauwelijks belasten. Bovendien kan de vorm als geheel het arctische weer trotseren.'

'Heel slim,' zei Hanley. 'Maar ik ben wat het richtinggevoel betreft al voldoende op de proef gesteld. Ik heb beslist een plattegrond nodig.'

'De kronkelruimtes hebben tevens een psychologisch doel. De onregelmatige patronen worden verondersteld de ruimtes knusser en gevarieerder te maken. Het ontwerp is van nut om de claustrofobische effecten te sussen, en eerlijk gezegd ook in meer of mindere mate de monotonie van een lang verblijf. Om die reden zul je in de openbare ruimtes veel grote ramen zien. De indeling is ruim van opzet... net een stadswijk... maar je zult er versteld van staan hoe na een tijdje alles soms heel klein en krap kan aanvoelen.'

Hanley knikte. 'Op weg hierheen zag ik enkele structuren die beslist niet rond van vorm zijn, maar veeleer vlakken die elkaar haaks kruisen... op enige afstand van het poolstation zelf, op een egaal terrein.'

'Little Trudeau. Het oorspronkelijke poolstation.'

'Wat wordt daar uitgevoerd?'

'Nu niets meer. Jaren geleden was het een archeologische opgravingsplaats. Een Inuit-locatie. De meest noordelijke nederzetting in arctisch Canada. Dat was oorspronkelijk de aanleiding dat we met z'n allen hierheen gingen. Het ging om een interessante archeologische vondst. Om iedereen die hier werkte van een onderkomen te voorzien, groeven ze in het ijs een sleuf van wel vier meter diep, vijf meter breed en ongeveer vijftig meter lang. Kortere sleuven... *allees*... werden haaks op de grote sleuf uitgegraven. De sleuven werd overdekt met metalen golfplaten, waarop sneeuw kwam te liggen. Die daken steken iets boven het ijsoppervlak uit, en dat is wat je vanuit de lucht hebt waargenomen. In de *allees* bevonden zich quonsethutten ten behoeve van de woonverblijven, de laboratoria en de voorraadkamers. In een van die sleuven was de energievoorziening ondergebracht... benzinegeneratoren. En in weer een andere een eetzaal met keuken. Wat nog meer? Een ziekenboeg. Een stadje onder de sneeuw. We leefden daar als mollen.'

'Woont daar nog iemand?'

'Dat poolstation is inmiddels verlaten. Er liggen nog wat noodvoorraden opgeslagen en er bevindt zich de ingang naar de oude opgraafplaats. Je hebt geen idee hoe het was om van Little Trudeau naar dit oord te verhuizen,' zei Dee. 'Alsof je wakker wordt in de Ritz.'

Ze hielden hun pas in voor een van de panoramaramen. Hanley wees naar een lichtje, ver weg. Het bewoog in zijdelingse richting over de ijs-zee. 'Wat is dat?'

'Niet wat, maar wie. Jack Nimit,' zei Dee. 'Felix Mackenzie heeft deze plaats bij elkaar gefantaseerd, maar Jack was de gozer die deze dromen werkelijkheid liet worden. Jack... een Inuit... is pas vierendertig en al een verbazingwekkend goede ingenieur. Hij kent de poolstreken beter dan wie ook van ons. Bovendien is hij een deskundige als het gaat om ijs-constructies. Zo te zien bevindt hij zich ongeveer vijf kilometer van ons vandaan.'

'Wat doet-ie daar?'

Dee haalde haar schouders op. 'Geen idee. Verwerkingsproces, denk ik. Deze sterfgevallen hebben er bij veel mensen diep ingehakt. Hij en Teddy Zale hebben dr. Kossuth... Alex... gevonden. Jack en Alex waren goede vrienden van elkaar.' Het verre lichtje weerkaatste op iets; een verontrustende flits.

'Iedereen probeert hier op zijn eigen manier mee in het reine te ko-men,' zei Dee, die het bewegende lichtje probeerde te volgen. 'Jack doet dat door in z'n eentje op het ijs rond te zwerven. Soms trekt hij zelfs geen poolpak aan, alleen zijn inheemse pelskleren en beenbeschermers. Zijn gestel is veel beter bestand tegen de kou; daar kunnen wij niet aan tip-pen. Als je hem vraagt waarom hij dat doet, antwoordt hij dat hij heim-wee heeft.'

'Het spijt me dat te horen,' zei Hanley. Het troosten van overlevenden ging haar nooit goed af. Door de jaren heen was ze tot de conclusie ge-komen dat enkele vriendelijke woorden tevens het beste hielpen. Al het andere klonk overdreven, als vals sentiment.

'Bedankt. Zullen we een hapje gaan eten?'

'Geweldig,' zei Hanley. 'Ik kom om van de honger.'

Glimlachend begeleidde Dee haar naar de ruime hoofdeetzaal. Grote takken van een kersenboom waren in een fabriekston geplant, het geheel in evenwicht gehouden met behulp van rotsblokken en water. Een in-drukwekkende blikvanger, die in dat vertrek dominant aanwezig was. De takken van een kersenboom bloeiden al heel lang niet meer, maar waren te zeldzaam om te verwijderen, want het betrof de enige 'boom' in een omtrek van duizenden kilometers.

De verscheidenheid aan culinaire gerechten was indrukwekkend. Het menu bestond uit drie gangen, zoals een ouderwets diner; het ontbijt, de lunch en het diner waren vierentwintig uur per dag beschikbaar. Hanley koos voor een groentesoep, een verse groene salade van sla die met be-hulp van hydrocultuur in de tuinbouwafdeling van het poolstation werd verbouwd, en een schaal met pindakaaskoekjes.

Een groepje mensen passeerde hen na binnenkomst. De monotone taal klonk haar als Scandinavisch in de oren. 'Zweeds?' gokte ze.

'Noors,' verbeterde Dee haar. 'Het personeelsbestand bestaat uit ruim vijfentwintig nationaliteiten.'

'Waar kom jij precies vandaan? Ik kan je accent niet echt plaatsen.'

'Nederland. Maar ik ben daar al een hele tijd niet meer geweest. Tegenwoordig voel ik me veel meer een Canadese dan een Nederlandse.'

Het eten was voortreffelijk en Hanley at met smaak. Er waren slechts een paar andere tafeltjes bezet. De middernachtsmaaltijd van de 'nachtdienst', bestaande uit wetenschappers, ondersteunend personeel en enkele eenzame lijders aan slapeloosheid, was in feite hun lunch. Achter in het vertrek, bij een gewelfd raam, had een groep Japanse mannen veel plezier tijdens een levendige discussie over endotheelcellen terwijl ze zich te goed deden aan schildpadeieren, ingewanden, mango's en wongaipruimen.

Hanley zag op hun tafeltje een vlaggetje met het logo van een zonsopgang, en op de tafel ernaast, waaraan Duitsers zaten, een wimpel; twee Duitse wetenschappers vergeleken de enkelvoudige septumlong van vogels met die van reptielen. Een poster kondigde de korte looptijd van *Balconville* aan, een Frans-Canadees toneelstuk, gespeeld door de Polar Cap Players. Op een andere poster werd iedereen uitgenodigd deel te nemen aan het jaarlijkse pelsfeest, een gekostumeerd bal met als thema 'katten en poezen'.

'Ze zijn gewoon hun avondbacchanaal aan het afsluiten,' zei Dee. Ze knikte naar de tafel waaraan het groepje Japanners zat. 'Veel personeelsleden sluiten zich bij hen aan. Een zeer stimulerende aangelegenheid. Bubbelbad, daarna zwemmen, een hete douche en sake. De donderdagavond is voor de Zweden: massages en zwemmen. Komende zondag treden de Duitsers op als gastheer, hoewel ze zeer zuinig zijn geworden op hun geheime biervoorraad sinds ze twee weken geleden de Australiërs op bezoek hebben gehad.' Vluchtig keek ze Hanley aan. 'Om het hier vol te houden, zul je aan je sociale leven moeten werken. Zeer belangrijk.'

Net toen Hanley klaar was met eten klonk er een bescheiden geklingel.

'Middernacht,' zei Dee. 'We kunnen maar beter naar het kantoor van Mackenzie gaan.'

'Goed. Voordat we dat doen, moet je me snel even bijpraten. Wie deed de autopsie nadat jullie de stoffelijke overschotten hadden opgehaald?'

'Dr. Ingrid Kruger. Een deskundige op het gebied van onderkoeling. Het viel haar zeer moeilijk.' In haar stem klonk verdriet door, misschien wel spijt. 'Als we hadden geweten dat jij zou komen, zou zij die taak niet op zich hebben genomen. Zij en Annie waren vriendinnen. Maar ze heeft zich min of meer vrijwillig gemeld om het werk uit te voeren. Zij deed beide autopsieën.'

'Twee? Waren het geen vier slachtoffers?'

114

'De Russische afvaardiging kreeg instructies van Moskou om geen autopsie op Minskov te doen. En in het geval van Alex leek dat niet noodzakelijk te zijn... de doodsoorzaak was duidelijk onderkoeling, in tegenstelling tot wat de anderen is overkomen.'

'Hoe is het mogelijk dat die Russische vrouw in deze warboel heeft kunnen vertrekken?'

'Lidiya? De Russen brengen en halen de wetenschappers met een onderzeeër. Ze moesten haar oppikken voordat de dichtstbijzijnde polynya... een open water in het poolijs... te klein zou worden om die te vinden. Beslist de laatste kans om iemand op te halen of te brengen. Hoewel ze een tijdlang heeft gezegd dat ze haar verblijf zou verlengen, kreeg ze opeens haast om te vertrekken. Wie hier voor het eerst is, zal een jaar als een zeer lange periode ervaren.'

'Heeft dr. Kruger na het uitvoeren van die autopsieën iets op kweek gezet?'

'Nee,' zei Dee. 'Ze heeft specimens genomen. Volgens mij heb je foto's van die objectglazen met inhoud kunnen downloaden. Nee, geen kweek van vloeistof- of weefselmonsters. Toen er in Ottawa eenmaal werd aangekondigd dat jij eraan zat te komen, zijn we gestopt. Om eerlijk te zijn, hoe meer we zagen van wat hen was overkomen... we waren doodsbang.'

13

Na anderhalf uur rust, en een vergadering die tien minuten duurde, begon de tweede duikpoging. Gezien de moeilijkheid van de klus werden drie duikers naar het achterschip gestuurd, waaraan de trawler was bevestigd. De vierde duiker ging rechtstreeks naar de reactor.

Met een ketting bevestigde het drietal een van een motor voorziene lier aan het dek van de *Vladivostok*, waarna ze de SB-4 naar vijfhonderd meter diepte brachten en het vaartuig zorgvuldig vastmaakten. Sergeant Orlovsky had nog nooit met zo'n bergingsapparaat gewerkt, hoewel de twee motoren en twee onafhankelijke schroeven hem deden denken aan de BMK-150-landingsvaartuigen van de mariniers.

Hij zwom naar de patrijspoort van de SB-4 en drukte zijn vizier ertegen terwijl hij zijn lamp tegen de vensterruit hield. Een gezicht staarde terug. Opnieuw een verdoemd lid van het marinepersoneel met uitgeholde ogen en een verwrongen gelaatsuitdrukking. Orlovsky kreunde, maar het duikmasker en de luchtbellen maakten er bijna iets melodisch van.

Dat is de tweede keer, dacht hij. Hij had de grootste moeite om regelmatig te blijven ademen.

Nadat het gezicht van het drijvende lijk met behulp van de televisiemonitor was bestudeerd, had het hoofd van de medische staf verondersteld dat de druk van het water dat met kracht in de *Vladivostok* was gedrongen het zachte weefsel van de ogen mogelijk had beschadigd. 'Wat onvoorstelbaar selectief,' had Orlovsky opgemerkt. Zelfs met zijn heliumstem, net een tekenfilmpersonage, was het sarcasme zo duidelijk als maar zijn kon. Maar de SB-4-trawler was intact en de man die zich daarbinnen bevond, had hetzelfde onheil meegemaakt. Evenals de bemanning van de *Vladivostok* was hij blind gemaakt en overleden. Maar wat was daarvan de oorzaak geweest?

De duikers werkten snel en liepen nu voor op het tijdschema. Orlovsky en een andere duiker bevonden zich in de zwaar getroffen onderzeeër. Duiker vier was de reactor aan het veiligstellen. En duiker een bleef buiten de vaartuigen. Hij hield de slangen van het tweetal in de gaten en zorgde ervoor dat die niet verstrikt raakten of achter gescheurd metaal bleven haken terwijl zijn kameraden door de gebroken romp zwommen, in de buik van de onderzeeër.

Orlovsky bereidde zich voor op het onvermijdelijke weerzien met de bemanning. Hij troostte zich met de gedachte dat hij zich voor zijn opdracht – de hut van de commandant verkennen – niet ver van de controlekamer hoefde te begeven. Niettemin zorgde de eerste aanblik van de jonge bemanning opnieuw voor een beklemmend gevoel. Behoedzaam bewoog hij zich langs de lijken, vermeed contact wanneer dat maar mogelijk was en hoopte dat de hut van de commandant verlaten zou zijn. Bij het luik van het waterdichte schot wachtte hij op zijn metgezel.

Door de heftige bewegingen die de andere duiker met zijn hoofdlamp maakte, kon hij merken dat die man net zo geschokt was als hij, Orlovsky. Ook hij probeerde contact met de zwevende lijken te vermijden. Orlovsky wees naar een corridor, maakte met gebaren de richting en bestemming duidelijk en zwom vervolgens de corridor in. Onderweg telde hij de deuren die ze passeerden.

Bij de vierde ingang schoof hij de harmonicadeur opzij en scheen met zijn hoofdlamp door het compartiment. Papieren en voorwerpen zweefden rond als vlokken in een sneeuwbol.

Hij drukte zich door de ingang naar binnen, in de richting van het bureau, achter in het vertrek. Er lag een zware, zilverkleurige lijst op, fotozijde naar beneden, met daaronder wat papieren. Net boven het bureau bevond zich de kluis. Gelukkig stond die open. Met de sleutel, die zich in zijn beenzak bevond, kon hij de kluis eventueel ontgrendelen, maar hij zou een hydraulische pers nodig hebben gehad om op deze diepte het kluisdeurtje tegen de waterdruk in te openen, waardoor hij van het waterdichte compartiment in feite mogelijk een bom zou maken. Met zijn hoofdlamp scheen hij naar binnen. Boeken. Meer niet. Geen gele trommel. Hij pakte het logboek van de commandant en twee codeboeken, stopte ze in een zak met trekkoord, trok de zak dicht en maakte de knoop stevig vast. Hij hield zijn polshorloge in de lichtbundel. Er bleven nog zeven minuten over. Duiker vier rapporteerde dat hij de reactor buiten bedrijf had gesteld en nu weer uit de onderzeeër zwom.

Vanaf de ingang maakte de andere duiker met een flitscamera foto's van het vertrek en rapporteerde de voortgang die ze maakten aan het commando van de *Roes*. Orlovsky gaf hem een handteken, waarna de duiker zich terugtrok en weer naar de controlekamer zwom. Terwijl hij dat deed, deed het flitslicht van de camera aan bliksem denken.

De slang van de sergeant kronkelde als een python. Hij drukte die opzij en maakte de zak vast aan de riem om zijn dijbeen. Zijn hoofdlamp liet het licht weerkaatsen op iets dat op het bureau lag. Een *kiot*: een kaarsje in een zwaar kopje, pal voor een klein icoondrieluik. Hij reikte ernaar, nam het goudkleurige drieluik in zijn gehandschoende hand, maakte de icoon vervolgens dicht en stopte het voorwerp in zijn zak terwijl hij zich omdraaide naar de deur.

De terugkaatsing van het cameralicht, ergens verderop in de gang, zette iets boven hem zo kortdurend in het licht dat hij even in de veronderstelling was dat hij zich dingen begon in te beelden. Maar toen hij over zijn schouder keek, zette zijn eigen hoofdlamp datgene wat hij had gezien in een gloed. Hij kreeg een brok in zijn keel.

Ze was naakt, haar borsten waren vol, de lichtkransen vormden donkere cirkelcontouren op de intense blankheid van haar lichaam. Haar zwarte lokken deinden rond haar schouders. Ze zat tegen het plafond gepropt, met een verwrongen gezicht, de lippen naar achteren getrokken, waarbij die samen met de tanden een boosaardige grimas vormden. Het wit van haar ogen was, net als de huid, bijna lichtgevend. Ook had ze dezelfde in elkaar gedoken, wanhopige houding aangenomen, alsof ze zich inspande om de dood die zich in haar lichaam had genesteld te verbannen.

Hij ademde fel uit en was bang voor haar.

De grote luchtbellen van zijn uitademingslucht gingen schokkend de hoogte in, net zeepbellen die hij als kind met behulp van krantenpapier in de vorm van een kegel had gemaakt. Waarom schoot die gedachte nu door hem heen?

Orlovsky maakte de camera los die aan de riem rond zijn borst was bevestigd en wendde zijn blik van haar af om het beeldvlak en de afstand in te stellen. Vervolgens hield hij de camera omhoog, keek over de rand ervan en liet de sluiter los voor een lange reeks geautomatiseerde opnamen.

Een gele trommel zweefde voor de lens, een smalle houder van lichtgewicht synthetisch materiaal. Hij maakte de netzak los die aan zijn dijbeen was bevestigd en ving er vlug het zwevende voorwerp mee op, alsof hij een vlinder aan het vangen was, waarna hij de zak dichtbond.

Met afgemeten slagen liet hij zich uit de kapiteinshut de gang in zweven. Gewichtloos zwom hij door de donkere corridor. In de controlekamer scheen de lamp van de derde duiker door de kamer terwijl de man om zijn as draaide. Orlovsky wees naar zijn horloge. De man had geen verdere aanmoediging nodig om de onderzeeër meteen te verlaten. Met weinig aandacht voor de gevaarlijke metalen uitsteeksels van het gekartelde gat zwom hij als een aal tussen de rotswand en de romp weg.

De sergeant maakte aanstalten om hem te volgen. Met één hand hield hij de zak op zijn plaats, duwde de slangen uit de romp en volgde de andere duikers naar buiten. Terwijl hij vluchtig omkeek naar de figuren die op gargouilles leken, veeleer versteend dan van vlees en bloed, maakte hij van rechts naar links een kruisteken zoals zijn grootmoeder hem dat lang geleden had geleerd.

14

Het kantoor van Felix Mackenzie bevond zich op de tweede verdieping van een van de grotere koepelgebouwen. Hier en daar waren driehoekige vensterramen in de buitenwand en het plafond gemonteerd. Het bureau van Mackenzie stond bij de ronde achterwand van het langgerekte vertrek, en tussen enorme stapels papierwerk. De rest van de kamer was leeg, op een beklede bank met kussens na, en opvouwbare stoelen die als in een leslokaal waren opgesteld. De assistent van Mackenzie kwam binnen met een dienblad, waarop de thee stond, en haastte zich door het middenpad terwijl hij zich excuseerde.

'Dr. Hanley, het spijt me dat u moet wachten, na zo'n lange reis. De directeur is nooit op tijd. Een absoluut notoire laatkomer.'

De jonge man bood hun mokken met thee aan. Dee en Hanley namen die van hem over en gingen zitten in twee stakerige, moderne stoelen die tegenover het wanordelijke bureau waren geplaatst, een ultramodern ovaal geval met aan een kant een smal ladecompartiment. Net boven het bureaublad waren met aluminiumstangen twee platforms zwevend opgehangen, met op de ene een laptop en op de andere een telefoon. Vergeleken met de rest van de werkplek zag het bureau er relatief opgeruimd uit, een eiland te midden van chaos. Ertegenaan leunden wiebelige stapels papieren en boeken, en langs de ronde wand was er nog meer opgestapeld, bijna tot op ooghoogte.

Oude nummers van de *Daily News-Miner* van Fairbanks en knipsels van de *Toronto Globe and Mail* lagen op stapels geologietijdschriften en teksten. Bodemmonsters in de vorm van grijze steen staken tussen het papier uit. Als een enorme presse-papier stond een cilinder op een stapel papier in alle soorten en maten, van memoblaadjes tot en met krantenartikelen die tevens gebruikt waren om berekeningen op te maken. Overal lagen boeken, waarbij de bladzijden waren gemarkeerd met behulp van zaken die toevallig voor het grijpen lagen, waaronder enveloppen, pennen en servetten.

'Vind je het erg als ik even wat rondsnuffel?' vroeg Hanley, die van haar thee nipte.

'Wees voorzichtig... dit kantoor lijkt op een spelletje waarbij je om beurten prikkers oppakt zonder de andere te bewegen. Haal er een tijdschrift tussenuit en het hele systeem dondert in elkaar.'

'Is er wel sprake van een systeem?'

'Mackenzie beweert dat hij binnen enkele minuten alles kan vinden wat hij nodig heeft. Ik ben blij dat ik die bewering nooit op de proef heb hoeven stellen.'

'Dan hou ik me bij de "onroerende goederen".' Aan de muur hing een zwartwitfoto van de directeur en de voormalige premier – naar wie het poolstation was genoemd – die met zijn eeuwige roos in zijn revers in Ottawa aanwezig was tijdens een ceremonie, gewijd aan het oorspronkelijke poolstation. Aandachtig keek Hanley naar het gezicht van Mackenzie.

Dee zei: 'In de Verenigde Staten heb je misschien nog nooit van hem gehoord, maar in Canada is Mac een levende legende. Van huis uit een geoloog, een pragmatist, maar ook een dromer.'

Hanley keek naar de foto. Een pezige, gespierde man, net een atleet. Hij had het uiterlijk van iemand die een groot deel van zijn leven binnen de poolcirkel had doorgebracht, alsof zijn lichaam het voorkomen van het woeste gebied in zich had geïntegreerd. Je zou Mackenzie voor een visser kunnen aanzien, of voor een jager, allesbehalve de hoffelijke directeur van het rijkelijk gesubsidieerde en succesvolle Arctic Research Station Trudeau.

'Zo te zien voelt hij zich beter thuis op Little Trudeau, vind je niet?'

'In feite is hij een heel keurige, elegante man,' zei Dee. 'Voorkomend, bijna tot op het overdrevene af. Een intellectueel in hart en nieren. En een ouderwetse generalist... hij probeert tenminste iets te weten te komen over datgene waar iedereen zich mee bezighoudt. Tien jaar van zijn leven heeft hij gespendeerd aan het opzetten van poolstation Trudeau en het veiligstellen van de fondsen. Om nog maar te zwijgen van de ontmoedigende job met betrekking tot het mobiliseren van sponsorende researchinstituten, het weglokken van de crème de la crème van de wetenschappelijke wereld, ofwel wetenschappers binnenhalen die voor een niet zo gerieflijke bezoldiging naar dit kostbare plekje in de ijswoestenij willen gaan. De mensen moesten hem zonder meer vertrouwen. Alles wat hij hun kon tonen was Little Trudeau en veel blauwdrukken. Maar hij heeft het allemaal voor elkaar gekregen. Hij haalde Jack Nimit hierheen, waarna poolstation Trudeau opeens geen blauwdruk meer was, maar werkelijkheid werd... een technisch wonder.

Toen de bestuursraad Mackenzie officieel als onze eerste directeur benoemde, zei hij dat hij van plan was die functie slechts gedurende enkele jaren te vervullen om de taken vervolgens aan een opvolger over te dragen. Hij zei dat hij er klaar voor was om met pensioen te gaan, naar huis, naar zijn vrouw in Vancouver. Maar in de derde winter dat hij hier verbleef, overleed zijn vrouw. In plaats dat hij aan het eind van dat seizoen het poolgebied verliet, liet hij haar as hierheen brengen en nam hij de urn mee naar de ijsschotsen, waar hij de as uitstrooide.'

Hardop las Hanley voor uit een glossy reclamefolder die op een laag dressoir lag. Felix Mackenzie, lid van de bestuursraad van de Canadian Royal Arctic Trust. Wallace Chalmers Harkness-professor oceaanwetenschappen aan de Dalhousie University, Halifax. Hoogleraar aan het Institute of Physics of the Globe, Parijs. Gastdocent aan het Arctic Institute of North America.

'Nou ja, als gastdocent fungeren komt er amper van,' zei Dee. 'Behalve dan gedurende die overschietende verlofperiode van dertig dagen. Mac verlaat het poolstation amper meer. Andere mensen... jongere lui... nemen het dagelijks bestuur op hun schouders. Maar Trudeau blijft het geesteskind van Mac, wát er ook gebeurt.'

Hanley legde de folder neer en slenterde verder door het vertrek. 'Akte van oprichting,' las ze van een ingelijst document dat aan de muur hing.

Ernaast hing een schitterend vormgegeven zwartwitfoto van een Inuitjager in zware pelskledij; hij lag op het ijs, naast een rob, met een arm om het dier, terwijl de lippen van de jager bijna die van de rob raakten. Een kus? Een raadselachtige maar buitengewone foto.

'U moet dr. Hanley zijn.' Een zachte stem, de uitgestoken hand was net zo leerachtig als zijn gezicht. Hij had een volle witte haardos die over zijn voorhoofd viel, tot net boven zijn lichtblauwe ogen. De kraaienpootjes droegen bij aan zijn uitstraling, die haar duidelijk maakte dat ze welkom was. 'Het spijt me zeer dat ik u meteen onder druk zet om aan het werk te gaan. Ik ben ervan overtuigd dat u begrip hebt voor de benarde positie waarin we verkeren. Er verblijven hier veel zenuwachtige mensen die maar al te graag willen horen wat u te vertellen hebt. De zaal zal afgeladen vol zijn, zelfs op dit nachtelijk uur.'

Hanley glimlachte terug. 'Dat begrijp ik heel goed.'

Hij gebaarde naar Hanley en Dee om vooral plaats te nemen, waarna hij het zich achter zijn bureau gemakkelijk maakte terwijl zijn assistent thee voor hem meebracht en vervolgens nog meer klapstoelen aansleepte.

'Blauwe bosbes,' zei hij trots. 'Ooit een inheemse variëteit, voordat de weersveranderingen op het eiland, een eeuw geleden, een aanvang namen. Deze komt uit onze tuinbouwkoepel.' Hij nipte even van zijn thee. 'Jammer dat u niet van plan bent hier zo lang te blijven om de warmere seizoenen in dit oord mee te maken. In de lente en zomer is het hier donders mooi. Alleen al de vogeltrek is wonderbaarlijk om te aanschouwen. Roodkeelduikers, sneeuwganzen, eidereenden, drieteenmeeuwen, visdieven op het strand. En uiteraard de zwarte zeekoet.'

'Waar leven ze van? Hoe kan het eiland ze allemaal van voedsel voorzien?' vroeg Hanley.

'Dat kan ook niet. Het ijs smelt nooit helemaal weg. Zelfs 's zomers is er sprake van permafrost; hardbevroren grond. Maar we zijn gezegend met een polynya, ongeveer tweeëntwintig kilometer noordelijker, en er bevindt zich een rotseiland dat beschutting biedt en waar ze neerstrijken en broeden.'

'Polynya?'

'Het Russische woord voor een grote opening in het poolijs, een "meertje" dat het grootste deel van het jaar openblijft. Vergeleken met de rest is die van ons wel érg klein en dit seizoen zeer vernauwd, maar desalniettemin open. In de zomer zorgen polynya's ervoor dat de vogels en dieren bij het rijke zeeleven kunnen. Walvissen, zeeleeuwen, ijsberen... ze worden er allemaal door aangetrokken.' Hij plaatste de theekop op een wanordelijke stapel verspreid liggende papieren en vouwde zijn handen; hij had dikke vingers. 'Ik identificeer me graag met de vogels. De oudste komen het eerst, begin mei. Ik ga dan altijd naar buiten om ze te begroeten.'

Een man kwam binnen en ging stilletjes achter hen zitten, het hoofd gebogen boven een notebook. 'Hoe dan ook,' zei Mackenzie, die naar de nieuweling zwaaide, 'u kunt in elk geval genieten van de wintergasten. Poolvossen, poolkonijnen en steevast een of twee ijsberen.'

'Mijn zoontje wil dat ik van elk dier een foto maak en die mee naar huis neem.'

'Geen probleem,' riep Mackenzie uit. 'Hoe oud is hij?'

121

'Bijna elf,' zei Hanley. Ze wees naar twee inheemse speren die aan de muur hingen. 'Zijn die speerpunten daadwerkelijk gemaakt van gekloven hoeven?'

'Ja. Die speren zijn tweeduizend jaar oud. We hebben ze tijdelijk te leen, voor een lange periode,' zei Mackenzie. 'Het hoofd van ons antropologenteam liet ze me zien... ze maken deel uit van de allereerste vondsten betreffende de opgravingsplaats op het zuidelijk deel van het eiland. Daar hebben ze de eerste bewijzen opgegraven van de vroegste nederzettingen op ons eiland, vele duizenden jaren geleden. De tradities met betrekking tot de vervaardiging van stenen werktuigen in de poolgebieden. Prehistorische stammen... Kurlak was hun meest noordelijke nederzetting. Pas aan het eind van de 19de eeuw, na enkele zéér strenge winters, hielden hun nazaten Kurlak voor gezien. Een kleine ijstijd markeerde de permanente terugkeer van extreem koude weersomstandigheden.'

'Belangrijke klimaatveranderingen in zo'n korte tijd?'

'Ja.' Mackenzie knikte. 'En dat geldt ook voor onze tijd. De jaarlijkse gemiddelde temperatuur blijft stijgen. Ik zou zeggen dat het poolijs de afgelopen pakweg twintig jaar veertig procent van zijn volume heeft verloren. De eerste keer dat ik ooit metingen deed, was de ijslaag drie meter dik. Enkele jaren later was dat tweeënhalve meter. Nu hebben we het over een laag van amper twee meter. En 's zomers zijn er in het noordelijkste deel van de poolkap open zeeën te zien. Enorme veranderingen, waarvan ik dacht dat ik die in mijn leven nooit zou meemaken.'

Mackenzie verontschuldigde zich en liep weg om nog meer mensen te begroeten. Hanley ging rondneuzen bij de schappen. Naast de speren hing een draad met van bot vervaardigde vishaken. Op een klein schap bevond zich een getatoeëerde pop die een eskimovrouw voorstelde. Verder lagen er spullen die aan vilmessen deden denken, en een buitengewoon fijnzinnig bewerkte stenen kom met handvatten in de vorm van gebeeldhouwde wolvenkoppen. 'Is dat Russisch wat op die kom staat?' vroeg Hanley.

'Aleut. Ze ontwikkelden pas een geschreven taal na hun ontmoetingen met de Russen. Ze namen de cyrillische tekens van hen over en gebruikten ze voor het fonetisch Aleut.'

De assistent van Mackenzie ging behoedzaam naast Hanley staan en fluisterde: 'Het is zover... als u zo vriendelijk wilt zijn plaats te nemen. Veel mensen zullen tijdens deze bijeenkomst moeten blijven staan.'

15

Orlovsky deed de netzak in een lege torpedobuis. De verantwoordelijke officier haalde die op en bracht de inhoud persoonlijk naar het admiraalsverblijf.

Plichtsgetrouw haalde Roedenko de gele waterdichte trommel, het codeboek en het kapiteinslogboek uit de netzak. Het logboek viel open, maar was te nat om de inhoud ervan meteen te onderzoeken. Vastgeplakt aan een bladzijde was een handgeschreven notitie op een stukje papier. Voorzichtig krabde hij het papiertje los, legde het vervolgens uit op de doorschijnende lampenkap en deed de lamp aan.

De inkt was flink uitgelopen, maar de punt van de ouderwetse vulpen van de commandant was voldoende in het papier gedrukt om twee getallenreeksen en het woord rendez-vous te onderscheiden. Onmiddellijk zag hij dat de getallenreeksen coördinaten waren. Hij schreef ze over op een blocnote die op het bureau lag. Vervolgens, waarbij hij zijn instructies schond, nam hij de citroengele trommel onder de loep. Er zaten vier opgevouwen en doorweekte vellen papier in. Voorzichtig haalde hij ze van elkaar. Het rapport van Tarakanova. Tsjernavin zou teleurgesteld zijn; het grootste deel van de tekst was onleesbaar geworden, op slechts enkele woorden na. Een van die woorden kende hij niet. Hij las het hardop: *Vasot*. Het liet geen belletje bij hem rinkelen. Hij schreef het woord over op een ander stukje papier, waarna hij de vellen weer zorgvuldig opvouwde en ze in een laag, plastic bakje met fjordwater plaatste, zodat het papier niet zou uitdrogen waardoor de indrukken van het schrijfmateriaal wellicht verloren zouden gaan. Hij legde het logboek en de codeboeken erbij. Vervolgens deed hij het deksel op het bakje en klikte het dicht.

Hij richtte zijn aandacht weer op het woord dat hij had overgeschreven. Opeens wist hij het. Het was helemaal geen cyrillisch, maar westers: *Bacomb*, of misschien *Bascomb*.

De dienstdoende officier belde hem op om hem ervan te verwittigen dat het laatste duikproject een aanvang zou nemen. Roedenko bedankte hem, waarna hij in de richting van de voorsteven liep, naar de controlekamer, om op de televisiemonitors de activiteiten in de drukcabine te volgen.

De duikers waren bezig hun zware rubberen duikpakken aan te trekken, waarbij ze elkaar hielpen met de harde plastic helmen, en ze controleerden de drukmeters en slangen terwijl ze al die tijd ook bezig waren met het inventariseren van de uitrusting, een hopeloze warboel, bestaande uit onder andere speciale nylonkoorden, hydraulische persstangen en dito zaag, reddingsboren en explosieven. De hele boel zou vernietigd worden. Achtergelaten. Verscheurd alsof het belastend papierwerk betrof.

De springstof zou over de hele kiellengte en boeg van de *Vladivostok* worden aangebracht, met speciale aandacht voor de trawler, en met behulp van een radiosignaal tot ontploffing worden gebracht wanneer ze bijna uit de fjord waren. Het doel was totale vernietiging.

De duikers trokken kaarten. De verliezer moest de explosieven in de onderzeeër aanbrengen. De jongste vloekte en gooide de schoppenaas neer.

Roedenko had verschrikkelijk veel moeite met het idee dat ze die zeelui zouden achterlaten, uiteengereten tot er geen menselijke vorm meer aan te herkennen was. De families was men hoe dan ook het recht verschuldigd op een stoffelijk overschot dat ze konden begraven, maar hun verdriet, hun verwerking, zou voor altijd een leemte kennen. Op dat moment haatte hij Tsjernavin. Zelfs mochten ze de eeuwenoude traditie niet in ere houden: een graftombe maken van de duikboot, de verloren gegane onderzeeër tot zinken brengen en de doden toevertrouwen aan de diepte. Nee. Ze moesten de *Vladivostok* en de bemanning volledig vernietigen. De onderzeeër zou ophouden te bestaan, hun opoffering zou nooit erkenning krijgen. Bevelen van Tsjernavin.

De duikers gingen de luchtsluis uit en zwommen door de raketbuis omhoog.

De grote afstand tussen de duikboot en het wateroppervlak zou elk geluid als het ware oplossen; een waterlaag van zevenhonderd meter zou het verscheurende geweld dempen. Met een beetje geluk zou boven niemand de luchtbellen en het kolkende water zien. Sonarapparatuur zou de schok wellicht registreren, maar voordat iemand zou verschijnen om een onderzoek te starten zou de *Roes* allang verdwenen zijn.

De duikers zwommen weg. Het was bijna voorbij.

Roedenko hield een hand bij zijn wang en keek toe terwijl commandant Nemerov voorbereidingen trof om de fjord te verlaten zodra de duikers waren teruggekeerd. Nemerov zag er teleurgesteld uit. Tegen zijn wil was zijn reddingsactie veranderd in een vernietigingsactie.

Terwijl de duikers hun gestage voortgang rapporteerden, hield de luitenant de tijd bij en het aantal explosieven dat ze plaatsten. Van degene die de verliezerskaart had getrokken, was te horen dat hij zich zenuwachtig tussen de overleden bemanning van de *Vladivostok* bewoog.

Roedenko liep naar de kaartentafel en pakte terloop de kaarten op die meteen voorhanden moesten zijn en bekeek het grotere exemplaar dat zich daaronder bevond. Met duim en wijsvinger volgde hij de coördinaatlijnen die in het rapport van Tarakanova stonden aangegeven. De informatie die hij opdeed, bevestigde wat hij inmiddels wist. Ze markeerden een plekje ter grootte van een punt in het midden van de Noordelijke IJszee.

16

Toen Verneau arriveerde, was het vertrek stampvol. Hij probeerde de deur achter zich dicht te doen, maar er waren nog meer laatkomers die een poging deden naar binnen te glippen. Toen er alleen nog staanplaatsen over waren, stonden de mensen in de gang buiten de kamer en tuurden naar binnen terwijl ze nerveus en druk met elkaar aan het praten waren.

Mackenzie haalde enkelen van zijn collega's naar voren, waarna hij Hanley aan hen voorstelde. De meesten waren hartelijk en begroetten haar als een aanwinst. Een Rus, Vadim Primakov, was beleefd maar merkbaar gereserveerd. En Simon King, de Canadese directeur van het Geothermisch Onderzoeksinstituut, gedroeg zich openlijk ongemanierd en stak meteen van wal met anti-Amerikaanse polemiek.

'Wat in hemelsnaam,' vroeg hij op een ongepast schertsende toon, 'zou onze regering ertoe hebben bewogen zomaar een deskundige helemaal uit de Verenigde Staten te laten overkomen?'

'Pardon?' zei Hanley, duidelijk overdonderd.

'Zit er misschien de belofte achter dat er een week lang geen vervuilende zwavelhoudende stoffen van hun industrieën over de grens zweven? Stoffen die onze bodem en de bossen verwoesten? Of wordt de premier voor de zoveelste keer met alle egards en toeters en bellen ontvangen in Washington? Waarom kon er geen medische hulp vanuit Winnipeg worden gestuurd? Waarom moet Tante Samantha altijd te hulp schieten?' vroeg King op een openlijk geringschattende toon.

'Ik geloof dat we kunnen beginnen,' zei Mackenzie.

Hanley wendde zich tot Dee en fluisterde: 'Ligt het aan mij of is-ie altijd zo charmant?'

'Ik zou willen dat ik kon zeggen dat hij verliefd op je wordt,' fluisterde Dee terug. 'Maar dan zou ik liegen.'

Over de schouder van Dee zag Hanley een Inuit met zwart haar en donkere ogen. Hij passeerde Verneau terwijl hij de kamer inglipte. Hij was buitengewoon knap en gekleed in een crèmekleurige, ruimzittende trui waarvan hij de mouwen had opgestroopt, en een zwarte broek met trekkoord. Hij was gespierd en had een gezicht met rauwe, geprononceerde gelaatstrekken en hoge jukbeenderen. Vluchtig keek ze Dee vragend aan. *Wie is dat?*

Dee keek al even vluchtig en terloops terug en schuifelde dichter naar Hanley toe. 'Jack Nimit.'

Simon King was nog steeds niet gaan zitten en gebruikte hoogdravende taal. 'Wat ironisch dat uitgerekend de dood van Annie onderzocht moet worden door Amerikanen, wier supermachtcultuur en het feit dat ze het milieu aan hun laars lappen zij zo heeft verafschuwd. Het werpt een beschamende schaduw op haar nagedachtenis. Is het echt waar dat we ons eigen huis niet op orde kunnen krijgen?' vroeg hij ongepast schertsend.

'Ach, kom nou, Simon.' Als een vader die een kind publiekelijk een afstraffing gaf, zo berispte Mackenzie King voor het feit dat hij was vergeten welke risico's Jessie Hanley had gelopen, alleen al om Kurlak Island te bereiken. Aarzelend ging King zitten.

'We zijn allemaal heel blij, dr. Hanley,' zei Mackenzie, 'dat u veilig bent gearriveerd. Het eerste winterbezoek. Een feit dat ooit als niet realiseerbaar werd beschouwd. Gefeliciteerd.' In het vertrek begon een aantal mensen te applaudisseren, waarna de rest hun voorbeeld volgde. 'Mag ik u vragen ons een indruk te geven van uw achtergrond en hoe u van plan bent te werk te gaan?' Mackenzie stond daar met gestrekte arm, een uitnodiging aan het adres van Hanley om naar voren te komen.

Hanley kwam uit haar stoel en keek vluchtig naar Simon King. Mackenzie diende hem in het gareel te houden. En het was haar taak de angst te temperen. Een angst die tastbaar was in dit vertrek.

'Goedenavond. Ik ben dr. Jessica Hanley, epidemioloog, verbonden aan het Infectious Diseases Center in Los Angeles. Het maakt deel uit van de Emergency Medical Services van de staat Californië. Daarvóór heb ik gewerkt voor afdeling Speciale Ziekteverwekkers van het Amerikaanse ministerie van Gezondheid.'

Simon King verschoof ongeduldig en hoorbaar in zijn stoel, maar Hanley ging gewoon verder.

'Mijn collega's en ik werken wereldwijd samen met gezondheidsinstanties en -instituten, waarbij inbegrepen...' Ze keek naar Primakov, de oude Rus, '... het Staatscentrum voor Virologie en Biotechnologie in Novosibirsk. Ik ben in het verleden uitgezonden naar talloze landen om de gezondheidsinstanties bij te staan, waaronder die in Oostenrijk, de Filippijnen, Brazilië, Engeland...'

'Welke prioriteiten hebt u zich hier op Trudeau gesteld?' onderbrak Mackenzie haar.

'Mijn belangrijkst zorg betreft het voorkomen dat zoiets opnieuw gebeurt. Hoe sneller we het causatieve agens weten te traceren, hoe sneller we kunnen voorkomen dat er nog iemand de dupe van wordt.' Hanley zag een aantal mensen opgelucht uitademen, alsof ze nadat de lijken waren ontdekt al die tijd hun adem hadden ingehouden. 'Ik kan niet vaak genoeg benadrukken dat ik uw hulp in alle opzichten nodig heb. Ik moet letterlijk alles te weten komen over de recente activiteiten van de slachtoffers. Wat ze aten, wat ze hebben aangeraakt en wat ze deden in de korte periode voordat ze naar het kampement gingen. Dit is een complex poolstation. Ik moet erachter zien te komen waarin uw vrienden beroepsmatig verwikkeld waren. En ik vrees dat dat ook voor hun privéleven geldt. Helaas kunnen we het ons in gevallen als deze niet permitteren om onderscheid te maken. Aangezien ik niet weet waarnaar ik op zoek ben, dien ik van alle mogelijke zaken op de hoogte te worden gebracht.'

Primakov mompelde iets in het Russisch. Het impliceerde verontrusting. Vervolgens kwam hij met een luide waarschuwing in het Engels.

'Het zal ernstige consequenties hebben wanneer de resterende Russische burgers die onder mijn verantwoordelijkheid vallen opnieuw iets overkomt.' Er klonk geroezemoes in het vertrek. Haastig probeerde Mackenzie Primakov te kalmeren.

'Iedereen is van streek door deze tragedie, Vadim,' zei hij. 'Onze vrienden waren echter wetenschappers en we zijn het aan hun nagedachtenis verplicht de waarheid op een rationele manier te achterhalen. Annie Bascomb, meneer Ogata, dr. Minskov en dr. Kossuth... zij hebben zich allemaal volledig in dienst gesteld van het basisprincipe dat in dit poolstation van kracht is... coöperatieve research... en het vertrouwen dat een dergelijke samenwerking met zich meebrengt. Het gaat om vrije uitwisseling van informatie.' Hij herhaalde dit in het Frans en keek rond in de kamer om zich ervan te vergewissen dat iedereen dit had begrepen.

Mackenzie kwam overeind en ging achter Primakov staan, die aan een kant van de kamer zat, dwars ten opzichte van de andere stoelrijen in het midden van het vertrek. Collegiaal legde hij zijn handen op de schouders van de oudere man en bleef het gezelschap vervolgens toespreken alsof hij namens hen beiden sprak.

'De meesten van jullie zijn te jong om zich de begindagen van de arctische wetenschap te herinneren. Hier, op poolstation Trudeau, hoopten wetenschappers als Vadim en ik... en Alex... te voorkomen dat wetenschappelijk onderzoek door nationale en particuliere belangen zou worden ondermijnd. Ons doel was en is om wetenschap te bedrijven omwille van de wetenschap. We zijn vastbesloten deze onderneming te vrijwaren van verstorende waarden en druk die tweedracht zaait. We houden iedereen op de hoogte. Iedereen is welkom om een bijdrage te leveren en

127

onderzoek te doen. Met dezelfde welwillendheid zullen we dr. Hanley benaderen.'

Hij sloeg zijn ogen neer en keek naar Primakov, die zich naar het leek had laten vermurwen door deze erkenning van zijn rol als oude, wijze staatsman.

'Goed, ik heb een vraag,' zei een potige Australiër. 'De mensen zijn bang om hun poolpakken aan te trekken en het pakijs op te gaan om er te werken. Hoe komen we te weten of datgene wat de anderen heeft gedood niet nog steeds ergens rondzwerft?'

Alle ogen waren nu weer op Hanley gericht. 'Datgene wat die snelle neuropathologische en neurochemische veranderingen in de fysiologie van uw collega's teweeg heeft gebracht, is naar alle waarschijnlijkheid een chemische stof, een zuur, een vluchtig metaal... of een onvoorspelbare interactie tussen die stoffen. Mijn eerste taak zal eruit bestaan erachter proberen te komen of iets van die orde een vergiftiging heeft veroorzaakt.'

'Vergiftiging?' riep de Australiër luidkeels.

'Ja. Ze zijn zeer snel overleden, ziet u, en vrijwel op hetzelfde moment. Dat gegeven kan wijzen op een gelijktijdige blootstelling aan iets toxisch. Zoals dimethylkwik. Dat zou de sporen van een attaque kunnen verklaren. Mogelijk hebben ze iets dodelijks ingeademd. Ik heb begrepen dat u veel van de modernste polymeren in uw uitrusting gebruikt. Daar kunnen zo nu en dan gevaarlijke hoeveelheden gas uit ontsnappen. Ook al lijkt de werking ervan onschadelijk. Pannen met een antiaanbaklaag die tot een bepaalde temperatuur worden verhit veroorzaken soms een koorts die te wijten is aan polymeerdampen.'

'Is dat dodelijk?'

'Mensen zullen er niet aan sterven. Het doet denken aan een zware griep. Maar per jaar zijn er wel honderden slachtoffers onder vogels die thuis worden gehouden. Mijn collega in Californië is de relevante literatuur en de databanken aan het doorsnuffelen om te kijken of de symptomen van uw overleden collega's overeenkomen met andere gedocumenteerde toxische blootstellingen. Sommige zoutwatervissen nemen gevaarlijke hoeveelheden kwik in zich op. We moeten dus de plaatselijke vissoorten en schelpdieren die ze mogelijk gegeten hebben onder de loep nemen. Ik zal de weefselmonsters en daarvan afgeleide zaken van de slachtoffers onderzoeken op toxines. Zodra ik iets tegenkom, zal ik heel snel weten waarmee we te maken hebben.'

'Stel dat het niet zo eenvoudig blijkt?' begon King. 'Stel dat de oorzaak organisch van aard is?'

'Dat risico is veel kleiner. Het feit dat ze vrijwel gelijktijdig zijn overleden maakt die mogelijkheid onwaarschijnlijk. Dat zou namelijk vereisen dat iets in ieder van hen in precies hetzelfde tempo werkzaam was.

128

De fysiologie is bij iedereen verschillend. Het tijdstip van overlijden zou normaliter uiteenlopen bij mensen die aan iets organisch zijn blootgesteld, maar in deze onderzoeksfase sluit ik niets uit.' Ze zweeg even om te kijken of iemand meer informatie nodig had.

'Zou het een of andere parasietensoort kunnen zijn?'

'Zeker wel. Alle microben zijn parasieten. Per slot van rekening vormen wij hun voedselbron. Dat is wat we een infectie noemen... etende microben.'

Achter in de groep stak een magere vrouw – ze droeg een sjaal met een Schots ruitpatroon – aarzelend haar hand op en zei met een Engels accent: 'Zullen de autopsieresultaten in dat opzicht uitsluitsel geven?'

Hanley streek haar lokken van haar voorhoofd naar achteren. 'Sommige virussen blijven achter in weefsel- en vloeistofmonsters. Bij andere soorten is dat niet het geval. Een virussoort dat in het lichaam verwoestingen aanricht, kan zichzelf ook uitputten en uiteindelijk in genetisch opzicht uit elkaar vallen. Andere virussen worden aangevallen en verwoest door enzymen. Wanneer in het lichaam het ontbindingsproces plaatsvindt, ondergaan virussen in dat proces hetzelfde lot. Ook bestaat er een viruscategorie die niet zo gemakkelijk is op te sporen omdat het organisme zo klein is. Mycoplasma heeft zelfs geen celwanden. Verder zijn er subvirale eiwitten... de prionen.'

'Prionen? Zoals de prionen die verantwoordelijk zijn voor de gekkekoeienziekte?' Een huivering golfde door het vertrek. Veel handen werden nu omhooggestoken. Iedereen wilde antwoord op de vragen die hen uit hun slaap hadden gehouden sinds de vier wetenschappers dood waren aangetroffen.

'Precies, BSE. De prionen die BSE veroorzaken... de gekkekoeienziekte... hebben geen DNA of RNA. Toch gedragen ze zich als een virus. Ze dringen in bestaande cellen en vouwen die letterlijk op. Deze cellen sterven af en laten veelbetekenende patronen in de vorm van holtes achter.'

'Dus als een virus of een prion verantwoordelijk is, bent u mogelijk niet in staat uitsluitsel te geven, of wel?'

Hanley knikte langzaam en dacht na over een manier om de groep gerust te stellen. 'Dat is echter niet aan de orde zolang ik de bron maar kan lokaliseren... en isoleren. Maar nogmaals, we hebben het nu niet over de meest waarschijnlijke mogelijkheid.'

'Dr. Hanley, ik wil niet hardvochtig overkomen aangaande deze kwestie, maar velen van ons zijn er niet van overtuigd dat het veilig is om de stoffelijke overschotten op het poolstation te bewaren. De mensen zijn bezorgd.'

'De lichamen bevinden zich op met plastic geïsoleerde brancards. Doorgaans gebruiken artsen die om quarantainepatiënten mee te vervoeren, maar in dit geval dienen ze hetzelfde doel. Alle eventuele in het lichaam

129

aanwezige smetstoffen zitten ingesloten. Ik wil echter beklemtonen dat er geen enkele aanwijzing bestaat dat er sprake is van een besmetting die van de ene persoon op de andere overgaat.'

Iemand huilde. Hanley realiseerde zich dat de mensen die zij als stoffelijke overschotten beschouwde, vrienden waren geweest van sommigen van de hier aanwezige personen. Ze zweeg even, waarna ze vervolgde: 'Als het een virus betrof dat nog steeds in de lichamen aanwezig zou zijn geweest, dan bestond het risico dat door de autopsie deze virussen zich konden verspreiden, waardoor de mensen die de lijkschouwing hebben uitgevoerd hier niet zouden zijn en dat wij dit gesprek niet zouden voeren. Virussen hebben levende cellen nodig om zich voort te planten. Een afzonderlijke cel kan wel duizend keer worden ingelijfd. De meeste microben, zelfs degene die toxines produceren, proberen hun gastheer te schonen, aangezien een dode gastheer van geen enkel nut voor hen is.'

Verneau zei: 'U doet bijna voorkomen of het wezens met een bewustzijn zijn.'

Hanley knikte. 'Dat zijn ze ook min of meer. Bacteriën en virussen hebben een geheugen. Ze voeden zich. Ze communiceren met elkaar. Ze doorzoeken DNA om hun samenstelling te veranderen en ontwijken onze medicijnen en het menselijk afweersysteem. Sommige bacteriën produceren zelfs enzymen om slag te leveren met antibiotica. Of ze gooien die stoffen hun cellen uit... ze spoelen ze weg. Sommige maken razendsnel een tweede buitencelwand om de antibiotica in te absorberen. De meeste micro-organismen gaan zeer stilletjes en geduldig te werk; slechts een paar soorten zijn snel en heftig, gewelddadig.'

Ze voelde dat de spanning in de kamer opnieuw groeide. Ze bracht haar handen omhoog, alsof het een dringend verzoek betrof.

'Maar dat doen toxines ook. Ik begin aan het onderzoek in de veronderstelling dat toxines de boosdoeners zijn.'

Een man met een rozig gelaat, een vrijwel doorzichtige haardos en zeer blauwe ogen was gekleed in een gebreid vest en een broek van popelinestof. Hij schraapte zijn keel en boog zich naar voren: 'Neem me niet kwalijk,' zei hij, 'ik ben Hans Lorentz van het Norsk Polar Institute. Ik heb begrepen, zoals dr. Mackenzie zonet heeft verwoord, dat er onder de bewoners van Trudeau geen informatie bestaat waar niet ook anderen van op de hoogte zijn. Geen opdeling van onderzoeksprojecten, geen studies waar wij ons niet van bewust zijn, ongeacht wie de financiële donor is. Vrij onderzoek en vrije uitwisseling van informatie vormen de hoekstenen van onze onderneming, zoals door Felix vermeld. Om die reden zie ik me genoodzaakt onze Amerikaanse gaste te vragen waarom het speciale satellietkanaal, ten behoeve van haar land- en vakgenoten, kennelijk is opgezet om informatie in een of andere gecodeerde vorm door te geven.'

De vraag van Lorentz veroorzaakte beroering in het vertrek. Primakov kreeg een hardere trek op zijn gezicht. En Simon King keek vol leedvermaak; zijn ogen straalden.

Hanley knikte. 'Het is onze gewoonte die maatregelen te nemen, ongeacht waar we werken. En wel om verschillende redenen. We willen niet dat ons onderzoek gehinderd wordt, wat betekent dat we vrijelijk moeten kunnen speculeren, soms in het wilde weg, en we zijn er zeer op gebrand dat onze speculaties niet in de openbaarheid worden gebracht. Met paniek is niemand gebaat. U niet, maar ook wij niet. Bovendien zijn de media, gezien de aard van het werk, bepaald geen bondgenoten van ons. Verkeerde informatie en al even verkeerde interpretaties van gegevens kunnen veel schade berokkenen. Weet u, ik heb mijn tijd hard nodig. Doorgaans zou ik een compleet team hebben meegenomen. In plaats daarvan ben ik hier in m'n eentje... samen met degenen die bereid zijn mij te helpen. Elke inmenging, elke poging om de schade met betrekking tot de media binnen de perken te houden, vermindert alleen maar het aantal beschikbare uren en leidt me af van de taak waarvoor ik ben gekomen... namelijk om u te beschermen.'

Mackenzie was er snel bij om een instemmend geluid te laten horen. 'Daar hebben we geen enkel probleem mee, dr. Hanley. Het is niet meer dan redelijk dat voortijdige informatieverspreiding contraproductief werkt.' Hij keek om zich heen. 'Voorlopig zal er sprake zijn van een informatiestop, zoals dat voorheen is ingesteld. Alle communicatie, alle informatie, zowel op professioneel als persoonlijk vlak, dient eerst door Teddy Zale gecontroleerd te worden voordat er gegevens naar de buitenwereld verstuurd mogen worden. Onze voormalige medewerkers zijn op de hoogte gebracht van de dodelijke slachtoffers, maar de details zijn tot een minimum beperkt gebleven.'

Een boos koor van protest waaierde door het vertrek. Simon King gebaarde breed en riep luidkeels: 'Die informatiestop hoorde een tijdelijke maatregel te zijn. Het zal toch zeker niet noodzakelijk zijn ons onder censuur te plaatsen nu juffrouw Hanley op haar witte paard is binnengereden om ons te redden?'

'*Doctor* Hanley, Simon. Hoe voortreffelijk we ook zijn als het gaat om zelfregulering, ik wil niet dat dit wordt opgepikt door een of andere provinciale radiodirecteur of hacker. Voorlopig fungeert Teddy Zale dus voor ons allemaal als Big Brother.'

'Jessie,' zei Verneau, die de aandacht van het opruiende thema afleidde, 'waar moeten we je allemaal in voorzien?'

'Ik moet naar eigen inzicht kunnen handelen en overal toegang tot hebben. Wellicht bezoek ik jullie laboratoria en vraag ik om monsters van ongeacht waarmee jullie aan het werk zijn. Mijn aandacht is gericht op insecten, knaagdieren, zoogdieren, primaten, om het even welke dieren waarmee jullie werken. Bovendien heb ik hulp nodig. Veel hulp. Ik heb mensen nodig die voltijds proeven doen, minstens drie, vier vrijwilligers, zodra ik mijn laboratorium heb ingericht. In deze onderzoeksfase neem ik alles onder de loep. De boosdoener heeft zich nog niet aangekondigd, maar wees gerust... wanneer hij langskomt, grijp ik hem ook bij de kladden.' Ze gunde hun haar charmantste grijnslachje in een poging de spanning enigszins weg te nemen.

'Hebt u ons niet meer te bieden dan "wanneer hij langskomt, grijp ik hem ook bij de kladden"?' aapte Simon King haar na. Hij klonk ongelovig en boers.

Hanley dwong zichzelf om te blijven glimlachen, maar kreeg een ijzige blik in haar ogen. 'Ja, dr. King. Patronen zijn zeer onthullend. Iets zal er niet in thuishoren en het patroon op de een of andere wijze breken...'

King snoof minachtend.

Hanley ademde langzaam uit en zei: 'Epidemiologie is geen exacte wetenschap, dat is zo. Ons doel, zoals u dat noemt, is het scheiden van het normale van het abnormale in een gegeven bevolkingsgroep of populatie. Zakenmensen uit Tokio krijgen zes keer zo snel maagkanker dan zakenmensen uit New York. Waarom is dat zo? We zoeken naar datgene wat een groep die op een gelijksoortige manier is getroffen gemeen heeft. Daarna isoleren we de factor waarvan wij denken dat die aan de basis ligt van het probleem.'

'Dat is absurd,' zei King. Hij ging staan, de stoelpoten schraapten venijnig hard over de vloer. 'Datgene wat onze voormalige collega's gemeen hebben, is het feit dat ze dood zijn. Wat degenen die achterblijven gemeen hebben, is het gegeven dat ze in leven zijn... althans voorlopig. En nu wordt ons gevraagd onze toekomst in uw vermeende veilige handen te leggen en ons te conformeren aan uw aanhalingsteken openen niet exacte aanhalingsteken sluiten benadering.' Hij ging weer zitten.

'Het spijt me. Op dit moment kan ik niet specifieker zijn.' Ze merkte dat ze King niet voor zich kon winnen, waardoor ze zich tot de anderen wendde. 'Jullie zijn wetenschappers. Jullie weten dat voor de oplossing van een raadsel een mengeling van harde feiten en intuïtie nodig is met betrekking tot het laatste stukje informatie. Een van jullie heeft misschien al het antwoord gevonden op wat er is voorgevallen, maar heeft zich dat niet gerealiseerd. De informatie die jullie hebben, moeten jullie met mij delen. In mijn zoektocht begeef ik mij namelijk in vakgebieden waar ik weinig en jullie alles van af weten. Daarom moeten jullie me terzijde staan... in het belang van ons allemaal.'

'Excuseer,' zei een jonge vrouw, 'het was niet mijn bedoeling dit in zo'n vroeg stadium aan te kondigen, maar ik ben zwanger. Ongeveer tien weken.' Er klonk geroezemoes.

'O, schat,' riep een andere vrouw luidkeels op hartelijke toon terwijl ze naar haar reikte en een hand op haar onderarm legde. 'Gefeliciteerd.'

Blozend wendde de jonge vrouw zich weer tot Hanley. 'Ik weet het zelf nog niet lang. Het feit dat ik niet op de hoogte ben van hetgeen dit gevaar inhoudt, maakt me verschrikkelijk ongerust. Ik ben doodsbenauwd als het gaat om datgene waaraan ik de baby misschien blootstel. En dan te bedenken, ik bedoel, onder normale omstandigheden gaan we vier maanden afgezonderd leven. Stel dat u er in de lente nog steeds niet achter bent? Dat zal onze thuisreis veel gecompliceerder maken, toch?'

'Nou, als het een chemisch toxine betreft, dan is het vooral zaak iedereen uit de buurt van de bron te houden, maar dat zou reizen niet in de weg hoeven staan. Wanneer de oorzaak biologisch en besmettelijk is... maar ik heb nog geen reden om aan te nemen dat dat het geval is... zou het inderdaad een heel ander verhaal kunnen worden. Dan is het wellicht noodzakelijk dat een deel van het poolstation, en het personeel, onder quarantaine wordt geplaatst.'

'Zoals dat appartementencomplex in Hongkong als gevolg van SARS? En die ziekenhuizen in Peking? Volledig van de buitenwereld afgesloten?'

Verneau ging staan. 'In alle eerlijkheid, *mes amis*, het zou best kunnen dat in zo'n situatie reizen onmogelijk wordt als Ottawa tot een *cordon sanitaire* besluit. Na wat zij hebben doorgemaakt met SARS, nemen ze waarschijnlijk geen enkel risico meer. Dan zou de Canadese regering een zeer strenge medische screening verlangen, commerciële vluchten zijn dan uitgesloten. Zelfs als het je lukt onze autoriteiten tevreden te stellen, dan nog zouden enkele staten van je kunnen verlangen om na aankomst in quarantaine te blijven. Zeker is dat de Britten onder ons dan linea recta naar Coppetts Wood worden gestuurd.' Er klonk luidruchtig gemompel terwijl iedereen reageerde en op hetzelfde moment het woord nam. 'Dr. Hanley vormt onze beste kans om die toestanden te voorkomen.'

'Rustig blijven, mensen,' zei Mackenzie. Hij sloeg met een steen – een bodemmonster – op zijn bureau.

Een blondine was uit haar stoel gekomen. 'Als landgenote heet ik je welkom, Jessie. De mensen zijn bezorgd. En je zei dat het eventueel een gifstof zou kunnen zijn. En onze voedselvoorraden dan? Was het iets dat in het eten heeft gezeten, denk je? Of in het drinkwater?'

Hanley zei: 'Het mag duidelijk zijn dat ik het eten én het drinkwater zal onderzoeken, en ik zal de dagelijkse menu's onder de loep nemen en het keukenpersoneel spreken over voorzorgsmaatregelen die van gezond verstand getuigen.'

'Waar zouden ze het opgelopen kunnen hebben als de aandoening van bacteriële of virale aard was?'

'De normale weg gaat via andere levensvormen. We noemen dat overdracht. Hoe vaker een bacterie of virus op andere levensvormen overspringt, hoe sterker het micro-organisme wordt, en hoe groter het aanpassingsvermogen. En hoe dodelijker bovendien. In een bepaalde fase springt het manifeste virus of de bacterie over op ons, mensen. Het influenzavirus hebben we van varkens gekregen, en mazelen van honden, miltvuur en pokken van vee, lepra van waterbuffels, hct West-Nile-encefalitisvirus van muskieten. Manifeste virussen verschijnen vaak op plaatsen waar bepaalde levensvormen voor het eerst met elkaar in contact komen waar dat niet eerder is gebeurd. In Maleisië zorgde het massaal verbranden van fruitbomen ervoor dat fruitvleermuizen zich dichter bij de menselijke nederzettingen gingen ophouden. Een virus werd overgedragen van de fruitvleermuis op het gedomesticeerde varken, en van het varken op de mens. We hebben het over het Nipah-virus dat een mortaliteitscoëfficiënt van veertig procent had.'

'Dus om die reden waren de SARS-artsen zo aan het rommelen op de veemarkten in Guangdong.'

'Precies. Het was logisch om daar onderzoek te doen... veel slachtoffers van het eerste uur werkten in restaurants. Ze vonden het SARS-virus inderdaad bij civetkatten en andere gekooide wilde dieren die in Zuid-China als delicatessen werden verhandeld. Om die reden mag ik niets bij voorbaat uitsluiten betreffende het onderzoek naar dieren, zeeleven en insecten.'

Verontrust geroezemoes golfde door de groep.

'Daarmee wil ik niet zeggen dat u opeens bang moet worden voor uw laboratoriummuizen. Dit was duidelijk geen routinematige blootstelling waarmee u allemaal in het verleden al eens te maken hebt gehad. Ik zeg alleen dat u voorzichtig, op uw hoede moet zijn. Gebruik geen latexhandschoenen, maar werkhandschoenen. Laat uw gezond verstand de boventoon voeren.'

Hanley zweeg even om een inschatting te maken van haar publiek, waarna ze vervolgde: 'Ik heb begrepen dat uw leefomgeving in het poolgebied aan grote veranderingen onderhevig is. Het pakijs smelt, ijs dat soms eeuwenoud is; de temperatuur stijgt; migratiepatronen veranderen. Sommige microben, daarbuiten, zijn misschien voor het eerst in contact gekomen met de mens. Zo ja, dan heb ik hulp nodig om erachter te komen waar en wanneer dat contact heeft plaatsgevonden.' Ze aarzelde even, waarna ze verder sprak; ze wist dat hetgeen ze nu te zeggen had misschien een pijnlijke kwestie werd. 'Ik heb ook vrijwilligers nodig die met mij gaan samenwerken in het laboratorium.' Ze genoot ervan om Simon King recht in de ogen te kijken terwijl ze dit zei, in de wetenschap dat branieschoppers als hij zich als laatsten vrijwillig aanmeldden voor gevaarlijke opdrachten.

Dee Steensma stak onmiddellijk haar hand op. 'Ik ben min of meer blootgesteld als niemand anders. En met mij lijkt niets aan de hand te zijn. Ik wil graag assistentie verlenen.'

Hanley glimlachte dankbaar. Nu Dee zich had aangeboden, zouden de anderen beslist volgen. Uli Hecht, de engelachtige Duitse specialist die de slachtoffers als eerste had onderzocht, stak eveneens zijn hand op. 'Ik ben eveneens blootgesteld geweest. Ik bied me graag aan.'

'Bedankt.' Een mooie, ijverige en jonge Japanse biochemicus – Kiyomi Taku – was de volgende die haar hand opstak.

Uiteindelijk meldde ook Jack Nimit zich. 'Hebt u misschien een technicus nodig om uw laboratorium op te zetten?' Hanley knikte.

'Ik wil u graag morgenvroeg allemaal ontmoeten om de boel op te starten. En natuurlijk is verder iedereen met wat extra vrije tijd welkom. Ik kan alle hulp gebruiken die u bereid bent te geven.' Opnieuw keek ze Simon King vluchtig aan.

Mackenzie verschoof in zijn stoel. 'Heren...' zei hij, '... en dames. Ik denk dat we ons allemaal dankbaar mogen tonen aan onze collega's die hun eigen belangrijke werk op een laag pitje zetten om dr. Hanley assistentie te verlenen.' Hij applaudisseerde en maakte een gebaar naar de anderen om zijn voorbeeld te volgen. 'Goed. Ik denk dat u voorlopig voldoende op de hoogte bent gebracht. We kunnen maar beter gaan slapen. Morgen gaan we door met ons werk en laten we dr. Hanley aan haar taak beginnen. Excuses voor dit late uur.'

Hij ging staan, waarna de anderen zijn voorbeeld volgden. Pratend liepen ze de kamer uit. Verneau bleef achter. Nadat iedereen was vertrokken, begaf hij zich naar Hanley en Mackenzie.

'Nou, jij hebt die Simon King op zijn nummer gezet,' zei hij hoofdschuddend. 'Wat een wauwelende ouwehoer. *Tabernaque*,' schold hij. 'Ik kan er niet tegen hoe die zeurende bemoeial op die manier door het poolstation rondbanjert.'

Mackenzie zei: 'Je oordeelt wat te hard over Simon. Veel Canadezen... onder wie wijlen Annie destijds... zijn het eens met zijn zienswijze, ook al keuren ze zijn manier van doen niet goed. Ik wil me daarvoor excuseren, dr. Hanley.'

'Dat is niet nodig,' zei Hanley. 'Van een beetje anti-Amerikanisme raak ik niet van streek. Wat kunt u me vertellen over de drie slachtoffers, onder wie Annie Bascomb?'

Mackenzie keek bedroefd. 'Annie. In alle opzichten een opmerkelijk persoon. Ze was onbetwist het meest gezien op het poolstation. En zeker het openhartigst van allemaal.'

'En die laserdeskundige, en de Russische glacioloog?'

'Ogata, ja. Competent, coulant. Ik dacht dat hij zich bijzonder goed aan de omstandigheden op poolstation Trudeau had aangepast. Hij genoot van dit leven. Net als Minskov.' Opnieuw keek hij haar strak aan. 'Wat wilde u tijdens de vergadering niet kwijt? Hoe ziet uw hypothese eruit?'

'Ik heb er niet omheen gedraaid, dr. Mackenzie. Het is nog veel te vroeg voor conclusies. Het aantal proeven dat ik voor de boeg heb, is ontstellend groot. Tenzij ik mazzel heb, zal ik pas...'

'Zo hebben de lui van Ottawa u omschreven... als een mazzelkont. Ik mag hopen u dat bent, Jessie Hanley. Zoals u hebt kunnen zien is het personeel bang en zeer van streek. Niemand weet wat te doen... of te laten, behalve je verre houden van het ijs, daarbuiten. Ah,' zei hij terwijl hij een hand uitstak naar de man die naar hen toe liep. 'Dr. Hanley, ik wil u graag voorstellen aan Jack Nimit. Hij is degene die toezicht heeft gehouden op de feitelijke bouw van poolstation Trudeau.'

Mackenzie legde een arm om de schouders van de jongere man. Hij was buitengewoon knap. Een Mongools uiterlijk. Hij kon net zogoed te paard vanuit de Gobiwoestijn zijn binnengekomen dan te voet over de ijsschotsen.

'Bedankt voor wat u eerder deze dag buiten voor mij hebt gedaan,' zei ze terwijl ze probeerde te voorkomen dat ze ging staren.

'U hebt een grandioze intocht gemaakt. Ik ben blij dat we u konden inhalen voordat u in dat apparaat weer het luchtruim had gekozen. Het spijt me echter dat onze inwonende onheilsprofeet u zo snel het leven zuur maakte.'

'Hou op, alsjeblieft,' zei Mackenzie. 'Simon heeft voor vanavond al genoeg aandacht van ons opgeëist. Zijn er nog speciale dingen die u nodig hebt, Jessie?'

Hanley zweeg even. 'Ja,' zei ze. 'Zodra u contact hebt kunnen opnemen met de Russische wetenschapster die in de onderzeeër is vertrokken, wil ik graag gewaarschuwd worden. Ik moet haar namelijk spreken. Als die toxische stof is ingeademd, moet ik aannemen dat ze tijdens de feitelijke blootstelling niet aanwezig was. In het andere geval zou ze niet hebben kunnen vertrekken. Maar als ooggetuige met betrekking tot alles wat ze in de uren voordat ze stierven hebben uitgevoerd, zou ze zeer waardevolle informatie kunnen geven. In de tussentijd moet ik alles bekijken wat er op de werkplek is aangetroffen.'

'Nog iets?'

Hanley sprak zachter. 'Is er een gedeelte van het poolstation dat in uw opdracht geïsoleerd... volledig geïsoleerd... kan worden voor het geval nog iemand anders de symptomen van die aandoening gaat vertonen?'

Mackenzie keek bezorgd, maar knikte. 'De koepel waarin we de lijken bewaren zou afgegrendeld kunnen worden. Ik neem aan dat we er met wat aanpassingen een quarantaineruimte van kunnen maken. Nog iets?'

'Ik moet weten wat u van plan bent te doen wanneer we iedereen van poolstation Trudeau moeten evacueren.'

17

Hanley liep om de brancard heen. Het lijk bevond zich op een transparante contaminatiebrancard. De gelaatstrekken waren niet onbewogen. Deze man was een verschrikkelijke dood gestorven, een attaque, het lichaam op een onmogelijke manier verwrongen en naar achteren gebogen, alsof hij in twee helften was gebroken.

Verneau bleef nerveus bij de ingang drentelen. 'Arme kerel. Hij ziet er zo oud uit.'

'Dat doet het stervensproces met je,' zei Hanley. Ze maakte het chirurgisch mondmasker over haar mond en neus vast en had een zware, beschermende bril op. 'Het kan je verschrikkelijk oud maken.' Ze rilde van de kou terwijl ze het in plastic verpakte document las met de kop: *Verification d'Identité*. 'Hoe oud is Minskov geworden?'

'Eenenvijftig,' zei Verneau. Hanley boog zich naar voren om door het ragfijne materiaal van de beschermhoes te kijken. Uiteindelijk hing ze pal boven het intens bleke gezicht. Die ogen – afgrijselijk.

Dee zei: 'Ik heb nog nooit iemand gezien die er zo bleek uitziet.'

'Inderdaad,' zei Verneau. 'Misschien komt dat door het verlies van rode bloedcellen.'

'Waarom heeft Moskou het verboden om bij hem een lijkschouwing uit te voeren?' vroeg Hanley.

Verneau schudde zijn hoofd. 'Geen idee. *Nyet* is steevast hun antwoord. Ik weet het niet. Toen ik hen sprak, leken ze... bang.'

Hanley boog zich dichter naar het verwrongen gezicht van de man toe. 'Waarom is het gezicht nat?'

Dee ging dichterbij staan. 'Waar?'

'Rond de mond.'

'Ja. Je hebt gelijk. Eigenaardig. Een soort postmortale kwijl?'

Hanley haalde een laboratoriumbuisje en een dunne pipet van twintig centimeter uit haar broekzak. De pipet was aan de bovenzijde voorzien van een rubberen zuigballetje. Ze boog zich over het lijk heen – haar gezicht op enkele centimeters van het verwrongen gezicht – en ritste voorzichtig de beschermende luchtdichte zak open. Intuïtief stapte Dee naar achteren, ondanks het feit dat ze bij twee lijkschouwingen had geassisteerd.

'Probeer dit niet thuis op eigen houtje te doen,' zei Hanley tegen Verneau. 'En als ik er per ongeluk mee in contact kom, raak me dan in geen geval aan.'

Hanley kneep in het rubberen balletje en zoog aldus behoedzaam een beetje van de vloeistof in de dunne pipet. Verneau en Dee hielden hun adem in terwijl zij de vloeistof in het laboratoriumbuisje overhevelde en er een stop op deed.

De behoefte dicht bij het slachtoffer te zijn, was een eigenaardige dwangimpuls van Hanley. De nabijheid deed iets voor haar, of met haar. Het was te onzinnig om te erkennen, maar wel de realiteit.

Feitelijk was Hanley dol op lijken. Het menselijk stoffelijk overschot, verstoken van de inherent bezielende kracht. Dit gegeven was niet iets dat ze spontaan te berde bracht, zelfs niet wanneer ze zich bij vrienden ophield. Toch voelde ze zich op haar gemak in 'hun' gezelschap, op een verstilde wijze opgewonden. Er was niets kinky aan, zoals ze ooit dwaas aan haar toenmalige echtgenoot haastig in vertrouwen had meegedeeld. Ze symboliseerden simpelweg een mysterie, had ze hem verteld, waarbij ze de situatie probeerde te redden door hem af te leiden van wat ze aan hem had geopenbaard.

Verwachting was een gevoel dat dichter bij de waarheid lag. Ze was opgegroeid op het platteland van Virginia en had als kind altijd het gezelschap van gestorven wezens verkozen. Ze verzamelde aangereden dieren om haar nieuwsgierigheid te bevredigen. Terwijl de achtertuin van sommige kinderen op een menagerie leek, deed die van haar aan een mortuarium denken. Sommigen haalden klokken uit elkaar en bekwaamden zich in de kennis omtrent automotoren. Hanley haalde echter geduldig de 'bovenkleding' van kevers, kikkers en vogels, en ging vervolgens over op katten die in een schuilplaats de verstikkingsdood waren gestorven, waarbij ze wilde weten wat er zich onder de buitenlaag bevond. Zij was het rare kind van de familie Hanley, een eenlinge die zich met gruwelijke activiteiten bezighield. De andere meisjes lieten haar meestal links liggen. De jongens liepen in een wijde boog om haar heen.

Een aangereden reekalf of buidelrat langs de kant van de weg hield haar fantasie in de ban, ze raakte erdoor in een triomfantelijke stemming. Ze leerde haar passies te verbergen voor anderen tot ze op een dag in een biologisch laboratorium van de universiteit stond. Hier bloeide ze op. Mortuariumklussen loodsten haar door de medische opleiding, waarna ze epidemiologie ging studeren en uiteindelijk professionele erkenning volgde.

Ze had een reputatie opgebouwd, wist ze, betreffende haar ongewone associatieve vaardigheden en haar indrukwekkende geheugen. Het was een mening die kennelijk werd gedeeld door een of andere computer die haar naam op het scherm had laten verschijnen. Ze veroordeelde die zienswijze niet. Evenwel erkende ze dat ze in werkelijkheid eindeloos gefascineerd was en gedreven werd door lichamen waarin geen leven meer zat.

De dood liet ongeacht welk lichaam grondig veranderd achter. De krachten die het bezielen en activeerden waren verdwenen; een tastbare afwezigheid die bedwelmend, soms zelfs ontroerend en zeer gedenkwaardig was. Een leegheid die leven als inhoud had gehad. Iets dat nog krachtiger was, had het verdreven. Deze voelbare leemte hield haar gedachten in de ban en kon in haar fascinatie met niets vergeleken worden. Haar ex beschuldigde haar vaak dat ze meer van de doden dan van de levenden hield. 'Nee,' had ze tegen hem gezegd. 'Wel vind ik ze vaak interessanter.'

Hanley beet op haar lip. 'Oké, laten we de volgende maar eens gaan bekijken.'

Het tweede stoffelijk overschot was van dr. Kossuth. Zijn collega's hadden niet geweten wat ze met hem aan moesten. Elke cel in zijn lichaam was vernietigd; gedeformeerd, opengebarsten als gevolg van de uitzettende ijsvorming. Hij was naakt, precies zoals ze hem hadden aangetroffen. Zijn huid was paarsbruin, grote gedeelten van het huidoppervlak waren zwart geworden.

Door zijn gebarsten brillenglazen staarde Kossuth in het niets, waarbij het verwrongen montuur op het puntje van zijn neus hing en aan de huid was vastgevroren. Hanley onderzocht hem vluchtig en stemde in met het rapport dat haar was overhandigd. In tegenstelling tot de andere drie slachtoffers was een gewone onderkoeling de doodsoorzaak van Kossuth.

Met de handen op haar knieën boog Hanley zich dichter naar hem toe. 'Hij is diepgevroren,' zei ze, maar niet luid genoeg dat het oneerbiedig klonk. 'Zijn lippen zijn echter vochtig.'

Dee keek aandachtiger mee. 'Begint het lijk te ontdooien, denk je?' vroeg ze, waarna ze zich bedacht. 'Nee, dat kan niet. Daar is het hierbinnen veel te koud voor.'

Hanley haalde nog een laboratoriumbuisje uit haar zak en hevelde opnieuw een monster over voordat de vloeistof in de koude lucht kon uitdrogen.

'Er zijn geen aanwijzingen dat hij aan convulsies heeft geleden, en zijn ogen zijn ongeschonden. Oké, ik heb het hier gezien,' zei ze, waarna ze zich tot Verneau wendde. 'Ik sta op het punt je nog meer politieke moeilijkheden te bezorgen, maar het kan niet anders.'

'Maak je geen zorgen over politiek,' zei hij. 'Politiek is het enige waar ik echt goed in ben. Wat heb je nodig?'

'Over enkele dagen, na eerst gecontroleerd te hebben of ik alle noodzakelijke weefselmonsters heb genomen, wil ik dat de contaminatiehouders waarin Annie Bascomb en meneer Ogata zich bevinden in plastic worden verzegeld, daarna besproeid met waterstofchloride en vervolgens ingepakt in houtvezelplaatkisten.'

'Goed.'

'Ik heb biopakken, handschoenen en gezichtsmaskers voor degenen die zich met de brancards gaan bezighouden.'

'Dat klinkt tot nu toe uitvoerbaar,' zei Verneau.

'In de lente, wanneer er weer transport naar de buitenwereld mogelijk is, zou ik graag willen dat ze naar het U.S. Army Medical Research Institute of Infectious Disease in Frederick, Maryland, worden getransporteerd.'

'Dat duurt nog máánden,' zei Dee.

'Dat is zo, maar als ik die boosdoener van jullie niet kan traceren, dan is dat de plaats waar jullie willen dat de lijken heen gaan. Ze hebben daar alle mogelijke isoleringsfaciliteiten ingeval van biologisch besmettingsgevaar, met nog wat andere zaken die ze tot hun beschikking hebben. Ik ben me ervan bewust dat er misschien bezwaren aan kleven, gezien het feit dat het bovendien om een Amerikaanse militaire basis gaat die gespecialiseerd is in biologische wapens. Volgens mij is er ook een beveiligde basis in Winnipeg, voor het geval politieke overwegingen USAMRIID uitsluiten.'

'*Merde,*' zei Verneau. Hij sloeg zijn armen om zich heen om de kou te verdrijven. 'Tokio zal daar geen probleem mee hebben. Van Ottawa ben ik minder zeker. Nou ja... ze hebben tot het voorjaar de tijd om een oplossing te bedenken. Dat houdt ze bezig. Wat moet er gebeuren met Minskov en Alex Kossuth?'

'Ik stel voor dat je de quarantainehoes van Minskov op dezelfde manier laat inpakken en die vervolgens bewaart tot de Russen in de lente opduiken om het stoffelijk overschot op te halen. Ik denk niet dat ze je zullen verwijten dat je die voorzorgsmaatregel hebt getroffen.'

'Ik zal ervoor zorgen dat het gebeurt,' zei Verneau.

'Maar als komt vast te staan dat de andere lijken besmet zijn, doen we wat nodig is om ze allemaal te desinfecteren. Daar zullen de Russen het dan mee moeten doen. In het andere geval zou het stoffelijk overschot van Minskov iedereen kunnen besmetten en het agens overdragen op alles waarmee het in contact komt tussen poolstation Trudeau en ongeacht welk laboratorium waar ze hem willen hebben. Neem voorzorgsmaatregelen wat Kossuth betreft, zelfs in de toestand waarin het lijk zich nu bevindt.'

'Toestand?'

'Diepgevroren.'

'Geen lijkschouwing?' vroeg Verneau.

'Hij ziet er gezond uit, behalve dan dat hij dood is. Maar inderdaad, er hoort een autopsie plaats te vinden. De mogelijkheid bestaat dat hij er ook aan blootgesteld is, maar dat de kou hem simpelweg het eerst te pakken heeft gekregen.'

Dee was stilletjes aan het huilen terwijl ze onopvallend naar het in een doodskleed gewikkeld stoffelijk overschot van Annie Bascomb staarde. Het lag op de brancard die tegen de ronde wand stond. Alleen het hoofd was zichtbaar. Iemand had van haar lange haar een fraaie vlecht gemaakt. Ooit was ze misschien mooi geweest, maar dat was onmogelijk op te maken uit wat er van haar was overgebleven.

'Kom mee, *ma chère*,' zei Verneau. Hij hield een hand tegen het onderste gedeelte van haar rug en leidde haar terug. 'Dit is niet de juiste manier om ons haar te herinneren.'

'Ik breng je naar je onderkomen,' zei Dee. 'Zal ik je onderweg daarheen wat van het poolstation laten zien? Het is een vraag uit puur eigenbelang, hoor. Voor gids spelen is een welkome afleiding.'

'Graag. Ik heb vragen te over. Zoals de vraag waarmee de boel hier wordt verlicht.'

'Voor onze gezondheid, en om energie te besparen, gebruiken we breedspectrum tl-buizen. De verlichting op het poolstation, en daarbuiten, is geprogrammeerd en kent perioden van twaalf uur, conform een gewone dag op de meer zuidelijke breedtegraden. Dit doen we om een normaal dag- en nachtritme te stimuleren. Je moet oppassen voor slapeloosheid,' waarschuwde Dee haar. 'Slapeloosheid is hier zo gewoon als de kou. De helft van de zaken waarmee de psycholoog zich bezighoudt, heeft betrekking op aan slaapgebrek gerelateerde problemen.'

'Is er overdag nooit licht?' vroeg Hanley terwijl ze voor een groot raam hun pas inhielden.

Dee zweeg. Haar lokken glansden in het schemerlicht als een glimmend geboende helm. Hanley voelde dat Dee haar aan het peilen was.

'In deze tijd van het jaar,' zei Dee, 'zijn er alleen de sterren en de maan. Je ziet de zon feitelijk pas weer na februari.'

'Vier maanden,' zei Hanley. Ze staarde naar de steile kliffen aan de kust – ze torenden hoog boven het poolstation uit – en vroeg zich af hoelang het zou duren voordat ze last zou krijgen van het feit dat ze volledig door ijs en duisternis was ingesloten. Haar lichaam, realiseerde ze zich, zag de ochtend – het licht – tegemoet. De buitenlampen waren gedimd. Het gebied daarachter deed aan pek denken, hoewel het sterrenlicht dat het ijslandschap bescheen het terrein verlichtte op een wijze die op de lagere breedtegraden ongekend was.

Dee leidde haar langs het gereedschapsmagazijn, het rioolstelsel, het kantoor van de voedingsdeskundige, de linnenkasten, de recreatiezaal, de transportafdeling, en er was zelfs een postkantoor. Een met de hand geschreven briefje was van 18 oktober, de dag van de laatste postlichting van het seizoen. Er stond geschreven: IK KOM MORGENOCHTEND TERUG.

De belendende afdeling, waar men zich met zonne-energie bezighield, was vanwege de poolnacht ook gesloten, maar aan de overkant van de zaal, de afdeling Windenergie, was het een drukte van belang.

'We hebben tal van zaken en bezigheden om depressies als gevolg van isolatie te voorkomen,' zei ze terwijl ze de deur van de leeszaal opende. Een aangenaam toevluchtsoord, voorzien van een zestal leunstoelen die met schuimrubber waren opgevuld, lampen met groene kappen, en schrijftafels. Gestoffeerde holronde frames, net zeilen, sloten de studienissen gedeeltelijk af. Zelfs op dit uur waren verscheidene leunstoelen bezet. De lezers knikten naar Dee en keken discreet naar de nieuwelinge.

Hanley naderde een wand die bestond uit transparante driehoekige vlakken. Voor het eerst merkte ze dat ze geen licht of andere zaken weerspiegelden. En al evenmin zat er rijp of condens op. Ze liet haar hand over het heldere oppervlak glijden.

'Ze zijn niet eens koud,' zei ze zachtjes. 'Een of ander speciaal plastic?'

'Eigenlijk veeleer een glassoort. Ontworpen voor militaire toestellen die op grote hoogte vliegen, maar aangepast voor gebruik in dit poolstation. Het wordt ook toegepast in oproerschilden, maar daar gaan we het niet over hebben. Een vacuümlaag scheidt de buiten- en binnenvlakken, en alles zit ingeklemd in speciale raamkozijnen. De binnenste vlakken zijn bespoten met een coating, ontworpen door een bedrijf dat optische middelen fabriceert, in Rochester. Deze laag blokkeert de reflecties die van het interieur uitgaan, waardoor het uitzicht volledig helder is, zonder vertekeningen. In de zomermaanden weerkaatst de coating de gloed van het niet-aflatende daglicht. Het is bovendien van nut bij het opvangen van zonne-energie doordat de ultraviolette straling niet wordt teruggekaatst. In de zomer wordt de vacuümlaag gevuld met water... een kleine innovatie van ons inwonend technisch genie.'

'Water?' zei Hanley.

Dee keek geamuseerd. 'Ja. Zonlicht warmt het water op; de zonnewarmte verwarmt mede de vertrekken in de gebouwen.'

'Ik ben onder de indruk,' zei Hanley. 'En de kou dan? De wanden, de vloer... ze voelen niet kil aan. Maar de andere kant, de koude kant, bevindt zich op slechts enkele centimeters.'

Dee knikte. 'Het vloermateriaal rust op drie verschillende niveaus, die elk afzonderlijk geïsoleerd zijn. Elke buitenkoepel past in feite perfect over een iets kleiner exemplaar. De holte van drieënveertig centimeter tussen de twee koepels is gevuld met een nieuw soort isolatiemateriaal dat we in Edmonton ontwikkeld hebben. Het houdt de wand in thermodynamisch opzicht neutraal.'

Voordat ze zich in de volgende koepel begaven, stapten ze in een cilindrische foyer waarvan de gebogen deur door Dee achter hen werd dichtgeschoven; de deur diende vervolgens honderdtachtig graden verder geschoven te worden, zodat ze daarna in de ronde zaal konden uitstappen.

Toen ze in de tweede koepel arriveerden, was de temperatuur gedaald. Hanley huiverde, en het feit dat de lucht verrassend droog was, zorgde er bij haar voor dat er meer speeksel in haar mond ontstond.

Zelfverzekerd liep Dee door de duisternis naar een lichtpuntje op een vrijstaande kolom. Hanley aarzelde, ze rook iets dat aan aarde deed denken. Dankzij een controlepaneel gingen de lichten aan boven een arctisch grasland, bezaaid met allerlei soorten planten en in het midden een kale rotspartij.

'Het inheemse plantenleven, in dit jaargetijde bedolven onder ijs en sneeuw, maar 's zomers zou je zoiets te zien kunnen krijgen.' Ze liep enkele passen over een pad. 'Luister... hoor je de vinken? Ze worden gebruikt voor onderkoelingsexperimenten.'

'Wat zijn dat voor zielige plantjes?' Hanley wees naar een droog en wollig uitziend hoopje kleine varens.

'Ik vrees dat de Alaskanen ze *niggerheads* noemen,' zei Dee. 'De Latijnse naam is mij niet bekend.'

'Ze zien er treurig uit,' ging Hanley door terwijl ze de verzameling bekeek.

'Laat het hoofd van de botanische dienst dat maar niet horen. Dit heeft hij allemaal opgezet. Een biologisch diversiteit voor het geval het broeikaseffect in het poolgebied zo vernietigend is als sommige van onze collega's voorspellen. De meeste boomsoorten die er in de arctische bossen te vinden waren, zijn aan het uitsterven. Allerlei soorten insecten kunnen nu uitstekend overleven in die gebieden. Kom,' zei ze. Ze liep over een smal paadje.

'Dit doet aan een miniheideveld denken,' zei Hanley, die haar volgde.

Dee wees naar een lage struik en een kaal heuveltje. 'Daarachter zie je cypergras, *farbs*, bies en dwergberken. De toendra.' Ze hield haar pas in om de bosjes vegetatie te bekijken en reikte naar de grond. 'Op deze rotsen groeien groene en zwarte korstmossen. Purperen steenbreek... deze bloeit prachtig in de zomer.'

'Voor een tandarts weet je veel van planten,' zei Hanley. Ze stond naast haar op het pad en overzag het grasland. 'Worden tandartsen niet geacht de voorkeur te geven aan de kunstmatige soort, hoe bleker hoe beter?'

Dee glimlachte. 'Ja. En we luisteren alleen naar achtergrondmuziek. In feite is dit mijn favoriete plekje op Trudeau. Momenteel stelt deze natuurlijke omgeving volgens jou misschien niet veel voor, maar het betreft wel het enige stukje groen in een straal van pakweg tweeduizend kilometer. Nadat ze enkele maanden in deze woestenij van ijs en rotsen heb-

143

ben geleefd, gaan de sjofele plantjes er bij wijze van spreken uitzien als Californische sequoia's.' Ze begon ernstig te klinken. 'Daarbuiten zal het poolpak je beschermen, maar hier moet ieder voor zich erachter zien te komen hoe hij of zij het beste met zichzelf kan leven. Voor mij is dit plekje dé plaats waar me dat lukt.'

Ze volgden het pad achter in de koepel, langs de ronding, en stapten in een andere cilindrische foyer om zich vervolgens weer in het gematigde klimaat van het poolstation te begeven.

'Wat is dat?' vroeg Hanley. Ze keek omhoog naar een bolrond plafond dat uit golvende blauwtinten leek te bestaan.

'Mackenzies Extravagantie. Kom mee, ik laat het je zien.' Dee ging Hanley voor over een houten wenteltrap. 'Zelfs de bagagekratten waren zodanig gemaakt dat we ze hiervoor konden gebruiken,' zei ze. Toen ze boven aan de trap waren aanbeland, hielden ze hun pas in. 'Dit en de externe radiotoren,' zei Dee, 'vormen de hoogste punten van het eiland.'

Het drong nauwelijks tot Hanley door wat Dee zei. Ze staarde. Het doorzichtige, blauwe plafond bleek de bodem van een groot, rond zwembad, waardoorheen kriskras drie gangpaden liepen. Het plafond was een gigantisch, koepelvormig dakraam, gemaakt van driehoekige, dubbele Trudeau-ramen. Harde smalle bankjes waren langs de betegelde buitenkant opgesteld. Verder was er geen meubilair te zien, zelfs geen duikplank of trap verstoorde datgene wat de ontwerper met dit alles had bedoeld – een strakke en schitterend vormgegeven ruimte.

'Waarom moet er zo nodig een zwembad op het dak?'

'Voor als er brand uitbreekt,' antwoordde Dee. 'Onze grote angst. Het water om ons heen is zo hardbevroren als steen. Het kost zeer veel energie om het ijs te laten smelten. Wanneer er brand ontstaat, vormt dit lekker warme zeewater een reservoir om het vuur mee te blussen. Eventueel door middel van de zwaartekracht, als ook nog eens de stroom is uitgevallen.' Ze aanschouwde het rimpelloze wateroppervlak. 'De meeste zaken hebben hier een meervoudige toepassing.'

'Schitterend. Waarom zoutwater?' vroeg Hanley.

'Dan hoef je het water niet met chloor te behandelen. De verwijdering van gechloreerd water zou een lastig karwei zijn.'

'Behandelen jullie überhaupt het drinkwater?' vroeg Hanley.

'Nee.' Dee zweeg even en kreeg een bezorgde trek op haar gezicht. 'Moet dat dan?'

'Waarschijnlijk niet,' antwoordde Hanley.

'Kom,' zei Dee. 'We zijn bijna aan het einde van de rondleiding.'

'Het is hier veel groter dan ik had verwacht,' zei Hanley.

'Bij nader inzien zal het hier kleiner zijn dan je denkt, geloof me. Het poolstation creëert de illusie van ruimte en bewegingsvrijheid, maar je hebt niet veel tijd nodig om je te realiseren hoe beperkt alles in feite is,

144

en hoe vijandig *dat daar* is.' Ze wees naar het gebied dat zich achter de glazen wand bevond.

Hanley keek omhoog naar de met sterren bezaaide lucht. Een moment lang voelde ze zich gedesoriënteerd. 'Waar komt de zon op in maart?'

'Je bedoelt de richting?'

'Ja,' zei ze terwijl ze naar buiten keek.

'Daar,' zei Dee. Ze wees naar de duisternis. 'Het zuiden. De zon komt op in het zuiden.'

18

Behoedzaam voer de *Roes* de fjord uit. Afgezien van het dreunende geluid van de turbines was het doodstil in de onderzeeër. De sfeer onder de bemanning was neerslachtig. Als robots voerden ze hun aangewezen taken uit. Afgezien van de geritualiseerde uitwisselingen die met de bevelvoering te maken hadden, sprak niemand tijdens de dienst. En als men vrij was zei überhaupt niemand iets.

In de controlekamer keek Roedenko aandachtig naar de videomonitors en merkte de houding op die de duikers in hun drukcabine hadden aangenomen. De jonge marineman die de springladingen in de *Vladivostok* had aangebracht, ging verzitten en trok zijn knieën op, het gezicht verborgen achter zijn armen. De twee anderen zaten naar achteren geleund, de armen voor hun ogen om aan het felle, niet-aflatende licht van de plafondlampen te ontkomen. Orlovsky zat het dichtst bij de camera. Hij was zich niet bewust van deze inbreuk, of het kon hem niet schelen. Hij zat daar roerloos, met gebogen hoofd, starend in het niets en met een doodse gelaatsuitdrukking. Een druppel water hing aan zijn kin.

Roedenko leunde naar achteren tegen de kaartentafel, een elleboog in zijn handpalm, de andere hand tegen zijn wang. Hij was aan het nadenken, aan het wachten. De onderofficier was aan het aftellen. Het geluid van de ontploffing, ver weg, bereikte hen als een doffe bons, niet veel meer dan een stootslag, als een extrasystole hartslag van hen allemaal, die dit hadden verwacht maar toch verrast waren. En het was verontrustend – een waarschuwing omtrent een wanverhouding, een voorgevoel zo futiel dat het bijna zo had kunnen zijn dat ze zich dat hadden ingebeeld, terwijl het toch zo angstaanjagend echt was. Zo definitief.

'Shit.'

De stem van Orlovsky uit de luidspreker van de televisiemonitor was het enige menselijke geluid in de controlekamer terwijl de duikboot in een hoek naar beneden ging, naar dieper water. Achter hem, in de hoek van hun stalen cel, zat de jongste duiker ineengedoken en huilde met de armen over zijn gebogen hoofd.

Roedenko hield de intercomschakelaar naar beneden gedrukt en vroeg zachtjes aan Orlovsky hoe het met de jongen ging. Orlovsky keek op naar de camera en wees naar zijn slaap.

'Er is iets mis in zijn bovenkamer. We hadden hem niet in die onderzeeër moeten sturen. Sindsdien heeft hij onophoudelijk gebeefd. Hij blijft dingen zeggen; het slaat nergens op. Volgens mij praat hij met zijn moeder. Hij moet hier weg, admiraal. Wij allemaal. Over hoeveel uur haalt u ons uit deze cabine?'

'Admiraal,' zei Nemerov.

Roedenko liet de intercomschakelaar los. 'Ja?'

'Als ik u was zou ik hen niet aanmoedigen de decompressie te versnellen.'

'Is dat te gevaarlijk, denk je?'

'Ik weet het niet. Maar de onderofficieren vertellen me dat er muiterij uitbreekt wanneer de duikers eruitkomen. De bemanning wil niets met ze te maken hebben.'

'Die jongeman heeft hulp nodig.'

'Mijn manschappen zijn bang dat de duikers zijn besmet door het contact dat ze met de *Vladivostok* hebben gehad.'

Roedenko keek Orlovsky en de anderen op het scherm aan. 'Dat is begrijpelijk.'

'Zij willen dat ze in quarantaine worden geplaatst. Gescheiden van hun leefomgeving.'

'Het is jouw schip, commandant. Ik ben ervan overtuigd dat je het juiste besluit zult nemen.'

Nemerov schudde zijn hoofd. 'Ik kan me niet voorstellen hoe.' Langzaam ademde hij uit door zijn mond. 'Ik heb me nog nooit geschaamd voor het feit dat ik het bevel had over een onderzeeër.'

'Jullie hebben geluk gehad,' zei Roedenko.

'Hoezo?'

'De duikbootbemanning. Ze waren niet te redden. Maar wat denk je dat we gedaan zouden hebben als ze daar vastzaten en nog leefden?'

Nemerov schudde zijn hoofd. 'Waren dat zijn orders?'

Roedenko wendde zich van hem af. 'Ja, hoewel hij dat in hun bijzijn nooit zou hebben toegegeven.'

Het gezicht van Orlovsky vulde het scherm en was vertekend door de visooglens. 'Commandant! U kent de standaardprocedures. We dienen terug te keren naar de gewone verblijven zodra de decompressie voltooid is. Sinds we het zeegat zijn uitgegaan, zitten we hier opgesloten.'

Nemerov drukte de intercomschakelaar naar beneden. 'We bevinden ons in een nogal ongewone situatie, zoals je ongetwijfeld zult begrijpen.'

Orlovsky keek angstig. 'Commandant, het is nog... hoeveel?... drie dagen naar St.-Petersburg. Minstens. Als we niet snel uit deze drukcabine mogen, worden we allemaal knettergek.'

'Het is niet zo gemakkelijk als het lijkt, sergeant. De manschappen zijn... ongerust.'

Orlovsky sloeg tegen zijn dijbeen en keek een andere kant op. 'Ah, natuurlijk, natuurlijk. Ik begrijp het. U houdt ons hier gekooid. U wilt ons observeren, alsof we apen in een dierentuin zijn.'

'Zo is het genoeg!' riep de luitenant luidkeels.

Nemerov hief een hand op in zijn richting, een gebaar om stil te zijn. De sonarofficier maakte de nadering van vaartuigen bekend. Hun kameraden die zich aan de oppervlakte bevonden. Zij zouden hun vertrek uit de Noorse wateren verhullen.

'Het spijt me zeer, sergeant,' zei Nemerov.

'Niet zo erg als ons.'

Nemerov bleef zwijgend staan en negeerde de insubordinatie.

'Commandant,' zei Orlovsky. Hij was op het scherm te zien.

'Ja, sergeant?'

'Het is mijn plicht beschadigd materieel te melden.'

'Wat is er dan aan de hand?' vroeg Nemerov, die bezorgd klonk. 'Heb je iets te rapporteren?'

'Ja,' zei Orlovsky. 'Ik ben bang dat dit onbruikbaar is geworden.' Hij sloeg met zijn vuist tegen de cameralens, waarna het televisiescherm zwart werd.

19

Volgens de planning zou er die ochtend een symposium worden gehouden over *periodieke verzwakkingen van het veldmagnetisme van de aarde*. In plaats daarvan kwamen de aanwezigen uit hun stoelen voor het Canadese volkslied, terwijl Felix Mackenzie het podium van het auditorium beklom om voor de stampvolle zaal te gaan staan. De meesten van hen hadden hem nog nooit in een kostuum gezien. Aan zijn revers had hij een bloesemtakje van een of andere plant uit het arboretum bevestigd. Na het volkslied gebaarde hij naar de Japanse wetenschappers om naar voren te komen.

Gekleed in het wit, hun traditionele rouwkleur, voerden de collega's van Junzo Ogata een korte boeddhistische herdenkingsceremonie uit. Ze lieten kleine gongs weerklinken, brandden wierook en verzonken in gebed. Nadat ze waren teruggekeerd naar hun zitplaatsen, gingen de mensen staan om een lofrede te houden over hun gestorven vrienden. Eerst werd Minskov op een gekunstelde, saaie manier kort herdacht door zijn Russische kameraden. Slechts één westerling sprak over hem, en zijn woorden klonken plichtmatig.

Niemand kreeg het voor elkaar om over Annie Bascomb te spreken zonder zowel te glimlachen als te huilen. Annies karaokeavonden – rock-'n-roll – haar ongehoorde vrouwelijke nazi-kostuum voor het gemaskerd bal tijdens de zonnewende, en het feit dat ze die ouwe Australiër demonstreerde dat ze net als elke man in een fles kon plassen. Verneau ging het podium op en bracht in hun herinnering een verhaal dat Annie zelf graag vertelde. Een verhaal over de jonge Italiaanse meteoroloog die in hun eerste jaar op het poolstation hopeloos verliefd op haar werd.

'De arme minnaar volgde haar overal, elke avond bracht hij haar een serenade. Hoewel hij geen Engels en zij geen Italiaans kende, spraken ze beiden een woordje Duits, maar Annie helaas niet voldoende om die knappe jongeman aan het verstand te peuteren dat ze beslist niet in hem geïnteresseerd was. Toen hij het eindelijk begreep, had hij daar de grootste moeite mee. Zoals sommigen van de aanwezigen zich zullen herinneren, confronteerde hij haar publiekelijk in de eetzaal, waar hij luidkeels riep: "*Annie Bascomb, du bist ein Frigidaire! An Ice–a-box!*".' Er werd gelachen en nog meer gehuild. 'Wel, Annie kon veel zijn, maar ze deed beslist niet denken aan een koelkast. We koesteren allemaal onze herinneringen aan haar warmhartigheid, haar passie, haar ontembare karakter.'

Het werd stil in de zaal. Verneau verliet het podium en ging op de eerste rij zitten. Hij zag er ontroostbaar uit.

Tot slot herdachten de oudere stafleden Alex Kossuth in kalme, eerbiedige bewoordingen. Felix Mackenzie was de laatste die sprak. Hij ging staan.

'Dr. Kossuth en ik vertrokken in dezelfde fase van ons leven naar het noordpoolgebied. We waren jonge, ambitieuze wetenschappers die erop gespitst waren onze sporen te verdienen en vervolgens terug te keren naar de academische wereld om de oogst van onze ontdekkingen binnen te halen. Indertijd was Alex heel ambitieus. Alles leek mogelijk en binnen handbereik. Wij dachten dat we grote veranderingen konden bewerkstelligen wat de noordpool betrof, en we hadden ons ingezet om dat voor elkaar te krijgen.' Mackenzie wendde zijn blik af van de aanwezigen. 'Hij was mijn oudste vriend.' Zwijgend bleef hij een ogenblik zo staan, waarna hij zichzelf weer onder controle kreeg en opnieuw naar de mensen in de zaal keek. 'Het duurde niet lang voordat de noordpool ons in de ban had. Dit oord bleef ons teruglokken naar zijn maagdelijke, genadeloze schoonheid. Uiteindelijk realiseerden we ons dat dat de beloning was. Het werd onze thuishaven.' De directeur keek op van zijn aantekeningen. 'Samen hadden we het plan opgevat voor de bouw van dit station en hard gewerkt om onze ideeën concreet te maken. Alex Kossuth hield van het hoge noorden. Samen brachten we hier talloze winters door, en prachtige zomers op het ijs. Het noordpoolgebied was zijn levenswerk. Maar bovenal was hij graag lid van de Trudeau-familie. Wat passend dat hij hier zijn leven eindigde, te midden van ons, op deze hoge breedtegraden.'

Mackenzie zweeg even om zichzelf te kunnen beheersen, waarna hij vervolgde:

'Terwijl we rouwen om de verschrikkelijke manier waarop hij is heengegaan, zullen we ons zijn onzelfzuchtige bijdragen aan de studie en het behoud van dit unieke en zo weinig bekende deel van onze planeet blijven herinneren. Alex was... een uitzonderlijke wetenschapper. Een dierbare vriend met wie ik de droom van dit poolstation in de woestenij deelde, en de coöperatieve onderneming van mannen en vrouwen van de wetenschap, afkomstig uit alle hoeken van de wereld. Ik mis hem nu al meer dan ik onder woorden kan brengen.'

Hij stapte van het podium af en gebaarde naar Dee en Hanley om bij de deur naast hem te gaan staan, als een ontvangstcomité. Terwijl het gezelschap langzaam de zaal uitliep, stelden Dee en Mackenzie Hanley op systematische wijze aan iedereen voor, van de hoogstgeplaatste wetenschappers tot de serveersters in de eetzaal. Op bedreven wijze kreeg Mackenzie het voor elkaar de afdelingshoofden en leidinggevende onderzoekers ervan te overtuigen dat het noodzakelijk was zich coöperatief op te stellen ten opzichte van haar werk. Bovendien gebruikte hij deze kortdurende ontmoetingen om hun bezorgdheid te sussen. Hanley bewonderde de charme van Mackenzie en zijn belangrijke gave om deze groep uitzonderlijke, en uitzonderlijk moeilijke mannen en vrouwen te beïnvloeden. Toen het handen schudden en elkaar vriendelijk verwelkomen en begroeten bijna achter de rug was, rende een gespierde Inuit in een fel oranje T-shirt de zaal in, keek vluchtig over de hoofden en riep om Jack Nimit. Nimit baande zich een weg door de mensenmassa en luisterde wat de man – hij was buiten adem – te vertellen had. Vervolgens zette hij een sprint in.

'Wat is er aan de hand, Jack?' riep Mackenzie naar hem.

'De binnenplaats,' schreeuwde Nimit terug. 'Koepel vier. Brand.'

Hanley liet zich meevoeren door de anderen. Ze rende mee naar de brand, waar dat ook mocht zijn. Blindelings volgde ze hen door gangen, een helling op, drie trappen naar beneden en door een deur de duistere vrieskou in.

Ze bevonden zich op een binnenplaats tussen koepels. Een sneeuw-scooter brandde heftig, met steekvlammen van wel tien meter hoog. Twee personen in poolpakken waren in de weer met een brandslang en probeerden zo dicht mogelijk bij de laaiende vlammen te komen. Hoog boven hen walmde de rook, en er ontstond een dikke mist. Uit de brand-slang begon water te spetteren.

'Stop,' schreeuwde Nimit. '*Arrêtez.*'

Het vuur maakte zoveel kabaal dat ze hem niet konden horen. Hal-verwege de vlammen veranderde het water, dat onder druk stond, in vlokken. Het knetterende voertuig werd ermee bestrooid, het leek wel sneeuw. Er werden handen omhooggebracht om zich tegen de alles ver-schroeiende hitte te beschermen.

'Niet sproeien,' krijste Nimit. Met twee handen om zijn mond pro-beerde hij ervoor te zorgen dat ze hem hoorden. 'Stop. Het vuur laait al-leen maar meer op.'

Verneau en Mackenzie maakten gebaren naar de anderen met de be-doeling dat ze zich zouden terugtrekken. Toen de vlammen dichter bij de dichtstbijzijnde koepel kwamen, bukte Hanley zich reflexmatig in een poging aan de verzengende hitte te ontkomen. Ze voelde de angst in haar opwellen, want als water die brand niet kon blussen, dan zou zelfs het reservoir dat Dee haar had getoond nutteloos zijn. Het hele poolstation kon in vlammen opgaan, waardoor ze hulpeloos en dakloos aan de woestenij om hen heen waren overgeleverd. Als het hun lukte het verla-ten poolstation Little Trudeau te bereiken, hoelang zouden ze het daar dan kunnen uithouden?

Nimit trok de mouwen over zijn handen en rende naar de koppeling, halverwege het aanzetstuk van de slang en het mondstuk. Hij probeerde de hendel in de oorspronkelijke positie te draaien. Hanley zag dat hem dat amper lukte. Zij rende eveneens naar de koppeling en trok haar mouwen over de handen, zoals ze dat Nimit had zien doen, en gooide zich met haar volle gewicht tegen de hendel. Hoewel ze slechts enkele stappen verder van het vuur vandaan was, werd ze zich meteen bewust van de snijdende kou die door haar lichaam trok. Ze voelde dat haar oogleden aan het bevriezen waren.

De stroom van vlokken verminderde. Nimit rende naar de twee Ja-panners die de waterslang hadden bemand. Ze kon niet horen wat hij zei, maar ze zag hem wel gebaren over de manier waarop ze de brand onder controle konden krijgen. Zonder waarschuwing vooraf explo-deerde het brandende voertuig, waardoor ze tegen de grond werden ge-slagen en de rest haastig terugdeinsde.

De sneeuwscooter verdampte praktisch, smolt weg, in een oogwenk was alleen het frame overgebleven. Er werd geschreeuwd. De vlammen namen een blauwe kleur aan, waarna er een witte vuurbal ontstond die de hoogte in schoot. Als de onvoorbereide brandbestrijders dichterbij hadden gestaan, zouden ze samen met de sneeuwscooter volledig in vlammen zijn opgegaan. In dit geval echter walmde er alleen rook van hun poolpakken en was de zijkant van de dichtstbijzijnde koepel zwartgeblakerd.

'Zorg ervoor dat iedereen weggaat,' schreeuwde Nimit. 'Die dampen kun je maar beter niet inademen.'

Verneau en Mackenzie dirigeerden iedereen weg van het smeulende wrak, terug de koepel in. Nimit en de geschokte Japanners bleven achter en sleepten stenen aan. De bedoeling was een ring rondom het wrak te maken om te voorkomen dat de smeulende brand zich alsnog verder zou verspreiden.

Samen met de anderen stond Hanley achter het raam van een koepel en keek toe terwijl het drietal aan het werk was. Ze drukte haar trillende handen onder haar oksels en maakte joggende bewegingen om de bloedsomloop weer op gang te krijgen. Toen het trio uiteindelijk terugliep en zich in de koepel bevond, begon iedereen te juichen.

Nimit kreeg haar in de gaten. 'Bedankt dat je een handje hebt geholpen om die brandslang af te sluiten. Je wilt niet weten hoe vaak ik die kerels heb proberen duidelijk te maken dat je met water geen chemische brand kunt blussen.'

'Wat is daar in hemelsnaam gebeurd?' zei ze, nog steeds klappertandend.

'Het vuur moet in de brandstofcel van de sneeuwscooter zijn ontstaan. Een chemische brand is onvoorstelbaar heet... zó heet dat door de hitte water in waterstof en zuurstof wordt gesplitst.'

'Gassen?'

'Zeker. Vervolgens explodeerden die gassen. Nou ja, je hebt het gezien. Dat was de reden waarom de sneeuwscooter fikte als de *Hindenburg*.'

'Ik heb dus feitelijk water zien branden. Wacht maar tot mijn zoontje dat te horen krijgt.'

'Ja, nou, de hele boel had kunnen exploderen. Als de vlam in de brandslang was geslagen... zoals de situatie ervoor stond, zou de koepel waarin we Alex en de anderen hebben opgeborgen mee de lucht zijn ingegaan.' Ze beefde terwijl hij sprak. Maar dat kwam niet door de kou.

'Ik wil graag zo snel mogelijk aan het werk,' zei ze gekunsteld dapper. 'Mijn job schijnt heel wat veiliger te zijn dan de jouwe.'

Verneau installeerde Hanley in een vrijstaande koepel die normaliter alleen in de zomer werd gebruikt. Haar woongedeelte bevond zich vlakbij, aan de andere kant van een korte gang.

'Ik krijg de indruk dat hij niet wil dat ik mijn tijd verkwist met pendelen,' zei ze tegen Dee.

Hanley markeerde de ingang van de koepel met borden waarop het symbool was aangegeven dat op biologisch gevaar duidde. Ze beperkte de toegang voor iedereen, behalve als het om haar eigen personeel en Jack Nimit ging, die zorg droeg voor de technische aanpassingen van haar werkterrein. Gelukkig was de ruimte ontworpen om luchtdicht afgesloten te kunnen worden. Nimit monteerde een luchtfilterkap boven de laboratoriumtafel en een ventilator voor het creëren van een negatieve druk die ervoor zou zorgen dat deeltjes die verspreid door de lucht zweefden binnen bleven, waarna hij twee HEPA-filters installeerde om te voorkomen dat bacteriële en andere deeltjes – ter grootte van een virus – die zich in de lucht bevonden, de koepel konden verlaten.

'Nog iets,' zei ze tegen Jack. 'Ik wil dat je een manier verzint om deze koepel af te grendelen en te verzegelen voor het geval er iets gebeurt, zodat niets zich toegang tot de rest van het poolstation kan verschaffen. We doen ons best onszelf te ontsmetten, maar als de bescherming van de rest van Trudeau in het geding is, zul je ons hier achter moeten laten.' Ze staarde naar die zwarte ogen van hem, en was geroerd door de vreemde schoonheid en zachtheid ervan – die volkomen in tegenspraak waren met zijn harde, hoekige lichaam.

Nimit, onverstoorbaar als altijd, verzekerde haar ervan dat hij dat voor zijn rekening zou nemen.

Hanley reserveerde een grote, lege ruimte in de koepel voor de voorwerpen die op het werkterrein waren aangetroffen – enkele leden van de onderhoudsploeg hadden die met tegenzin verzameld, waarbij ze handschoenen en maskers onder hun poolpakken droegen. Ze hadden hun ongenoegen met betrekking tot deze klus gedemonstreerd door alles botweg te dumpen en er diverse hopen van te maken.

Gekleed in biopakken van het merk Tyvek, en voorzien van ademhalingsmaskers die het hele gezicht bedekten, gingen zij en Dee orde scheppen in de willekeurige hopen en maakten een raster op de vloer om de afzonderlijke voorwerpen die van de respectievelijke wetenschappers waren geweest te scheiden. Alle bezittingen van elk slachtoffer werden geplaatst zoals ze in de schuiltent waren aangetroffen, waarbij ze gebruikmaakten van foto's die Verneau hun had verschaft.

'Geef een gil zodra je etenswaren vindt, Dee. Ik wil het voedsel als eerste onderzoeken.'

Aangezien Jack Nimit het meest vertrouwd was met de technische uitrusting, vroeg Hanley aan hem om de voorwerpen te rangschikken en op te schrijven waarvoor ze werden gebruikt. En wanneer iets er ongewoon uitzag, diende hij daar zeker melding van te maken. Nauwgezet nummerden hij en Dee de spullen en voorzagen ze van een label. Daarbij creëerden ze een overzicht waarmee ze konden werken wanneer later alles minutieus onderzocht zou worden.

'Zo zag op Little Trudeau de werkplek van de archeologen eruit,' zei Dee tegen Hanley. 'Op deze manier kwamen ze erachter hoe de vroege Kurlak-eilanders leefden. Het is zo raar te bedenken dat we dit doen om...'

'Ik snap wat je bedoelt,' zei Hanley, waarbij ze snel even in de arm van Dee kneep. Ze staarde beurtelings naar de voorwerpen en de corresponderende lijst die ze in haar hand hield. Ze reconstrueerde de catastrofe, waarbij de onontbeerlijke getuigen gemist werden – de wetenschappers die deze voorwerpen het meest recent hadden gebruikt en in de schuiltent hadden gewoond.

Hanley hevelde een beetje van de inhoud van de fles cointreau over in een laboratoriumbuisje, en van elke overgebleven kruimel van de etensresten werd een kweek gemaakt. Ze onderzocht zelfs de biologisch afgebroken inhoud van de plastic toiletemmers van de slachtoffers, maar hun uitwerpselen en urine waren sinds lang tot niets gereduceerd, dankzij enzympoeders die zowel op het poolstation als daarbuiten op het ijs werden gebruikt om het ecosysteem niet te belasten met menselijk afval. Als de wetenschappers van de plaatselijk gevangen vis of schelpdieren hadden gesmuld, dan was er nu geen spoor meer van overgebleven.

'Oké, dit neem ik mee naar het laboratorium. Sluit de boel af als je klaar bent en breng me de sleutel.'

'Afsluiten?' zei Dee. 'Op poolstation Trudeau hebben we niet veel sloten tot onze beschikking.'

'Vraag Nimit of hij er snel een paar maakt. Ik wil de hele boel vergrendeld hebben.'

Nadat ze in het belendende laboratoriumgedeelte waren teruggekeerd, waarbij Hanley en haar ingelijfde stafleden zich onhandig bewogen in de dikke biopakken waaraan ze niet gewend waren, maakten ze een werkplek vrij tussen de ongeopende dozen die Hanley in haar *Stilletje* had meegebracht.

'Laten we deze poolpakken eens goed onder de loep nemen,' zei Hanley. 'We mogen geen vierkante centimeter missen.'

'Waar zoeken we eigenlijk naar?' vroeg Kiyomi. Met behulp van een zaklampje tuurde ze in een helm.

'De aanwijzingen hebben doorgaans betrekking op zaken die het gebruikelijke patroon doorbreken, maar eigenlijk zijn er helemaal geen regels. Ik neem genoegen met vlekken, verkleuringen, brand- en corrosieplekken, rare geurtjes, alles wat er niet hoort te zijn. Brandwerend materiaal zou bijvoorbeeld de boosdoener kunnen zijn... op zichzelf is dat materiaal onschuldig, maar het kan toxisch worden in de aanwezigheid van een of andere substantie of terwijl er zich iets aan het ontwikkelen is.'

'Zoals wat?'

'Iets dat katalytisch van aard is, kan een gasvormige uitstoot in de poolpakken hebben veroorzaakt.'

Nadat ze de buiten- en binnenlagen hadden geïnspecteerd, sneden ze de hoogpolige buitenlaag en het luchtdoorlatende *gilet* open.

'Dertigduizend dollar naar de haaien... Canadese dollars,' zei Uli terwijl ze met de Exacto-messen door de nauwgezet afgewerkte poolpakken sneden. Hij trok een handvol doorschijnende vezels los. 'Hier, Kiyomi... pak wat naalden uit de hooiberg.'

Hanley controleerde de kale plek die Uli had achtergelaten. Tot haar verbazing was de stof zwart.

'Net als van een ijsbeer,' verklaarde Kiyomi. 'Zwarte huid absorbeert het zonlicht. De vacht van de beer is transparant en ziet er alleen wit uit vanwege de lichtreflectie.'

'Dus het geheel vormt in feite een raar soort beer-vogel-hybride,' zei Hanley, die de lagen van een van de *gilets* uit elkaar haalde.

'Ja, de buitenlaag wel,' bevestigde Dee. 'Voor die van Trudeau is recentelijk octrooi verleend, in Canada. De aanvraag in de Verenigde Staten loopt nog. Alle belangrijke bedrijven die zich met sportartikelen bezighouden, proberen elkaar de loef af te steken en willen een licentie bemachtigen om de technologie te mogen toepassen.'

Hanley luisterde maar half en concentreerde zich tijdens haar zoektocht naar abnormale zaken, zoals verkleuringen – of wat dan ook – in de verschillende lagen. Ze vond niets ongewoons, waarna ze Uli naar de botanische tuin stuurde om twee vinken te halen.

'Kiyomi... verzamel alle vloeistoffen en spuitbussen die ze op het werkterrein bij zich hadden, alsjeblieft. Breng alles in kaart; ik wil dat jij met elke potentiële katalysator elke laag van het pak test. Als je datgene produceert wat die situatie heeft gecreëerd, zullen de vinken ons dat snel genoeg duidelijk maken. Ze zullen als onze kanaries in een kolenmijn fungeren.'

Ze liet Kiyomi en Uli zien op welke manier je de ademhalingsmaskers en de onafhankelijke luchttoevoer in de vorm van zuurstoflessen omdeed, waarna ze hen met de vogels en de poolpakken naar een belendend beveiligd vertrek stuurde.

Haar vrijwillige staf, volleerde profs, klaagde niet in de geringste mate over de risico's. Stilzwijgend waren ze al overeengekomen dat ze alles zouden doen wat Hanley van hen vroeg, ongeacht hun zorgen en ongeacht datgene waar Hanley naar leek te zoeken. Buiten het laboratorium lieten ze weinig los over hun werk, vastbesloten als ze waren dat het Trudeau-personeel voor nog meer onrust behoed diende te worden.

Jack Nimit kwam uit de gang in een inheems jack, dat gemaakt was van poolvossenbont, de kraag was wit. Hij had een draagbaar vuilverbrandingsapparaat bij zich dat geen residuen achterliet. Het had in de Sno-Cat van de wetenschappers gelegen. Het voertuig had hij zonet bekeken; het stond niet op de inventarislijst. Hanley bediende zich van een krachtterm en rende naar hem toe om met wattenstokjes monsters te nemen van het oppervlak van het apparaat.

'Waar zoek je naar?' vroeg hij.

'Het risico bestaat dat het verbrandingsapparaat gecontamineerd of geïnfecteerd materiaal in vrijwel microscopische deeltjes heeft geconverteerd. Deeltjes die ze allemaal hebben ingeademd.'

Maar het apparaat maakte zijn reputatie waar en was helemaal schoon. Onder de microscoop was niets ongewoons te zien. Van enkele wattenstokjes maakte ze een kweekje, maar ze verwachtte er niets van.

Vervolgens gingen zij en Dee naar de laboratoria van de vier leden van het veldonderzoeksteam. De landmeetkundige instrumenten van Ogata en de meteorologische uitrusting van Kossuth lieten niets ongewoons zien. Het onderzoek van Annie Bascomb – ze was milieubiochemicus geweest – naar de effecten van organische chloriden op de arctische fauna gaf veel mogelijkheden in overweging, maar Hanley wist in dat opzicht niet waar ze moest beginnen. In een belendend laboratorium ondervroeg ze de medewerkers van Bascomb over de chemisch verontreinigde stoffen die ze in het onderzoeksgebied had aangetroffen. Hanley nam alles mee voor onderzoek, zelfs zaken die niet in de verste verte dubieus klonken. Hoewel ze zich zorgen maakte over het psychologisch effect, sloot ze het laboratorium van Bascomb af. Niemand had meer toegang tot dat vertrek, ondanks het feit dat Simon King luid protesteerde.

In het laboratorium van Minskov stopte Hanley de plastic buisjes met ijsmonsters in een zak. IJsmonsters die tijdens die laatste onderzoekstocht waren genomen. 'Wat doe je daar precies mee, Dee?'

'Wat ik ervan begrijp, is dat je een monster van het ijs neemt, ermee teruggaat en het ijs laat dooien. Je onderzoekt de pigmenten, de nutriënten, het zoutgehalte en de mogelijke algensoorten die erin zitten. Wat je noemt routinewerkzaamheden. De wetenschappelijke rapportage kun je ongetwijfeld in de computerbestanden van Minskov vinden.'

Hanley nam de schijfjes met de reservekopie mee en overhandigde ze aan Kiyomi om ze te analyseren. De ijsmonsters leken veelbelovend. Als het drietal iets in het ijs had aangetroffen dat dodelijk was, dan waren ze waarschijnlijk in contact gekomen met dat agens. Volgens zijn collega's kon het ijs waarvan hij monsters nam wel een miljoen jaar oud zijn. Misschien had hij iets ontdekt waaraan de mens nog nooit was blootgesteld en waar het afweersysteem niet op was voorbereid. Hanley ervoer een vlaag van zowel opwinding als angst.

Kiyomi en Hanley begonnen kweken te maken van de afzonderlijke ijsmonsters, waarna ze die weer in luchtdichte trommels opborgen. 'Wat voor werk deed jij op poolstation Trudeau voordat je hieraan begon?' vroeg Hanley.

'In het hibernaculum.'

'Dat klinkt leuk. Wat is precies een hibernaculum?'

'Een door de NASA gesponsord project met betrekking tot hibernatie. We bestuderen waarom dieren uit het noordpoolgebied in staat zijn hun lichaam als het ware in de wacht te zetten, waarbij ze gedurende zeven maanden niet eten en toch in goede conditie blijven. De NASA wil overwinteringshormonen om mee te experimenteren. Canadese, Amerikaanse en Duitse farmaceutische bedrijven zijn eveneens bij dit project betrokken. Ze willen informatie over de desbetreffende cholesterolniveaus, die bij deze dieren 's winters twee keer zo hoog zijn als 's zomers, terwijl ze niet lijden aan een verharding van hun arteriën. Beren maken proteïnes aan, hoewel ze niet eten. Bovendien accumuleren ze geen toxische afvalstoffen en verbruiken ze alleen hun vet. Een bepaalde galvloeistof van die dieren, indien toegediend aan mensen, lost galstenen op. Chirurgische ingrepen zijn niet nodig.'

'Ik kan me voorstellen dat de farmaceutische industrieën daar graag flink voor willen betalen.'

Kiyomi knikte. 'De helft van ons budget is ermee gemoeid.'

Hanley legde haar hand op de schouder van Kiyomi. 'Bedankt dat je op deze manier vrijwillig wilt meewerken. We deden een beroep op jullie, maar dit is echt veel meer dan we van jullie mochten verwachten...'

Zachtjes zei Kiyomi: 'Junzo, Annie, dr. Minskov, Alex... het waren vrienden van ons.'

Na een slaappauze van twee uur troffen Hanley en Dee maatregelen voor een onderhoud met het medisch personeel dat op het noodsignaal had gereageerd, waarbij ze hun officiële rapportage dubbel controleerden. De individuele versies van de gebeurtenis varieerden enigszins, maar de feiten niet. Twee van de slachtoffers, Bascomb en Ogata, waren op dat moment klinisch nog in leven en hadden een nauwelijks voelbare polsslag, een te verwaarlozen bloeddruk en longen die niet wilden contraheren. Verder waren hun lichamen zo wit als ijs. Het derde slachtoffer – Minskov – was echter klinisch dood.

'We hebben toch maar geprobeerd hem te reanimeren,' zei de verpleegster.

'Ja,' zei Uli instemmend.

'Maar zonder resultaat.'

'*Nichts.*'

Hanley bedankte hen en vroeg of ze Simon King, Annie Bascombs baas van de afdeling Milieu, naar binnen wilden sturen.

'Gedroeg Annie Bascomb zich op een ongewone manier voordat ze naar de plaats van het veldonderzoek vertrok?'

'Nee.'

'Hield ze huisdieren op het poolstation?'

'Nee.'

'Heeft ze in het laboratorium onlangs een verwonding opgelopen?'

'Nee.'

'Geen beten van proefdieren?'

'Nee.'

'Kwam ze vaak in contact met vogels, wellicht in het kader van haar milieuonderzoek?'

'Nee.'

'Liep ze op een ongewone manier?'

'Nee.'

'Heeft ze contact gehad met dierenhuiden?'

'Nee.'

'Stekels?'

'Nee.'

'Kwikmengsels?'

'Nee.'

'Zwavel?'

'Nee.'

'Schimmeldodende stoffen?'

'Nee.'

'At ze graag schelpdieren?'

'Nee.'

'Eieren?'

'Nee. Is dat alles?'

'Zegt hij weleens "ja"?' vroeg Hanley nadat hij was vertrokken.

'Nee.' Dee en Hanley schoten in de lach.

Eenmaal terug in het koepellaboratorium deed Hanley een beschermend pak aan en controleerde ze discreet de voorverwarmde zuurstof die de artsen hadden toegediend, waarbij ze de houders onderzocht op etheenglycol, chroom en verdampt methylkwik, maar zonder resultaat.

In feite had ze niets schokkends verwacht. Te veel mensen waren getuige geweest van de abominabele toestand waarin de slachtoffers verkeerden voordat ze zuurstof kregen toegediend.

Kiyomi kwam uit haar testlaboratorium gelopen en overhandigde haar de onderzoeksresultaten betreffende de vloeistof die Hanley van de twee lijken had afgenomen. De heldere vloeistof om de mond was water. Doodgewoon water met minuscule hoeveelheden goedaardige bacteriën die normaliter in de mond- en keelholte werden aangetroffen.

'Verdomme.'

Hanley maakte een prop van het rapport en gooide het papier in de richting van de prullenmand. Weer niets.

Hanley vroeg aan Jack Nimit om haar de Sno-Cat te laten zien, het belangrijkste voertuig van de desbetreffende wetenschappers. Samen onderzochten ze het voertuig op storingen die mogelijk een toxisch proces hadden veroorzaakt. Hij werkte zeer geconcentreerd. Ze boog zich dichter naar hem toe, staarde naar hem, en naar zijn kleine, smalle handen en Aziatische gelaatstrekken.

Nimit was een deskundige in het demonteren van deze machine. Hij controleerde zelfs de kleine onderdelen. De machinerie was onberispelijk. Geen aanwijzingen die op corrosie of chemische activiteit duidden. En er was zeker geen brand uitgebroken. In dit droge arctische klimaat was zelfs geen roestvorming te bespeuren.

'Verdomme,' mompelde ze. Ze had gerekend op een of ander spoor, een of andere aanwijzing die op een fysische oorzaak en gevolg duidde.

Ze liepen naar het tweede, kleinere voertuig. De sneeuwscooter die door Kossuth was bestuurd. Ze herhaalden de procedure, maar bleven met lege handen achter.

'Dit is niet te geloven,' zei Hanley.

'Wat bedoel je?'

'Geen residuen, geen spoor van een chemische reactie. Deze voertuigen zijn smetteloos.'

'Bedankt voor het compliment.'

'Niks dankjewel... heb je ze soms schoongemaakt of zo?'

'Sinds het voorval is niemand in de buurt van die voertuigen geweest. Geloof me als ik zeg dat niemand dat überhaupt zou zien zitten.'

In het laboratoriumverslag kwamen steeds meer negatieve onderzoeksresultaten te staan. Kiyomi had niets aangetroffen op de computerschijfjes van Minskov. En de op kweek gezette ijsmonsters hadden tot nu toe evenmin iets interessants opgeleverd. Hetzelfde gold voor de overgebleven etensresten die men had gevonden op het veldonderzoeksterrein. Ishikawa had een grondig OSHA-onderzoek gedaan inzake de lijst met chemicaliën en samenstellingen. Ze had hem die gestuurd en de gegevens waren afkomstig van het onderzoeksterrein en het laboratorium van Annie Bascomb. Hij had toxisch materiaal in overvloed aangetroffen, maar geen van die stoffen veroorzaakte deze symptomen of verdween na het overlijden van de persoon in kwestie zonder een spoor achter te laten. Hij zocht intensief in het farmaceutisch repertorium naar contra-indicaties met betrekking tot alle medicijnen die ze innamen, waarbij hij lette op onbedoelde, mogelijk fatale combinaties.

'*We beginnen de satellietverbinding te verliezen,*' zei Ishikawa. Zijn stem uit de luidspreker kreeg gezelschap van statisch geruis. Ishikawa en

Hanley konden elkaar zien dankzij kleine camera's die aan hun laptop-monitors waren bevestigd.

'Heeft m'n zoontje mij gemaild?' vroeg ze.

'*Ja, ik ben alles aan het versturen.*' Ishikawa keek opzij. '*Oké, de e-mails horen er nu ongeveer te zijn.*'

'Bedankt.'

'*Vanaf nu kun je trouwens direct met Joey communiceren. We hebben dat met de baas geregeld.*'

Toen de satellietverbinding ermee ophield, had ze nauwelijks kans gekregen afscheid te nemen. Snel opende Hanley haar drie e-mails van Joey en liet zich verzwelgen door de details omtrent zijn dagelijkse leven, een miljoen lichtjaren hiervandaan, op een door de zon verlicht plekje op aarde.

De laatste e-mail was een smeekbede. In de natuurkundeles had Joey de avonturen van zijn moeder in het hoge noorden zitten prijzen. Hij smeekte haar om een uitzending, een livesessie met haar en zijn klasgenoten. Shit, ze kon niet bepaald aan een klas van elfjarigen gaan uitweiden over wat ze hier aan het doen was. Maar het zou geen kwaad kunnen hun de wonderlijke wereld van poolstation Trudeau te laten zien, met misschien als resultaat dat sommigen belangstelling voor natuurkunde zouden krijgen.

'Dat begin er meer op te lijken.' Dee kwam aangelopen.

Hanley keek geschrokken op. 'Wat bedoel je?'

'Je glimlacht. Dat heb ik de afgelopen tijd gemist.' Dee gooide het rapport naast het toetsenbord. 'Kiyomi heeft kainietzuur in het hersenweefsel aangetroffen.'

'Kainietzuur?'

'Dat heeft ze gezegd.'

Hanley moest enkele minuten wachten voordat het contact met Los Angeles weer was hersteld.

'Kainietzuur. Wat zijn de symptomen, Ishi?' vroeg Hanley.

Ishikawa zocht dat snel even op in zijn database. '*Het tast de zenuwcellen aan. De symptomen zijn geprikkeldheid, beven, neurologische stoornissen.*' Hij keek op van zijn toetsenbord. '*Maar wat doet dat spul in de hersenen?*'

'Goede vraag,' zei Hanley. Ze gooide een pen terzijde en leunde naar achteren, weg van het scherm.

'*Luister... Cybil is hier, en zij zegt dat kainietzuur nauw verwant is aan domoiczuur, de boosdoener bij veel Canadese gevallen van voedselvergiftiging als gevolg van schaaldieren. Domoiczuur bindt zich aan de glutamaatreceptoren in de hersenen. Het is er de oorzaak van dat de zenuwcellen onophoudelijk actief zijn tot ze het loodje leggen... overbelast circuit.*'

'Schelpdieren,' zei Hanley tegen zichzelf. 'Bedankt, Ishi... tot later.'

Nadat Hanley de leiding aan Dee had overgelaten, pakte ze een specimenhouder en ging het nerveuze personeel ondervragen dat verantwoordelijk was geweest voor het bereiden en verpakken van de etenswaren die door het veldonderzoeksteam waren meegenomen.

De chef-kok zei: 'We bereiden standaardmaaltijden voor de lui die het ijs opgaan. Met veel extra calorieën, om ze aan de gang te houden.'

'Ook andere gerechten... zaken die niet op de lijst staan? Misschien een speciaal verzoek van een van hen omtrent de etenswaren?'

Enkele personeelsleden keken elkaar vluchtig aan.

'Luister eens, in de zomer vangen we wat levende wulken, ondanks het feit dat ons dat problemen kan opleveren met het Canadese ministerie van Visserij en Oceaanbeheer. Ze zijn nogal taai, niet iedereen is daarvan gediend. Maar die Russische dame was er echt dol op. Ze kwam binnen en drong er min of meer met klem op aan om er wat van in het pakket te doen voor haar afscheidsfeestje.'

'Hebt u ze hier?'

'We bewaren ze hier in zoutwatertanks tot we met de bereiding beginnen.' Hanley voelde de adrenalinestoot in haar aderen. Die toxines waren zo krachtig dat zelfs koken geen soelaas bood. In hun maaginhoud had niets gewezen op toxines, althans volgens het autopsierapport van Ingrid Kruger. Maar saxitoxine, een van de schelpdiertoxines waar Cybil op had geduid, verliet meestal onveranderd het maag-darmkanaal. En als je de smaak van wulken moest leren waarderen, had Kossuth er misschien niet van gegeten. Rustig aan, maande ze zichzelf. Stap voor stap.

'Weet u dat absoluut zeker? Op het veldonderzoeksterrein hebben we geen schelpdieren aangetroffen.'

'Dat zal best... ik weet zeker dat ze de schelpen in de polynya hebben gegooid. Ecologisch gezien zeer verstandig. En ze hoefden minder bagage mee terug te nemen naar Trudeau.'

'Goed. Ik moet de rest van de schelpdieren in beslag nemen.'

'Goeie genade... denkt u dat ze daaraan zijn overleden?' Een van de koks begon te huilen.

Een ogenblik lang staarde Hanley vol ongeloof in de aluminiumtank die men haar toonde. 'Eten jullie die... die dingen? Echt waar? Ze zijn zo groot als zeeschelpen.'

Ze haalde de resterende wulken uit de keukentank en sloot ze luchtdicht af in een zware plastic bak waarop stickers met het symbool dat op biologisch gevaar duidde. Als saxitoxine de boosdoener was, of iets dat erop leek, dan zouden ze dat goedje in de weefselmonsters terugvinden, en ten minste in enkele wulken aantreffen.

Hanley haastte zich door de gangen naar haar koepellaboratorium en vloekte toen ze een verkeerde afslag nam en helemaal terug moest rennen.

'Kiyomi! Uli!' schreeuwde ze bij de deur. 'Help me een handje.' Snel legde ze uit wat ze had ontdekt.

'Denk je echt dat je het hebt gevonden?' vroeg Uli.

Voor het eerst had ze er alle vertrouwen in. Maar ze wist wel beter dan dat ze hun een ophanden zijnde oplossing beloofde. Zelfs in het bijzijn van haar personeel gedroeg ze zich diplomatiek en neutraal.

'Ik raak er in elk geval steeds minder van overtuigd dat de boosdoener anorganisch is.' Ze keek Kiyomi en Uli aan en vroeg zich af in hoeverre ze openhartig tegen hen diende te zijn, of tegen wie dan ook van poolstation Trudeau, aangaande het rijtje mogelijkheden dat steeds kleiner werd. 'Als het wulken zijn, hebben we het over iets dat niet besmettelijk is, en zeer goed te voorkomen... dat is het goede nieuws.'

Vervolgens logde zij in en verstuurde Ishikawa snel een memo waarin ze hem vroeg wat achtergrondinformatie te zoeken betreffende wulken en saxitoxine.

'Uli, ik wil dat jij de wulken gaat tellen en vervolgens iemand drie proefmuizen voor elke wulk aftroggelt. Smeek erom, leen ze, steel ze... het kan me niet schelen wat je ervoor moet doen. Als je maar terugkomt met gezonde muizen die elk tussen de achttien en twintig gram wegen. Neem er een paar van elk laboratorium, zodat niemand zonder komt te zitten. Hoewel, bij nader inzien... als je een mogelijkheid ziet om ze allemaal van Simon King af te pakken en aldus een van zijn experimenten de vernieling in te helpen, doe dat dan vooral.'

Lachend liep Uli naar de deur.

'Oké, Kiyomi... zodra Uli terug is van de jacht gaan jullie met die muizen experimenteren. Doe handschoenen aan. Neem van elke wulk wat celweefsel en injecteer het bij de drie muizen. Geef elk schelpdier en elke muis een merkteken, zodat we weten welk dier we met welk schelpdier aan het testen zijn. Noteer het exacte tijdstip van de injectie. We moeten in ploegendienst gaan werken en ze vierentwintig uur per dag in de gaten houden, want als ze doodgaan... en ik hoop van harte dat ze het loodje leggen... dienen we precies te weten wanneer dat is gebeurd.'

20

De datsja, niet ver van St.-Petersburg, was buitengewoon indrukwekkend en opgetrokken uit steen. Panov had het buitenhuis geleend voor het weekend om met een groep oude vrienden de naamdag van zijn vrouw te vieren. Met jongensachtige onstuimigheid ontving hij Roedenko op het erf.

'Welkom terug aan wal!' riep hij luidkeels. Roedenko glimlachte, waarna ze elkaar omarmden.

Roedenko kende het clubje van Panov niet, een tiental stellen uit St.-Petersburg, maar de avond verliep niettemin aangenaam. Rond middernacht hadden alle vrouwen, op één na, zich teruggetrokken in de verschillende gastenkamers van de nabijgelegen cottage. Zij lieten de mannen drinken en biljarten terwijl ze roddelden en de laatste respectloze grapjes uit Moskou met elkaar uitwisselden.

De minister van Munitie was de eerste die de ogen niet meer open kon houden, binnen een uur gevolgd door een groot aantal andere feestvierders. Het resterende handjevol bleef op en zong schuine plattelandliedjes en legerballades, met rooie gezichten en troebele ogen van de drank en het sentiment. Rond vier uur 's ochtends bleven de eenzame vrouw en de echtgenoot van iemand anders achter. Ze zaten beiden onderuitgezakt op de vloer, leunend tegen elkaar en de bank terwijl ze snurkten.

Panov en Roedenko haalden badhanddoeken uit de linnenkast en sjokten door de sneeuw naar de *banya*. Nadat ze zich in de kille vestibule van de lage berkenhouten keet hadden uitgekleed, moesten ze zich bukken terwijl ze zich naar het centrale vertrek begaven en snel het vuur opstookten onder de droge platte stenen waarmee de houtkachel was omgeven. Binnen enkele seconden hing er een droge hitte in het vertrek. Roedenko hield de handen voor zijn neus om zijn longen te beschermen; Panov leek er absoluut geen last van te hebben en hield zich bezig met water gieten, liet de stenen gloeien en lachte luidruchtig zodra een plens sissend water de atmosfeer in het vertrek vochtiger maakte. Het werd er gloeiend heet.

Nadat ze zichzelf hadden afgeranseld en elkaar hadden geslagen met afgesneden, in warm water gedoopte berkentakken, liep Panov een kwartier later voorop naar buiten. Zijn lichaam dampte. Hij pakte een bijl en hupte spiernaakt door de sneeuw, jankend als een vos en met een dampénd lichaam. Roedenko, ijlhoofdig, liep op een drafje achter hem aan, zijn lijf zo bleek als de sneeuw, terwijl hij het gevoel had dat hij gloeide. Bij het bevroren meertje hield Panov al glibberend zijn pas in en stapte vervolgens behoedzaam over het ijs, waarna hij zich naar achteren boog en met de stompe kop van de bijl tegen het ijs sloeg. Roedenko huppelde naast hem heen en weer, hoppend van het ene been op het andere; zijn geslachtsdelen waren gekrompen van de kou die hij nog niet kon voelen.

Hoewel Panov met een oud wak aan het zwoegen was, bleek het ijs erg hard te zijn geworden. Er waren vier felle klappen voor nodig om het te laten scheuren; na de vijfde was er een wak ontstaan. Met bijl en al plonsde hij in het flink opspattende water tussen de losse ijsklompen. Panov kwam echter meteen weer aan de oppervlakte en lachte onbeheerst.

Panov trok Roedenko mee in het wak en hun geschreeuw echode over het meertje en verbrak de ochtendrust, alsof ze opeens weer jong waren geworden. Nadat ze in het water hadden gestoeid, klommen ze uit het wak en trippelden ze terug naar het badhuis, zo rood als een biet en giechelend als knapen.

Zondagochtend elf uur. Het was eindelijk licht geworden en de gasten begonnen zich te roeren. Mevrouw Panova bereidde als middagmaal *bliny* voor iedereen. Het keukengebeuren verliep traag en ze bleven urenlang in de enorme keuken rondhangen, terwijl ze wachtten op de tweede of derde portie en de broze flensjes bestrooiden met suiker en er abrikozenjam overheen smeerden, waarna ze er rolletjes van maakten en de lekkernij vervolgens net als kinderen met de handen aten. Toen iedereen was bediend, hield Panov zijn hoofd naar achteren en liet een druipend pannenkoekje in zijn mond zakken, alsof hij een degenslikker was.

Vroeg in de middag werd het donker. De gasten vertrokken, een klein konvooi van sedans. Een vrolijke mevrouw Panova ging met hen mee om de avond bij haar zus in de stad door te brengen.

Panov en Roedenko namen plaats aan de berkentafel om hun thee en de laatste restjes wodka op te drinken. De rest van de avond zaten ze wat te soezen bij de open haard. Toen hij te verzadigd was om nog iets anders te nuttigen, ging Roedenko uiteindelijk naar bed en verzonk in een diepe slaap; een wezenloos, droomloos zweven.

In de ochtend, nadat ze laat en loom hadden ontbeten, begaven ze zich naar St.-Petersburg. Panov zat achter het stuur en kwetterde als een vogel, terwijl Roedenko, die slechts half luisterde, aan zijn afspraak in de stad dacht.

Op enkele kilometers van de buitenwijken passeerden ze Tsarskoye Selo. Wist de admiraal, vroeg Panov, dat tsaar Nicholaas en zijn familie hier gevangen waren gehouden in afwachting van hun verbanning naar Engeland? Panov ging verder met zijn lezing en had het over de laatste dagen van de monarchie in het vorstelijke toevluchtsoord – het feit dat de tsaar tijdens zijn afzondering de plattegrond van Londen had bestudeerd, en dat hij Conan Doyle aan de kinderen had voorgelezen, en dat hij zich zorgen had gemaakt of zijn kroost wel snel genoeg zou opknappen om de reis als ballingen aan te kunnen.

'De mazelen!' riep Panov uit. Hij schudde zijn hoofd, vol verbazing over dat feit. 'Is het niet vreemd dat de loop van de geschiedenis afhangt van details?' Roedenko kreeg steeds meer de behoefte een einde te maken aan de preek van zijn oude vriend. Telkens opnieuw werd Panov gedreven door ironie. Bovendien was hij geneigd tot eindeloos gekeuvel zodra hij zich zorgen maakte.

163

'En dan te bedenken dat zonder dat beetje pech de tsaar en tsarina en al hun kleine tsarevitsjen spoedig met hun neven en nichten in Londen aan de thee zouden hebben gezeten. Ha!'

Roedenko gromde en keek aandachtig naar het geprononceerde profiel van zijn vriend: die schichtige blik, de naar voren stekende kin boven het stuur, dat hij met twee handen vasthield. We hebben allemaal op te late leeftijd leren autorijden, dacht hij. De admiraal deed zijn ogen dicht. De monotone stem van zijn oude vriend begon bijna aangenaam aan te voelen en liet hem indutten.

Even later schrok hij wakker terwijl Panov een lange avenue opdraaide die langs de dichtgevroren Neva voerde.

Roedenko bleef met een ronde rug in de slaaphouding zitten, zijn ogen bijna horizontaal met de motorkap. Hij keek naar de verschillende daken van paleizen die de kaaien flankeerden. Geeuwend ging hij rechtop zitten. Ze naderende de Petrus-en-Paulusvesting.

'Daar is het allemaal begonnen,' verkondigde Panov. 'Hij werd op zijn negentiende opgehangen... de oudere broer van Lenin. Hadden ze ooit kunnen bevroeden wat ze daarmee ontketenden? Om de lont in het kruitvat te steken gaat er niets boven het executeren van hen die ons het dierbaarst zijn, hè? Wist je dat de vrouw van generaal Giap werd veroordeeld tot de Franse guillotine en dat haar zus in een Franse gevangenis in Indo-China het leven liet? Ho Tsji Minh was verliefd op haar, die zus.' Panov had dit bijzonder ironische deel van de geschiedenis aan het licht gebracht terwijl hij in Hanoi verbleef, zijn toenmalige standplaats.

Het antieke kanon op de borstwering van de vesting knalde; het geluid dreunde na – het was twaalf uur. Nog dertig minuten, dacht Roedenko. Hij realiseerde zich dat Panov nu zomaar wat aan het rondrijden was, dat hij doelloos door de besneeuwde straten langs de kade reed.

Ze reden langs het Marinemuseum en de universiteit, passeerden de sfinxen die de trappen naar de rivieroever bij de kunstacademie flankeerden, en ze staken de Nikolajevskibrug over naar de Admiraliteit met de hoge, smalle, vergulde piek. Hoe vaak had hij hier 's avonds door deze wel zeer fraaie straten gelopen, samen met Vasily, die toen nog een cadet was.

Roedenko deed zijn militaire pet af en drukte die tussen de voorruit en het dashboard, waarna hij naar het ronde, geëmailleerde insigne staarde, voorzien van een gouden ankertje, omgeven met een gouden laurierkrans, met daarboven de tweekoppige Russische arend. Ooit had hij dit uniform als de graal beschouwd, datgene waarover hij droomde, wat hij ambieerde, het vervullingssymbool. Tegenwoordig ervoer hij dit uniform als een last.

Panov manoeuvreerde de auto langs kanalen en riviersegmenten, langs berken, lindebomen en eeuwenoude gebouwen. De zon kwam eindelijk te voorschijn. De indrukwekkende, vergulde koepel van de St.-Isaak-kathedraal lichtte er fel door op. Ze passeerden snel het oude Singer-gebouw, vervolgens een reeks andere kathedralen die nu weer waren opgeëist door de gelovigen, waarbij inbegrepen het voormalige Atheïsme-museum.

Een eigenaardige plaats, dacht Roedenko. Onder het koepeldak had een pendule van bijna honderd meter lengte naar beneden gehangen, op een deken van zand. De beweging toonde de gyroscopische beweging van de aarde in de perfect elliptische patronen die in het zand waren gemaakt. Op een middag in het voorjaar had hij cadet Nemerov meegenomen naar dat gebouw en hem op die plaats de principes uitgelegd van de traagheidsnavigatiesystemen die in moderne onderzeeërs werden gebruikt. Daarna waren ze naar het Hotel Astoria gegaan om een kop koffie te drinken. Aldaar vertelde Vasily hem over zijn vriendin. De serveerster zag hen aan voor vader en zoon; een van Roedenko's mooiste herinneringen.

Voor hen, aan de andere kant van het Nevski Prospekt, en tot een miniatuur verkleind door de erachter liggende St.-Isaakkathedraal, stond het in Romaanse stijl opgetrokken gebouw van de Admiraliteit aan de oever van de Neva.

'We hebben nog enkele minuten, Georgi Michailovitsj,' zei Panov. 'Het is misschien beter dat we even wat dingen doorpraten.' Behoedzaam reed hij naar de kant van de weg en stopte. Roedenko draaide zijn hoofd en keek hem aan. Panov zuchtte. 'Wát Tsjernavin ook van je wil, probeer eronderuit te komen.'

'Wat wil hij dan?' vroeg Roedenko.

'Wat hij altijd wil,' zei Panov. 'Gezag en controle.'

'Maar wat precies?'

Panov maakte zijn kaak los. 'Dat weet ik niet zeker. Zijn superieuren zijn onze Tartaarse vriend onder druk aan het zetten. De verheven opperbazen verwachten dat hun voortreffelijke krijger doorgaat met het bedenken van nieuwe strategieën om onze jammerlijke financiële en technologische gebreken en tekortkomingen te omzeilen. Ze willen trucjes en dingetjes die niets kosten en die voor wonderen zorgen.' Hij snoof. 'Jarenlang hebben ze elk plan van hem omarmd en hem telkens vóór vele anderen bevorderd. En waarom ook niet? Hij heeft ervoor gezorgd dat een groot aantal van hen geen rekenschap hoefde af te leggen. Althans tot voor kort. Nu krijgen ze een wezenloze blik in de ogen wanneer zijn naam wordt genoemd, alsof ze niet direct betrokken waren geweest bij zijn promoties en huidige positie. Wellicht steken ze binnenkort een afkeurende vinger op om degenen te berispen die verantwoordelijk waren voor het promoten van de belangen van deze omhooggevallen arrivist. Roekeloosheid, zullen ze zeggen, mag nooit de plaats innemen van bescheidenheid en loyaliteit. Het genie zal branden als een meteoor en onopgemerkt en onbezongen teloorgaan.'

'Misschien,' zei Roedenko.

Panov knikte en zuchtte. 'Misschien ook niet.'

'Wat vind je van hem?'

'Ach,' zei Panov geërgerd. 'Ik vind niets van hem. Ik houd hem liever uit mijn gedachten. Die man is ongetwijfeld gewiekst, maar hij heeft nooit geleden in een echte slag. Zijn innovaties zijn fraai, maar niet absoluut betrouwbaar. Het echte werk verloopt niet keurig en gladjes, waarbij de tegenstander zoals verwacht om de tuin wordt geleid, zoals die pennenlikkers het graag willen voorstellen. In hun ogen is slag leveren geen verdomde ellende, zoals dat in ons geval de realiteit was, maar de exacte toepassing van een overweldigende macht om op een keurige manier tactische problemen te laten verdwijnen. Alles bestaat uit bepaaldheden. Bah!' Panov maakte een geringschattend gebaar.

Het vage licht scheen door de voorruit en verbleekte zijn gezicht. 'Onze satellietdetectors zijn geschikt voor een diepte tot dertig meter, verder niet. De omloopbanen van de satellieten zijn ononderbroken en voorspelbaar. Met dat andere spul, die kunstige geluidsapparatuur, kun je niet het verschil vastleggen tussen een torpedo die wordt afgevuurd en een walvis die een scheet laat.' Roedenko hoorde de ergernis in de stem van zijn oude vriend. 'Spelletjes. Dwaze spelletjes. Als een vleeshandelaar maakt Tsjernavin in het Kremlin reclame voor zijn handige maar ondoordachte plannetjes. Aangezien ze nooit iets grondig aan een test onderwerpen, kan hij ze alles voor ongeëvenaard voorschotelen.'

Panov aarzelde. Na enkele ogenblikken ging Panov door.

'Zoals je recente opdracht heeft aangetoond, worden we achtervolgd door zijn oude plannen: de business van de Strategische Strijdmachten die raketonderzeeërs in fjorden en in de oceaan verbergen. Ik vreesde al dat hij nog meer stukken op het bord had staan. In mijn officiële hoedanigheid ben ik nergens van op de hoogte, maar in de afgelopen jaren is er in mijn aanwezigheid over apparaten gepocht.' Hij keek Roedenko aan. 'Hoe noemen bemanningsleden van duikboten die dunne, zwakke plekken in het pakijs, die plaatsen waar de ijsschotsen zo dun zijn dat ze doorzichtig en broos worden?'

'Dakramen,' zei Roedenko.

'Precies. Dergelijke plaatsen, waar het ijs zwak is, zijn niet voorspelbaar. Vroeger kon een onderzeeër al dan niet door dat ijs heen breken om vervolgens raketten af te vuren. Wij hadden niet de capaciteit die de Amerikanen hadden ontwikkeld om met hun speciale raketten het ijs op te blazen en een wak te maken.

'Maar toen kregen wij onze Akula's en Delta's,' zei Roedenko.

'Inderdaad. Maar daarvóór hadden wij onderzeeërs die op betrouwbare wijze door het ijs heen konden boren, maar de geluksfactor was te groot. En mazzel was geen beleid waar onze superieuren vertrouwen in hadden. Tsjernavin kwam met een verfijning die ons een complete en betrouwbare serie vuurposten opleverde. Zijn plan had betrekking op de natuurlijke openingen in de poolkap. In het noordpoolgebied verschijnen polynya's op exacte tijden en op precies dezelfde plaatsen, zelfs in hartje winter. In die wakken, en in de ligging ervan, was Tsjernavin zeer geïnteresseerd. Hij maakte zijn belangstelling duidelijk aan zijn eigen Arctisch Onderzoeksinstituut, hier in Leningrad. Het kwam hem goed uit dat de Canadezen die wakken gedetailleerd in kaart hadden gebracht. Ons marinegenie ontwikkelde een krijgslist waarbij duikboten in het water onder die polynya's werden gestationeerd, wakken die als ramen werden gebruikt om de raketten door af te vuren, als dat ooit nodig mocht blijken. Gelukkig was dat nooit het geval... en gezien de huidige situatie zal dat ook nooit nodig zijn. Maar in die tijd dienden ze een doel. De poolkap van de Noordelijke IJszee zorgde ervoor dat onze raketonderzeeërs niet werden gedetecteerd. En dankzij hun actieradius konden ze met gemak strategische doelen op het westelijk halfrond bestoken. Het was een baanbrekend idee.'

Panov staarde voor zich uit. 'Absurd eenvoudig. Absurd elegant. Verdomme... het was een magistraal plan. De Amerikanen investeerden miljoenen in de ontwikkeling van een duikbootraket die dwars door de poolkap heen kon breken, en in satellietgeleide antiraketsystemen die nooit het licht zagen. Die man...' Panov snoof, '... die man bereikte hetzelfde eindresultaat dankzij Moeder Natuur, en zonder iets noemenswaardig te hoeven ontwikkelen of te produceren.'

Roedenko was geschokt en in verlegenheid gebracht vanwege het feit dat hij dat nooit geweten had. 'Hoelang ging dit door?'

Panov haalde zijn schouders op. 'Ze houden de gegevens op zorgvuldige wijze achter, zelfs voor de andere marinediensten. Zeker tot in de jaren tachtig.' Panov keek zijn passagier een moment lang aan, waarna hij weer door de voorruit staarde. 'Daarna volgde de grote ineenstorting. Desalniettemin was Tsjernavin al op zijn voetstuk, ontketend, met nieuwe dingen bezig. Wat kon het hem schelen dat er het een en ander moest worden achtergelaten? Maar onlangs ging er iets mis. Iets dat te maken heeft met het researchstation in het noordpoolgebied. De *Vladivostok* zou een burger terugbrengen die aan hem rapport moest uitbrengen over het poolstation.'

'Een burger? Die vrouw?'

Panov knikte. Hij had de motor uitgezet, waardoor het kil was geworden in de auto.

Roedenko stak zijn handen diep in zijn jaszakken. 'Wat is er gebeurd?'

'Wie zal het zeggen? Een of andere noodsituatie. Vierennegentig Russi-

sche marinemensen zijn overleden, zij is dood, de onderzeeër verloren gegaan en Tsjernavin is nergens meer zeker van.' Hij sloeg tegen zijn dijbeen. 'Het zou eigenlijk niet uit moeten maken. Die vuurposities kunnen
naar de klote lopen. We kunnen onze marinemensen amper voeden, of de
personen voor wie ze financieel verantwoordelijk zijn onderdak geven, of
hun schamele salarissen... verhoogd met voedselbonnen... uitbetalen. We
mogen van geluk spreken dat er überhaupt vaartuigen het zeegat uitgaan,
laat staan dat we er aanvallen mee uitvoeren. Het pientere plan van
Tsjernavin is verleden tijd, een voetnoot. Maar het symboliseert wel problemen. De boel dient opgeruimd te worden, de rotzooi bijeengeveegd.'

'Hebben ze ontdekt hoe de bemanningsleden zijn overleden?' vroeg
Roedenko. 'De stralingsniveaus waren normaal.'

Panov draaide de contactsleutel om. 'Ze hebben het lijk dat jij hebt
meegenomen zo snel mogelijk overgebracht naar het Instituut voor Microbiologie en Virologie. Het stoffelijk overschot is meteen opengesne-
den en er werd elk denkbaar onderzoek op losgelaten. Ze vonden niets.
Ze vlogen ermee naar Sergijev Posad, naar de basis waar biologische wapens liggen opgeslagen. Alweer niets. Ze hebben geen flauw idee wat er
aan de hand is.' Panov kleurde. 'Ze hebben deskundigen van Koltsova
overgevlogen voor advies. Zij kwamen evenmin met een antwoord. Intussen zitten de arme duikers die het lijk hebben geborgen nog steeds ergens in quarantaine weg te kwijnen. De artsen zijn doodsbenauwd.'

'Jevgeni Aleksandrovitsj, wat wil je me eigenlijk duidelijk maken?'

Panov keek uit over de rivier. 'Tsjernavin probeert die kleine ramp van
hem onder controle te houden en betrekt zo min mogelijk mensen buiten zijn invloedssfeer bij deze toestand. Hij is zo stom om hulp van andere afdelingen te weigeren, ondanks het feit dat de boel uit de hand
loopt.' Opnieuw keek hij Roedenko aan. 'Ga nergens mee akkoord als
dat niet nodig is. Blijf uit zijn rotzooi. Tsjernavin heeft dit jarenlang voor
ons verzwegen. Laat hem zijn eigen troep maar opruimen. Raak er niet
bij betrokken.'

Roedenko schoof de mouw van zijn jas omhoog en keek op zijn horloge. 'Ik zal het proberen,' zei hij.

Een tram met drie wagons stak het kruispunt over. De wielen maakten
een schrapend, gierend geluid op de rails. Roedenko rook ozon.

'Vertel me één ding, Georgi Michailovitsj,' zei Panov. 'Die lijken. Die
gezichten. Was het zo erg als ze zeiden?'

Roedenko knikte bars. 'Ja. Het wit van hun ogen zweefde er in slier-
tjes uit. De lichamen waren op een afschuwelijke manier verwrongen.
Op de terugweg heeft niemand een oog dichtgedaan. Ik zal je de foto's
besparen.'

Met op elkaar geklemde kaken floot Panov tussen zijn tanden terwijl
hij vluchtig in de zijspiegel keek en de weg opreed, waarbij hij bijna een

enorme hond en zijn baasje – een Nieuwe Rus, beide gehuld in zwart Italiaans leer – overreed.

'Hufter,' mompelde de man.

'Krijg de kolere,' schold Panov binnensmonds.

21

'Sabotage.' Tsjernavin zei dat op een nogal afwezige toon terwijl hij door de hoge ramen van zijn kantoor naar buiten keek alsof het verkeer langs de Neva zijn aandacht had.

Ver achter hem zag Roedenko een rij stadsmensen die naast elkaar en half liggend aan het zonnebaden waren op de glooiing van de enorme stenen rivierdijk. Onder hun lange winterjassen hadden ze zich tot op hun schoenen en ondergoed uitgekleed en hielden als exhibitionisten hun overjassen open, zodat het bleke zonlicht bij hun huid kon.

Sabotage. Tsjernavin was teruggekeerd naar zijn bureau en weer bij de les. 'Een verontrustende, maar onvermijdelijke conclusie, gezien het bewijs dat de *Roes* had meegenomen, in het bijzonder dat lijk.'

'Is het marinehoofdkwartier voornemens een herdenkingsceremonie te organiseren?'

'Nee, dat denk ik niet. De staatsveiligheid belet zoiets op dit moment,' zei hij, waarna hij het aan Roedenko overliet te gissen naar wat er niet gezegd was: er zou nooit een herdenkingsceremonie komen voor de *Vladivostok*, zelfs geen bekendmaking dat de onderzeeër verloren was gegaan. Hij werd simpelweg uit bedrijf genomen. Ongetwijfeld werden ook nu individuele brieven naar de directe nabestaanden verstuurd; onbewogen, maar niettemin verzoenende woorden, en vaag wat betreft de omstandigheden waarin zoon, broer, echtgenoot, vader was overleden. 'Zeer betreurenswaardig... de zee heeft genomen.'

Roedenko knikte. Hoe weinig wist deze aan het bureau gekluisterde marineman af van het leven van de militairen of van het verdriet van hun familie. Direct of indirect had Tsjernavin de bemanning van de *Vladivostok* vermoord.

Tsjernavin hield de bril bij zijn neus om het rapport dat opengeslagen op zijn bureau lag te kunnen bestuderen. Met een weloverwogen afstandelijkheid las hij de belangrijkste punten hardop voor.

'Het hoofd van de afdeling Pathologie van het Instituut voor Microbiologie en Virologie rapporteert dat volgens de mensen die op haar afdeling werken het lijk dat voor onderzoek aan hen was toevertrouwd aan een dodelijke dosis neurotoxine is overleden, waarschijnlijk in gasvormige toestand. Deze substantie... van onbekende aard... verlaagde het cholinesteraseniveau, een in de rode bloedcellen aanwezige stof die de musculaire activiteit controleert. Er waren weinig rode bloedlichaampjes, bovendien uitermate vervormd. Het betreft, ongeacht de aard van de substantie, een zeer effectieve en bijtende stof die extreem destructief is voor bronchiaal en oculair weefsel.' Hij gooide het document op het bureau. 'Dat ziet er niet best uit.'

'Inderdaad,' zei Roedenko. Uit zijn borstzak diepte hij een foto op en legde die op het dossier. 'Zoals dit zal getuigen.'

Niet de geringste mate van onbehaaglijkheid ontsierde de houding van Tsjernavin terwijl hij de foto aandachtig bekeek. 'Waar is die genomen?' vroeg hij.

'In de hut van de commandant.'

'Goed, ik begrijp het.'

'Je vraagt je af wat er met haar in vredesnaam is gebeurd.'

'Ja,' zei Tsjernavin. 'Ja, inderdaad, wat u zegt.'

'Ik hoop dat u het niet afkeurt dat ik u dit persoonlijk overhandig. Ik vond het echter beter die foto bij me te houden.'

'Absoluut niet, admiraal. Sterker nog, ik vind het prijzenswaardig dat u uw plichten zo goed en discreet hebt volbracht. Uw manschappen hebben zich op de meest verantwoordelijke en onzelfzuchtige wijze van hun taak gekweten, waarvoor u gepaste lof verdient.' Hij glimlachte. 'U moet bovendien weten dat uw naam wordt genoemd als kandidaat voor het Comité Generaal van de Marine. Gefeliciteerd.'

'Dank u, meneer. Ik vertrouw erop dat mijn aanbevelingen omtrent eervolle vermeldingen betreffende verschillende leden van de *Roes* gehonoreerd zullen worden.'

'Dat lijdt geen twijfel.'

Tsjernavin kwam achter zijn bureau vandaan, ging de admiraal vervolgens voor naar een sofa bij het haardvuur en vroeg zich hardop af of Roedenko een andere opdracht in overweging zou willen nemen. Roedenko zweeg, alsof de vraag een abstractie zou blijven als hij geen antwoord gaf. Hij hoopte dat hem een of ander excuus te binnen viel, maar de man ging simpelweg verder met aandringen en beschouwde zijn zwijgzaamheid kennelijk als een toestemming.

'Tijd is van essentieel belang. We hebben een betrouwbaar persoon nodig om terug te gaan naar de bestemming die de *Vladivostok* had, en het welzijn van de andere Russen op het poolstation, waar die vrouw werd opgehaald, te waarborgen. Zo nodig moeten we ze evacueren, winter of geen winter.'

Een klop op de deur kondigde een lange, blonde man aan in een elegant donker pak. De admiraal ging staan en stelde Pjotr Stepanovitsj Kojt aan hem voor, werkzaam voor het Staatsinstituut voor Virologie en Biotechnologie, een voormalig Siberisch centrum waar biologische wapens werden ontwikkeld en waarvan de geruchten gingen dat er weer activiteiten gaande waren. Een dodelijk slachtoffer, voorheen werkzaam bij dat centrum, was breed uitgemeten in de pers; een blootstelling – een ongeluk – aan het ebolavirus, waarbij niemand zich er zelfs maar van bewust was dat men dat micro-organisme bij zich droeg. Hij nam naast Roedenko plaats.

Op een nogal terloopse toon vroeg Tsjernavin aan Kojt om de foto te bekijken die Roedenko had meegebracht. Vluchtig keek de man ernaar, schikte zijn manchetten en gaf het kiekje aan hem terug.

'Dat is onze dr. Tarakanova. Ze ziet er slecht uit.'

De gelaatstrekken van Kojt waren een mengeling van licht en donker; de zwarte ogen van een Russische moeder, het lichte haar van een Scandinavische vader, dacht Roedenko. Omtrent zijn ware roeping hoefde geen twijfel te bestaan. Hij symboliseerde het vereiste type man – vriendelijk en bereisd.

'We hebben vernomen,' zei Tsjernavin, 'dat drie andere leden van de Canadese wetenschappelijke groep op soortgelijke wijze zijn overleden, onder hen een Rus.' Vluchtig keek hij naar Kojt, die de naam noemde.

'Minskov.'

'Ottawa heeft geen bevredigende verklaring voor deze sterfgevallen gegeven. Voor Rusland is het van vitaal belang dat u de veiligheid van onze burgers op het arctisch poolstation bevestigt.'

Roedenko was in verlegenheid gebracht door deze plotseling opduikende patriottische bezieling. Het leek op een geveinsde vertoning om indruk te maken op Kojt. Deze luisterde echter slechts half terwijl hij frunnikte aan een houten beeldje van een zilverreiger dat zich op het bijzettafeltje naast zijn stoel bevond. Zijn gouden manchetknopen glinsterden in het licht. Hij wachtte tot deze schijnpresentatie een einde nam, dacht Roedenko. Hij was inmiddels van alles op de hoogte. De briefing van Tsjernavin was een showvertoning.

'Ongetwijfeld verlangt u ernaar de recente opoffering van uw kameraden goed te maken, admiraal,' zei Tsjernavin.

'Ongetwijfeld.' Kojt herhaalde diens woorden en trommelde met zijn vingers op de armleuning. 'Eeuwig zonde.'

'Kojt zal u begeleiden als arctisch onderzoeker, gespecialiseerd in bepaalde medische zaken,' zei Tsjernavin. 'Hij kan fungeren als contactpersoon tussen u en ongeacht welke instanties die op dat poolstation werkzaam zijn. Wat vindt u ervan, admiraal?'

Roedenko was zich bewust van de gefronste wenkbrauwen van zijn

171

meerdere en vroeg zich het een en ander af. 'Als deze zaak voorzien is van een groene vlag, dan hoor ik dat te weten,' zei hij, waarbij hij refereerde aan het oude maritieme embleem van de KGB. 'En wel nu meteen.' Hij keek Kojt aan. 'En het moet duidelijk zijn dat die wimpel onder de vlag van de vlootcommandant staat.'

Tsjernavin was zichtbaar overdonderd door de openhartigheid van Roedenko. Onhandig aarzelend zocht hij even naar de juiste woorden en vroeg zich ongetwijfeld af of hij deze onbeschaamdheid en insinuatie aan de kaak moest stellen. Kojt onderbrak hem echter.

'Admiraal,' zei hij terwijl hij een sigaret opstak. 'Uw autoriteit in deze kwestie staat buiten kijf.' Terwijl hij sprak stroomde de rook uit zijn mond. 'Het ministerie van Defensie verleent u de bevoegdheden en accepteert uw gezag in deze zaak. Mijn opdracht van het instituut bestaat eruit dat ik de belangen van onze mensen op poolstation Trudeau bescherm en erachter kom wat daar is voorgevallen. U hoeft mij daar alleen maar heen te brengen en ons vervolgens allemaal weer veilig naar huis te vervoeren, nadat mijn opdracht is volbracht.'

'Kijk aan!' De opperbevelhebber van de Marinevloot Tsjernavin glimlachte welwillend naar vlootadmiraal Roedenko en ging staan om de bijeenkomst te besluiten. 'Ziet u wel? Alles is geregeld.'

22

Het nieuws over Hanleys sprint van de keuken naar het laboratorium had zich snel verspreid. Nu wilde iedereen de meest recente update betreffende het onderzoek dat op de muizen werd gedaan. Zodra ze even pauzeerde en in de kantine wat ging eten, kreeg ze nauwelijks een hap door haar keel omdat er altijd wel iemand bij haar tafel stopte die haar succes wenste, maar in werkelijkheid wanhopig graag iets definitiefs en geruststellends wilde vernemen.

Ze kon hun echter niets vertellen. Zij en haar personeel observeerden de muizen dag en nacht, waarbij ze periodiek elke muis onderzochten of die mogelijk ziekteverschijnselen vertoonde. Maar ondanks de knobbels onder hun vachtjes, als gevolg van het geïnjecteerde wulkweefsel, bleven de muizen zich normaal gedragen; ze snuffelden, maakten holletjes, aten, krabden en sliepen. Aangezien Hanley het moeilijk vond om de slaap te vatten, nam ze de nachtdiensten op zich, waarbij ze blij was dat ze op die manier bij haar personeel, allemaal vrijwilligers, even de druk van de ketel kon halen. Met opgetrokken knieën zat ze in haar nachthemd – XL – van L.A. Morgue, waarop 'Onze dag begint als de uwe eindigt' stond gedrukt, terwijl ze de ene sigaret na de andere opstak en uren achter elkaar naar de muizen staarde, waarbij ze die dieren bijna met haar wilskracht dood wilde laten gaan. Aanvankelijk deed elk zenuwtrekje denken aan het begin van een reeks convulsies, maar ook na vier dagen bleven de muizen die met wulkweefsel waren geïnjecteerd ergerlijk gezond. 'Potverdomme!' Hanley had het niet meer. 'Het is onmogelijk dat die toxines er zo lang over doen. Haal die maar van de lijst. Kiyomi... hoeveel chemicaliën van het kampement hebben jij en Uli nog over om te testen?'

'We zijn bijna klaar. We hebben echter niets gevonden.'

Hanley vroeg aan Ishi om de leidinggevende staf van het Centrum op te roepen voor een on line brainstormsessie.

Haar collega's ontmoetten elkaar rond een tafel op de patio in de Californische zon – Lester Munson; Cybil Weingart zat naast hem en rookte een sigaret; Petterson met een vrijwel ondoorzichtige zonnebril op en in een witte broek; Bernard Piker met zijn meerschuimen pijp; en een van een vlinderdas voorziene Henry Ruff die in kleermakerszit als een kalief op een ottomane zat en met een hand zijn ogen afschermde tegen het zonlicht. Met behulp van de videocamera, bevestigd op een draagbare monitor, was Hanley virtueel bij deze vergadering aanwezig. Een handdoek die als een tent boven het scherm hing, beschermde de apparatuur tegen de felle gloed. Een assistent had de tafel beladen met mappen waarin zich informatie bevond over de sterfgevallen op poolstation Trudeau.

'Is iedereen er?' vroeg Munson. 'Goed. Kun je ons horen, Jessie?'

'Luid en duidelijk, chef.'

'Mensen... dr. Hanley heeft geen aanwijzingen kunnen vinden die erop duiden dat er sprake is van een niet-organische chemische agens in gasvormige toestand. Geen bewijzen dat er schadelijke dampen aanwezig waren. Geen verontreinigende stoffen. Geen gif. In deze onderzoeksfase denkt ze dat het waarschijnlijk om een organische stof gaat. Om die reden wil ze het onderzoek in een andere richting sturen. De enige echte aanwijzing op dat gebied was negatief, dus moeten we wat andere invalshoeken gaan verkennen.'

Hij wendde zich tot zijn assistent bij het witte bord. Deze schreef MICRO-ORGANISMEN in rood op het witte bord, ofwel de verwijzing naar de mogelijke boosdoeners, waarna hij VECTORS opschreef, ofwel de dragers ervan. Munson keek de anderen aan. 'Wie een onthullende observatie heeft, kan meteen van wal steken. Ga jullie gang.'

'De pest kunnen we doorstrepen,' zei Cybil, die as van haar blouse streek. 'Het tijdsbestek zou verdomd veel langer zijn geweest. Dan zouden ze geweten hebben dat ze ziek waren en hulp hebben ingeroepen. Zelfs bij een gelijktijdige blootstelling zou de incubatietijd van de pest bij deze drie mensen verschillend zijn geweest.'

'Laten we eens wat ruimer gaan denken,' zei Ishikawa. 'Een nieuwe vorm van het coronavirus? Sneller dan SARS? Iedereen denkt dat dat schatje snel kan muteren, maar het is veel en veel langzamer dan dit exemplaar. Dit heeft zich geen dagen kunnen ontwikkelen, hoogstens enkele uren.'

Cybil zei: 'Ishi heeft gelijk... als het een micro-organisme betreft, dan is het zo virulent als maar zijn kan. Het plant zich voort als in een bioreactor.' Cybil blies een rookpluim naar het scherm. 'Maar er is nóg een groot verschil. De meeste microbiologische boefjes die we zijn tegengekomen, verdrinken in feite hun slachtoffers. Ebola, veteranenziekte.' Ze nam een haal van haar sigaret. 'Ze bloeden dood, verdrinken in hun eigen lichaamsvocht. De longen van deze lui hebben echter een kiezelstructuur aangenomen.'

'Vezelachtig,' verbeterde Ishikawa haar.

'Oké,' zei Munson. 'Laten we even wat langer stilstaan bij de longen.'

'Nu we het daar toch over hebben, moet ik opeens aan mycoplasma denken,' zei Petterson. 'Mycoplasma heeft geen celwanden, houdt zich tussen de cellen schuil en ziet er amper uit als een organisme... In feite veeleer als een filament, een vezel. Toevallig is het ook zo dat een uitbraak van mycoplasma er op een röntgenfoto uitziet als een sneeuwstorm, zoals datgene waar we nu mee te maken hebben.'

'Zeker,' zei Bernard Piker, die met zijn stropdas zijn bril schoonmaakte. 'Dit organisme is betrokken bij allerlei soorten eigenaardige aandoeningen... chronische vermoeidheid, Golfoorlogsyndroom... en kan beslist acute ademhalingsproblemen veroorzaken. Het komt echter zelden voor dat het zich zo snel ontwikkelt, en het veroorzaakt na één blootstelling zeker geen drie sterfgevallen, tenzij we ons geconfronteerd zien met een of andere opgezweepte variëteit die we nog niet eerder hebben gezien.'

'Oké, mycoplasma, een mogelijkheid.' Munson keek vluchtig rond. 'Nog meer ideeën wat de longen betreft?

Hanley zei: '*Stel dat het een actinomyceet betreft, zoals het bacteriegeslacht Nocardia? Zouden ze bij vervuilde grond geweest kunnen zijn en die hebben ingeademd?*'

'Dat is mogelijk,' zei Ishikawa. 'Een ernstig geval van besmetting met Nocardia veroorzaakt coma, attaques en blijvende hersenbeschadiging. De lichamen waren wel degelijk verwrongen, wat aan een attaque doet denken. Inderdaad, misschien heb je gelijk.'

Ruff kreeg een minachtende trek op zijn gezicht. 'Dat is allemaal goed en wel, maar de longschade bij een besmetting met Nocardia is progressief, niet acuut. En niet dodelijk, tenzij er sprake is van een probleem in het immuunsysteem. Deze mensen waren gezond. Bevindt zich in dat oord trouwens aarde die niet bevroren is? Waar zouden ze bij die grond hebben kunnen komen?'

Ondanks de tegenargumenten van Ruff maakte Munson een gebaar naar zijn assistent om het woord *actinomyceten* op het bord te schrijven.

Om indruk te maken deed Ruff met een ruk zijn bril af en wees ermee naar het scherm terwijl hij zei: 'Dat agens heeft wel erg snel drie mensen omgebracht. Hoe zou het in *vredesnaam* om een micro-organisme kunnen gaan?'

'*Dr. Ruff...*' zei Hanley op het scherm, '*... bacteriën zetten binnen twintig minuten een nieuwe generatie op de wereld. Virussen doen dat zelfs nóg sneller. Bovendien repliceren ze zich exponentieel. Dat lijkt mij snel genoeg. Het griepvirus van 1918 sloeg binnen achtenveertig uur dodelijk toe. Dus waarom zou dit micro-organisme dat niet binnen vier uur kunnen bewerkstelligen? Het feit dat we nog nooit zo'n snel micro-organisme hebben ontdekt, wil niet zeggen dat het niet bestaat. Mag ik je er misschien aan herinneringen dat we minder dan twee procent van de aardse microben in kaart hebben gebracht?*'

Ruff trok een chagrijnig gezicht. 'Suggereer je daarmee dat die drie gevallen de voorlopers zijn van... ja, wat?... een nieuwe pest? Dat een nog niet geïdentificeerd virus ze heeft omgebracht?' Hij schudde zijn hoofd. 'Dat lijkt mij een beetje voorbarig en hoogdravend. Met die speculatie kan ik niet overweg. Het is simpelweg onlogisch.'

'*Henry...*' zei ze, '*... de tijd werkt hier niet in mijn voordeel. Ik heb hier tweehonderd mensen die in feite tot in de eerste week van maart in quarantaine zijn. En daarna willen ze hier weg. Sommigen willen nu al weg. Het zijn geen lui zonder invloed. Het zal er daarna luidruchtig en verwarrend aan toe gaan. Vóórdat het zover is, moeten we weten wat hier speelt, en we hebben niet veel tijd. Als de boosdoener microbiologisch van aard is, moeten we ons bovendien zorgen gaan maken over die Russische vrouw die het poolstation heeft verlaten. Als zij draagster is... wie weet waar zij inmiddels overal geweest is. Moge God verhoede dat die microbe ergens aan de andere kant van de wereld besluit om opnieuw toe te slaan, ergens in een dichtbevolkt gebied.*'

'Ik begrijp nog steeds niet...'

'*Nou moet je eens goed naar me luisteren...*' zei Hanley. '*Ik ben het met je eens. Alleen gif of een wapen brengt drie personen van een groep van in totaal drie mensen om. Maar als het wonderlijk genoeg om een microbe gaat, hebben we te maken met een monster.*'

Ruff rechtte zijn rug. 'Dr. Hanley...'

'*Ik stel in alle ernst een WOG voor.*'

'Een WOG?'

'*Ja. Een Wetenschappelijk Ongehoorde Gok. Ik sluit geen gifstoffen of een anorganisch agens uit. Het wordt echter wel tijd om ons ook met micro-organismen bezig te houden. Ik moet erachter zien te komen waar de vector zich bevindt, die vervolgens afgrendelen van Trudeau en ervoor zorgen dat die vector nergens heen kan.*'

Petterson deed zijn lage schoenen uit en drukte zijn blote voeten tegen een stoelleuning. 'Ik sta achter Jessie. Ik denk niet dat het om een variant van het aloude verhaal gaat. Dit zou weleens grensoverschrijdend kunnen zijn... iets nieuws dat we niet eerder tegen het lijf zijn gelopen.'

Ruff maakte een ondubbelzinnig afkeurende beweging in de richting van de computermonitor. 'Wat jij daar voorstelt, is van een behoorlijk extreme aard... je zit achter een vermeend micro-organisme van Niveau 4 aan met het materieel en de veiligheidsuitrusting die amper geschikt is voor Niveau 2.'

'*Ik heb niet bepaald veel keus,*' zei ze. '*Tenzij jij even langs wilt komen met een opblaasbaar laboratorium dat aan de vereisten van Niveau 4 tegemoetkomt.*'

'Nou ja,' zei Munson, 'bekijk het eens van de positieve kant, Jessie. *Als* het om een nieuw soort microbe gaat, met een mysterieuze vector, grijp dat beest dan in de kraag en het krijgt jouw naam. Je wordt beroemd.'

'Als ze je al iets over een beest als dit monster laten publiceren,' mompelde Petterson. 'Behalve dan dat ze het beest naar je vernoemen... postuum.'

'Oké, mensen,' zei Munson. 'Jessie heeft het magische woord al uitgesproken... wapen. Aangezien we ons misschien geconfronteerd zien met iets dat potentieel zo krachtig is, moeten we nadenken over iets biologisch dat als wapentuig zijn plaats heeft gekregen. Cybil, jij bent de WMD-deskundige. Kun jij een overzicht geven van de hitparade als het om biologische wapens gaat?'

'Natuurlijk. Iedereen heeft een andere toptienlijst met betrekking tot gemodificeerde micro-organismen. En uiteraard is iedereen het erover eens dat antrax boven aan die lijst hoort te staan. Zeer populair omdat het een onversaagd standvastige bacil betreft. Veel andere microbesoorten sterven zodra ze met zonlicht in aanraking komen. Miltvuursporen leven echter in allerlei soorten milieus onverschrokken door. In sommige opzichten doet dit bijna aan antrax denken. Antrax dat de longen aantast, komt buiten de industriële gebieden zelden voor. Dus als die wetenschappers dat soort hebben opgelopen, heeft iemand hen daaraan blootgesteld. En als het antrax is, dan betreft het een opgezweepte variant die sneller aan het werk gaat dan alles waar de natuur zelf ooit mee op de proppen is gekomen. Zodra de laboratoriumtechneuten op Trudeau ervoor zorgen dat we kweken te zien krijgen, zullen we het snel genoeg weten. Maar één ding zal ik je wel vertellen, de gedownloade röntgenfoto's halen mij heus niet over de streep,' zei Cybil. 'Ik heb nog nooit een antraxröntgenfoto gezien zonder extreem vergrote mediastinale lymfklieren. Dat betreft namelijk het klassieke symptoom.' Ze tikte tegen de losbladige vellen met informatie en gegevens over de aandoening van de slachtoffers. 'Die heb ik hierin niet gezien.'

'Goed,' zei Munson. Hij tikte tegen de patiotafel. 'Wat hebben we nog meer?'

'Ik zeg dit absoluut niet graag...' Ze blies rook omhoog, '... maar de meest waarschijnlijke verdachten zijn standaardmaterialen in de biologische wapenarsenalen: botulinum en tetanus. Beide soorten overleven in extreme omstandigheden, en in neurologisch opzicht zijn de effecten uitermate verwoestend van aard. Ik geef toe dat er maag-darmsymptomen zijn die we bij de slachtoffers niet hebben aangetroffen... braken, incontinentie met betrekking tot de ontlasting... maar ik vraag me af of we niet naar een verwante soort aan het kijken zijn.'

'Natuurlijk of gemodificeerd?' vroeg Piker.

'Een lugubere vraag,' zei Cybil. 'Een onnatuurlijk verwekte ziekteverwekker? Ik vraag het me af.' Ze streek met haar vingers door haar grijze lokken. 'Virussen zijn verdomd moeilijk te kweken en laten zich buiten de gastheer niet gemakkelijk in leven houden. En ze zijn moeilijk onder controle te houden. Bacteriën en schimmels zijn goedkoop en goed beheersbaar. Maak wat smurrie voor ze klaar om van te leven en je hebt een toxinefabriek. Je hoeft dan niet het voorziene lichaamsgewicht van het slachtoffer of wat dan ook te berekenen. De ziekteverwekkers planten zich simpelweg in de gastheer voort tot het dodelijke toxineniveau is bereikt... bingo. Je hebt er amper materiaal of zelfs maar het diploma van de middelbare school voor nodig om je doel te bereiken. Als je bier kunt brouwen, kun je ook biologische wapens maken.' Ze zweeg even om met haar peuk de volgende sigaret aan te steken.

'Excuseer,' onderbrak Ruff haar, 'maar hebben bioterroristen geen grotere doelen voor ogen, zoals steden, wijken, transportsystemen, nationale instituten, internationale symbolen? Drie noordpoolonderzoekers ombrengen op een onderzoeksterrein lijkt mij amper iets dat hun voldoening schenkt. En hoe zouden terroristen daar in vredesnaam moeten komen?'

'In feite houden bioterroristen ervan om in de buitenwijken te experimenteren voordat ze naar het stadscentrum gaan om daar hun show op te voeren,' zei Cybil monotoon, zo eigen aan haar. 'Ze willen van tevoren zeker weten of datgene wat zij in handen hebben ook werkt op de manier zoals zij denken dat het werkt. Een of andere afgelegen plaats is ideaal. In handelsjargon wordt dat een demonstratieaanval genoemd. Op zijn eigen excessieve manier maakte dat beleid deel uit van wat Saddam met de Koerden aan het doen was terwijl hij die vergaste.'

Hanley zei: '*Als dit een demonstratieaanval is, wil ik er niet bij zijn wanneer ze met het echte werk beginnen.*'

'Henry heeft een punt te pakken,' zei Munson. 'Hoe zouden terroristen daar moeten komen?'

Cybil haalde haar schouders op. 'Ik neem aan dat ze daar vanaf het begin aanwezig moeten zijn geweest.'

'Hoe waarschijnlijk is dat?'

Op het scherm vouwde Hanley de handen achter haar hoofd en grijnsde schalks. '*Inderdaad, Cybil... denk jij dat de kerstman hier zijn werkplaats in de slappe periode heeft uitbesteed aan terroristische trollen?*'

Cybil deed één oog dicht tegen de sigarettenrook. 'Op dat researchstation werken wetenschappers uit hoeveel landen? Waarom zou een van hen geen foute wetenschapper kunnen zijn? Of denk je dat we *allemaal* zonder zonden door het leven gaan?'

Munson wendde zich tot zijn assistent die bij het bord stond, en zei: 'Krankzinnige wetenschapper.' Plichtsgetrouw schreef de assistent met de markeerstift deze woorden op het witte bord, waarna hij er *religieuze fanaticus?* aan toevoegde.

'*Cybil, zou jij een lijst kunnen opstellen van laboratoria waarvan jij denkt dat de mogelijkheid bestaat dat ze zich zelfs maar heel misschien zijdelings bezighouden met genetische manipulatie, met als resultaat iets dat dit zou kunnen veroorzaken? Misschien heeft een van die laboratoria hier iemand op sabbatsverlof. Bestaat er een risico dat Tarakanova in dit lab rommelde en voor de Ultieme Kracht van het Universum aan het spelen was?*'

'Het kan net zogoed zo zijn dat er sprake was van een natuurlijke ontwikkeling, dus dat het daar al die tijd is geweest en stilletjes heeft gewacht op een gastheer,' zei Petterson.

Cybil haalde de autopsiefoto van Annie Bascomb te voorschijn. 'Dan zou ik zeggen dat geduld oefenen zijn nut bewezen heeft.'

'Oké,' zei Hanley. '*Ik moet een quarantainelaboratorium opzetten en het poolstation uitkammen in een poging mogelijke gastheren te vinden. In dat opzicht zijn gastheren te verkiezen die in het verleden geen contact hebben gehad met mensen. Volgens mij zijn de zeldzaamste exemplaren te vinden in... wacht even...*' Ze sloeg haar notities erop na, '*... in het laboratorium van dr. Skudra.*'

'Wees voorzichtig, Jessie,' zei Cybil tegen het scherm.

'Heren, dames, bedankt,' zei Munson. 'Ik denk dat we nu veel ideeën hebben opgedaan waarmee we verder kunnen. We schorsen de bijeenkomst.'

Ishi zette de monitor off line. De aanwezigen gingen hun eigen weg. Eenmaal binnen maakte Munson Cybil met een gebaar duidelijk dat ze naar zijn kantoor moest gaan, waarna hij opnieuw een gebaar maakte

om de deur dicht te doen. Hij liet zich in zijn stoel vallen en draaide er
al zittend nerveus mee heen en weer. Met een hand beschermde Cybil
haar ogen tegen het felle daglicht en draaide aan de jaloezieën om het
licht was diffuser te maken.

'Wat denk jij?' vroeg Munson. Hij leek bezorgd.

'Hetzelfde als jij. Als zij gelijk heeft en het blijkt iets biologisch en zo
effectief, dan zit ze in de nesten. Dan zijn ze allemaal de pineut.'

'Inderdaad.' Munson knikte enkele malen. 'En de rest van ons ook als
dit agens de vrijheid krijgt. Per dag steken twee miljoen mensen grenzen
over. Je hebt maar één persoon nodig die er als drager de buitenwereld
mee ingaat.'

23

Op het bord boven de binnendeur stond QUARANTAINELABORATORIUM
– GEEN TOEGANG ZONDER TOESTEMMING. ALLEEN BETREDEN MET LABORA-
TORIUMPAKKEN, BIOLOGISCH VEILIGHEIDSNIVEAU 3. Nimit had een draagbare douchecabine geïnstalleerd om de medewerkers bij binnenkomst
en het verlaten van het laboratorium te besproeien met bleekmiddel en
hen vervolgens af te spoelen met water. Hanley en haar personeel kleed-
den zich uit tot op hun ondergoed, deden chirurgische handschoenen
aan, en stapten vervolgens in de pakken die honderd procent geschikt
waren voor wanneer er biologisch gevaar dreigde. Vervolgens deden
ze overhandschoenen aan die ze met plakband aan de mouwen bevestigden, snoerden daarna hun draagbare zuurstofkit vast en testten
de luchtstroom. Vervolgens drukten ze de naden van hun pakken dicht
en stapten ze een voor een onder de steriliserende douche, waarna ze
zich afspoelden met water. Door de tweede binnendeur begaven ze zich
in het laboratorium. Het was onmogelijk om een niveau 4-voorziening
te installeren. Ze moesten het doen met dit 'kleine quarantainelaboratorium'.

De uitrusting was beperkt. Veel spullen had Nimit in de Trudeau-la-
boratoria van collega's afgetroggeld, aangevuld met instrumenten en
materiaal dat door Hanley was meegenomen. Ze hadden de beschikking
over een autoclaaf, over steriele schaaltjes, kweekvoedingsstoffen, reagens, bekerglazen, objectglaasjes, een geleende centrifuge, een spectro-
scoop, twee Zeiss-microscopen met videocamerapoorten, monitors met

een plat scherm, vier schokbestendige kratten met bevruchte kippeneieren die ze in het *Stilletje* had meegebracht en menselijke O-cellen in groeimedia waarmee virale kweken zonder isolatie opgezet konden worden. Ze had het voor elkaar gekregen haar kleine hoeveelheid konijnenbloed aan te vullen met een verborgen voorraad die ze van het cryogeenlaboratorium had aangeboden gekregen. De opbouw en structuur van het laboratorium waren niet ideaal, maar ze had in haar carrière onder slechtere omstandigheden gewerkt.

De twee jonge mensen, Uli Hecht en de bijzonder knappe Kiyomi Taku, waren toegewijde werkers. Ze namen monsters af en onderzochten het weefsel van elk orgaan, waarna ze hun bevindingen op papier zetten. Uli registreerde wattenstokjesspecimens van mond, longen en darmen. Kiyomi was die gaan kweken in kolven met niercellen van apen.

'Blijf die kweken vooral steeds opnieuw controleren,' instrueerde Hanley hem. 'Wanneer er zich open zones vormen, weten we meteen dat een virus de niercellen begint te vernietigen. Helaas voor ons is deze killermicrobe zo snel te werk gegaan, dat het lichaam geen kans heeft gekregen antistoffen te vormen, dus die benaderingswijze kunnen we wel vergeten. Maar we hebben nog meer dan genoeg materiaal om andere onderzoekspaden te volgen. Kiyomi, Uli, laten we met die bloedmonsters aan de slag gaan. Idealiter zouden we bloedmonsters van de drie slachtoffers hebben, maar de Russen hebben Minskov tot verboden gebied verklaard, waardoor we er maar twee kunnen onderzoeken. Zodra de autopsie op Kossuth is voltooid, dienen we op die monsters ook alle proeven uit te voeren, gewoon om zeker te zijn, ondanks het feit hij geen symptomen vertoonde.

Oké, jongens... begin met het toevoegen van de bloedmonsters van de slachtoffers aan het konijnenbloed. Als er zich een virus in de specimens schuilhoudt, zal het proteïnejasje zich aan de bloedlichaampjes van het konijnenbloed gaan hechten. Na een poosjes zul je dat te zien krijgen. Uiteindelijk gaat het bloed klontjes vormen die naar de bodem van de buisjes zakken. Alleen Kiyomi mag direct contact hebben met de specimens, want zij is gewend aan laboratoriumprocedures. Uli, ik wil dat jij elke stap op papier vastlegt. Kiyomi voert dagelijks de tegencontrole van de wetenschappelijke rapportage uit.'

Kiyomi knikte.

'Terwijl jullie met de autopsiespecimens bezig zijn, ga ik specimens van de omgeving van Trudeau verzamelen, zodat we die ook kunnen onderzoeken.'

'Waar ben je naar op zoek?'

'Wel, om te beginnen alles dat hetzelfde effect heeft op het bloed in een laboratoriumbuisje als het micro-organisme dat had op het bloed van de slachtoffers.' Ze wees naar de balie, waar zich de laboratoriumbuisjes

met de bloedmonsters bevonden. Zonder de rode bloedcellen en het hemoglobine zag het bloed er lichtroze uit.

Hanley keek hen beurtelings aan. 'Wees voorzichtig. We hebben geen
idee waar dat micro-organisme zich schuilhoudt. Als jullie een getest
specimenschaaltje breken, omstoten, laten barsten of op een andere manier beschadigen...' Ze wees naar een felrode bak die een eindje van de
werktafel midden in het vertrek stond. '... doe alles dan snel in de dom-
pelbak. Het zit vol steriliserende stoffen.'

Haar personeel knikte ernstig.

'En roep mij of Dee. Een van ons tweeën zal altijd hier zijn. Goed, Kiyomi zal alles van een label voorzien en de eierschalen nummeren. Ik wil
dat jullie weefselmonsters van het autopsiemateriaal in elk kippenei in-
jecteren.'

'Een viruskweek,' zei Uli.

'Nee,' zei Kiyomi. 'Bacteriën kun je kweken, virussen niet. Een virus
zal zich alleen maar verplaatsen... incuberen. Een virus is op zoek naar
levend weefsel.'

'Het liefst dat van jou,' voegde Hanley eraan toe. 'Blijf dus uit de buurt
van virussen. Vergeet niet dat ze niet echt dood kunnen gaan. Ze leven
niet en kunnen zich niet voortplanten, tenzij ze in staat zijn levende cellen te overvallen om ze in virusfabrieken te veranderen. Gooi de stukjes
van een virus echter in een proefbuisje met levende cellen en het recom-
bineert zich, stelt zichzelf samen, verrijst uit de dood.'

Uli leek in verwarring gebracht. 'Zijn micro-organismen zo "slim"?'
Hanley herinnerde zich prompt de ontwapenende vragen van Joey.

'Het heeft er alle schijn van. Binnen slechts enkele maanden kreeg het
SARS-virus het voor elkaar om de infectiegraad bij mensen die ermee in
contact waren gekomen op te krikken van drie naar zeventig procent.
Wij hebben zestien tot zeventien jaar nodig om een antibioticum te ontwikkelen. Bacteriën hebben er binnen enkele minuten een defensie-
systeem tegen opgezet. Bacteriën en virussen verdedigen zichzelf door
hun chemische structuur te veranderen, zodat ze niet geïdentificeerd en
dus ook niet aangevallen kunnen worden.'

'Hoe doen ze dat?'

'Ze bietsen DNA van cellulaire resten en wisselen genetisch materiaal
uit met andere micro-organismen om zichzelf te verbergen achter kenmerken die ze misschien nodig hebben tegen een vijandig antibioticum
of tegen extreme temperaturen, zuren, licht, wat dan ook.'

'Slimme beestjes,' zei Uli.

'Ik meen het serieus...' Hanley keek hen een voor een strak aan. 'Wees
voorzichtig. Als je een laboratoriumongelukje krijgt waarbij bacillen zijn
betrokken, dan kunnen we je tot op zekere hoogte helpen... met antibiotica.' Ze hield een grote injectiespuit in de hoogte. 'Maar antibiotica

heeft geen vat op virussen. Klaarblijkelijk zijn onze drie slachtoffers de eerste mensen die dit nieuw soort micro-organisme hebben opgelopen. We hebben dus geen immuniteit opgebouwd. We bevinden ons in hetzelfde schuitje als de Inuit en indianen in de periode dat ze voor het eerst in contact kwamen met Europese ziekten, en de Europeanen die de ziekten van de inheemsen opliepen.'

'Weerloos,' zei Uli.

Hanley knikte. 'Dat kun je wel stellen. De pokken maakte een slagveld van de nieuwe wereld, terwijl syfilis de oude wereld danig onder handen nam. Dat beestje waarnaar wij op zoek zijn, zou dolgraag de regie op onze planeet overnemen wanneer wij zo onvoorzichtig zijn om het daartoe de kans te geven.'

Kiyomi zei: 'Denk je niet dat die Russische onderzeeër het meegebracht zou kunnen hebben? Of dat wij het naar de poolstreken hebben gebracht?'

'Dat weten we nog niet,' zei Hanley. 'Tot nu toe lijkt het echter op niets wat wij in andere delen van de wereld hebben gezien. We gokken er dus op dat wij het tegenkwamen en niet andersom. Het poolklimaat is aan het veranderen. In de zomermaanden smelt de permafrost meer dan normaal, waardoor er veel voedzaam organisch materiaal vrijkomt, wat op zijn beurt de voortplanting van veel micro-organismen en de dragers ervan stimuleert. Wanneer de mens dat proces verstoort, slaat het toe. Daarom begin ik met de organismen waarvan jullie op poolstation Trudeau de eerste zijn geweest die deze hebben bestudeerd.'

'Hoe komen we te weten dat we het hebben gevonden?' vroeg Uli.

'Als het micro-organisme een bacterie is, zullen we de kolonie in het groeimedium van de petrischaaltjes zien zitten. Het zal eruitzien als schimmel, net meeldauw. Zoals geperste bloemen.'

'En als het een virus is?'

'Dan zal het eruitzien als een helder mozaïek. Maak je geen zorgen, het is zeer indrukwekkend, en het fluoresceert... je kunt het niet missen.'

'Als ze een persoonlijkheid hadden, hoe zou jij ze dan omschrijven?' vroeg Uli.

Hanley moest erom lachen. Dat had een vraag van Joey kunnen zijn. 'Bacteriën zijn als een rock-'n-rollband, altijd aan het improviseren. Een virus doet meer denken aan een klassieke organist.'

'Omdat het andere instrumenten imiteert?'

'Precies. Kiyomi?'

Kiyomi maakte een respectvolle buiging naar Hanley en wendde zich tot Uli. 'Ik ga me met de feitelijke weefselmonsters van de slachtoffers bezighouden. Dr. Hanley bereidt de groeimedia en het celweefsel voor. Als jij, Uli, alsjeblieft een kaart van elk slachtoffer wilt maken. Noteer elk specimen, elke test. We hebben slijmvlies, en ruggenmergvloeistof, feces, leverweefsel, miltspierweefsel, long-, pancreas- en baarmoeder-halsweefsel, en ga zo maar door. Veel materiaal om te prepareren. Toch moeten we zeer voorzichtig te werk gaan. Nauwgezet aantekeningen maken is essentieel om succes te boeken.'

Hanley keek hen beurtelings aan. 'Wanneer er iets misgaat in het quarantainelaboratorium terwijl jullie het pak aanhebben, verlaat dan in geen geval de koepel. Druk op een van de rode knoppen die overal in het laboratorium zijn aangebracht. Houd de laboratoriumdeur gesloten en ga met pak en al onder de douche staan. Blijf waar je bent, doe het pak niet uit. Ga niet verder dan het buitenste laboratorium om te voorkomen dat je de rest van het poolstation infecteert.'

'*Wieviel...?*' begon Uli. 'Eh... hoeveel tijd rest ons wanneer er een laboratoriumongeluk gebeurt met het organisme dat we zoeken? Als we zijn geïnfecteerd, bedoel ik.'

Zwijgend bleef Hanley een moment lang staan en dacht na. 'Dat je nog te leven hebt? Vier uur, denk ik. Dan rest jullie nog vier uur.'

24

Dr. Cecil Skudra was een kleine man met een alledaags gezicht maar met een glinsterende, gouden snijtand in zijn gebit. Hij had iets verstrooids over zich, gedroeg zich zowel geconcentreerd als afgeleid. Terwijl Hanley hem voortdurend met vragen bestookte over de ongewone levensvormen die hij onder zijn hoede had, staarde hij naar de zwerm insecten die geluidloos zoemend in een grote glazen houder waren opgeborgen. Het leven van dr. Skudra stond in het teken van insecten, althans in zoverre Hanley dat kon beoordelen. Een peinzende sociobioloog uit Riga die onopvallend onderzoek deed naar de wijze waarop gemeenschappen zich ontwikkelden om zich aldus te kunnen aanpassen aan het milieu waarin ze verkeerden. Onopvallend en stil – tot je het onderwerp ter sprake bracht over de biologische basis betreffende het sociale handelingsveld van arctische muggen. Hierover kon hij urenlang praten.

'Vrouwtjesmuggen,' zei de wetenschapper, 'voelen zich aangetrokken tot bepaalde temperatuurniveaus en vochtgehaltes in de omgeving. Ze zijn met name zeer gesteld op kooldioxide. Vandaar dat ze razend van verrukking worden wanneer ze wezens tegenkomen die kooldioxide uitademen. Om die reden houden ze zich bij de mens ook het liefst bij het hoofd op, begrijpt u?' Zijdelings keek hij vluchtig naar zijn bezoekster en vervolgde: 'Ook voelen ze zich aangetrokken tot hemoglobine en bepaalde aminozuren, zoals die voorkomen in transpiratievocht. Ze willen dan je proteïnes voor hun kroost.'

'Muggen die verzot zijn op bloed?' vroeg Hanley.

De wetenschapper knikte afwezig, want hij dacht aan iets anders. 'De arctische mug is in dat opzicht uitzonderlijk gretig en zal warmbloedige dieren op furieuze wijze aanvallen en viermaal haar gewicht aan bloed opnemen. Men is te weten gekomen dat de kariboe per dag een kwart van de totale hoeveelheid bloed aan ze moet prijsgeven. Een man die zich niet kan weren, zal binnen vier uur al zijn bloed kwijt zijn,' zei Skudra. 'Inheemse stammen brachten soms op deze wijze een doodvonnis ten uitvoer. Er zijn bovendien verslagen over grote dieren... en mensen... die volledig krankzinnig werden gemaakt door die zwermen. Fascinerende wezens.'

Hanley bleef voortdurend naar de zwerm staren. 'U meent het,' zei ze. 'Maar hoe krijgen deze insecten...' Ze wees naar een vrouwtjesmug die op de glaswand was gaan zitten, '... het voor elkaar om in dit klimaat te overleven?'

'Muggeneitjes kunnen heel gemakkelijk temperaturen onder nul weerstaan. Een evolutionaire aanpassing. Wat er ook aan bijdraagt is het feit dat ze op ultieme wijze meedogenloos zijn. Ze eten alles op om maar te kunnen overleven... rioolslib, algen, bacteriën. Ze vreten elkaar zelfs op.'

'Hun eigen soort?' Hanley was onder de indruk.

'Precies, zeker,' zei Skudra trots. 'De arctische variant eet zijn broertjes en zusjes op. Gebrek aan prooi vormt daarbij een belangrijke factor. In dat opzicht gedragen ze zich als roofmieren: ze vallen massaal aan.'

'Is u bekend dat er 's winters muggen verschijnen?' vroeg Hanley.

'In laboratoriumomstandigheden? Natuurlijk. In de natuur? Nooit.'

'Zijn er nog andere insectenkolonies op het poolstation te vinden?'

'"Gele jasjes".'

'Bijen?' vroeg ze verrast.

'Zeker wel.' Skudra knikte heftig. 'Er wordt een studie gemaakt van hun overlevingstechniek,' zei hij. Zijn ademhaling was hoorbaar. 'De werkbijen en darren gaan uiteraard dood, ze leven dertig dagen of zo. Alleen de koningin leeft verder. In de winter worden de werkbijen niet vervangen. De koningin zoekt dan een beschut plekje. Het kan buiten veertig graden onder nul zijn, in de koninginnenkamer zakt de temperatuur nooit onder de min tien graden. Bovendien krijgt de koningin het op de een of andere manier voor elkaar haar eigen lichaamstemperatuur onder het vriespunt te houden. Toch vormen er zich geen ijskristallen in haar cellen, dit in tegenstelling tot wat de arme Alex is overkomen. Ze bevindt zich in een soort schijndood: gemummificeerd, maar toch in leven.

Als we achter de werking van die processen kunnen komen... De studie wordt uitgevoerd in samenwerking met de McGill University. Een ander experiment heeft betrekking op het onderzoek naar cellulaire antivries dat door vissen en kevers aangemaakt lijkt te worden. Fascinerende gegevens.'

'Daar kan ik inkomen,' zei Hanley. 'Houden zich hier 's zomers ook teken op?'

'Ja, ontelbaar veel. Vermoedt u een ziekte die door teken wordt verspreid?'

'Ik moet rekening houden met insecten die als dragers kunnen fungeren,' zei Hanley. 'In het bijzonder in combinatie met vogels. Sommige door insecten verspreide ziekten, waaronder paardenpiroplasmose, waarbij de agentia het op de rode bloedlichaampjes hebben gemunt, maar alleen bij paarden en muildieren.'

'Niet bij mensen?'

'Tot dusver niet. Niettemin ontwikkelen ziekten zich anders in verschillende delen van de wereld, en bovendien anders in de verschillende soorten. Misschien zoek ik iets dat zich hier anders gedraagt dan waar ook ter wereld.'

Skudra keek nadenkend. 'De taak die u hebt, mevrouw... ik benijd u niet.'

'Ik benijd mezelf evenmin,' zei Hanley. 'Ik heb een specimen nodig van alles wat u hier voorhanden hebt en dat in of in de buurt van de polynya leeft.' Ze sloeg er haar lijst op na. 'Zeeluizen, vogels die het afgelopen jaar in dat water zijn gevallen, schaaldieren. In het bijzonder de soorten die buiten het noordpoolgebied niet bekend zijn.'

'We hebben hier enkele zeer opmerkelijke paddestoelen. Eén soort vuurt de sporen in de hoed als een kanon af. Weer een andere soort verstrikt microscopisch kleine wormen.'

'Zijn er ook soorten bij met psychedelische kwaliteiten? Die zou ik namelijk momenteel wel kunnen gebruiken.'

Skudra leidde Hanley naar een oververhit laboratorium waaruit een overweldigende zwavelachtige stank kwam. Bovendien was het er zo donker als de nacht. Angstig stak ze haar handen naar voren, alsof ze blind was. Skudra pakte haar echter bij haar elleboog vast en leidde haar. 'Doe de bril op. Hier is alleen sprake van onzichtbaar licht. We proberen leefomgevingen te creëren waaraan onze gasten gewend zijn. Er zijn zelfs wezens die zonder licht leven.'

Hanley deed de speciale bril op. Een cilindertank was dusdanig verhit dat het groene, troebele water bubbelde. Hanley tuurde naar de lange amorfe wezens die kronkelden als slangen.

'Die zijn oerlelijk, zou mijn zoontje zeggen. En ze stinken oerverschrikkelijk.'

'Ja, hè?' zei Skudra vertederd. 'Dat zijn zeewormen. Voor het eerste ontdekt in 1977. Deze werden aangetroffen in de hydrothermale bronnen in het Pacifisch gebied. Vandaar de tank die u hier ziet. Uiteraard hebben ze behoefte aan hoge temperaturen.'

De aanblik van een worm die zich voortdurend glibberend in allerlei bochten wrong, leidde de aandacht van Hanley af. 'Hoe lang zijn die wormen feitelijk?'

'Ongeveer een meter tot een meter vijftig,' zei Skudra terloops en zich kennelijk niet bewust van de penetrante geur. 'Wees voorzichtig. Het water is gloeiend heet.'

Hanley nieste. 'Zoiets heb ik nog nooit gezien.' Ze hield haar neus dicht.

'Dat verbaast me niets,' zei Skudra. 'Ze horen bij een andere diersoortfamilie. Een totaal andere levensvorm, deze wormen. Ze bevatten bacteriën die hun energie niet uit zuurstof halen, maar uit zwavelverbindingen die voor de meeste andere organismen... behalve voor henzelf en de gastheer... giftig zijn. Deze wormsoort verwerkt de zwavel direct in de spieren. Een ongelooflijk wezen. Het metaboliseert sulfide. Wat ik bedoel is dat sulfide vele malen dodelijker is dan cyanide. Een universeel toxische stof, maar deze makkertjes gedijen ervan.'

'Wat je noemt een praktische vaardigheid,' zei Hanley, die haar neus snoot. 'Het mag een wonder heten dat ze niet het loodje leggen van de stank op zich.'

'Inderdaad. Wij kennen ze nog amper, maar als soort zijn ze in feite heel oud. Aangezien het weekdieren zijn, hebben ze geen fossiele sporen achtergelaten, behalve dan sporen in enkele van de oudste sedimentlagen, waarvan monsters zijn genomen.'

'Wat doet u met deze wezentjes op de noordpool, terwijl ze toch uit een heet milieu afkomstig zijn?'

'O, deze zijn inheems.'

Hanley keek met een strakke blik naar hem op. 'Inheems?'

'Zeker. Ze komen rechtstreeks uit een onderzeese vulkaan bij de Gakkel Ridge. Een researchduikboot heeft deze reuzenwormen op ongeveer vijf kilometer diepte uit de Noordelijke IJszee gehaald.' Duidelijk trots nam Skudra de specimens in ogenschouw. 'Dit is een levensvorm die het niet van zonlicht, maar van thermische energie moet hebben.'

Hanley boog zich naar voren, handen tegen de knieën gedrukt, om er beter naar te kunnen kijken. 'Ze zien er heel vreemd uit.'

'Dat geldt voor de meeste levensvormen die zich onder het ijs kunnen handhaven,' zei hij, waarbij hij bijna van eerbied vervuld klonk.

'U vindt het hier werkelijk prachtig, hè?' zei Hanley.

'Ja. Mackenzie heeft zijn poolstation op een wonderlijke plaats laten bouwen. We zitten als het ware op de rand van de schepping. Het is echt heel speciaal om onze planeet vanuit dit perspectief te kunnen bestuderen, en het is verbazingwekkend dat niemand eerder aan deze mogelijkheid heeft gedacht. Het zou zonde zijn als het poolstation door een calamiteit werd gesloten. Nou... ik zal ten behoeve van uw onderzoek om het even welk weefselmonster van deze wormen nemen.'

'Goeie genade.' Hanley schrok van een verschijning in een ander reservoir; het deed denken aan een van het lichaam gescheiden arm tijdens een seance. Perfect wit. Maar het was geen geamputeerde ledemaat, realiseerde ze zich terwijl ze nauwkeuriger keek.

Skudra zag wat haar aandacht had getrokken.

'Ah,' zei hij. 'Een zeldzame verschijning.'

'Wat is dat voor iets?'

'Mooi, hè? Dat is een zoutwatervis, doctor. Een zoutwatervis die op grote diepte in het water leeft, waar geen licht is, in zeewater onder het vriespunt, maar dat toch vloeibaar blijft.'

'Ik had nooit kunnen denken dat zo'n wezen ook maar bestond.'

'Inderdaad,' zei Skudra instemmend. 'Het is uniek. Slechts enkele mensen hebben het privilege gehad om deze vis met eigen ogen te zien. Opnieuw een totaal ander soort organisme. Het heeft een eigen afweersysteem ontwikkeld tegen bevriezing. Een ontwikkeling die wij bestuderen.'

'Hoe is het mogelijk dat die vis zo... zo wit is?'

'Het bloed is wit,' zei Skudra, die zijn bril verder op zijn neus schoof. 'Het doet min of meer denken aan de slachtoffers die u aan het onderzoeken bent.'

25

Hanley en Dee begonnen de organismen en weefselmonsters die Skudra naar hen had verstuurd te registreren. Uiteindelijk ging haar team rond acht uur eten.

'Goeie genade, wat een menagerie. Ik denk dat ik even op bed ga liggen,' zei Hanley, waarna ze zich terugtrok op haar kamer. Maar toen Dee een uur later met nog meer onderzoeksresultaten kwam opdagen, was Hanley al uit bed. Ze zat achter haar laptop en had via de satelliet contact met Los Angeles. Even later was Ishikawa on line.

'*Hé, Jess. Ik heb de database van Scripps ingezien en probeerde wijs te worden uit de notities die de wetenschappers op het onderzoeksterrein hebben gemaakt. Alles was me duidelijk, behalve één eigenaardige aantekening in Ogata's logboek... Ignis fatuus. Ik heb me daar eens in verdiept. Raad eens wat ik heb gevonden.'*

Er verschenen glanzende regels op het scherm; informatie op een blauw veld in een waaier van elektronen.

'"Dwaallichtje",' las Hanley hardop. '"Het verlangen dat het slierterige vuur draagt/Het leidt de herdersjongens door het moeras." Wat is dat in vredesnaam, Ishi? *"Ignus fatuus?"'*

'Klaarblijkelijk betekent dat moerasgas.'

'Moerasgas? Verdomd moerasgas op de noordpoolkap? Denk je dat ze hallucineerden voordat ze stierven? Shit, we moeten iemand spreken die getuige was van wat daar gebeurde. Waar is mevrouw Lidiya?'

'Munson probeert haar via de diplomatieke kanalen van Washington op te sporen, maar tot nu toe heeft hij van de Russen geen duidelijk antwoord gekregen. De onderzeeër is zogezegd op geen enkel radarscherm te zien.'

'Wat is er?' Hanley draaide zich half om in haar stoel.

Dee bediende zich van Hanleys brandende sigaret en nam er een stevige haal van. 'We hebben boterzuur aangetroffen,' las Dee. De rook vormde wolkjes tussen haar woorden.

Hanley keek op. 'Welk deel van het lichaam?'

'Ruggengraat.'

'Oké, goed. Het is normaal dat je dat vindt in het ruggengraatvocht dat het ruggenmerg en de hersenen beschermt. Laat mij eens kijken.' Ze nam de nauwgezet bijgewerkte kaart van Kiyomi uit handen van Dee.

'Het gehalte is veel te hoog. Ishi, kun jij die cijfers even controleren? Wat denk je ervan?'

'Bij sommige ziekten stijgt het boterzuurgehalte,' zei hij. *'Tetanus is zo'n voorbeeld. Ik moet het daar met Cybil over hebben.'* Ishikawa was in hemdsmouwen. Ze kon zien hoe achter zijn rug de zon door het raam scheen.

'Ja.' Hanley pakte het rapport aan dat Dee haar overhandigde en nam de gegevens vluchtig door. 'Vertel haar alsjeblieft dat we abnormale hoeveelheden boterzuur zijn tegengekomen terwijl we geen aanwijzingen hebben betreffende datgene wat die stijging wellicht heeft veroorzaakt.'

'Ik ga er meteen achteraan,' zei Ishikawa terwijl hij zich naar voren boog, waardoor zijn gezicht het grootste gedeelte van de kleine videobox in de hoek van haar monitorscherm opvulde. *'Wat nog meer?'*

'Weet ik veel,' zei Hanley. 'Voorlopig is het dat wat mij betreft.'

Ze gingen off line. Dee begaf zich naar haar woonverblijf om te rusten. Hanley nam Dee's notities nog eens door en vroeg zich af wat dat moerasgas te betekenen had. Was de woestenij van het poolgebied een streek waar je gemakkelijk luchtspiegelingen kon zien, zoals in de Californische woestijnen? Ze probeerde zich te herinneren wat daar de oorzaak van was. Aan de basis daarvan stond toch de hitte? Het zou dus kunnen dat een of meer personen aan het hallucineren waren. Ze liep weg om Ned Gibson te zoeken, de bedrijfspsycholoog, om het er met hem eens over te hebben.

Er hing een briefje aan de deur van Gibson. Er stond op dat als iemand hem nodig had, hij te vinden was in Mackenzies Extravagantie. Met de handen in de zakken, en met afgezakte schouders, slenterde ze het fitnesscentrum in, langs de verlaten, donkere squashbanen met de glazen achterwand, en langs het witte, eivormige aerobicgedeelte, de talingkleurige gewichtenzaal, en voorbij de zwarte trainingsapparaten waarop niemand aan het oefenen was. Uiteindelijk merkte ze dat ze in de ovale ruimte van het zwembadatrium was aanbeland. Het rook er naar de zee.

Een vrouw lag ruggelings en in haar blootje op een van de hardhouten banken. Hanley herkende haar. Het was dr. Kruger, de Duitse chirurge die de autopsieën had uitgevoerd en waarvan Hanley de resultaten, opgeslagen op computerschijfjes, had bestudeerd. Zoals de meeste Europeanen leek ze niet in de geringste mate in verlegenheid gebracht door het feit dat ze in het bijzijn van anderen – ongeacht of het een man of een vrouw betrof – naakt was.

Als ik er zo uitzag, zou ik dat misschien evenmin zijn, dacht Hanley.

Ingrid had een perfect figuur. Een egaal gebruinde, glimmende huid en een glad gespierd lichaam. Donzige haartjes glinsterden op haar schaamheuvel. Alleen haar voetzolen en handpalmen waren blank, en de vage kringen rondom haar ogen die ze had beschermd tegen het ultraviolette licht.

Dr. Kruger opende haar ogen, maar bleef ruggelings op de harde bank naast het zwembad liggen. Ze schermde haar ogen af tegen het licht van boven en staarde Hanley aan. Haar sluike bruine haar, in één enkele vlecht gedwongen, en haar arendsneus omzoomden verbaasde ogen die alles vertroebelden wat de rest van haar gezicht niet eens zijdelings te kennen wilde geven. Een eigenaardige zelfbeheersing terwijl de blikken van twee mensen elkaar kruisten.

'Als u zich niet op uw gemak voelt,' zei ze met een nauwelijks merkbaar Duits accent, 'mag u best de andere kant opkijken, oké?'

Hanley glimlachte flauwtjes. 'Sorry. Het was niet mijn bedoeling u te storen.' Ze deed een stap terug en wendde haar blik van haar af. Met een vloeiende beweging kwam Kruger overeind en dook ongedwongen en soepel het water in. De reflectie van haar lichaam weerkaatste op het oppervlak op het moment dat ze messcherp het water inging en de gladheid ervan verbrijzelde. Zo strak als maar zijn kan, dacht Hanley.

Een man, eveneens naakt, keerde aan het einde van de tweede baan om. Met een bedreven trap zetten hij zich af tegen de wand en schoot onder water terug. Pal voor Hanley kwam hij aan de oppervlakte.

'Dr. Hanley.' Hij zwaaide naar haar en hees zichzelf druipend uit het water, waarna hij een handdoek pakte. Zijn vrije hand stak hij uit om haar te groeten. Hanley aarzelde even. Ze kon zich niet herinneren dat ze ooit de hand van een blote man had geschud. Een warme, natte hand.

'Ned Gibson,' zei hij. 'O, sorry.' Hij bood haar het puntje van zijn handdoek aan zodat ze haar hand kon drogen, waardoor zijn kruis opnieuw te zien was.

'Nee, nee,' zei Hanley. 'Het is... eh.' Ze veegde haar hand af aan haar broek. 'Aangenaam.'

Ingrid Kruger begon aan een snelle rugslag; het water stroomde over haar blote borsten en bekken, haar armen maalden, de benen bewogen indrukwekkend synchroon. Ze was een atlete van de bovenste plank.

'Zo,' zei Ned Gibson. 'Ik droog me even af en trek iets aan.'

Hanley staarde over het water terwijl hij zijn roodbruine haar droogde en een kamerjas van badstof over zijn schouders hing, zijn armen om beurten in de mouwen stak en vervolgens een knoop in de ceintuur legde. 'Het spijt me dat we niet eerder de gelegenheid hebben gehad om van gedachten te wisselen.' Met de brede revers van zijn badjas wreef hij over zijn ogen.

'Dr. Gibson...'

'Ned, alsjeblieft.' Gibson zette zijn handen tegen zijn heupen.

Een atletisch type, dacht ze. 'Ned... ik zou wel wat hulp kunnen gebruiken.'

'Natuurlijk. Krijg je nu al last van een isolatiedepressie?' Met een bezorgde blik boog hij zich naar haar toe. Hij rook naar een zoet aperitief.

'Waarschijnlijk. Maar ik ben niet gekomen om daarover met jou van gedachten te wisselen. Ik heb informatie nodig over de vier mensen die op het ijs zijn gestorven... hun psychische toestand.'

Gibson sloeg zijn ogen neer en keek naar zijn blote voeten. 'Ik ben gebonden aan een gedragscode. Wat de patiënten tegen mij zeggen, is vertrouwelijk.'

'Ja, daar ben ik me van bewust.'

Een jong stel verscheen achter in het zwembad. Ze deden hun badjassen uit, gooiden die opzij en gingen op de betegelde rand zitten, om zich vervolgens voorzichtig in het water te laten zakken. Dr. Kruger was met de schoolslag begonnen; haar lange kastanjebruine vlecht kronkelde door het water achter haar aan.

'Laten we dit in een besloten sfeer bepraten,' zei Gibson.

Gibson sprak vanuit de kleine badkamer terwijl hij zich gereedmaakte om naar bed te gaan. 'Werken in het noordpoolgebied is een verbazingwekkend intieme aangelegenheid,' zei hij. 'De mensen krijgen hier een hechte band met elkaar. Het personeel, de staf, ze vormen een clan. Voor velen is het een bepalende ervaring in hun leven.' Gekleed in pyjama, en in een dunne Japanse kamerjas, kwam hij te voorschijn. 'De posten in het hoge noorden hebben altijd een eenvoudig, primitief karakter gehad. Geen privacy. De mensen kibbelden, kregen waandenkbeelden, stortten zelfs in... soms op heftige wijze. Om die reden besteden we hier zoveel aandacht aan datgene waaraan men behoefte heeft, aan comfort. Niettemin vormt de winterperiode een uitdaging op zich. De eenzaamheid. Geen regen, geen natuurlijk daglicht. Verstoord tijdsbesef.'

'Daar ben ik me van bewust,' zei Hanley. 'Volgens mij heb ik daar inmiddels ervaring mee.'

'Ja. Ik heb je gedrag in de gaten gehouden.'

Hanley was overdonderd. Ze was het niet gewend om met zo'n kritische blik bekeken te worden, behalve dan door haar ex.

'Mac heeft me gevraagd om een oogje in het zeil te houden.'

Opeens moest Hanley heftig geeuwen, ze was niet in staat het te onderdrukken. 'Het spijt me... ik heb de afgelopen tijd weinig en onregelmatig geslapen.'

'Daar heeft de helft van het poolstationpersoneel last van,' zei Gibbon. 'Dat is begrijpelijk, gezien datgene wat er is gebeurd.'

'Nee, afgezien daarvan... dit is normaal als je in het noordpoolgebied leeft. Sommigen slapen maandenlang niet, misschien een paar uurtjes per nacht. De dood van onze collega's heeft die toestand alleen maar ver-ergerd. Zie je, wanneer je slaapt, kleuren in je dromen?'

'Ja,' zei Hanley. 'Spectaculaire kleuren. Hoe weet jij dat?'

'Het is een symptoom. Je bent aan het fietsen, rondjes rijden. Dat is wat er gebeurt.'

'Wat wil dat zeggen?' vroeg ze.

'Dat de paar uurtjes slaap die je krijgt zelden overeenkomen met de telkens terugkerende nachtelijke uren. Je bent in een etmaal van vijfendertig uur aan het glijden. Je fysiologie raakt van slag.'

'Ik begrijp het,' zei ze.

'Welke dag van de week is het, Jessie?'

Ze schudde haar hoofd. 'Geen idee.'

'Het is dinsdag. Je bent acht dagen bij ons en je raakt nu al de kluts kwijt. Dat komt voor een deel door de aard van je opdracht die je hier dient te vervullen, maar grotendeels door het dagelijks terugkerende levensritme wat jij aan het vestigen bent. Je komt op mij nogal als een einzelgänger over. Dat je dat bent, is als zodanig niet erg, maar in deze situatie heeft dat negatieve gevolgen. Het is noodzakelijk dat je tenminste een basaal soort sociaal contact onderhoudt.'

'De mensen zullen het volgens mij niet op prijs stellen wanneer ze me aan de pooltafel zien terwijl ik eigenlijk hoor uit te vogelen hoe ik hen dien te beschermen. Ze maken zich grote zorgen.' Ze klonk nu met opzet luchtiger. 'Weet je, wanneer ik veldonderzoek doe, raakt mijn hele schema in de war. Ik slaap nooit veel. Tot nu toe heb ik me heel trouw aan mijn homeopathische regels gehouden en mediteer ik elke dag twintig minuten, zoals gebruikelijk.' Ze vroeg zich af of hij kon merken wanneer ze aan het liegen was. Sinds ze hier was had ze zich niet voldoende kunnen ontspannen om te kunnen mediteren. Genoeg, besloot ze. Laat hem de vragen beantwoorden. Ze veranderde van onderwerp en hield zich weer bij het onderzoek. 'Wordt er vaak gehallucineerd in de poolgebieden?'

'Dat is niet ongewoon. Maar geen typisch arctische ervaring... het komt echter voor.'

'En hoe ziet die typisch arctische ervaring eruit?' vroeg ze.

'Doorgaans vormen noordpoolstations een tamelijk elementaire, primitieve omgeving. Zoals Little Trudeau. In een triplex onderkomen wonen misschien wel tien mensen in één vertrek. De toiletruimte in een open hoek, geen scheidingswanden, petroleumkachels, weinig vrouwen om mee te praten. Bij je enkels is het min een, bij het puntje van je neus negenentwintig graden. Ik heb daar enkele geweldige vrienden gekregen, maar er was ook sprake van veel achterklap en abnormale achterdocht naarmate de winter langer duurde. Kleine ruzies werden opgeblazen tot grote conflicten, de roddels bleken verraderlijk, geniepig. Verschrikkelijke vetes, openlijke vijandschap... knokpartijen. Na een tijdje werd iedereen somber, knorrig of afstandelijk.'

'Maakte jij je zorgen over zelfmoorden?'

'Voortdurend. Het zelfmoordpercentage is boven de poolcirkel twintig keer hoger dan in de rest van de wereld. De seizoensgebonden depressie is een bekend feit. De Inuit noemen dat *perlerorneq*, ofwel "winterverdriet". Claustrofobie komt ook vaak voor. We zijn omgeven door een enorme uitgestrektheid, maar in feite toch ingesloten. Momenteel zie je dat duidelijk nu de mensen bang zijn om zich buiten het poolstation te begeven.'

'Ik bedoel vóórdat deze situatie was ontstaan.'

'We hebben geprobeerd bepaalde methoden toe te passen waardoor de mensen de gelegenheid kregen hun emoties kwijt te kunnen. We spreken alles uit. Niets wordt als lomp of opdringerig beschouwd. Niets wordt gestigmatiseerd, of het nu gaat om samen in bad gaan, het met iemand doen, of juist niet, of oefeningen doen, of mediteren, of deelnemen aan een discussiegroep... zolang het de eentonigheid en het gevoel van geïsoleerdheid maar doorbreekt. Om die reden leggen we zo de nadruk op de wekelijkse evenementen. Misschien heeft het geheel een wat hoog cruiseschip- of bejaardenhuisgehalte, maar deze activiteiten zijn wel van essentieel belang. Mensen nemen deel aan dingen waarvan ze vroeger in de gewone wereld nooit hadden gedacht dat ze die ooit zouden doen. Talentenjachtavonden, karaoke, zwemteams, culinaire verenigingen, poëzieavonden met een borrel, Inuit-drums bespelen, ballroomdansen... enkele winters lang hadden we zelfs een toneelvereniging. Alles kan.'

'Klinkt gezond.'

'Dat vonden wij ook. We dachten daarmee enkele uitputtende spanningen op te lossen. Spanningen die geassocieerd zijn met het werk boven de poolcirkel.'

'Kennelijk is dat niet helemaal gelukt.'

'Inderdaad,' zei hij. 'Dat moet ik toegeven. Maar op Trudeau is een langdurig verblijf bijna normaal geworden op een manier zoals dat nooit eerder het geval was. In de oude onderkomens bleven er maar enkelen langer dan een seizoen; de meesten hielden het niet langer vol. Nu bestaat er een groep voor wie Trudeau eigenlijk hun thuis is geworden.'

'Mackenzie? Primakov?'

'Ja, en anderen... Teddy Zale, Simon King, Cecil Skudra, Alex.'

Hij ging staan, rommelde wat bij de gootsteen van de kitchenette, zette de elektrische waterketel aan en deed twee theezakjes in een donkerblauwe theepot. Vervolgens gingen er enkele lepels honing in zijn mok. 'Mijn avondthee. Kruiden. Kan ik je ook wat thee aanbieden?'

'Ja, dank je,' zei Hanley.

De inrichting was elementair; een staande lamp met een groene kap, en een getimmerde bank van wrakhout. Een klein schap deed dienst als nachtkastje. Bij de muur stonden een televisie, een videospeler met koptelefoon en een satelliettelefoon. Geen voorwerpen die een gevoelswaarde symboliseerden. De gebogen binnenwand was doorzichtig, net glas, en keek uit op een gang, enkele treden lager. De achterliggende, eveneens doorzichtige wand bood uitzicht op de inktachtige duisternis. 's Zomers zou hij hier kunnen genieten van een schitterend panorama, dacht Hanley. Gibson trok een verduisteringsgordijn voor de doorzichtige wand. Prompt leek het vertrek kleiner en knusser.

Hanley stelde zich in gedachten de zon en de eindeloos grote oceaan voor die ze in Californië had achtergelaten, en de maanden die ze nog voor de boeg had voordat ze dat alles weer onder ogen zou krijgen. De elektrische ketel begon te fluiten. Gibson goot het kokende water in de theepot en bracht die naar de smalle, lage bank om de thee te laten trekken.

'Kortom, wat is er met Alex Kossuth gebeurd terwijl hij zich hier toch kennelijk zo thuis voelde?'

'Alex,' zei hij. Vervolgens zuchtte hij. 'Alex kreeg last van slapeloosheid. En hij raakte in zekere mate gedesoriënteerd, zoiets als een psychose die je bij gedetineerden aantreft.'

'Zou het kunnen dat hij bovendien gehallucineerd heeft?'

Hij zweeg even en zette zijn gedachten op een rijtje. 'Werken in onafgebroken duisternis, zoals hier, is onnatuurlijk. Dat eist zijn tol. Sommige mensen raken het contact met de omgeving kwijt, ze veranderen in zombies.'

'Zombies?'

'Het jargon van hier. Ze slapen niet meer. Mentaal doen ze een stap terug; ze fixeren zich op wat er zich voor hen bevindt en blijven ernaar staren. Ze verliezen alle tijdsbesef en gaan schuifelend lopen, alsof ze slippers dragen. Of ze wandelen midden in een gesprek weg.'

'Was Alex Kossuth een "zombie" aan het worden?'

'Ja.' Hij pakte een kopje en schonk thee in. 'Zijn toestand was ernstiger dan ik dacht. Er bestaat een meer geweldadige vorm, de noordpoolhysterie, die aan verkeersagressie doet denken. Die mensen zetten het op een schreeuwen, steken tirades af, zwaaien met messen om zich heen en rennen in hun blootje het ijs op. Alex was niet het messentype. Depressies, zich stilletjes terugtrekken, kibbelen, woedeaanvallen, venijnig uit de hoek komen over onbeduidende zaken... dat was het gedragspatroon van Alex. Een gedragspatroon dat dermate gewoon was dat bij niemand de alarmbellen gingen rinkelen.'

'Dronk Alex Kossuth? Nam hij pillen in?' vroeg ze.

'Hij dronk.' Gibson klonk duidelijk niet op zijn gemak.

'Was hij zwaarmoedig wanneer hij dronk?'

'Soms.'

'Ook de afgelopen tijd?'

'Ja. Tegen de mensen zei hij dingen die eigenlijk nergens op sloegen. Hij mompelde, praatte in zichzelf.'

Ze vouwde de handen ineen. 'Waar had hij het over wanneer hij er een paar op had?'

'Over *Nastrond*.'

'Pardon?'

Gibson keek zowel nadenkend als ongemakkelijk. 'Scandinavische mythologie. Hij wist daar veel over te vertellen.'

'*Nastrond?*' vroeg Hanley.

'"De Lijkenkust". In de Noord-Europese culturen werd het hiernamaals gesymboliseerd door het hoge noorden, de plaats waar de boten waarin de overleden vikingen lagen over de zee naartoe dreven. Stuurloos dobberende boten waarin ze hun doden legden. Dat was de plaats waar ze heen werden gestuurd.'

'Zoiets als de Styx?' zei Hanley.

'Ja, alleen betreft het in dit geval geen rivier, maar een oceaan.'

'Nogal dramatisch. En dacht jij in die periode nog steeds niet dat hij een gevaar voor zichzelf was?'

Berouwvol schudde hij zijn hoofd. 'Nee.'

'Was hij lichamelijk ziek?'

'Niet dat ik weet.'

'Heb je geprobeerd hem te benaderen?'

'Twee keer. Hij wilde echter niet in therapie.' Er verschenen rimpels in Gibsons voorhoofd. 'Hij wilde niet veel kwijt. Ik dacht dat hij in een depressie zat. Misschien had het met de leeftijd te maken. Of met zijn gevoelens die hij voor Annie koesterde.'

'Pardon?'

'Ze was een zeer uitzonderlijk iemand, zelfs voor dit gezelschap, en uitermate populair. Ze zou het als politica schitterend hebben gedaan. De helft van de bewoners van het poolstation was smoorverliefd op haar.'

'Kossuth incluis?'

'Alex stak zijn gevoelens niet onder stoelen of banken.'

'Wat vond zij van hem?'

'Ze hadden altijd al een band met elkaar, alleen niet de band die hij graag wilde. Hij had haar naar Trudeau gehaald, en daar was zij hem dankbaar voor. Ze mocht hem oprecht. Maar verder ging de relatie niet. De Inuit hebben daar een woord voor. Ik zal mezelf niet in verlegenheid brengen door een poging te doen dat woord uit te spreken. Vrij vertaald betekent het: "Ze is hem zeer gunstig gezind nadat ze niet de liefde met hem had bedreven."'

'Zou die afwijzing hem zover hebben gebracht dat hij Annie heeft willen vermoorden?'

'Moord? Goeie genade, nee. Hij heeft zich altijd gerealiseerd dat het een onmogelijke liefde zou zijn geweest. Om te beginnen was hij twee keer zo oud als zij... meer zelfs. Hij deed daar wrang over... ironisch. Bovendien wist hij dat Annie lesbisch was.'

'Lesbisch?'

'En dat mocht iedereen weten.'

'De kans dat ze een liefdesrelatie heeft gehad met een man die zich ook op het onderzoeksterrein bevond is dus erg klein.'

'Zo is het.'

'Ging ze om met iemand van het poolstation?'

'Ja. Met Ingrid Kruger.'

'Die Duitse arts? Maar zij heeft de lijkschouwing gedaan.'

'Inderdaad. We wisten toen nog niet dat jij, of wie dan ook uit de buitenwereld, zou komen om een onderzoek te starten. Wij dachten dat we op onszelf waren aangewezen. Felix Mackenzie deed een halfslachtige poging haar op andere gedachten te brengen, ook al was niemand in de verste verte voldoende gekwalificeerd. Ze hield vol dat ze het aankon, maar het was waarschijnlijker dat ze zich moreel gedwongen voelde. Bovendien wilde ze niet dat iemand anders aan Annie kwam.'

'Wat vond je daar als psycholoog van?'

'Een zeer vervelende situatie zonder goede opties. Zoals de omstandigheden waren, moest de tandarts van het poolstation assisteren. Zij had meer chirurgische ervaring dan onze verpleegster. Als Ingrid al vijandig doet, neem het dan niet persoonlijk op, alsjeblieft. Volgens mij verwijt ze zichzelf dat ze Annie niet heeft beschermd.'

Hanley zweeg een poosje en liet de gedachte tot zich doordringen dat dr. Kruger gedwongen was sectie te doen op haar geliefde.

'Heeft Alex Kossuth een afscheidsbriefje achtergelaten?'

'Geen briefje.'

'U denkt dus dat zijn zelfmoord een impulsieve aangelegenheid was?'

'Kennelijk. Maar Alex smachtte naar vertroosting. Er zat hem iets dwars. Hij wilde niet zeggen wat. En ik heb echt geprobeerd om het uit hem te krijgen.'

'Ik geloof je.'

'Ik vermoed dat ik probeer het te rechtvaardigen... tegenover mezelf en tegenover iedereen... voor het feit dat ik me niet indringender met Alex heb beziggehouden. Waar hij aan leed was hoe dan ook een gewone aandoening bij mensen die boven de poolcirkel werken.'

'Het spijt me dat ik aandring. Het is niet alleen dat ik gewoon nieuwsgierig ben. Suïcidale mensen kunnen zich roekeloos gedragen; niet alle gozers die besluiten de auto in de prak te rijden kan het wat schelen wie ze op de weg nog meer de dood injagen. Misschien heeft Alex een onnodig risico genomen en zichzelf en anderen aan iets blootgesteld waarvan hij wist dat dat gevaarlijk was. Als dat is voorgevallen, is het mijn taak te voorkomen dat die blootstelling nog eens het geval zal zijn. Hoe was, naast de band die hij met Annie had, zijn relatie met de andere wetenschappers op het poolstation?'

Gibson schudde zijn hoofd. 'Geen wantrouwen naar ik weet, en al evenmin was er sprake van ziekelijke achterdocht. En Ogata's groep... ze kenden elkaar goed, waren zelfs vrienden van elkaar.'

'En de vijfde persoon van dat gezelschap? Ik krijg de indruk dat ze niet echt geliefd was.'

'Lidiya Tarakanova kon inderdaad moeilijk in de omgang zijn, maar zij zou het poolstation verlaten. Men stelde zich tamelijk inschikkelijk op in de wetenschap dat ze zich niet veel langer meer met haar hoefden op te houden. Ze liftte alleen mee omdat ze toch langs de plaats kwamen waar ze zou worden opgepikt. Het betrof geen evacuatie, maar gewoon de laatste boot naar huis.'

'Sorry,' zei Hanley, die over haar gezicht en ogen wreef. 'Ik loop op mijn laatste benen.'

'Dat zie ik,' zei Gibson. 'Denk alsjeblieft na over wat ik heb gezegd met betrekking tot de mogelijkheid dat je jezelf overgeeft aan het poolstation en de mensen die hier wonen. We zijn sociale wezens, doctor. Je mag je persoonlijke behoeften hebben.'

'Ja, ik zal erover nadenken.'

Hanley wenste hem nog een goedenacht en vertrok. De gangen waren schemerig verlicht.

'Ach wat, ik doe het gewoon,' zei ze tegen zichzelf.

Ze begaf zich door de nachtelijke verstilling naar woonkoepel vier en klopte zachtjes op de deur van kamer 1103A. Een ogenblik later ging de deur voorzichtig open.

'Dr. Hanley,' zei hij. Zijn gezicht betrok.

'Je bent nog op.'

'Ja, zorgen aan m'n hoofd.' Jack Nimit stapte opzij om haar te laten passeren. '*Itirut,*' zei hij. 'Welkom.' Hij stond in een verlaten lichtcirkel. Zijn zwarte haar was strak naar achteren gekamd en bij zijn nek bijeengebonden. Een bescheiden waaier van lokken viel over zijn schouders. Terwijl ze naar hem toe stapte, probeerde ze bewust niet aan hun leeftijdsverschil te denken. Hij verstramde.

'Kan ik je ergens mee van dienst zijn?'

'Ik hoop van wel,' antwoordde ze.

Ze deed het licht uit, bracht haar handen omhoog en trok haar topje uit, samen met het mouwloos hemdje dat ze daaronder droeg. De statische elektriciteit liet de stof knetteren en vonken. De gloed deed haar bovenlichaam glimmen.

Ze greep zijn pull-over bij de zoom vast en trok het kledingstuk omhoog, waarbij hij inschikkelijk zijn armen omhoogbracht. Ook zijn kleren vonkten. Als nauwelijks zichtbare silhouetten stonden ze elkaar in de kamer halfnaakt aan te staren.

Zij raakte zijn borstkas aan, en hij haar rug, met kloppend hart. Ze glimlachte en genoot van het effect dat hij op haar had, en zij op hem. Hij liet zijn hand langs de onderkant van haar borst glijden, waardoor haar adem lichtjes stokte, en ze glimlachte verrast, verrukt als ze was.

Ze kusten elkaar. Haar huid raakte zijn borstkas, een onverwoordbaar gevoel. Haar tepels werden hard. Haar werkbroek gleed naar beneden en bleef om haar enkels liggen, waarna ze haar voeten optilde en een stap opzij deed.

Hij liet zijn hand over haar hals en schouder glijden. Zijn andere hand hield hij onder haar borst, alsof dat iets was dat hij als beloning had gekregen. Toen hij zich naar voren boog om haar hals te kussen, reikte hij naar beneden en raakte met zijn handpalm zachtjes haar schaamlippen aan. Zij omhelsde hem stevig, haar lichaam spoorde hem aan zich tegen haar aan te drukken terwijl zij hem op dezelfde manier streelde.

Ze hunkerde naar zijn liefkozingen, naar het gevoel wanneer hij in haar zou zijn. Zo teder als maar kon wiegde ze tegen hem aan en tilde een knie op, haar been om hem heen geslagen, waardoor zij zich voor hem opende.

Zachtjes drukte hij haar naar achteren terwijl ze inmiddels al tegen zijn bed in het smalle vertrek leunden. Kussend en strelend ging hij naast haar liggen, en zij hield hem dicht tegen zich aan. Toen ze in dat smalle bed op haar rug rolde, trok ze hem bovenop zich.

Ze leidde hem en hij gleed moeiteloos in haar. Niets was zo dringend als het gevoel dat ze op dat moment met elkaar deelden.

Hij bewoog op de meest weloverwogen manier. Langzaam, heel langzaam. Het is net als fietsen, dacht ze terwijl ze in zichzelf glimlachte. Bij elke beweging ademde ze schokkerig, met stootjes uit, en terwijl ze elkaar teder streelden, maakten ze met hun tong elkaars lippen, kin en wangen nat. Hun adem stokte bij elke stoot en op momenten dat hij terugtrok. Haar ogen wenden aan de duisternis – ze kon hem zien.

Haar benen omhelsden zijn billen, haar armen zijn nek. Hun bewegingen, almaar dringender, ontlokten bij haar genotskreetjes. Ze liet een hand tussen hen in glijden, raakte hem daar aan waar hij in haar ging. Ze huiverde terwijl ze zich tegen zijn bewegingen in bewoog, buigend en rekkend, twee mensen die op intense manier met elkaar verbonden waren, die zich aan elkaar vastklampten, die het met elkaar deden in het donker, met wijdopen ogen en een willig lichaam.

26

Ishikawa deed niet langer pogingen om naar huis te gaan, naar Sherman Oaks. Van het Centrum kreeg hij twee assistenten erbij, en er werd een divan binnengebracht, groot genoeg om er languit op te gaan liggen en een dutje te doen. De hele dag, tot in de avond, waren zijn ondergeschikten voor hem in de weer. Ze kwamen en gingen zonder te kloppen en plakten de resultaten van hun onderzoeken met tape op ongeacht welk voorwerp dat hen op dat moment het meest geschikt leek, waarbij inbegrepen Ishikawa zelf wanneer hij lag te slapen.

Het vertrek begon op een kantoor te lijken, beplakt met aantekeningen en memo's. Heel even had Ishikawa de indruk dat hij weer thuis was, in zijn eigen kamer, in zijn ouderlijk huis, het plafond gedecoreerd met ornamenteel shinto-papier – votiefgeschenken voor bescherming en succes. Behalve dan dat de notities die aan zijn kantoormuren waren bevestigd onregelmatig van afmeting en vorm waren, voorzien van talloze kleuren. Aantekeningen geschreven op fraai briefpapier, op afgescheurde vellen papier, enveloppen, indexkaartjes, boekenleggers, officieel memopapier, losbladig papier, schrijfblokpapier, covers van lucifersdoosjes, zelfs op een parkeerbon, waarop iemand had geschreven: *Zuurstof... 12% in de weefsels en organen, 13% in het spierweefsel, 34% in de longen, 41% in het bloed.*

Hij had de notities per categorie vastgeprikt, vastgeniet, vastgeklemd en met kleefband aan zijn muren geplakt, waardoor je met één oogopslag kon zeggen wat op dat moment de meest vruchtbare denkrichting was. Een zacht aflandig briesje liet de briefjes flapperen. Een eigenaardig aangenaam geluid, een vriendelijk geruis.

Het ochtendgloren kondigde zich aan. Ishikawa keek op zijn horloge. Er was nog niemand aanwezig. Hij hoopte dat Hanley nog steeds sliep. Met een schuldig gevoel draaide hij zich op de andere zij, met het gezicht naar de muur gewend, en zette alle gedachten zodanig van zich af dat hij de slaap weer kon vatten.

Zachtjes duwde Vasily Sergejevitsj Nemerov zijn vrouw weg, waarbij hij zijn eigen zwaardere lichaam als tegengewicht gebruikte. Ze bood geen weerstand, want ze was uitgeput. Hij verbaasde zich over haar. Wat had hij toch een mazzel dat hij was bezweken voor zo'n geweldige verleidster. Net voordat hij aanmonsterde, en meteen na zijn terugkeer, was ze altijd al bijzonder hartstochtelijk en ongeremd geweest. Sonja had Frans bloed. Ongetwijfeld verklaarde dat het feit dat ze zo zinnelijk was. Haar grootmoeder was een sarcastisch relikwie uit Parijs. Elk jaar arriveerden er twee brieven van haar; een op de verjaardag van Sonja, en de andere op de sterfdag van Sonja's moeder.

Grootvader was een Franse marineofficier geweest die op zee zijn dood had gevonden. Zijn opoffering voor Frankrijk had Sonja's moeder het recht gegeven om in de grote hal van Napoleons graftombe te trouwen, zogezegd de gift van een trotse natie; een bijzondere eer. De dochter van de republiek was getrouwd met een Russische banneling die haar kort voor de Grote Patriottische Oorlog mee terug nam naar Moedertje Rusland. Enkele jaren later trok men zijn rehabilitatie in twijfel en werd hij door een vuurpeloton geëxecuteerd, met een patriottische eed op zijn lippen. Niet lang daarna overleed Sonja's moeder aan tyfus.

Vasily had Sonja in Leningrad ontmoet, in de jaren dat hij als cadet door het leven ging. Na zijn afstuderen beloofden ze elkaar eeuwige trouw. Aanvankelijk ging alles verkeerd wat maar verkeerd kon gaan. Er kwam maar geen einde aan hun ruzies. En toch, hoe slecht hun ambities en hun karakters ook bij elkaar leken te passen, toen ze eenmaal als man en vrouw in de echt waren verbonden, was al het andere onbelangrijk geworden. Ze maakten elkaar beter, zoals ze altijd hadden gedaan.

Hij geeuwde en lag op zijn rug in de kussens. Ze had hem opnieuw bijna beter gemaakt na die bedroevende, kwellende manoeuvres in de fjord. De schepen van de Baltische Vloot waren te vroeg gearriveerd, waardoor ze aan de oppervlakte verwarring hadden gezaaid. Hij had die prutsers ontweken, verscheidene Britse en Noorse vaartuigen incluis, waarbij hij de kakofonie van hun motoren en hun wedijverende sonars gebruikte om zich met de *Roes* ongemerkt te kunnen terugtrekken.

Hij keek naar Sonja en raakte een haarlok aan bij haar hals. Hoewel ze sinds de geboorte van hun jongste dochter ietwat was aangekomen, bleef haar lichaam exquisiet. Nu hij zich realiseerde dat hij klaarwakker was – geen ontkomen aan – dekte hij haar toe en deed in het donker zijn pyjama aan, waarna hij voorzichtig de deur van hun slaapkamer dichtdeed en in zijn Engelse slippers naar de keuken slofte. De bliksem vertakte zich in het zwerk terwijl hij vluchtig naar het plein keek, gevolgd door een bulderende donderklap. Nemerov zette water op voor de thee en liep daarna even binnen bij zijn dochters.

De oudste lag diep te slapen. Op zijn tenen liep hij naar het ledikant van de jongste, bukte zich en keek tussen de spijlen door. Het schemerlicht reflecteerde in twee open ogen. Deze dochter was een denkster, kalm en bespiegelend sinds de eerste dag. In de duisternis van de winterochtenden lag ze daar rustig en was haar eigen raadsvrouw; alleen haar ogen bewogen. Met een uitgestoken vinger reikte hij in het ledikant, waarna zij die vinger met een handje beetpakte.

'Is het tijd om op te staan?' fluisterde ze.

'Nee, het is nog veel te vroeg. Doe je ogen dicht en probeer te slapen.'

Gehoorzaam gingen haar oogleden naar beneden. Nemerov stopte haar in en kwam overeind, waarna hij naar de badkamer slofte, een plas deed, zich waste, zich scheerde en terugkeerde naar de keuken om als ontbijt een ei te koken. Hij veegde enkele kleine kakkerlakken in de gootsteen en spoelde ze weg. Met het bord in de hand ging hij in een stoel bij het keukenraam zitten, waarna hij met de muis van zijn hand over het raam wreef en een grote cirkel in het condensvocht maakte.

Het Kirovplein lag er verlaten en verstild bij. De natriumstraatlantaarns maakten van de zijstraten donkere holten en vervlakten alles, waardoor niets een schaduw kon werpen. Er liepen geen mensen. Aan het eind van de winter zou Moermansk tot leven komen en werd er feestgevierd. Op de pleinen en in de avenues was het dan vergeven van de arbeiders, hun zakken vol met roebels die ze verdiend hadden als extra compensatie voor hun inspanningen in het ruige noorden. Ze zouden dan in groepen naar de winkels aan de havenkant gaan en Japanse dvd-spelers en Duitse camera's kopen die goedkoop waren ingekocht door zeekooplui die net terug waren van buitenlandse havens.

'Papa.'

Zijn jongste dochter stond in de deuropening en wreef over haar ogen; haar huidskleur was enigszins roodachtig dankzij de hoogtezon op school. Zonlichtbehandelingen, extra melk en wortelen hoorden bij de voordelen die dankzij een gemeentelijk voorschrift gedurende de winter ten deel vielen aan de schoolkinderen van Moermansk.

'Ga naar bed, Natasjenka. Het is nog veel te vroeg om op te staan.'

'Ik kan niet slapen,' zei ze. 'Waar hadden jij en mama gisteravond ruzie over?'

'Je bent zo nieuwsgierig,' zei hij. 'Jouw moeder wil dat ik de marine verlaat en voor een nieuwe scheepvaartmaatschappij ga werken. Wil je wat warme melk?'

Ze schudde haar hoofd. 'Draag je dan nog steeds je uniform?'

'Ja.'

'Papa?'

'Wat is er?'

'Verhaaltje,' zei ze terwijl ze zich tussen zijn knieën wriggelde.

'Ah,' zei Nemerov. Hij nam haar in zijn armen, tilde haar op en zette haar op zijn dijbeen, waarbij ze zich zo natuurlijk als een vogeltje schikte. 'En wat voor een verhaaltje zou jij dan willen horen?' Dit was vragen naar de bekende weg; al maandenlang had zij haar eigen favoriete verhaaltje.

'De rivierprinses,' zei ze meteen.

'Geregeld.'

Terwijl hij haar tegen zijn borst hield, haar hoofd onder zijn kin, ontvouwde Nemerov de verwikkelingen van de knappe mandolinespeler die van de rivier Volkhov hield en geschenken in het water wierp als eerbetoon aan haar schoonheid. Uiteindelijk gooide hij zichzelf in het water omdat hij het niet langer aankon dat de mensen zijn muziek verwierpen.

'Waterwezens brachten hem naar de zeetsaar in afwachting van zijn straf, naar een kasteel dat gebouwd was met...' Nemerov wachtte tot Natasja de zin voor hem afmaakte.

'Groen hout van gezonken schepen,' zei ze.

'De tsaar was gekroond met...'

'Goud van waardevolle scheepsladingen.'

'En zijn huid was bedekt met...'

'Schubben.'

'Blauw haar kwam golvend tot aan zijn middel, en wanneer hij bewoog rimpelde het water in alle richtingen. Het bleek dat de rivier Volkhov...'

'Zijn jongste en mooiste dochter was.' Dit was haar favoriete zin, en ze sprak die krachtig en met nadruk uit.

'De troubadour was in vervoering gebracht. Toch kon hij onmogelijk met haar in de zee verder leven, terwijl zij niet in staat was de zee te verlaten. Hij voelde zich ellendig en was overmand door verdriet. En hij viel in haar armen in slaap en werd weer wakker op droog land, waarbij hij een raar gevoel in zijn vingertoppen had. Hij lag naast haar op de rivieroever, zijn hand raakte de zachte stroming, en aan zijn vinger was een prachtige...'

Nemerov wachtte, maar Natasja was in slaap gevallen, haar handje in zijn hand. Een geluid deed Nemerov over zijn schouder uit het raam kijken. In de vrieskou van de ochtend stapte een eenzame man met vastberaden tred over het plein; zijn insignes glinsterden in het licht van de natriumlampen. Hij herkende die man, alleen al aan zijn tred. Het grootste deel van de mensheid stamde af van de aap, maar er waren ook enkelen die veeleer verwant leken te zijn aan de wolf. Admiraal Roedenko had die wolfachtige gratie en lenigheid. Ondanks zijn vervloekte reumatiek was hij zo soepel als een yogi.

Roedenko had zijn officiële overjas aan; de schouder- en manchetinsignes flonkerden; hij kwam rechtstreeks van het condoleancebezoek dat hij bij de weduwe van de kapitein van de *Vladivostok* had afgelegd. Was hij de hele nacht opgebleven in Kronstadt nadat hij haar had opgezocht en de icoon had afgegeven?

'Is hij gekomen om je mee te nemen naar de bodem van de zee?' vroeg zijn dochter.

Nemerov draaide zich om en drukte haar tegen zijn borst.

'Niet weggaan, papa. Je bent nog geen week thuis.'

Nemerov wenste vurig dat hij al zijn trainingsjaren en zijn verblijf op zee kon teruggeven. Veranderingen met betrekking tot de noordelijk poolkap, waar voorheen het hele jaar door ijs was, hadden aan de noordzijde van Rusland voor vaargeulen gezorgd, waardoor duizenden zeemijlen uitgespaard konden worden omdat men niet meer rond de Hoorn van Afrika hoefde te varen om de Zuid-Chinese Zee en de gebieden daarachter te bereiken. Koopvaardijkapiteins die ervaring hadden in het bevaren van die ijzige vaargeulen waren zeer gevraagd. Tijdens één reis zou hij net zoveel verdienen als tijdens één jaar dienst als marineofficier, hoewel de betaalmeester zich sinds afgelopen juni niet meer had laten zien. Na wat hij in de fjord had meegemaakt, realiseerde hij zich dat hij de marine op korte termijn voor gezien zou houden en burgerkapitein op een van de vrachtschepen van Sovkomflot zou worden. Schepen die de nieuwe zeeroutes bevoeren. Maar hoe moest hij dat aan Roedenko duidelijk maken?

De commandant bracht zijn kind naar het ledikant. 'Ga alsjeblieft niet meer terug,' hoorde hij haar mompelen. Hij stopte haar in, liep naar de voordeur van zijn flat en maakte een knoop in het trekkoord van zijn pyjama terwijl hij bestormd werd door beelden van het lijk dat gekluisterd was alsof het was opgehangen door een beul, met een huid die deed denken aan een foetus, een miskraam – doorzichtig, intens wit – en dan die gekwelde grimas op het gezicht.

Als het even kon wilde hij absoluut niets meer te maken hebben met die verdoemde onderzeeër en degenen die erbij betrokken waren. Hij zou dat meteen aan Roedenko duidelijk maken. Hij had het gehad met de marine. Ze waren toch eigenlijk niet meer nodig? Welke toekomst hadden ze nog? Waren ze hun tijd niet aan het uitdienen? Was er samen met die gestorven zeelui in de fjord een einde gekomen aan zijn ambities? Hij stapte op de donkere overloop, waar een gepensioneerde alweer de gloeilamp had gejat.

Er klonken echoënde voetstappen in het afbladderende trappenhuis. Zijn instinct drong bij hem aan om weg te rennen, maar hij wist dat hij niet kon vluchten. Welke andere wroegingen en gewetensangsten hij ook opzij kon schuiven, hoe zat het met de admiraal? Hij leunde over de balustrade. Vaag ontwaarde hij een gehandschoende hand op de leuning.

'Admiraal,' riep hij naar beneden, en zo luchtig als hij kon opbrengen. 'U bent net op tijd om met uw peetdochter te ontbijten.'

27

'Waar kom jij vandaan?' vroeg Nimit.

'Californië. Maar ik ben opgegroeid in Virginia, aan de verkeerde kant van de Chickahominy Rivier.'

'Wat bedoel je daarmee?'

'Arme lui. Onze ouders waren verwikkeld in van alles en nog wat, waardoor we min of meer voor onszelf moesten zorgen. Elk kind was verantwoordelijk voor de jongere in de rij. Toen ik op de middelbare school zat, overleed mijn moeder. Mijn vader hertrouwde en het gezin viel uit elkaar, zo kun je dat wel noemen. Sommigen houden contact, maar we vormen niet het soort familie met gelegenheden waarbij we allemaal samenkomen. Twee van ons... toevallig de twee meisjes... kregen het feitelijk voor elkaar om naar de middelbare school te gaan en kunnen maar moeilijk communiceren met mijn broers, wat niet wil zeggen dat we om te beginnen erg sociaal zijn. De meeste broers drinken graag whisky, jagen op wilde kalkoen of op herten en kijken naar honkbal op televisie. Mijn zus en ik mogen daar niet aan meedoen. Vrouwen zijn er eigenlijk alleen maar om ervoor te zorgen dat de catering soepel verloopt.' Ze ging rechtop zitten, met opgetrokken knieën, en stak een sigaret op.

'Hoe was jij in je vroege jeugd?' vroeg hij.

'Eigenaardig. Op mezelf.'

'Vriendjes?'

'Vrijwel geen.'

'Waarom niet?'

'Ik maakte ze kopschuw. Ik verzamelde overreden dieren, insecten en ratten. Bovendien had ik bepaald geen flinke bos hout voor de deur.'

'Dat laatste heb je in elk geval goedgemaakt,' zei hij terwijl hij naar haar reikte. Ze lachte en draaide haar hoofd om hem aan te kijken. 'En waar kom jij vandaan, meneer Nimit?'

'Uit dit oord.' Nimit knikte naar de vlakte in zwart en wit, daarbuiten. 'Maar als je bedoelt te vragen waar ik ben opgegroeid, dan is dat Ellesmere Island, veel zuidelijker van hier.'

'Mis je het erg?'

'Geen seconde. Ik haatte die plaats. Ik kon niet wachten om eindelijk te vertrekken.'

Hanley stak haar verbazing niet onder stoelen of banken. 'Meen je dat?'

'Ja,' zei hij. 'Ik gedroeg me niet zoals men vond dat een Inuk zich hoorde te gedragen. Maar dat was de waarheid. Ik was één brok ellende. We waren niet bepaald de nomadische edele wilden met een hard maar perfect geharmoniseerd leven in de meedogenloze arctische schoonheid. Drie decennia geleden moesten we van de regering daarheen verhuizen. Niet bepaald met wederzijds goedvinden. Verder noordelijk dan de Inuit ooit wilden leven. Maar hoe verder noordelijk je woont, hoe meer territorium je kunt opeisen. Niet bepaald fraai, maar daar waren we dan. Iedereen was aan de bedeling en we woonden in huizen van triplex. De kinderen snoven lijm en inhaleerden benzinelucht uit plastic vuilniszakken, werden vervolgens stoned en staken zichzelf in brand. Niemand onder de veertig kon het Inuit nog spreken. Er werd nooit iets weggegooid. Iedereen had op zijn erf koelkasten die het niet meer deden en tot schroot verworden sneeuwscooters. Een vuilniszak in een plastic emmer vormde het rioleringssysteem van elk gezin. Die rioolzakken werden uiteindelijk op de toendra gesmeten, stapelden zich op en bevroren. Hetzelfde gold voor de wasmiddelen. In de intense vrieskou scheurt het plastic en in de zomer verandert de boel in een enorme septische vijver. De stank was vernederend.' Hij keek haar vluchtig aan. 'Zie je het voor je?'

'In geuren en kleuren.'

'Het gaat beter nu Canada delen van ons oude territorium heeft terug-gegeven. Natuurlijk stelt het eigenlijk allemaal niet veel voor. Er komt nu een Inuit-superheld op televisie om de kinderen geïnteresseerd te krijgen in het Inuit. Ik hoop echter met heel mijn hart dat hetgeen wij op Trudeau ontwikkelen de Inuit uiteindelijk van nut zal zijn. Ik zou graag zien dat de Inuit poolpakken dragen en bijvoorbeeld in Trudeau-koepels wonen in plaats van in vierkante, houten zadeldakhuizen van formica en linoleum. Ik weet het niet... het zou meer kunnen lijken op een natuurlijke ontwikkeling dan op geleende architectuur. Wat ik bedoel is dat de koepelvorm in feite het ontwerp van een Inuit-iglo voorstelt. We hebben die alleen maar gemoderniseerd.'

'Hoe ben jij op Trudeau terechtgekomen?'

'Mackenzie... daar is alles mee gezegd. Ik kwam hem voor het eerst tegen op de universiteit. In mijn jeugd zorgde ik ervoor dat ik op school goede cijfers haalde; daar kreeg ik mijn eerste studiebeurs. Ik ging vervolgens naar het zuiden en studeerde techniek in Dalhousie, waarna ik vastbesloten was de hoge breedtegraden te mijden. Maar uiteindelijk kwam ik weer in het noorden terecht, zoals ijzervijlsel naar een magneet wordt getrokken. Niet lang nadat ik net boven de poolcirkel platforms voor de olieboortorens aan het bouwen was, haalde Mackenzie mij binnen. Hij zei dat veel spullen voor het poolstation ter plekke waren, en dat hij een ideaal had, maar dat hij een speciaal iemand bij zich moest hebben om die droom te realiseren. Hij gaf me de vrije hand. Ik kan je niet duidelijk maken hoe stimulerend ik dat vond.

'Mac gaf mij het noordpoolgebied terug. Gedurende twee zomers heb ik op poolstation Little Trudeau voor hem gewerkt en maakte de ontwerpen. Zoiets was nog nooit gebouwd.'

Ze voelde zich jaloers worden. 'Je mag van geluk spreken dat je hem als mentor had.'

'Mentor? Veeleer iemand die mijn leven heeft gered. Ben jij weleens iemand tegengekomen die je leven grondig heeft veranderd?'

Ze schudde haar hoofd. 'Nee. Ik heb een aardige baas, maar dat heeft nog nooit iemand voor me gedaan. Niemand heeft me ook maar één seconde bij de hand genomen. Ik veronderstel dat ik om die reden niet zo goed met anderen kan opschieten... ik heb altijd moeten vechten.'

'Jij lijkt het als eenling best goed te doen.' Hij trok haar naar zich toe voor een kus.

'En jij lijkt te genieten van een uitdaging.'

'Persoonlijk of als technicus?'

'Beide... maar ik bedoelde als technicus.'

'Tuurlijk. En er komt bovendien meer bij kijken dan alleen wat etnische trots. De mensen verwachten altijd dat de bouwingenieur van een poolstation een Duitser of een Deen is.'

'Ja, wat je zegt... de mensen verwachten evenmin veel van een boeren-trut.'

Nimit lachte.

'Wat vond jij het moeilijkste gedeelte wat de bouw betrof?'

'Misschien wel de drie grote koepels van het station. Ze rusten op pijlers die ik in de toendrabodem heb geheid. Dat voorkomt dat er zich driftkrachten kunnen opbouwen en dat de warmte van de koepels de permafrostbodem laat ontdooien. Permafrost, het woord zegt het al... gedurende het hele jaar bevroren, zelfs wanneer de zon dag en nacht schijnt. Dus heb ik van de Siberische bouwers een constructiemethode geleend. Je verhit de stalen pijp tot die roodgloeiend is, waarna je hem in de bevroren grond heit. Wanneer je de pijp er weer uithaalt, zit hij vol toendragrond. Daarna druk je de lege pijp terug in het gat en vult hem vervolgens met beton. Een in ecologisch opzicht nogal ingrijpende techniek, maar de regering stelde zich in de bouwfase soepeler op met betrekking tot schade die niet te vermijden was. Ze zijn nu veel minder welwillend betreffende onze activiteiten op de bevroren poolzee, vooral in de zomermaanden, wanneer de toendra er open en kwetsbaar bij ligt en de minste gleuf snel uitgroeit tot een erosiegreppel.

'Hoe dan ook, die zomer hebben we ons te pletter gewerkt, vierentwintig uur per dag, met twee ploegen, om Big Trudeau van de grond te krijgen. We hebben de koepels ongeveer zeshonderdvijftig kilometer zuidelijker in elkaar gezet, ze vervolgens op elkaar gestapeld en ze door zware helikopters naar deze plaats getransporteerd, net klokken die onder gigantische muskieten waren gehangen. De staf kwam naar buiten en juichte terwijl we eraan kwamen. Mijn personeel had in het zuiden geoefend met het in elkaar zetten van de koepels. We planden en repeteerden de werkzaamheden tot aan de laatste klinknagel toe. De grote helikopters hesen de koepels op hun plaats, waarna wij alles vastzetten alsof het iets uit een meccanodoos was. Toen de winter inzette, wist ik dat ik voorgoed was teruggekomen.'

'Ik ben blij dat je bent teruggekomen,' zei ze een beetje schor, verrast hoe diep ze door hem geroerd was.

'Je kunt maar beter wat gaan slapen,' zei hij terwijl hij haar kuste.

'Ik ben vergeten hoe dat moet.'

'Doe gewoon je ogen dicht en laat de rest aan mij over.'

De noordenwind had een kracht van zeven knopen. De kolkende wolken hingen laag en het zicht was minder dan vier kilometer. Dit was een perfecte periode om het zeegat uit te gaan.

Er was gerapporteerd dat een Amerikaanse onderzeeër van de jagersklasse net buiten de territoriale wateren lag, met de voorsteven gericht op het duikbootdok van Kem. Die cowboys zouden niet lang hoeven te wachten, dacht Nemerov. Hij gaf opdracht de trossen los te gooien en manoeuvreerde de duikboot behoedzaam van de aanlegplaats weg om vervolgens door de geopende haveningang te varen. Meteen daarna ging de onderzeeër onder water en bleef vervolgens in het door ijsbrekers opengehouden kanaal op periscoopdiepte.

Op Roedenko en de burger Kojt na had Nemerov zijn eigen bemanning tot zijn beschikking; Tsjernavin had daarop gestaan. De duikboot was nieuw – de *Archangelsk*. Er was zelfs geen tijd geweest de onderzeeër vaarklaar te laten verklaren. Het betrof eveneens een onderzeeboot uit de jagersklasse. Een die acht knoppen sneller was dan de raketonderzeeërs, waaronder de *Roes*, en een die veel geluidlozer kon varen. In tegenstelling tot de staallegering die in andere duikboten werd gebruikt, zou de titaniumromp geen magnetische aanwijzingen prijsgeven met betrekking tot de aanwezigheid van deze onderzeeër.

De vertegenwoordiger van de werf in Severodvinsk had opgeschept over de capaciteiten en het ontwerp van het vaartuig. 'Kijk eens hoe de bovenzijde van de duikboot in feite niet meer is dan een bult, zoals de bochel van een walvis, waar dit vaartuig nog het meeste op lijkt; hij glijdt zo gracieus door het water. In de tijd die ik nog te leven heb, zal een duikboot als deze niet meer gebouwd worden.'

Nemerov deelde het enthousiasme van de bouwer niet. In de moderne lijnen zag hij geen gratie maar atavistische dreiging. Dit was een onderzeeër die andere duikboten ongemerkt achtervolgde om ze te vernietigen. Het was echter duidelijk dat Tsjernavin hun het beste materiaal had gegeven dat de marine maar te bieden had. Door dat idee voelde hij zich niet op zijn gemak terwijl de *Archangelsk* naar open zee koerste.

Veertig minuten later glipte de Amerikaanse onderzeeër achter de nieuwe duikboot van Nemerov en bleef er op zijn gemakje achter hangen tot een tweede onderzeeboot van de Russische Noordelijke Vloot van de zeebodem omhoogkwam en het kielzog van de *Archangelsk* begon te doorsnijden, met als gevolg dat de sonar van het achtervolgende vaartuig op een meedogenloze manier op een dwaalspoor werd gebracht.

Commandant Nemerov draaide met de periscoop mee tot hij een volledige cirkel in het kwadrant had gemaakt. De golfdalen waren zeer diep. Hij beval een scherpe duikhoek. De *Archangelsk* dook naar de koudere zeeniveaus, waarna er onder het ijs werd gevaren, de boeg naar het noorden gericht.

28

Hanley trok haar beschermende pak aan alvorens ze zich in het kleine quarantainelaboratorium begaf. Aldaar prepareerde ze een reeks kweken van de wormspecimens uit Skudra's laboratorium. In het secundaire laboratorium onderzocht Uli laboratoriumkolven en petrischaaltjes die op schappen waren gezet. Uli hield de aantekeningen bij van elke kweek die tijdens de autopsie op Ogata was afgenomen.

'Specimen honderddrie, negatief. Honderdvier, negatief. Honderdvijf, negatief.'

Uli keek op van zijn aantekeningen en riep naar het quarantainelaboratorium: 'Jessie, in de monsters heb ik geen toxische bacteriën aangetroffen.'

'Dat weet ik,' riep ze terug. 'Verdomd frustrerend.'

'Zou je even kunnen komen? Ik heb een vraag terwijl ik verder ga met het onderzoek.'

'Ik kom eraan.' Hanley maakte het kweekje af waarmee ze bezig was, waarna ze onder de ontsmettingsdouche ging staan, het secundaire laboratorium inliep, haar helm afdeed en de werktafel naderde waar Uli laboratoriumvellen had uitgespreid waarop de bevindingen waren genoteerd van tientallen pogingen om met behulp van weefselmonsters van Ogata bacteriekweken te maken.

'Wat wilde je vragen?'

'Ik vraag me af of ik wel op de juiste manier kweken aan het maken ben. Is het mogelijk dat van alle kweken het resultaat negatief is?'

'Nou ja, als er niets inzit, dan zit er niets in.' Ze bekeek de lange reeks resultaten, waarna ze een bladzijde terugbladerde. En daarna nog een. 'Wauw,' zei Hanley. 'Ze zijn allemaal negatief.'

'Helemaal,' zei Uli. 'Alles.'

'En de exemplaren uit het laboratorium van Bascomb dan?' vroeg Hanley. Ze deed de rest van haar beschermende pak in een mum van tijd uit. Uli liep vluchtig de uitdraaien na. '*Null*. Is dat belangrijk?'

Hanley pakte de uitdraaien en rende ermee naar de laptop. De netwerklink met Californië was actief. Hanley zette het volume hoger. 'Ishi?'

'*Ja. Iets gevonden?*'

'Eigenlijk lijkt het er meer op dat we helemaal niets hebben aangetroffen. Maar zoveel niets lijkt op iets te duiden. Wat je noemt een bizarre bevinding. Uli is bij me.' Ze wees naar het scherm terwijl ze vluchtig over haar schouder naar haar collega keek. 'Praat hem maar bij.'

Uli zei: 'Inderdaad, we hebben te maken met te veel negatieve... eh, hoe zeg je dat?... *resultats*, ja?... in de bacteriekweken.'

'Ishi,' zei Hanley. 'De kweken vertonen überhaupt geen enkel teken van bacteriegroei. Hoor je me, Ishi? Niet alleen geen potentiële ziekteverwekkers, ook geen goedaardige bacteriën; nul komma nul bacteriegroei.'

'*Meen je dat?*'

'Je hoort het,' zei Hanley. 'De lijken zijn volledig verstoken van bacteriën. De normale flora is verdwenen. Het lijkt of Ogata en Bascomb werden gesteriliseerd door datgene wat hun ademhalingssysteem en de bloedlichaampjes heeft vernietigd.'

'*Dat is verdomd opmerkelijk. Ik ga op zoek naar precedenten, maar voor de vuist weg gesproken weet ik nu al dat we die niet zullen vinden.*'

Hanley leunde naar achteren en zat half op de laboratoriumkruk. 'Wat moeten we hiervan gaan denken? Normaliter bevinden zich tussen de maag en het rectum laten we zeggen tien tot honderd miljoen bacteriën per gram weefsel. Telkens wanneer je naar het toilet gaat, raak je pakweg honderd miljard bacteriën kwijt. En in de mond, op het tandvlees en op de tanden zitten nog eens...' Ze keek Dee aan om hulp. 'Hoeveel bacteriën zitten er in de mond van een mens?'

'Nog eens tien miljard. Dat hebben ze ons op de tandheelkundige faculteit geleerd. Ongeveer tweehonderd verschillende soorten.'

'Goed, nog eens tien miljard,' herhaalde Hanley. 'En elders in het lichaam zijn er nog meer te vinden. In totaal ongeveer honderd biljoen. Dat zijn veertien nullen. We hebben het over een vol pond microscopisch kleine creatuurtjes. Deze stoffelijke overschotten bevatten echter niet één enkele bacterie. Niks, nada, nul.'

'*Zoiets heb ik nog nooit meegemaakt, zelfs niet iets dat er in de verste verte op lijkt,*' zei Ishikawa.

Hanley zei: 'Uli... geef me alle bevindingen, zodat ik ze naar Ishi kan versturen, oké?' Uli knikte en liep haastig weg.

'Wel, Ishi... bekijk het eens van de zonnige kant. Volgens mij hebben we zonet een eventuele bacteriële boosdoener uitgesloten.' Ze ging zitten. 'Dat maakt de lijst een stuk korter. Van de andere kant wil dit zeggen dat de antibiotica die ik heb meegebracht nutteloos zullen zijn wanneer er opnieuw sprake is van een uitbraak. En dit "ding" werkt zo snel dat ik me bovendien niet kan voorstellen dat de huidige antivirale middelen iets kunnen uitrichten.'

Hanley deed haar ogen dicht en probeerde zichzelf te dwingen orde te scheppen in haar vermoedens – een stormloop van gedachten – die door haar hersenen flitsten. Op het scherm was een kleine afbeelding van Ishikawa te zien. Een Ishikawa die krampachtig met allerlei dingen bezig was, als een acteur in een stomme film.

'Oké, we weten nu tenminste dat we op zoek zijn naar een virus,' zei Hanley. 'Misschien een prion. Of een mycoplasma. Maar botulinum en tetanus kunnen we uitsluiten, evenals al hun zusjes, nichtjes en tantes.' Ze masseerde haar schouder. 'Doorgaans heeft een bacteriofaag virus het op één bacteriesoort voorzien. Zodra de gastheer is leeggehaald, is het gedaan met het virus. Wat we hier hebben doet denken aan de moeder van alle bacteriofagen. Het alles-wat-je-maar-kunt-opvreten-virus. In plaats dat een bepaalde bacteriestam eraan moet geloven, vermoordt dit klootzakje ze allemaal en houdt het pas voor gezien wanneer alle bacteriën verdwenen zijn. Tjonge, dat lijkt onmogelijk.'

'*Zo'n virus zou de loop van de evolutie veranderen,*' zei Ishi. '*Volgens mij moet je dezelfde proeven op Kossuth uitvoeren, gewoon als dubbele controle voor jezelf. Trouwens, Jessie? Ben je alleen?*'

'Ja, Ishi.' Ze zette het volume lager.

'*Zelfs wanneer het geen bacteriële kwestie is, mogen we denk ik de biotechniek niet uitsluiten. Cybil zegt dat afgezien van onze jongens de Russen... en dat zijn er nogal wat... van het oude sovjetsysteem aan het oppeppen van ziekteverwekkers hebben gewerkt. Ze zijn nu niet meer gelieerd aan een laboratorium, maar aan het freelancen geslagen. Enkelen werken voor de Fransen, sommigen voor het Midden-Oosten. Zij weet waar het merendeel van die lui zich ophoudt en waar ze zich mee bezighouden. Enkelen van hen, nog niet getraceerd, volgen het geld. De rest zit waarschijnlijk ergens op een taxi, maar wie weet. Tarakanova staat niet op die lijst, voor wat dat waard is. Volgens Cybil is Tarakanova spoorloos sinds ze terug is in Rusland. Cybil probeert erachter te komen of een van de ons bekende jongens uit de biotechniek onlangs contact heeft opgenomen met iemand van poolstation Trudeau en hem of haar wellicht heeft overgehaald wat onderzoek te doen dat buiten de boeken blijft.*' Ishikawa rommelde tussen een stapel papieren. '*Op dit moment gaan we ervan uit dat het de natuur betreft en dat er niet gemanipuleerd is. Goed, welke dragers mogen we voor onze bacterie-eter noteren?*'

'Het noordpoolgebied is in de zomer een migratiebroeinest, toch? Veel dieren, zoals de narwal, de walrus, de zeerob, kabeljauw, de ijsbeer en poolvos. En vogels, héél veel vogels. En dat zijn altijd reële verdachten.'

'*Doel je op die bizarre longaandoening in Cleveland, of de Aziatische griep waarbij vogels de vector vormden? De primaire poort betreft dus het ademhalingssysteem...?*'

'Precies. Ze merken de uitwerpselen niet op wanneer ze het kamp opzetten. De volgende dag is het bingo. Het noordpoolgebied kun je niet vergelijken met andere streken. De levende wezens die zich hier ophouden kunnen hun metabolisme tijdelijk buiten werking stellen. En we hebben het nu niet alleen over zoogdieren, zoals de ijsbeer. Bacteriën, schimmels en zwammen houden gewoon op met leven tot het milieu weer wat gastvrijer wordt. Een van deze creatuurtjes zit daar te wachten, die arme klootzakken komen voorbij en hupsakee.'

'*Ik snap wat je bedoelt. Je weet wat dat betekent, hè?*'

'Ja. Het wordt tijd dat ik op jacht ga naar de stront van wilde ganzen.' Ze stak een sigaret op. 'Die Munson heeft me naar een klotewoestenij gestuurd. Ik dacht aan een bevroren wildernis. Enkele soorten, hoogstens een tiental. Ja, hoor. Het blijkt dat de noordpool zo verlaten is als Sausalito op zaterdag.' Hanley deed haar ogen dicht, hoofd in de nek. 'Jij hebt geen idee hoezeer ik de oceaan mis. En de zon. Verdomme, zelfs een waardeloze, regenachtige dag aan het strand doet nou denken aan een zonnebad.'

'*Hoor eens, Jess, ik maak me een beetje zorgen over jou. Is het mogelijk dat je meer hulp krijgt bij het onderzoek? Misschien zou de arts die de lijkschouwingen heeft uitgevoerd jou een handje kunnen helpen. Je komt op een gevaarlijke manier slaap te kort en we kunnen het ons niet permitteren dat je een belangrijk feit over het hoofd ziet.*'

'Ik weet er alles van.' Hanley staarde naar het televisievenstertje in de hoek van haar computerscherm. 'Je ziet er zelf ook een beetje gammel uit. Alles in orde?'

'*Ja, alleen een beetje moe.*'

'Het spijt me dat ik je met nog meer werk opzadel als ik je vraag of er een mogelijkheid bestaat dat je Tarakanova voor me opspoort. Ik moet weten wat zij heeft gezien voordat ze vertrok, Ishi. Stel dat ze aan dat agens is blootgesteld?'

'*Ik zal me ermee gaan bezighouden, Jess.*'

'De diplomatieke kanalen kunnen me gestolen worden, Ishi. Als je haar zelf op eigen houtje moet gaan zoeken...'

'*Ik begrijp wat je bedoelt, Jess. Sayonara.*'

'*Arigato*, Kim.' Hij verdween van het scherm.

Hanley haalde diep adem en weerstond de verleiding om opnieuw naar de kleurenfoto's van de lijkschouwingen te kijken. Langzaam ademde ze uit en richtte haar aandacht op haar handen, waarbij ze haar spieren dwong zich te ontspannen, waarna ze zich ging concentreren op haar armen en schouders, en al die tijd ademde ze diep en regelmatig. De gedachtestroom kwam in een langzamere fase terecht, maar hield niet op; net een hinderlijk druppende kraan. Geen bacteriën. Hoelang kon je leven zonder bacteriën? De ademhaling. De longen. Sporen van waterstofsulfide in het longbereik. Waar kwam die stof in vredesnaam vandaan? Nadat ze een keer diep had ingeademd, ging ze rechtop zitten en kwam kreunend overeind.

Ze staarde naar de arctische duisternis. Slechts de sterren en de ring van getemperde lichten rondom het poolstation wierpen wat licht in de donkerte. Ze voelde zich draaierig. Als gevolg van slaapgebrek, hoopte ze. Hadden Bascomb en de anderen zich zo gevoeld in de uren voordat ze stierven? Was het een vroeg symptoom van een aandoening die meer inhield dan alleen vermoeidheid? Ze voelde haar pols. Normaal.

Iedereen op het poolstation was gespannen. Dee had aan haar verteld dat het spreekuur op de ziekenboeg drie keer zo vaak werd bezocht als voorheen. Misschien diende ze daar ook even heen te gaan, gewoon om te controleren wat die hoofdpijn te betekenen had. Ze voelde zich duf als gevolg van de vermoeidheid. Wellicht zou het helpen als ze enkele minuten ging liggen.

Ze sloeg haar remediekaart van dr. Bach erop na en koos voor Iep, geschikt voor degenen die zich overweldigd voelen door verantwoordelijkheden. Terwijl ze daar lag, begon ze met behulp van de diepe ademhaling te mediteren, waarbij ze een oogscherm van boekweitschillen over haar ogen schoof. Shit, had ze nou maar een sigaret, of een joint. Ze was doodmoe. Gedurende enkele minuten dutte ze in en werd wakker door een vertrouwde kramp in haar buik. Nou ja, bekijk het eens van de zonnige kant, dacht ze. In elk geval ben je niet zwanger. Door de pijn ging ze prompt rechtop zitten, kromde haar rug en kapselde aldus met haar lichaam het intens schrijnende gevoel in. Nadat de pijn tijdelijk was verdwenen, liep Hanley wankelend naar de badkamer en ging op het toilet zitten. Niets.

Ze hees zichzelf overeind. Opeens trok iets dat in de witte toiletpot lag haar aandacht. Onder in het water was een wolkachtig bloedpoeltje te zien, compact en rood van kleur. Bloed dat van haar was. Hanley kromp ineen van de pijn en ging naast de pot op haar hurken zitten. Huiverend sloeg ze haar armen om haar middel.

'Verdomme,' zei ze kreunend. Het bloed dat in het water lag was perfect verstild, op een eigenaardige wijze mooi.

Het lichaam is een samenhangende eenheid van ontwikkelingen, dacht ze terwijl ze afleiding zocht tegen de pijn. Het lichaam wordt gevormd door cellen. Een triljoen cellen, waarvan een vierde deel uit bloed bestaat.

Drie mensen waren op afschuwelijke wijze gestorven. De rode bloedlichaampjes waren opengebarsten, de inhoud ervan eruit gestroomd. Een of andere onbekende agens, overweldigend toxisch en verblindend snelwerkend, had de longfunctie geblokkeerd en de overdracht van zuurstof aan de rode bloedcellen, een transfer die niet langer dan driekwart seconde duurde, een halt toegeroepen. Binnen een kort tijdsbestek, een kwestie van minuten, konden ze niet meer spreken, waren ze blind en niet langer in staat te ademen.

De krampen verminderden een beetje. Ze rechtte haar rug, schuifelde vervolgens naar het bed en ging weer behoedzaam liggen. Haar menstruatie was totaal in de war, haar lichaamsprocessen liepen niet meer in de pas en waren niet in staat zich aan te passen aan het arctische schema met lange perioden van duisternis. Ze was uitgeput, had pijn en wilde het met Jack doen. Wat een combinatie, dacht ze.

Ze draaide zich op haar zij en keek aandachtig naar de kamer terwijl ze tot bedaren probeerde te komen. De kleurschema's bestonden uit zachte combinaties van warme kleuren, zoals die obstretie/gynaecologie-spreekkamer waar ze heen ging voor het volgen van een Lamaze-cursus toen ze zwanger was van Joey. Duidelijk ontworpen om onrustgevoelens te minimaliseren. De krampen kwamen niet meer terug, maar ze voelde zich leeg en misselijk.

Bij de deuropening riep Dee naar haar.

'Heb jij toevallig lippenstift bij je? Ik ben er al bijna doorheen terwijl de winter nog geen maand oud is.'

'Tjonge, wat ben jij aan het verkeerde adres. Volgens mij heb ik na de middelbare school geen make-up meer gebruikt.'

'Je zou die gewoonte weer in overweging kunnen nemen,' zei Dee met een veelbetekenende glimlach. 'Je weet maar nooit wie daarvan houdt.'

Hanley schrok van die opmerking. De wanden waren hier echt van glas. Ze wist niet zeker wat ze moest denken van wat Jack en zij even geleden samen hadden gedeeld, of van de intense gevoelens die hij bij haar losmaakte. Ze was er in elk geval niet klaar voor om het onderwerp van publieke speculaties te zijn, zelfs met Dee wilde ze niet over haar gevoelens praten.

Dee bekeek zichzelf in de badkamerspiegel. 'Ik krijg dat noordpool-kleurtje... zo wit als een doek.' Ze trok een gezicht naar haar spiegelbeeld. 'Heb jij baat bij die nicotinepleisters?'

'Niet in die mate dat het mij is opgevallen,' zei Hanley. Ze reikte naar het nachtkastje en stak een sigaret op. 'Maar die extra nicotinestoot is altijd welkom.'

Dee liep weer het woongedeelte in en zei: 'Ik probeer me alleen maar een béétje toonbaar te maken voor het sardientjesfeest in de Duitse verblijven. Ga je mee?'

'Sardientjes?' Hanley trok een gezicht. 'Daar heb ik nooit van gehouden. Hetzelfde geldt voor ansjovis.'

Dee lachte. 'De verwijzing heeft betrekking op de afmetingen van hun verblijven... ze wonen daar als... snap je? Niemand gaat jou overhalen om die petieterige visjes te eten.'

'Bedankt, maar ik pas. Ik betwijfel of ik momenteel in een feeststemming kan komen.'

Nadat Dee was vertrokken, rommelde Hanley in haar voorraad cd's en cassettes. Uiteindelijk haalde ze Joe's opname van de branding te voorschijn, zette een koptelefoon op en luisterde voor de zoveelste keer naar de brekende golven bij Laguna Beach.

Tien minuten later gaf ze het op en bekeek de dvd-opname van de twee lijkschouwingen. De rapporten van de autopsieën, uitgevoerd door dr. Kruger, had Hanley als bestand op haar laptop. Ze refereerde eraan terwijl ze zich stap voor stap door de gefilmde procedure werkte.

Voor de zoveelste keer keek ze terwijl dr. Kruger plakjes sneed van de lever en de nieren. Ze nam wat lichaamsvet, woog het en liet het vervolgens in de formaline vallen, waarna ze Dee opdracht gaf verschillende lichaamsvloeistoffen af te nemen. Daarna waren de darmspecimens aan de beurt. De onvermijdelijke uitdroging van het stoffelijke overschot bemoeilijkte hun werk. Ze kweten zich goed van hun taak, maar de spanning als gevolg van het werk waarmee ze niet vertrouwd waren en het ongewone feit dat ze zich dicht bij een lijk bevonden, was voelbaar in de stilte waarin ze hun arbeid verrichtten. De gedachtewisselingen, het waren er niet veel, waren puur zakelijk van aard, onderbroken door de geluiden die de instrumenten maakten terwijl ze spierweefsel, het binnenste buikvlies, de pancreas, de milt, een deel van de baarmoederhals, de aorta, de ovaria en een gedeelte van de hersenschors onderzochten en er monsters van namen.

Geen van de afgenomen lichaamsvloeistoffen had een rode tint. Toen Annie nog leefde, was ze een gebruinde schoonheid. Nu ze dood was, leek ze veeleer op een albino, verstoken van kleur, doorschijnend, zo bleek dat je bijna zou verwachten dat je door de huid heen in het lichaam kon kijken.

Tegen het einde van de autopsie haalde Dee het doekje van het gezicht van Annie Bascomb. De adem van iemand die buiten beeld was, stokte hoorbaar. Dee keek op, maar Hanley kon haar gezichtsuitdrukking niet zien als gevolg van het plastic gezichtsscherm en het chirurgische masker. De overledene was een vriendin en een collega die ze goed hadden gekend. Haar ongewilde, gapende grimas zou iedereen hebben afgeschrikt. De oogballen, of wat ervan over was, waren verzonken en ingevallen, waardoor het gezicht een eigenaardige uitdrukking had gekregen. Je kreeg het er koud van, zelfs als je het alleen op film zag, zelfs als je het individu niet persoonlijk had gekend.

De op het scherm in operatiejassen gestoken personen bleven roerloos staan. Het enige geluid was afkomstig van de klikkende sluiter en het terugspoelmechanisme van de kleinbeeldcamera.

Hanley liet het beeld stilstaan en pakte vervolgens een van de foto's die aan het einde van de autopsie waren genomen. Ze vergeleek de twee opnames.

Op beide foto's was er geen sprake van vocht om de lippen.

Hanley liep naar het gewelfde raam in haar onderkomen en leunde er met haar hoofd tegen, waarbij ze bijna wenste dat ze de arctische kou kon voelen. In het licht van het poolstationcomplex zag de ijsvlakte eruit als Chinees porselein dat overal scheurtjes vertoonde.

De computer van Hanley gaf een signaal. Nadat ze had ingelogd, was Joey aan de videofoon.

'Mama!'

'Schat!' riep ze. 'Hoe ben jij...'

'Dr. Ishikawa heeft me een cameraatje opgestuurd en papa verteld hoe hij die aan de computer moest aansluiten. Ik kan je zien... ik kan je zien!' Hij zwaaide enthousiast.

'Ik vind het ook heerlijk om jou weer te zien, schatje. O, wat zou ik graag...'

'Hoe is het daar, mam? Is het spannend? Hoe voelt het om daar te zijn?'

'Heel raar. Alsof je op een andere planeet bent. Voor een training als voorbereiding op een reis naar Mars gaat men altijd boven de poolcirkel oefenen, want dat gebied lijkt nog het meest op hoe Mars eruit moet zien.'

'Wauw! Is het daar echt helemaal donker?'

'Ja... maar bij het sterrenlicht kun je de krant lezen. De sterren gaan namelijk nooit onder. En als de maan schijnt, zijn de schaduwen heel scherp afgetekend.'

'Heb je het daar steeds koud?'

'Nee, op het poolstation is de temperatuur heel aangenaam. Maar buiten is het zo koud dat ze zeggen dat het aanvoelt of je je verbrandt. Wanneer je een poolpak draagt, is er echter niks aan de hand. Je mag hier geen oorbellen of ringen dragen. Of dat neusringetje waarvan ik hoor dat je dat misschien wilt laten aanbrengen.'

'Mam!'

'Grapje! Het is heel spannend allemaal. Maar ook een beetje bedreigend.'

'Mama, mama... ik zou het bijna vergeten. We zijn met de hele klas naar het aquarium in Monterey geweest, en ik moest een kleine haaienkop ontleden. Het was zo cool.'

'Ga weg.'

'Nee, echt, het was fantastisch. Iedereen heeft zijn eigen haaienkop in droog ijs verpakt terug naar school gebracht, waar we er nog wat langer onderzoek op deden, en we hebben het allemaal opgeschreven.'

'Jij ook?'

'Ja.' Hij knikte vurig. 'Op mijn laptop. Tegenwoordig doe ik alles op mijn laptop. Zelfs wiskunde.'

'Helpt dat ook?'

'Heel veel, mam.'

'Dat is geweldig, schat.'

'Heb je de supermicrobe al gevonden?'

'Nee.'

'En de vector dan?'

Ze lachte. 'Nog niet. Ik wist niet dat jij de betekenis daarvan kende.'

'Natuurlijk wel,' zei hij verontwaardigd. 'Zijn die dode mensen geïnfecteerd?'

'Nee.'

'Weet je dat zeker?'

'Vrijwel zeker. Ze zijn geïsoleerd, voor het geval dat.'

'Quarantainehoezen?'

'Ja,' zei ze, opnieuw verbaasd. 'Kleine potjes hebben grote oren.'

'En die andere dode mensen dan? Zou mijn klas er on line naar kunnen kijken?'

'Welke andere dode mensen?'

'Die in de graftombe liggen.'

'Waar heb je 't over? Ben jij weer opgebleven en heb je naar slechte late films op televisie gekeken?'

'Nee, nee, kijk maar,' zei hij, waarna hij zich in een videobeeldje in de hoek van het computerscherm verder terugtrok. De rest van het scherm werd gevuld door een beschrijving van Little Trudeau. Vervolgens verschenen er beelden van archeologische vondsten – van bot vervaardigde messen, stenen werktuigen, een geknoopt koord, de kunstig bewerkte slagtand van een walrus. Het gaat over een opgr.... opgr...'

'Opgraving,' articuleerde zijn moeder, die haar hoofd trots schudde. 'Je hebt onderzoek gedaan.'

'Ja.' Hij werd er verlegen van. 'Min of meer. Samen met de informaticaleraar heeft de hele klas zich met die website beziggehouden.'

'Wel, ik ben zeer onder de indruk.'

'Eerlijk waar?'

'Helemaal.'

'Zou jij me beeldmateriaal van die opgraving kunnen opsturen, mama? Ook van enkele mummies? We konden die namelijk niet te pakken kunnen krijgen, en ik heb min of meer aan de jongens beloofd dat jij daarvoor zou zorgen.'

'Natuurlijk, schat. Maar hoor eens, snoes... het is niet nodig dat jij aan je vader vertelt dat we het over dode mensen en haaienkoppen hebben gehad. Je weet dat hij daar niet van houdt.'

'En of, mam. Daar raakt hij alleen maar door van streek.' Buiten het scherm was er sprake van commotie. 'Ik moet van de lijn. Ik hou van je.'

'Ik hou ook van jou, kerel van me.'

Het beeld verdween van het scherm. Prompt was ze alleen op de wereld.

29

Zaterdag in alle vroegte, toen de andere leden van haar team nog aan het ontbijten waren, glipte Hanley – ze lag naast Nimit – uit bed en las de berichten die de vorige avond on line vanuit Los Angeles waren doorgestuurd. Zachtjes liep ze door het laboratorium. Ze was nu bijna twee weken op poolstation Trudeau en tot nu toe liet het micro-organisme zich in geen enkel monster van menselijk weefsel zien. Niets was aan het fluoresceren, geen enkele positieve reactie. Het konijnenbloed in de laboratoriumschaaltjes glinsterde nog steeds robijnrood; geen enkel specimen was er lichtroze gaan uitzien, de kleur van de slachtoffers.

In de gebouwen van Trudeau had ze gedaan wat ze kon. Het werd tijd om het ijs op te gaan en de plaats te bezoeken waar ze ziek waren geworden, en uiteindelijk gestorven.

En nu had ze Joey ook nog beloofd om foto's van Little Trudeau op te sturen. Ondanks haar afwezigheid gedroeg hij zich zo kranig. Hem voorzien van materiaal waarmee hij op school kon opscheppen was wel het minste wat ze voor hem kon doen.

Ze liep de badkamer in en sloeg de kaart van Bachs Bloemenremedies erop na. Dit werd tossen: had ze espenblad nodig, *tegen de angst voor onbekende zaken,* of haagbeuk, *tegen aarzelend gedrag en plotseling optredende vermoeidheid bij de gedachte dat je iets moet doen?* 'Ach wat, ik doe het gewoon.' Ze nam enkele druppels van elk middel, kleedde zich zachtjes aan om Jack niet wakker te maken en vertrok voor haar afspraak met dr. Kruger. In de gangen kwam ze twee stafleden tegen die chirurgische mondmaskers voor hadden. Waren ze daadwerkelijk opzij gestapt omdat ze haar wilden mijden, of waren ze gewoon beleefd?

Hanley trof Ingrid Kruger aan terwijl ze op de grond van de squashvloer zat, met de rug tegen de wand. Kruger was iets aan het lezen wat Hanley herkende als het dagboek van Annie Bascomb, de aantekeningen die ze op het onderzoeksterrein had gemaakt. Ze begroette de arts en ging naast haar zitten.

'Iets gevonden?' vroeg ze, waarmee ze op het dagboek duidde.

Kruger sloeg een gemarkeerde bladzijde open en wees naar een notitie die enkele maanden eerder, in de zomer, was gemaakt.

Verdomme! Wat dachten ze wel waar ze mee bezig waren? Dit is ongehoord. En zo verdomde gevaarlijk.

Nadat ze de aantekening had gelezen, keek Hanley naar haar op. 'Is dat van recente datum? Weet jij waar ze op duidt?'

'Nee... en daar bedoel ik beide vragen mee. Ze heeft dit vorige zomer geschreven. En ik heb geen idee wat dat te betekenen heeft.'

'Was jij op Trudeau de beste vriendin van Annie Bascomb?'

'Ja.'

'Maar je weet desalniettemin niet wat ze met die notitie bedoelt...?'

'Hoor eens,' onderbrak Kruger haar. 'Ik hield van haar. We waren geliefden. Ze had een persoonlijkheid waarmee ze iedereen naar zich toe trok. Ik ben moeilijk en niet amusant. Zij was moeilijk, maar je kon je zo goed met haar amuseren. Een activiste die het slechtste en het beste in zich had verenigd. En niet te stuiten met betrekking tot de zaken waarin ze geloofde. Annie eiste gewoon dat je haar mocht, ongeacht of je het met haar eens was of niet. Je had haar eens moeten horen toen het rapport binnenkwam waarin stond dat de Inuit twee keer zoveel dioxine bij zich dragen dan andere Canadezen. Ze was absoluut niet verbaasd te vernemen dat fabrieken in de Verenigde Staten daarvan de oorzaak waren. Vanwege de weerpatronen is het noordpoolgebied uitverkoren om al dat gif te ontvangen. Die troep waait hierheen en komt meteen in de voedselketen terecht. Zoals de Inuit dol zijn op vet, zo nestelt dioxine zich graag in lichaamsvetten. Telkens wanneer ze een zeerob te pakken hebben, eten ze de Amerikaanse toxische stoffen mee op. Volgens mij zou Annie een muur langs de grens hebben opgetrokken als ze daartoe de mogelijkheid had gekregen. En ze zou heel wat vrijwilligers achter zich hebben geschaard. Ze betekende veel voor de mensen op Trudeau. En nog het meeste voor mij.'

'Hoe zorg jij ervoor dat je je erdoorheen slaat?'

Ze keek Hanley strak aan. 'Dat lukt me niet. Sinds het overlijden van Annie heb ik geen patiënten meer behandeld. En ik denk dat ik dat nooit meer zal kunnen. In elk geval niet hier. Op Trudeau ben ik niet langer van nut. Als hier een weg naar de buitenwereld liep, zou ik al zijn vertrokken. Zodra het lente wordt, ben ik gevlogen. Hetzelfde geldt voor Ned Gibson. De mensen zijn aan het inpakken. Ze kijken je dapper aan, maar vanbinnen zijn ze doodsbenauwd. In de tussentijd dien ik mijn tijd uit... wat maar nét gaat. Dus als je iets van mij te weten wilt komen, dan kun je dat maar beter op een directere manier doen dan zoals je zonet deed, oké? Ik ben niet in de stemming om me met nuances bezig te houden. Wat wil je precies van me?'

'Ik moet je om een dienst vragen. We hebben bizarre bevindingen gedaan betreffende de weefselkweken van twee slachtoffers.' Met opzet noemde ze Annie Bascomb niet bij naam. 'Een totaal ontbreken van bacteriën. Het is zo bizar dat we die proeven echt opnieuw moeten uitvoeren op het stoffelijk overschot van Alex Kossuth, gewoon om zeker te zijn dat onze bevindingen onweerlegbaar zijn. Mijn collega's draaien inmiddels dubbele diensten, en ik moet naar die polynya toe. Zou het mogelijk zijn dat jij die weefselmonsters bij Kossuth afneemt?'

Kruger haalde diep en langzaam adem alvorens ze antwoordde. 'Ik kan je vertellen dat Alex Kossuth alle verschijnselen van een klassieke onderkoeling vertoont, maar als ik je met een autopsie kan helpen om erachter te komen wat hier gaande is... ik denk dat ik het wel voor elkaar krijg om een ongecompliceerde autopsie uit te voeren. Misschien lucht het op wanneer ik me met iets concreets ga bezighouden. Ik heb wel een dag of twee nodig om voldoende moed te verzamelen.'

'Geen probleem. Neem alle tijd die je nodig hebt. En bedankt. Je bent ons dan op een geweldige wijze van dienst. Het spijt me wanneer ik bemoeizuchtig overkom, maar zou ik je toch nog enkele vragen over Annie mogen stellen?'

'Vraag maar.'

'Je had het over die dioxine. Ik weet dat een deel van haar werk bestond uit het opsporen van vervuilende stoffen en hoe die zich in dit milieu gedragen. Vorige zomer was ze duidelijk van streek. Ik vraag me af of ze de zorgen die ze onlangs had jou in vertrouwen heeft meegedeeld.'

Kruger keek geërgerd. 'Zorgen?'

'Ja. Misschien over zaken waarmee ze aan het werk was gegaan voordat ze zich naar die polynya begaf? Bepaalde vervuilende stoffen die bijzonder toxisch zijn, wellicht iets waarvoor ze bang was om zich daarmee bezig te houden. Misschien over iets dat aan de basis lag van deze opmerkingen...' Ze wees naar het dagboek.

Kruger dacht even na. 'In de afgelopen maanden was Annie wat minder enthousiast over haar werk. Velen onder ons waren echter dankbaar voor die adempauze.' Kruger glimlachte terwijl ze een persoonlijke herinnering koesterde. 'Ik dacht dat ze iets voor zichzelf hield, misschien flirtte ze met iemand anders. Ze heeft het me nooit verteld. Ik kwam tot de slotsom dat politieke spelletjes op de werkvloer haar bezighielden, of een afspraakje waarover ze zich schuldig voelde. Dat is alles.'

'Was je niet jaloers?'

Ze glimlachte bedroefd. 'Nee, ik had verwacht dat ze belangstelling zou hebben voor haar collega's, en vice versa. Heel normaal. Ik bezat haar niet. Nadat ze was vertrokken, werd ik voor het eerst jaloers. Ik bleef maar nadenken over de gebeurtenissen van de afgelopen maanden en vroeg me af wat ze voor zich hield. Nu krijg ik nooit meer de kans om dat te vragen. Telkens opnieuw wil ik graag rondkijken in haar kantoor, maar ik heb gewacht tot jij het vertrek weer toegankelijk zou verklaren.'

'Het spijt me. Ik heb me niet gerealiseerd dat je daar naar binnen wilde. De specimens die we in haar laboratorium hebben genomen, leverden niets op, dus had ik dat plakband en de linten echt weg moeten halen. Je mag naar binnen wanneer je dat maar wilt. Nog een laatste vraag,' ging Hanley door. Kruger was al gaan staan; Hanley volgde haar voorbeeld. 'Heb jij water op haar lippen en die van Ogata gedaan terwijl je met ze bezig was? Of op die van Kossuth?'

Ze keek verbluft. 'Op de lippen? Dat denk ik niet. Ik kan geen reden bedenken waarom we dat gedaan zouden hebben.'

'Ik evenmin.' Hanley stak haar hand uit. 'Bedankt. Ik vind het vreselijk dat je dit verlies moet dragen.'

Ingrid Kruger beet op haar lip. 'Iedereen ervaart dit als een verlies. Iedereen. Als je me nu wilt verontschuldigen... ik zal die weefselmonsters voor jou afnemen, maar nu ga ik eerst zwemmen. Dat doe ik inmiddels vier keer per dag. Wanneer het lente is geworden, heb ik genoeg conditie opgebouwd om terug te zwemmen naar München.' Ze wendde zich van haar af. 'Alleen als ik in het water ben, denk ik niet aan datgene wat er is gebeurd.'

'Kim Ishikawa!' riep de vreemdeling. Met grote passen en een uitgestoken hand liep hij over het parkeerterrein.

In een reflex stak Ishikawa zijn hand uit en probeerde er bij zichzelf achter te komen wie die man was. Ze gaven elkaar een hand. De man drukte zijn pilotenzonnebril over zijn voorhoofd naar boven; zijn ogen waren zo grijs als de muur achter hem. Hij glimlachte. Een glimlach die niet gereflecteerd werd in zijn ogen.

'Hebben we elkaar al eens eerder ontmoet?' vroeg Ishikawa.

'Ah.' Zijn uitbundigheid ebde weg. 'Nee, helaas niet.' Hij toverde zijn innemendste gelaatsuitdrukking te voorschijn – vrolijke oprechtheid.

'Walter Payne... *Los Angeles Times*,' zei hij terwijl hij een visitekaartje naar hem uitstak.

Ishikawa nam het van hem aan en voelde met zijn duim dat de belettering in reliëf was. Zwijgend vergrendelde hij zijn Toyota met een druk op de knop van de afstandsbediening.

'Ik vroeg me af,' vervolgde de verslaggever snel, 'of u een momentje hebt om commentaar te geven op de voortgang die uw collega maakt op poolstation Trudeau.'

'Trudeau?'

'Alstublieft, Kim. Ik weet dat u het weet. En nu weet u dat ik het weet.'

'Dat ik wat weet?'

'Tuurlijk. Draai er maar omheen. Wilt u me niet meteen vertellen dat ik het bij het verkeerde eind heb? Of dat ik wat verkeerd heb geïnterpreteerd aangaande iets dat aan u kan worden toegeschreven?'

'Ik vrees dat ik u niet van dienst kan zijn.'

'Kunt of wilt u dat niet?'

'Hebt u ons persvoorlichtingsbureau al geprobeerd?' vroeg Ishikawa. Hij wees naar het gebouw terwijl Payne in de pas ging lopen.

'Ja, ja... mevrouw G. en ik hebben een paar potjes gespeeld en zijn gelijkspel overeengekomen.'

'Vandaar dat u mij op de parkeerplaats aanklampt.'

De verslaggever probeerde onoprecht te kijken. 'Ik heb een bevestiging nodig, meer niet, van wat er gebeurd is. Een knikje is voldoende, een knipoog, een opgetrokken wenkbrauw, een verdomd "wauw, je weet het dus".'

Onwillekeurig moest Ishikawa erom glimlachen. 'Wat dacht u van hoofdschudden, een "ik weet van niks"?'

Payne lachte somber. 'Dat is niet bepaald hetgeen mijn hoofdredacteur in gedachten heeft.'

'Dat spijt me dan.'

'Geen probleem. Ik kom er wel achter. Al die onverklaarde sterfgevallen in de bevroren woestenij... een te goed verhaal om zomaar te laten lopen. Om nog maar te zwijgen van de... ik citeer... "Nooit eerder voorgekomen reis van een deskundige terwijl het midwinter is".'

'Hebt u al contact opgenomen met de Canadezen? Is poolstation Trudeau niet hun poolstation?'

Payne grijnsde zelfgenoegzaam. 'U hebt dus gehoord over poolstation Trudeau. Uiteraard is ons kantoor in Ottawa in gesprek met de verschillende woordvoerders van de Canadese regering. Tot nu gedragen die zich ongelooflijk... verrast dat we met deze vragen komen, ze gaan ermee hogerop, zullen zich erin verdiepen, wachten op opheldering, en ze bieden voortdurend gratis kopjes thee aan.'

'Klinkt frustrerend.'

'Ja.'

'Wel,' Ishikawa hield zijn visitekaartje in de hoogte. 'Als er zich iets voordoet, neem ik contact met u op.'

'Ik wacht bij de telefoon,' zei Payne. 'Vol verlangen.' Op het moment dat ze de automatische schuifdeuren hadden bereikt, waarachter Payne hem niet kon volgen, schoof hij de zonnebril weer op zijn neus. Met grote passen liep Ishikawa door de voor onbevoegden verboden gangen en passeerde de bewaking.

Nadat hij het identiteitskaartje had vastgeklemd, begaf hij zich meteen naar het kantoor van Munson om te vertellen dat de pers hem op de hielen zat. Munson riep de bewakingsdienst op om het terrein te bewaken en het wachthokje bij de ingang van de parkeerplaats te bemannen.

'Heb jij thuis dossiers liggen, of diskettes, of relevant materiaal op de vaste schijf staan?' vroeg hij.

'Nee,' zei Ishikawa. 'Alles ligt hier.'

'Goed,' zei Munson. 'Dan hebben we nog steeds een kans dat we het deksel er een tijdje langer op kunnen houden.'

'Les?'

'Ja?'

'Jess wilt dat ik die Russische vrouw ga zoeken die in de onderzeeër is vertrokken.'

Munson aarzelde. 'Ja, ze heeft gelijk. Ik zal daarvoor stevig op mijn donder krijgen, maar dat is nu eenmaal je lot als je de chef bent, niet-waar?' Munson draaide zich om in zijn bureaustoel. 'Oké, ga je gang. En terwijl je daarmee bezig bent, loop je ook die lijst met voormalige werknemers van poolstation Trudeau eens na. Misschien kan een van hen jou iets vertellen waar Hanley wat aan heeft. Het heeft er alles schijn van...' Munson zocht naar Jessies e-mail die op zijn bureau lag, '... dat Bascomb zich ongerust maakte over iets waar haar vriendin geen weet van had.' Hij schoof Ishikawa een uitdraai toe die het formaat had van een bladzijde uit het telefoonboek van een kleine stad. 'Cybil zal wat be-treft de contacten met poolstation Trudeau jouw plaats innemen. Wie heeft er nog meer toegang tot wat Jessie ons dagelijks mailt?'

'National Institutes of Health, het Antiviral Substance Program van de Scripps Clinic, het Agency for Toxic Substances en Disease Registry. Ik weet niet zeker wie haar gegevens nog meer in de gaten houdt. Onge-twijfeld Centers for Disease Control.'

'Haal ze ervan af. Laten we proberen om haar op die manier nog iets meer tijd te geven.'

30

Hanley luisterde beleefd terwijl Felix Mackenzie volhield dat er geen sprake was van serieuze archeologische activiteiten in Canada in de pe-riode voordat ze de nederzettingen van de Aleut op het eiland hadden aangetroffen. 'En nu we het toch over die opgraafplaats van de Aleut hebben... ik heb nagedacht over hetgeen u zei betreffende een even-tuele evacuatie. We hebben Little Trudeau jarenlang onderhouden, een soort reddingsboot, voor het geval er hier brand zou uitbreken of wan-neer er zich een andere ramp zou voordoen. We hebben dat oord altijd beschouwd als een tijdelijke schuilplaats. Misschien moet ik Jack vragen om de generators te controleren en er nog meer voedsel op te slaan.'

'Is er een manier om dat te doen zonder iedereen de schrik op het lijf te jagen, dus zonder mijn tussenkomst?'

'Jack is vaak op het ijs... veel aandacht zal hij dus niet trekken.' Mackenzie wreef over zijn gezicht. 'Wat zijn uw volgende stappen?'

'Ik wil dat er een autopsie op Alex Kossuth wordt uitgevoerd, hoewel ik amper voldoende menskracht tot mijn beschikking heb. Dr. Kruger heeft echter gezegd dat ze bereid is ons een handje te helpen.'

'Prima. Ik maak me zorgen over haar. Ze is erg van streek over datgene wat de oorzaak is geweest van de dood van Annie en de anderen.'

'Begrijpelijk. Ik moet ook het veldonderzoeksterrein bij de polynya gaan inspecteren. Ik krijg echter de indruk dat het wellicht een probleem zal worden om iemand mee te krijgen, misschien op Jack na. Hij is tegenwoordig de enige die niet bang lijkt te zijn om het ijs op te gaan. Kunt u hem enkele dagen missen?'

'Ja, zeker... ik zal alle regelingen treffen,' zei Mackenzie. 'Jack zal er zeker toe bereid zijn. U hebt gelijk. Hij is nooit bang. Ik zal dat met alles plezier voor u doen. Jack zal u voorbereiden en u van uw uitrusting voorzien.'

'Goed,' zei ze, terwijl ze ingenomen was met het feit dat hij ermee had ingestemd dat Jack haar zou helpen. Ze bloosde even en wendde zich snel weer tot haar aantekeningen.

'Dr. Mackenzie. Ik weet dat dit vergezocht is, maar is een van die drie slachtoffers... of iemand anders... ooit betrokken geweest bij de ontdekking van virale resten in lijken die in de permafrost begraven lagen?'

'Duidt u op de Hultin Expedition? De mensen die slachtoffers van de griepepidemie van 1918 hebben opgegraven en weefselmonsters afnamen?'

'Precies.'

'Wij hebben hun werk met veel belangstelling gevolgd. Ik moet hier echter ontkennend op antwoorden. Op Trudeau hebben we zoiets nog nooit gedaan.'

'Maar er is hier een begraafplaats.'

'Een begraafplaats? O, u bedoelt de begraafplaats van de inheemse bewoners. Die is al enige tijd afgesloten. Er kwamen protesten van de Inuitgemeenschappen. We zouden hun sacrale overblijfselen verstoren. Niemand is er nog actief mee bezig. Het terrein is officieel gesloten.'

'O jee. Nu heb ik mijn zoon ook nog eens foto's van de opgravingen beloofd... voor zijn schoolprojecten.'

'Als Jack u begeleidt, dan zou dat geen probleem mogen zijn. Dat is wel het minste wat we voor u kunnen doen. En Jack weet beslist beter dan wie ook wat al dan niet is toegestaan. Als u op de begraafplaats zelf maar niets aanraakt. Dat is onze afspraak met de First Nations.'

'Wie waren de meest recente bezoekers van de begraafplaats zelf? Weet u dat?'

'Recentelijk? Niemand. Het belangrijkste archeologische werk werd enige tijd geleden afgesloten. De Aboriginal Legal Services, die de First Nations vertegenwoordigt, verbood ons daarna nog langer de begraven resten te bestuderen.' Mackenzie strekte zijn benen. 'Hoe bezorgd moeten we zijn voor een herhaling?'

'Daar valt geen zinnig woord over te zeggen. Iedereen wijst echter met een beschuldigende vinger naar het onderzoeksterrein en de polynya als mogelijke besmettingshaarden. Tot ik zeker weet waar dit infectieuze organisme zich schuilhoudt, is het op dit moment denk ik niet verstandig om wie dan ook veldonderzoek te laten doen.'

'Momenteel is iedereen te bang om zich buiten het poolstation te wagen. Onze belangrijkste geldschieters hebben al tamelijk luid in negatieve zin van zich laten horen. Als dit nog enige tijd zo doorgaat, vrees ik dat ze zich helemaal uit het project Trudeau zullen terugtrekken. Bovendien weet ik niet hoelang we het hier zonder hun geld nog kunnen uithouden.' Mackenzie klonk bezorgd.

'Ik zou willen dat ik geruststellender berichten voor u had, dr. Mackenzie. Dit is echter de meest verwoestende infectie die ik ooit onder ogen heb gekregen.'

'Nou,' zei dr. Mackenzie, 'ik ben ervan overtuigd dat u alle voorzorgsmaatregelen zult treffen.'

Aan de wand van Jacks slaapkamer hing een moderne stalen ring waarin een antiek, iriserend raamwerk van zeerobbendarm. De schokkend grote vacht van een muskusos hing uitgespreid aan de wand. Twee posters sierden de deuren. Een ervan was van COPE, het Committee for Original Peoples' Entitlement. En de andere huldigde de stichting van Nunavut, het uitgestrekte noordelijk grondgebied dat door de Canadese regering aan de Inuit was teruggegeven. De posters waren in het Engels, in het Frans en in een taal die in de ogen van Hanley deed denken aan een mengeling van een gecodeerd cijferschrift en computerhiëroglyfen. Een pamflet dat opriep tot actie ten gunste van de First Nations was ernaast vastgeprikt.

Hanley keek aandachtig naar een foto van een jongere Jack Nimit met een andere man. Ze staarde naar het koolzwarte haar dat een donker gezicht met hoge jukbeenderen omzoomde; de witte tanden waren ontbloot als gevolg van een schreeuw of een lach. Naast de foto bevond zich een sculptuur, vervaardigd van primitieve materialen: pezen, vacht, een verwrongen lijf dat uit een geweitak was gesneden, een afgrijselijk gezicht met een gapende mond en twee snijtanden, afkomstig van een dier – het was zowel lelijk als uitzonderlijk mooi. Op een wit kaartje waren de titel en de maker genoteerd: *Mens verandert in boze geest*, Nick Sukkuark.

Ze pakte een boek dat op een smal schap lag. Het schap stak uit de wand en volgde de ronding ervan. Ze bladerde door hoofdstukken die de matriarchale samenleving van de Inuit behandelden, en hun vertroebelde tijdsbegrip. Ze raakte verdiept in de illustraties in een hoofdstuk. Illustraties van tatoeages en lippiercings bij vrouwen. Ze hoorde Nimit niet aankomen.

'Doc?'

'Hallo,' zei Hanley. Ze legde het boek terug en omhelsde hem. 'Gisteravond, toen we het laboratorium afsloten, heb ik je gezocht, maar je was niet hier.'

'Ik heb nauwelijks geslapen. Maar ik kreeg het wel voor elkaar de motoren van alle, maar dan ook alle Trudeau-voertuigen af te stellen.'

'Ik ben blij dat alle voertuigen een beurt hebben gehad. Ik moet namelijk naar het veldonderzoeksterrein,' zei ze terwijl ze zijn onderarmen streelde. 'Daar vinden we vrijwel zeker de besmettingshaard. Mac zei dat jij dat zou regelen.'

'Wil je vandaag al gaan?'

'Hoe eerder hoe liever. En ik zou het appreciëren wanneer we onderweg ook even die archeologische opgravingsplaats konden bekijken, als jij dat niet erg vindt.'

'Little Trudeau?' Nimit aarzelde even. 'Tuurlijk, geen probleem. Het is vlakbij. Hoewel het weer momenteel niet al te best is, kunnen we waarschijnlijk vanavond al vertrekken. We nemen een Sno-Cat. Die is groter en comfortabeler dan de sneeuwscooter. Hij heeft zes ballonbanden en ruimte genoeg om er languit in te gaan liggen. Er zitten zelfs een toilet en een keukentje in. Maar voordat je je buiten waagt, is het noodzakelijk dat je eerst een overlevingsdemonstratie bijwoont.'

'Op weg hierheen heb ik onder leiding van meneer Stevenson de basiscursus al doorlopen. Groen licht, geel licht, rood licht, een schuilplaats in de sneeuw maken, open water mijden. Ik snap wat er bedoeld wordt. Voor de cursus voor gevorderden heb ik denk ik geen tijd. Ik moet daar nu heen.'

'Jij gaat nergens heen voordat je een overlevingsdemonstratie hebt bijgewoond.' Er kon bij Jack geen lachje af.

'Ik neem aan dat ik een overlevingsdemonstratie krijg aangeboden vóórdat ik naar buiten ga.'

'Oké dan.'

'Oké.' Toen hij haar kuste, merkte ze dat ze zich aan hem overgaf. Hij kleedde haar en zichzelf uit, waarna hij haar nam. Het genot was bijna pijnlijk. Ze zou graag willen dat ze meer kon zien, dat ze alles kon waarnemen, elke fase van hun vrijpartij. Als ze in staat was in hem te kruipen, dan zou ze dat niet hebben nagelaten.

'Je durft de uitdaging niet aan, hè?' zei ze daarna. Hij was bevredigd, en zij bleek niet in staat hem opnieuw zodanig op te winden dat hij nog een keer wilde. 'Maak je je ergens zorgen over?'

'Ik ben uitgeput,' zei hij. 'Dat is alles.'

Ze drukte een kus op zijn oogleden. 'Ga dan een poosje slapen. Ik maak je straks wel wakker.'

Hij trok haar tegen zich aan. Met haar wang tegen zijn borst luisterde ze naar zijn hartslag.

31

Met de lijst die Munson hem had gegeven spoorde Ishikawa de voormalige Trudeau-werknemers op die nu verbonden waren aan de University of the Arctic in Edinburgh, het Nationaal Instituut voor Poolonderzoek in Tokio, het Stefanson Arctic Institute op IJsland, het Institute of the Arctic and Alpine Research in Boulder, het Alfred Wegener Institute for Polar and Marine Research in Bremerhaven, het Deense Poolcentrum in Kopenhagen en de Zwitserse Commissie voor Poolonderzoek in Bern. Het bleek lastig iemand te vinden die openhartig wilde praten over de overleden collega's van weleer.

Opeens waren er interessante verwikkelingen. Ene dr. Akimitsu Nura reageerde en vroeg om een persoonlijk onderhoud. Hij was een voorzichtige academicus en wilde per se dat er geen sprake zou zijn van notities, cassettebandjes of anderszins permante registraties van de ontmoeting. Dat waren zijn voorwaarden.

Ishikawa reed onmiddellijk naar de luchthaven van Los Angeles voor de eerstvolgende non-stopvlucht naar Tokio. Achttien uur later arriveerde Ishikawa in Japan, met alleen wat schone kleren in een rugzak, en werd meteen met een taxi naar een ultrasnelle trein gereden die hem met meer dan tweehonderdzestig kilometer per uur zuidwaarts vervoerde. Hij sliep terwijl hij razendsnel door een wereld van rijstvelden reisde, over onvoorstelbare bruggen reed en uiteindelijk tot de ontdekking kwam dat hij zich op een veerboot bevond, en vervolgens op het kille strand van het zuidelijkste eiland van Japan.

Een nabijgelegen vulkaan stootte rook en grijs roet uit dat uit dermate minuscule deeltjes bestond dat het geheel aan mist deed denken. Een oude vrouw – ze hield een eigenaardige bezem vast en toonde zich openlijk geringschattend over zijn *Sansei* schooljapans – wees naar een strand en verder, in de richting van een akkertje met sla. Er was een groep gebukte vrouwen bezig.

Ishikawa kreeg last van zijn knellende schoenen. Hij hield zijn pas in om ze uit te doen en bond ze aan elkaar vast om ze gemakkelijker te kunnen dragen. Hoewel het koel was, verbaasde hij zich dat het zand onder zijn voeten warm aanvoelde. Toen hij de moestuin naderde, realiseerde hij zich dat de vijf kroppen sla die uit het zand staken met elkaar aan het praten waren. Een van die kroppen was in het bijzonder sociabel en kennelijk ook amusant, gezien het aantal dienstige dames dat zedig achter hun eeltige handpalmen aan het lachen was. De andere kroppen sla – ze waren zwijgzamer en niet zo bezield – ontspanden zich in het zachte vulkanische zand terwijl ze tot aan hun nek waren ingegraven door de dames die hij per vergissing had aangezien voor vrouwen die de tuin onderhielden. Ishikawa kwam dichterbij en stelde zich voor. Het kwebbelende hoofd bleek dr. Nura te zijn, die opeens een ernstiger toon in zijn stem kreeg. Snel hielpen de dames de andere vier mannen om zich weer uit te graven, waarna dr. Nura alleen werd gelaten met Ishikawa. Toen dr. Nura merkte dat Ishikawa het snelle Japans niet kon volgen, schakelde hij over op Engels.

'Ik heb ze duidelijk gemaakt dat ze zich niet om mij hoeven te bekommeren en dat u mij hier wel uitgraaft,' maakte Nura aan hem bekend.

Ishikawa voelde zich niet op zijn gemak nu hij aan het praten was met een hoofd dat zich bij zijn voeten bevond. Nadat hij de schoenen van zijn schouder had gehaald, ging hij in kleermakerszit naast dr. Nura zitten.

'U hebt te kennen gegeven dat u mij wat wilt vertellen over Annie Bascomb, uw vriendin van weleer. Alle informatie die u genegen bent met mij te delen, zal strikt vertrouwelijk worden behandeld.'

Nura keek met een starende blik naar hem op. 'Het is alweer verscheidene jaren geleden dat ik mijn werk op het poolstation heb afgerond.'

'Naar ik begrepen heb, was u haar partner, een toegewijde compagnon.'

'Ik voel me geëerd dat u die mening bent toegedaan. Ik denk dat dat waar was, als het aan mij is om dat te zeggen. Ze... ze was een unieke persoon, dat leed geen twijfel. Ze is te vroeg overleden, een zeer nare aangelegenheid.' Hij keek op naar Ishikawa. 'Dit is niet de geschikte plaats voor zo'n gesprek. Wilt u mij uitgraven?' Hij duidde op een spade die naast hem in het zand lag.

'Natuurlijk,' antwoordde Ishikawa, waarna hij bedreven rond de schouders van dr. Nura begon te spitten en het zand dermate loswoelde dat de ander zijn armen kon vrijmaken. Nura hees zich uit het gat.

'Ah,' zei hij. 'Dat was heel verfrissend, maar nu heb ik het koud.' Hij pakte een kamerjas en maakte een gebaar om samen verder te lopen. Ishikawa stak de spade rechtop in het zand en liep vervolgens in de pas met dr. Nura.

'Kunt u mij vertellen wat uw werk inhield?' vroeg hij toen hij naast hem liep.

'Natuurlijk. Ze is... was... milieubiochemicus, net als ik. Op Trudeau hoorde ze bij een Canadese milieugroep. Ik doceer nu aan de universiteit van Tokio. We werkten samen aan studies over de invloed van vijftig jaar industriële vervuiling en milieuschade... als gevolg van praktijken die toegeschreven kunnen worden aan nalatigheid... op de Barentszzee en in het noordpoolgebied als geheel. We hebben het nu over afvoer-vloeistoffen, onbedoelde afvallozingen en zo meer. De tweede studie werd uitgevoerd in samenwerking met de Canadian Atmospheric Envi-ronment Service en had betrekking op de effecten van veranderingen in thermische stromingen op oceanische ecosystemen en klimaatverande-ringen als gevolg van het smelten van de poolkap. Wij maakten model-len van bepaalde samenlopen van omstandigheden. Onze bevindingen inzake die effecten waren zeer zorgwekkend.' Hij boog het hoofd. 'Ze was uitermate toegewijd. Een zeer inspirerend persoon.'

'Hebt u recentelijk nog contact met haar gehad?'

'Ja, we correspondeerden maandelijks per e-mail. Haar laatste twee mailtjes waren verontrustend. In het eerste was ze intens aangedaan door iets dat ze was tegengekomen, en ze had duidelijk gemaakt dat ze aan het overwegen was wat ze aangaande die ontdekking hoorde te doen. In het tweede, tevens haar laatste, liet ze doorschemeren dat ze zich afvroeg wat de consequenties zouden zijn wanneer ze haar zorgen openbaar zou maken.'

'Heeft ze verteld wat die zorgen waren? Kunt u mij vertellen waaraan ze misschien refereerde?'

'Nee,' zei Nura. 'Ze was op haar hoede en vertrouwde de veiligheid van de communicatie per e-mail niet honderd procent. Het moet een se-rieuze kwestie zijn geweest. Ze duidde erop dat ze acties overwoog die mogelijk haar carrière en naam in de vernieling zouden helpen. En dat ze ongetwijfeld niet welkom meer zou zijn op het poolstation.'

'Bent u bereid die e-mails aan ons te geven, meneer?'

'Het spijt me te moeten zeggen dat ik ze niet heb bewaard. Dat heb ik ook tegen haar vriendin dr. Kruger gezegd. Ze leek te hunkeren naar elke herinnering en anekdote met betrekking tot Annie. Ik kan u echter ver-zekeren dat wat die zaak betreft mijn herinneringen geen twijfel laten bestaan. Misschien kan meneer Stevenson u meer vertellen. Hij maakte namelijk deel uit van de bestuursraad van het poolstation en hield zich op de hoogte van Annies werk.' Met de handen op de rug liep hij ver-

der, kalm en beheerst, ondanks het feit dat zijn verdriet over het overlijden van Annie Bascomb zeer duidelijk was. 'Ik kan niet geloven dat ze
dood is.'

De top van de vulkaan verspreidde een vage gloed tegen de achtergrond van de invallende duisternis. Aspluimen rezen als vleermuiszwer-
men de hoogte in. De twee mannen wandelden op hun gemak door het
warme zand en genoten van de koele avondbries.

'Mijn kuuroord voorziet in een excursie naar de heuvels voor degenen
die geïnteresseerd zijn in het observeren van vuurvliegjes; in deze contreien een populair tijdverdrijf. Hebt u misschien zin mij te vergezellen?'

Met leedwezen sloeg hij de uitnodiging van de hand.

Ze slenterden verder. Beleefd luisterde Ishikawa naar dr. Nura, die nog
meer herinneringen ophaalde over zijn geliefde collega. Onderwijl berekende hij de tijdzones.

32

Nimit nam haar mee naar de grote koepel, waar de voertuigen werden
onderhouden en gestald. In de omkleedruimte draaide hij zich met de
rug naar haar toe en begon zich uit te kleden. Zij vond de haak waaraan haar uitrusting hing en volgde zijn voorbeeld, hoewel ze de verleiding niet kon weerstaan om vluchtig over haar schouder naar hem te kijken. Een snelle blik op zijn gespierde, indrukwekkende lichaam liet een
huivering van verlangen door haar heen gaan.

Ze wreef zich in met talkpoeder en hees zich met moeite in de eerste
kledinglaag. Ze herinnerde zich haar kamergenote, in een periode dat ze
op de middelbare school zat. Zij had een poging gedaan haar, Jessie, te
leren hoe je kousen recht moest aantrekken, wat haar nooit feilloos lukte. Wanneer ze zich gedwongen zag die tijdens formele gelegenheden te
dragen, moest ze zich zo nu en dan verontschuldigen om een draai aan
de kousen te geven. De rest van het poolpak ging gemakkelijk aan. Ten
slotte deed Hanley voorzichtig haar helm op, voor het eerst sinds ze hier
was gearriveerd, en controleerde de operationele status. Nimit ging haar
voor naar de foyer en droeg iets dat leek op een uit de kluiten gewassen
glazen thermometer, gevuld met klotsend kwik.

'Ik hoop niet dat die voor rectaal gebruik is,' zei Hanley. Bij Nimit kon
er geen lachje af. Oké, dacht ze, hou het zakelijk.

Vlak naast het platform bevond zich een rand, ter grootte van een balkon en hangend aan de rotswand. Voordat hij haar voorging naar buiten draaide Nimit zich naar haar toe.

'Hier komt dan mijn speech over de noordpool. Het ziet er daarbuiten oké uit, gewoon een koude versie van de planeet aarde, maar de schijn bedriegt. Het is iets heel anders. Ik leg dit één keer uit, want meer word je in dit oord niet geboden.' Hij zweeg even. 'Vragen tot nu toe?'

'Hoe dik is het ijs? We kunnen er toch niet doorheen zakken?'

'Daar zal amper sprake van zijn. Het ijs is gemiddeld ruim twee meter dik. Maar geulen en scheuren gaan van tijd tot tijd open. Je moet dus alert blijven.'

Hij wachtte of ze nog meer vragen wilde stellen, maar die had ze niet. 'Oké, de nee's. Geen oorringen, geen brillen... behalve als die vervaardigd zijn van propeen... geen contactlenzen, geen gewone camera's, geen verrekijkers, geen laboratoriumbuisjes, geen pennen. Ze vriezen aan je vast, waarna het materiaal verbrokkelt.'

'Volgens mij heb ik deze litanie al eens eerder gehoord.'

'Je zit er namelijk niet op te wachten dat je vingers eraf vallen, of dat je neus zwart wordt, of dat je tong aan metaal en oogwimpers aan een beeldzoeker vastvriezen. Raak niets met blote handen aan. Zodra je dat doet, is erop plassen de enige kans dat je nog wat van de desbetreffende huid overhoudt. De warmte van de urine zorgt ervoor dat het voorwerp loslaat; maak de huid daarna onmiddellijk droog voordat de vloeistof bevriest.'

'Ik denk dat jullie, de mannen, het in dat opzicht een stuk gemakkelijker hebben.'

'Waarschijnlijk wel. Neem dus geen risico's. Geen blote handen. Vragen?'

'Zijn er weleens mensen aan elkaar vastgevroren?'

'Als dat al zo is, dan hebben ze dat nooit toegegeven,' zei hij.

'Ik denk dat ze dan iemand moeten vinden die op ze plast om ervoor te zorgen dat ze weer van elkaar loskomen,' zei ze suggestief.

'Klinkt kinky.'

'Vind je dat? Wat is dus de moraal van je verhaal?'

'Ren in het poolgebied niet in je blootje rond. Houd alles bedekt. Houd je poolpak aan,' zei Nimit. 'Daarbuiten krijg je met een bevroren woestijn te maken. Een hel zonder vuur.'

'Beschouw jij deze omgeving op die manier?'

Vluchtig keek hij haar aan terwijl hij de naden van haar uitrusting controleerde en aan haar poolpak trok. 'Nee.'

'Hoe zie jij dit alles dan?'

'Als vredig, rustig... geen drukte, in tegenstelling tot het poolstation.'

'Voordat we gaan, Jack, denk ik dat je míjn speech moet horen betreffende overleven. Je zei zonet dat de noordpool je maar één kans geeft. De microbe waarnaar ik op zoek ben, is verdomde gevaarlijker dan het ijs, de wind en het water. Wanneer we ermee in contact komen, hebben we wellicht geen schijn van kans meer. Tot nu toe heeft deze infectie niemand gespaard. Mackenzie heeft jou gevraagd mij mee het ijs op te nemen, maar dit hoef je niet per se te doen. Het hoort bij mijn werk om deze risico's te nemen... jij hebt een andere taak.'

'Dat weet ik. Maar het gezelschap staat me wel aan.'

'Dat geldt ook voor mij. En ik ben bereid jouw instructies te volgen met betrekking tot de wind, de sneeuw, het ijs, wat dan ook. Maar zodra wij bij de polynya zijn gearriveerd, dien je die van mij te volgen. We kunnen geen onderzoeksspullen onder deze uitrusting stoppen. Kortom, ik verzamel de specimens, ongeacht welke we tegenkomen. Als we dode dieren in vallen tegen het lijf lopen, dan ben ik degene die zich ermee bezighoudt. Ik wil niet dat je iets aanraakt wat er ongewoon uitziet, en zeker geen dieren die ziek lijken. Wanneer je dode beesten tegenkomt, in het bijzonder vogels, dan raak je die in geen geval aan. Dat is namelijk mijn taakgebied. Oké?'

Nimit knikte. Hij gebaarde naar de richel achter het schuifluik. 'Buiten maken we mijn verhaal af.' Hij ging haar voor door de verbindingsgang. 'Houd je vizier open. En wees voorzichtig, er is geen reling. Het loopt hier een heel eind glooiend af.' Nimit schoof de grote ingangsdeur open; ze bevonden zich op een hoogte van veertig meter.

Een ogenblik lang was de lucht vitaliserend, daarna verwoestend, alsof de zuurstof molecuul voor molecuul uit haar borstkas werd getrokken. Oppervlakkig ademhalen, iets anders was onmogelijk. Elke ademteug was als een messteek. 'Alsof je scheermesjes inademt,' zei Hanley schor. 'Jeetje.'

Bij haar mondhoeken en aan haar neuspuntje vormde zich ijs. Nimit leek er in het geheel niet door aangedaan, en ondanks de wind knipperde hij amper met zijn ogen. De hoeveelheid ijskristallen die ze met hun schoeisel hadden verschoven, verdween in een golfbeweging over de rand naar beneden. Zijn wenkbrauwen werden wit en ze kreeg een verdoofd gevoel in haar neus.

Nimit haalde de glazen buis uit een kartonnen doos en kneep met zijn gehandschoende hand in het glas. Het geheel verbrokkelde tot korreltjes en waaide weg in de wind. Het kwik was een massieve stok in zijn hand.

'Ik snap wat je bedoelt,' zei Hanley schor terwijl één oog was dichtgevroren. Ze ervoer een brandend gevoel in haar longen, het statuslichtje knipperde rood. 'Mijn autoalarm gaat af.'

'Sluit je vizier.'

Hanley schikte zich meteen. Met haar rechteroog zag ze alles in het wit. Haar huid werd vochtig terwijl het ijs smolt. Uiteindelijk normaliseerde haar gezichtsvermogen. Haar neus drupte en ze nieste. Een ogenblik later werd de vizierplaat helder en ging het lichtje in haar helm op groen.

'Oké,' zei Nimit, met zijn vizier dicht bij het hare. 'Er is met betrekking tot de noordpool maar één heersende waarheid die je in je oren moet knopen. Het is een Inuit-uitdrukking. *Ajaqnak.*'

'Wat betekent dat?'

Met zijn donkere ogen keek hij haar strak aan. 'Het kan op een verschrikkelijke manier verkeerd gaan.'

33

Nimit drong eropaan dat ze zoveel mogelijk moest eten – extra calorieen – voordat ze op pad zouden gaan. Hanley, in een sportpantalon en een donkerblauwe sweater, haalde haar vingers door haar lokken. Vervolgens liep ze plichtsgetrouw naar de eetzaal.

Terwijl ze in de cafetaria in de rij stond, zag ze Felix Mackenzie op zijn gebruikelijke plaats achter in de grotere eetzaal, met uitzicht op de enorme kersenboom. Hij werd omzoomd door het imposante verticale raam, vlak achter hem; een eigenaardig ruitvormig portaal dat uit de koepel stak, waardoor de illusie werd gewekt dat Mackenzie feitelijk buiten zat en hij zich niet bewust was van de elementen.

Een van de Russen sprak tegen hem en maakte daarbij gebaren. Een Duitser die met over elkaar geslagen armen tegenover Mackenzie zat, schudde langzaam zijn hoofd; hij was het er niet mee eens. Emile Verneau zat naast hem en volgde het gesprek zonder eraan deel te nemen, waarbij hij zo nu en dan iets in een notitieboekje opschreef. Leidinggevende stafleden kwamen langs gewandeld. Sommigen hielden hun pas in om Mackenzie iets in het oor te fluisteren of om een woordje met hem te wisselen, weer anderen groetten hem met een hoofdknik terwijl ze op weg waren naar hun laboratoria of naar bed gingen omdat hun dienst erop zat. Hanley glimlachte toen ze zag dat Jack Nimit even stopte om met hem te praten, waarbij hij een hand op de schouder van de oudere man legde. Mackenzie legde vervolgens even een hand op die van Nimit, waarna de laatste wegliep. Simon King kwam binnen, nam het tafereel in ogenschouw, draaide zich prompt om en liep weg. Die kan niet goed overweg met de anderen, dacht Hanley.

Mackenzie wenkte naar haar en vroeg aan de anderen of ze hem wilden excuseren. Terwijl hij koffie voor haar inschonk, wisselden ze beleefdheden uit, waarna hij vroeg: 'Is alles wat u nodig hebt voor het reisje aanwezig? Gedraagt Jack zich naar behoren?'

'Absoluut,' zei ze. 'Iedereen heeft zich zeer grootmoedig en onzelfzuchtig gedragen. Het is niet te geloven hoeveel werkuren Dee en de anderen vrijmaken.'

Mackenzie knikte nauwelijks merkbaar. 'Goed. Uitstekend. En hoe gaat het met u en Jack? Ik hoor dat jullie samen wat hebben, toch?'

Hanley was teleurgesteld. 'Ik neem aan dat je in deze omstandigheden geen privacy mag verwachten.'

'Het is nutteloos om daar ook maar een gedachte aan te wijden,' zei hij. 'Het lijkt of hij serieuze bedoelingen met u heeft.'

Hanley nipte van haar koffie en staarde naar het prachtige desolate landschap, verlicht door de buitenlampen. De wind huilde, een ongewoon geluid. Opgewaaide, kolkende sneeuwvlagen deden de windturbines op de heuvelkam vervagen; de rotors draaiden rond als vliegtuigpropellers.

Zijn houding en gedrag straalden ernst uit. 'Hij betekent heel veel voor mij, voor iedereen van ons, en we willen hem niet verliezen door een vluchtige romance.' Aandachtig keek hij even naar zijn handpalm. 'Wonen in het noordpoolgebied doet enigszins denken aan het verblijf op een schip of in een transcontinentale trein. Je bent dan afgescheiden van de rest van de wereld. Wanneer de lente eenmaal is aangebroken en we vervolgens weer verbonden zijn met de rest van de wereld, beschouwt u de dingen misschien op een heel andere manier. Eerlijk gezegd zijn er maar weinig relaties die hier zijn ontstaan en het ook daadwerkelijk hebben overleefd. Slechts enkele huwelijken bovendien.'

'Spreekt u uit eigen ervaring?' Ze voelde zich gekrenkt omdat hij haar in één adem met een 'vluchtige relatie' had genoemd. Ze was bereid eveneens een kwetsende opmerking te plaatsen.

'Mijn vrouw overleed in de periode dat ik er klaar voor was om een normaal leven te leiden. Dus bleef ik hier. Er bestond niets anders meer wat mij aansprak.'

'Het spijt me.' Door zijn melancholie had ze spijt van haar verbittering van zonet. Misschien probeerde hij haar – en Jack – oprecht te beschermen.

'Dat hoeft niet. Ik heb van deze tijd genoten. Ik zou alleen willen dat ik dit leven met haar had kunnen delen. Ik was er nooit.'

'Ik weet wat u bedoelt. Mijn zoon woont bij zijn vader, honderden kilometers van me vandaan. Ik zie hem zelden. Ik begin me nu te realiseren dat ik vaker bij hem moet zijn dan alleen gedurende de schoolvakanties.'

'Is hij tien jaar, zei u?'

'Ja.'

'Dan bent u daar nog op tijd achter gekomen.'

'En u dan, dr. Mackenzie? Blijft u op poolstation Trudeau?' vroeg ze. 'Ik heb begrepen dat veel mensen overwegen om het na de winter hier voor gezien te houden...'

Hij zag er gekrenkt uit door het idee dat zijn collega's het schip verlieten dat hij zo liefdevol had gebouwd. Hij schudde zijn hoofd. 'Ik zal me onder hen bevinden. Maar ik vertrek misschien niet om dezelfde redenen. Ik heb de functie van directeur van het Arctic National Reserve aangeboden gekregen. Ik denk echter niet dat ik die functie zal aannemen. Ik kan het denk ik niet opbrengen om ingewijd te worden in nóg meer veranderingen betreffende het hoge noorden.'

'U bedoelt het feit dat de poolkap smelt en het zeeniveau stijgt?'

Mackenzie zuchtte. 'Lag het maar zo eenvoudig.' Met een servet raakte hij zijn lippen aan. 'Als de poolkap smelt, zal achtenvijftigduizend kubieke kilometer zoet arctisch water in de Atlantische Oceaan stromen. Als gevolg van die koude instroom hoort het water onder de warmere Golfstroom te zakken. Maar omdat het zoetwater betreft, is het ook lichter en zal dat water de Golfstroom mogelijk volledig bedekken en vervolgens onder drukken. Uiteindelijk zal de Golfstroom dan verleden tijd zijn, althans volgens de prevalerende modellen. Een ramp voor de landbouw wereldwijd.'

'Zomaar? Zonder waarschuwing vooraf?'

Hij schudde zijn hoofd. 'We hebben wel degelijk met waarschuwingen te maken, zoals bizarre weerpatronen, overstromingen, droogteperioden, bosbranden. Het milieu is er slecht aan toe. En niemand luistert. Hoewel ze onophoudelijk jammeren, zijn ze doof voor kritiek.' Hij sloeg zijn ogen op. Ogen met een glinsterende blik van woede. 'Er is een tijd geweest, aan het einde van het Krijt, dat het kooldioxidegehalte in de lucht zeven keer zo hoog was als nu. In die periode stierven de dinosauriërs op mysterieuze wijze uit. We zijn nu bezig dezelfde situatie te creëren, waardoor we de proef op de som nemen.'

Hij keek naar het plafond. 'Elk seizoen ga ik later naar buiten om onze teruggekeerde trekvogels te begroeten, want elk jaar opnieuw komen ze wat later terug. Na elk jaar is de winter weer wat korter geworden en zijn er minder trekvogels aanwezig. De dikte van het pakijs is voor de helft geslonken vergeleken met de tijd waarin Alex Kossuth, Primakov en ik voor het eerst het hoge noorden bezochten. Wanneer deze eeuw half voorbij is, zal er in de zomermaanden überhaupt geen ijs meer zijn. En Trudeau, als dit poolstation dan nog bestaat, zal per schip bevoorraad worden.' Met een hand streek hij door zijn haardos. 'Canada heeft twee decennia lang droogteperioden gekend als gevolg van onvoldoende sneeuwval. Twee decennia lang. En die lui in Ottawa roepen nog steeds commissies in het leven en vragen zich af of er werkelijk sprake is van een probleem.'

'Ja, onze regering is eveneens een beetje traag van begrip.'

'Dat is een van de problematische kanten van democratieën. Een probleem wordt pas als een probleem beschouwd wanneer het is uitgegroeid tot een hopeloze crisis.'

Uli verscheen in zijn laboratoriumjas. Bezorgd riep hij naar Hanley.

'Excuseer,' zei ze tegen Mackenzie, waarna ze zich in de gang bij Uli voegde. Beide handen had hij diep in de zakken van zijn kiel gestoken.

'Wat is er aan de hand?' vroeg Hanley.

'Ik ben even gestopt bij het tuinbouwkundig laboratorium dat je voor de lijkschouwing van Kossuth hebt gevorderd.'

'Nou, en?'

'Dr. Kruger is daar met Dee aan het werk. Het heeft er alle schijn van dat ze goed opschieten.'

'Geweldig.'

'Niet helemaal.' Uli was verontrust. 'Dr. Kruger blijft haar werk onderbreken, alsof ze zich er niet toe kan brengen om verder te gaan. Volgens mij is het beter dat je het van haar overneemt.'

'Shit. Ik ben volop bezig om me voor te bereiden op de reis naar de polynya. Oké, we gaan even kijken hoe het ermee staat.'

Ze haastten zich naar het laboratorium, dat 's winters was gesloten. Een glazen raam scheidde hen van wat er in het belendende vertrek gaande was. Dee en Ingrid Kruger hadden een lange, metalen pottafel schoongemaakt en er vervolgens het gevlekte lichaam op gelegd. Kruger stond over haar werk gebogen, Dee hield zich bezig met het aangeven van de instrumenten.

Dee had een volledig biopak aan, dat haar beschermde tegen biologische gevaren, compleet met een respirator en een gesloten, onafhankelijk luchtverversingssysteem. Kennelijk had dr. Kruger echter afgezien van een speciale uitrusting. Ze droeg een dubbel operatieschort en had een plastic gezichtskap en een mondmasker voor en twee paar operatiehandschoenen aan. Dat waren de enige concessies die ze had gedaan met betrekking tot de instructies van Hanley.

'Verdomme, waarom draagt ze geen biopak?'

Uli haalde zijn schouders op. 'Ze zei dat ze twee lijkschouwingen had gedaan, waarbij ze geen pak aanhad. Ze zag er de noodzaak niet van in.'

Hanley deed het vertrouwde, dikke biopak aan waarvan Kruger had gemeend dat zij dat niet nodig had. Zonder moeite, het was indrukwekkend om te zien, deed ze het aan en zette vervolgens de zuurstofkraan van haar draagbare tank open. Nadat ze twee keer had ingeademd om de luchttoevoer te controleren, stapte ze in de desinfectietent die tijdelijk was opgezet bij de deur van het vertrek waar Dee en Ingrid Kruger aan het werk waren. Ze trok aan het koord van het reservoir waarin bleekmiddel zat. Deze desinfecterende douche werd gevolgd door een besproeiing met gedestilleerd water. Nadat ze zoveel mogelijk water van haar pak had afgeschud, liep ze door de deur naar binnen.

Dr. Kruger legde datgene wat ze aan het doen was vast op een bandrecorder die net boven haar hoofd hing. De bandspoelen naast het rode lampje draaiden langzaam rond. De chirurge leek zichzelf volledig onder controle te hebben – zelfverzekerd, met rechte rug, zakelijk. Ingrid Kruger keek over haar schouder naar wie er binnenkwam, waarna ze onmiddellijk verder ging met haar taak, waarbij ze de aankomsttijd van Hanley op de cassetterecorder vastlegde en het zoveelste weefselmonster in een roestvrijstalen bak deed. Dee overhandigde Kruger een gebogen ontleedmes en droeg de bak vervolgens naar een weegschaal. Ze las het specimengewicht in grammen hardop voor en liet het daarna in een laboratoriumbuisje glijden. Kruger herhaalde het gewicht dat Dee had genoemd ten behoeve van de geluidsopname, waarna ze onbeweeglijk bleef staan.

Vanaf korte afstand keek Hanley over de schouder van Kruger mee en maakte geërgerd een gebaar naar Dee, wees vervolgens naar Kruger en tikte tegen haar eigen beschermende biopak. Dee liet haar ogen rollen en haalde hulpeloos haar schouders op terwijl ze het specimenbuisje markeerde en op het volgende verzoek van dr. Kruger met betrekking tot het instrumentarium wachtte.

'Wat leuk dat je erbij komt,' zei Kruger, die haar aandacht weer kon richten.

Condensdruppels rolden over Hanleys vizier naar beneden. 'Kan ik je overhalen alsnog het beschermende biopak aan te trekken? Je stelt jezelf onnodig bloot.'

Kruger bleef werken terwijl ze antwoord gaf. 'Het spijt me, maar die ruimtepakuitrusting was te volumineus voor mij. Ik heb daar nog nooit in gewerkt. Bovendien mag duidelijk zijn dat Kossuth is overleden als gevolg van de elementen, en aan niets anders.'

'Dokter...'

'Hoor eens, dit is voor mij al lastig genoeg. Daar komt nog bij dat ik me niet honderd procent voel.'

'Hij is echter in contact geweest met de anderen, waardoor het best zou kunnen dat hij is blootgesteld aan het agens.'

'In dat geval heeft de totale verwoesting van de lichaamscellen ook de mogelijke binnendringers vernietigd.'

'Ik gok niet graag, ook al zijn de risico's klein.'

Kruger wierp haar een geamuseerde blik toe. 'Maak je je ongerust? Je ziet er anders veilig genoeg uit.'

Ze ging verder met het vastleggen van gegevens. Achter haar rug opende Hanley haar handen in een gebaar van hopeloosheid. Een gebaar dat alleen Dee kon zien. Opeens stopte Kruger. Ze stond besluiteloos boven het lijk, het scalpel hield ze als een dirigeerstokje in de hoogte. Hanley was getuige geweest van haar berekende, afgemeten stijl die ze tijdens de op cd-rom opgenomen autopsie op Bascomb had tentoongespreid. Kruger handelde altijd zelfverzekerd. Geen aarzeling, geen talmende hand. Maar in plaats van een vlugge, resolute handeling met het scalpel stak ze het ontleedmes met een hakkende beweging in het lijk, sneed ze door spierweefsel heen en sloeg ze met kracht in op de ribbenkast. Het lemmet schraapte op het moment dat Kruger bot en kraakbeen raakte, waarna ze opnieuw toesloeg en feitelijk bezig was het lijk uit te hollen.

Dee zette grote ogen op van afschuw. 'Ingrid!' riep ze. 'Wat ben je in godsnaam aan het doen?'

Kruger verstijfde en klapte vervolgens recht naar achteren. Spastisch lag ze te schokken op de vloer, spartelend, haar armen naar beneden en iets naar binnen gekeerd, alsof ze een zeehond nadeed die zijn vinnen tegen elkaar aan sloeg. Ze trilde en sidderde; met een verwrongen gezichtsuitdrukking was haar lichaam in de greep van een neurologische aanval. Een akelig zwaar klinkende jammertoon ontsnapte uit haar keel terwijl ze daar wild met de armen lag te zwaaien. Opeens was haar rug op een onmogelijke manier gekromd, alsof ze bezeten was. Er vormde zich schuim op haar mond. En haar ogen...

Dee liet het instrumentenblad vallen en rende om de autopsietafel heen. 'Ingrid!'

Hanley greep Dee bij de schouder vast en hield haar tegen. Dee probeerde zich echter los te wurmen. 'Ze stikt!'

Kruger kromde haar rug, haar lichaam deed denken aan een gespannen boog, haar voorhoofd bonkte tegen de vloer. Ze maakte spastische bewegingen, alsof ze elektrische schokken te verduren had.

'Laat me los!' schreeuwde Dee, die zich tot het uiterste inspande om uit de greep van Hanley te komen.

Maar Hanley bleef haar tegenhouden terwijl ze naar de verkrampingen van Kruger staarde. Opeens verstarde het lichaam, de stuiptrekkingen des doods waren voorbij. Haar ogen waren wit en er sijpelde vocht uit.

'Raak haar niet aan,' zei Hanley.

'Maar...'

'Raak haar niet aan. Raak helemaal niets aan.'

'We moeten snel...'

'Ze is dood, Dee. We kunnen niets meer voor haar doen. Ga het vertrek uit, Dee. Nu. Stap onder de desinfectiedouche.' Hanley duwde haar naar de deur. 'Nu...!' Ze dirigeerde haar door de deur het vertrek uit en pakte de geluidsrecorder en de dvd-recorders, waarna ze de laboratoriumdeur achter zich dichtdeed en Dee vasthield terwijl ze onder de provisorische douche stonden.

'Trek aan het koord!'

Dee maakte zichzelf kletsnat met bleekmiddel.

'Draai je om. Je hele biopak moet behandeld worden.'

Hanley telde tot vijftien. Het bleekmiddel zou vrijwel alles doden wat van virale en bacteriële afkomst was. Maar als het om prionen ging, of om mycoplasma, zou zelfs bleekmiddel hen niet kunnen beschermen. Ze onderdrukte die gedachte echter. 'Oké, Dee... spoel je nu af.' De waterdouche volgde.

Met een druipend biopak kwam Dee onder de douche vandaan. Ze huilde, hoestte, beefde.

'Wacht hier,' zei Hanley. 'Blijf staan waar je staat.'

Er kwam een brommend geluid uit Dee's keel.

'Begrijp je wat ik zeg, Dee?'

Dee knikte snel.

Hanley deed de flap van de desinfectietent dicht en trok aan het koord van het tweede reservoir met Clorox, waarna ze zich langzaam om haar as draaide en het bleekmiddel over zich heen liet komen. Nadat de douche was gestopt, spoelde ze zich af met water en stapte uit de tent. Ze pakte Dee bij de pols vast en leidde haar weg.

Ondanks het feit dat hij zichtbaar geschokt was, laste Nimit twee platte ijzerstaven tegen de deur van het tuinbouwkundig laboratorium, waarna hij de branddeur dichtlaste. Ze verlaagden de temperatuur in het laboratorium tot net boven het vriespunt en bevestigden de thermostaat met plakband, waarna ze de houder ervan vergrendelden. Bibberig plakte Hanley stickers op de buitendeur. Stickers met het symbool dat waarschuwde voor biologisch gevaar. En midden tussen die stickers hing een enorm bord waarop stond: QUARANTAINE – VERBODEN TOEGANG.

Nog voordat er op het poolstation een officiële verklaring werd gegeven, verspreidde het nieuws zich als een lopend vuurtje en daalde er op Trudeau een griezelige stilte neer. De meeste mensen bleven op hun kamer of ze zaten bij elkaar in groepjes en praatten op gedempte toon over het dodelijke agens dat zich in hun midden bevond. Niemand sprak met haar. Velen deden haastig een stap opzij zodra ze voorbijliep. Iedereen meed oogcontact, op Simon King na. Met een strakke, afkerige blik keek hij haar aan terwijl ze hem passeerde.

'Briljant werk, dr. Hanley. In één woord briljant.'

34

Dee ging languit op het bed van Hanley liggen. 'Zij verwijten het jou heus niet, Jess.'

'Je had King eens moeten zien.'

'Simon King is een klootzak. Alsjeblieft, zeg.'

'Ik ben het echter met hem eens. Ik verwijt het mezelf. Had ik maar...'

'Geen "had ik maar".' Dee ging rechtop zitten. Ze had een uur lang gehuild, maar was nu weer op krachten gekomen. 'Ingrid Kruger heeft niet gedaan wat ze geacht werd te doen... ze had dat verdomde biopak moeten aantrekken. De voorzorgsmaatregelen waren duidelijk en zij heeft die genegeerd. Dat is tragisch, en stom, maar het is gebeurd.'

'Oké, maar ik ging er ook van uit dat die ingreep een routinekwestie zou zijn. Wat ik bedoel te zeggen is dat ik er de mensen publiekelijk van overtuigd heb dat ik niet dacht dat de stoffelijke resten besmettelijk waren. Shit, ik had eropaan moeten dringen dat dat wél het geval zou kunnen zijn.'

'Het heeft geen zin om te bakkeleien over wat er is gebeurd. Ze wist heus waar ze mee bezig was, hoor. In hemelsnaam, zij was arts. Ingrid heeft gewoon pech gehad. Dat is alles. Heel wat mensen hebben contact gehad met het lichaam en daarvan geen nadelige effecten ondervonden. Ze had niet het flauwste vermoeden, niemand van ons. Het gebeurde gewoon.'

'Maar als ik...'

'Hou op, Jess!' riep Dee luidkeels. 'Ingrid was geen groentje. Zij zou die autopsie met meer dan alleen een operatieschort voor hebben gedaan als ze ook maar een vaag vermoeden had gehad dat Kossuth een drager was. In vredesnaam, zij en ik hebben twee lijkschouwingen uitgevoerd terwijl we ons met alleen operatiejassen, handschoenen en mondmaskers hadden uitgedost. Het was volkomen redelijk om zonder volledige uitrusting een autopsie uit te voeren op een lijk dat geen symptomen vertoonde. Maar het was ook een verkeerd besluit. Je kunt dit onmogelijk met je meedragen alsof je haar met opzet aan een groot risico hebt blootgesteld. Ze heeft zich dit zelf aangedaan door niet de moeite te nemen dat pak aan te trekken. Wanneer ze de procedure had gevolgd, dan leefde ze nu nog.'

'Vertel me nog eens wat jullie droegen tijdens de eerste twee lijkschouwingen.'

Dee liep de lijst na: chirurgische hoofdkapjes, operatiejassen, mondmaskers, gezichtskappen en handschoenen. 'Geen respirators; die hadden we simpelweg niet.'

'En toch was het om de een of andere reden veilig de lijkschouwingen op die wijze uit te voeren. Het dodelijke agens had zichzelf gesmoord. En nu blijkt het stoffelijke overschot van Kossuth, dat ogenschijnlijk geen verschijnselen vertoonde, een tijdbom te zijn.' Hanley hield haar gezicht tussen haar handen. 'Op de een of andere manier overleeft dat micro-organisme het in bevroren toestand. Misschien was Kossuth samen met de anderen geïnfecteerd, maar deed hij zijn kleren uit en stapte hij uit dit leven, waardoor hij het virus in de wachtkamer heeft gezet. Misschien was dat de reden waarom hij zich had uitgekleed... om dat virus tegen te houden. De ontdooiingsprocedure en het openen van het lichaam hebben het virus wellicht gereactiveerd. Hoe is dat mogelijk? Het klinkt mij niet als... logisch in de oren.'

'Vind je dat?'

'Ik weet niet wat ik moet denken. Goeie genade, ik heb het gevoel of ik geen donder waard ben.'

'Prima,' zei Dee. 'Ik geef je een uur. Voel je eventueel twee uur lang klote als je dat wilt. Daarna móet je dat ding vinden, anders mag in maart niemand naar huis, ervan uitgaande dat we dan nog leven. Ze sluiten ons dan ergens op en maken laboratoriumratten van ons, als we dan nog ademen. Ik ben bang, en het valt me absoluut niet moeilijk om dat tegen jou te zeggen.'

Hanley ging staan, de handen tegen haar voorhoofd gedrukt. 'Vijf doden. Vijf van de vijf. Er bestaat niets dat zo dodelijk is. Dit heb ik nog nooit meegemaakt. Er klopt iets niet...'

Zachtjes werd er op de open deur geklopt. Hanley hoopte dat het Jack was, maar een somber gestemde Mackenzie stapte naar binnen, gevolgd door Emile Verneau.

'Wat is er precies gebeurd?' vroeg Mackenzie.

Hanley wreef met een hand over haar voorhoofd. 'Dr. Kruger had de voorzorgsmaatregel met betrekking tot het biopak naast zich neergelegd. Nadat ze drie uur en achtenveertig minuten met de lijkschouwing bezig was geweest, verstramde ze en leed vervolgens aan een neurologische aanval die enkele ogenblikken later de dood tot gevolg had.'

'Ingrid is dood,' zei Verneau. 'Maar jij zei dat de lijken niet besmettelijk waren.'

'Ik had het bij het verkeerde eind. Wij hadden ons eigen luchtverversingssysteem, niks aan de hand. Ingrid Kruger... zij moet het hebben ingeademd. Hoe is de staf eraan toe?' vroeg Hanley.

Mackenzie zuchtte diep. 'De mensen zijn geschokt. Er heerst ongeloof.'

'En ze zijn bang,' voegde Verneau eraan toe. 'Doodsbang dat het micro-organisme zich op het poolstation bevindt, in tegenstelling tot wat
jij ons in eerdere onderzoeksfases hebt verzekerd. Iedereen vraagt om
mondmaskers en handschoenen. We hebben simpelweg niet voldoende
voorraad om aan die vraag te voldoen. Ik weet niet wat ik ze moet vertellen.'

Hanley knikte berustend. De angst was reëel en zeer gegrond. 'Jullie
moeten een dienstmededeling rondsturen waarin wordt verklaard hoe
goed we het vertrek waarin de lijken zich bevinden hebben beveiligd.
Dubbele afdichtingen, verlaagde temperatuur, en het feit dat Dee en ik
grondig zijn ontsmet.' Ze bracht niet te berde dat zelfs dubbele mondmaskers en handschoenen Ingrid Kruger geen bescherming hadden geboden.

'Wat ga je nu doen?' vroeg Verneau. 'Wil je hierna misschien je aanpak van het probleem heroverwegen?'

Hanley schudde haar hoofd. 'Nee. We gaan op deze manier door tot
we de boosdoener hebben gevonden.'

'Wat moeten we met de stoffelijke resten van dr. Kruger en Alex doen?'
vroeg Verneau.

'Ze blijven waar ze nu zijn tot we meer weten,' zei Hanley. 'Iedereen
blijft uit de buurt.'

Verneau knikte tegen Mackenzie. 'Goed,' zei deze, waarna hij de kamer uitliep en aldus iedereen voorging.

Langzaam ademde Hanley uit om zichzelf te kalmeren terwijl ze zich
door het labyrint van gangen begaf. On line rapporteerde ze het dodelijk ongeluk aan Cybil, waarna ze heen en weer door het secundaire lab
liep terwijl ze de ondoordringbare witte denknevels in haar hoofd probeerde te verdrijven. Naast haar werkplek bevond zich een wit schoolbord op wieltjes. Een schoolbord dat reikte van de vloer tot aan het plafond en volgeschreven stond met notities, vanaf de eerste dagen, en
doorgestreepte hypotheses. Nu bestond de belangrijkste functie van dat
schoolbord eruit om Hanley de gelegenheid te geven haar frustraties
kwijt te kunnen door het ding met geweld door het vertrek de duwen.
Ze pakte de markeerstift en haalde een lange diagonale streep door de
lijst van geschrapte mogelijkheden, waarna ze het schoolbord met een
ruk omdraaide; aan de andere kant had ze namelijk in grote blokletters
de achternamen van de slachtoffers opgeschreven. Ze voegde er KRUGER
aan toe.

Na de derde ronde door het laboratorium zag ze de envelop die met
plakband boven haar werktafel aan de tl-buis was bevestigd. Ze pakte de envelop en opende die. In een prachtig handschrift stond geschre-

ven: *Bedankt dat je me toestemming hebt gegeven om het laborato-rium van Annie te betreden. Ik heb gevonden wat ik nodig had. Ingrid Kruger.*

Met het briefje in de hand geklemd liep Hanley zachtjes door de gangen. Toen ze het kantoor van Kruger had bereikt, stapte ze naar binnen en deed de deur achter zich dicht. Tastend langs de wand deed ze uiteinde-lijk de lichten in de foyer aan. Ze liep verder het vertrek in.

Haar adem stokte. Er zat iemand aan het lege bureau.

'Jack.'

Vluchtig keek hij over zijn schouder. Het vertrek was leeg, er stond niets op de schappen. Op het bureau lag een stapel papieren.

'Correspondentie, aantekeningen, adressen – persoonlijke zaken,' zei hij.

Toen Hanley bekomen was van de schrik zei ze: 'En de computer dan?'

'Kijk zelf maar.'

Het computerscherm bleef blauw. Geen bureaublad, geen iconen. De cursor knipperde in de linkerbovenhoek. En ze zag het bericht. STATION C GEFORMATTEERD.

'Leeg. Weg. Gewist.'

'Wat gebeurt hier in godsnaam?' vroeg Hanley. 'Wat moet ik nu doen?'

'Jij gaat het poolstation verlaten. We gaan naar de polynya.'

35

Behoedzaam liet Nimit het voertuig over de lange hellingbaan naar be-neden rijden, de duisternis in. Een robotkar met een hoog chassis, ook wel Stiekemerd genoemd, was met een kronkelende gele kabel aan de Sno-Cat verbonden en reed voor hen uit om onvoorziene wakken in het ijs te detecteren.

Om vijfentwintig minuten over acht 's avonds klom de rand van de maan boven de vlakke, koolzwarte horizon, steeds hoger en hoger. Te-gen negen uur was de kobaltblauwe maan zo helder dat hun lichamen daadwerkelijk scherpe schaduwen wierpen terwijl de Sno-Cat met een jankend geluid de spookachtige helling naar beneden nam. Het etherisch aandoende, grillig gevormde terrein veranderde in een maanlandschap dat half verlicht werd terwijl de andere helft in zo'n volslagen duisternis gehuld was dat zich erachter niets leek te bevinden, alleen een zwarte leegte – de rand van de wereld.

Het duidelijke, heldere zicht was adembenemend, het uitspansel bezaaid met sterren, zo duizelingwekkend expansief dat Hanley geen gevoel voor afstand meer had vanwege het gebrek aan referentiepunten. Ze had een hele tijd nodig om zich aan dit landschap zonder verhoudingen en dimensies aan te passen. Op bepaalde momenten kwam de onmetelijkheid als een miniatuur op haar over, als een tafelmodel. Dan weer voelde ze zich erg nietig worden onder deze uitgestrekte verlatenheid.

'Ik zou willen dat ik me voldoende kon ontspannen om dit alles in me op te nemen,' zei ze.

'Sinds je aankomst heb je niet veel vrije tijd gehad, hè?'

'Alleen de tijd die ik met jou heb doorgebracht. Iedereen wil dat ik me vierentwintig uur per dag met deze zaak bezighoudt. En wie kan hun dat kwalijk nemen? Ze willen zich beschermd voelen. En nu, na het overlijden van Ingrid, is het hun... en mij... duidelijk geworden dat ik niet ben opgewassen tegen deze klus. Ik weet dat het laf is, maar ik vind het prima dat ik het poolstation even voor gezien kan houden. Het is niet gemakkelijk om al die boosheid over je heen te krijgen. Weet je, ik zou het je niet kwalijk nemen wanneer jij eveneens boos op mij zou zijn.'

'Maar dat ben ik niet. En ik zou liegen als ik zeg dat ik niet bang ben. Iedereen is bang. Maar we zijn ook wetenschappers. We weten allemaal dat wetenschappelijk werk veel tijd vergt.'

'Natuurlijk. Maar dit is niet een of ander theoretisch poolonderzoek. Jouw vrienden gaan dood. Niemand zou die eerste blootstelling voorkomen kunnen hebben. Maar na mijn aankomst werd ik verantwoordelijk voor jullie veiligheid. En nu is opnieuw een van jullie collega's overleden. Bovendien had haar dood voorkomen kunnen worden.'

'Niets wees erop dat Alex zogezegd besmettelijk was.'

'Het is volkomen onlogisch. Ik had die mogelijkheid echter niet moeten uitsluiten. Ik had niet mogen toelaten dat iemand anders zich met dat lijk ging bezighouden.' Gefrustreerd sloeg ze tegen haar dij. Nimit reikte naar haar en hield haar hand stevig vast.

'Hé, rustig aan... vergen al jouw zaken niet veel geduld?'

'Zeker weten, maar wie op poolstation Trudeau wil horen dat het maanden heeft geduurd voordat de wetenschap inzicht kreeg in de oorzaken van de veteranenziekte en het ebolavirus? Of dat ze 4000 weefselmonsters van 60 verschillende soorten op de markten in Zuid-China moesten onderzoeken om de bron van SARS te kunnen opsporen? Ik boezem geen vertrouwen in door de mensen eraan te herinneren dat het vier jaar heeft geduurd voordat de ziekte van Lyme werd geïdentificeerd.'

'Wel, als ik jou was, zou ik er niets over loslaten tegen Simon King. Je moet echter niet zo hard voor jezelf zijn. Na al die uitbraken werden er complete wetenschappelijke teams op gezet.'

'Zo is dat. Maar het gaat er niet alleen om dat ik vrijwel alleen werk. Met dat bijltje heb ik wel vaker gehakt. Dit micro-organisme gedraagt zich totaal anders dan de microben waarmee ik ooit te stellen heb gehad.'

'Wat bedoel je?'

'De snelheid waarmee het te werk gaat. De incubatietijd van langzame virussen is soms langer dan de duur van een mensenleven. De snelste virusuitbraak die ik heb meegemaakt doet aan een vloed denken. Organen en aders zijn niet compact, weet je, maar semi-permeabel. Wanneer een of ander micro-organisme het vlies vernietigt dat het bloed in de aderen en organen houdt, sijpelt de vloeistof er gewoon uit. De persoon in kwestie verdrinkt dan letterlijk. Maar zelfs dat proces duurt dagen. In dit geval was de groei explosief. Maar het agens had ook het vermogen zich sluimerend in het bevroren lichaam van Alex Kossuth verborgen te houden. Het slaat nergens op, maar toen het lichaam ontdooide moet het agens virulent zijn geworden,' zei Hanley.

Ze zweeg enkele minuten en piekerde over het meest recente sterfgeval.

Een door de mens vervaardigde berm verscheen tussen de ijsplooien. Nimit manoeuvreerde hun voertuig bedreven over de glooiing naar de top van de ijswand en op een perfect glad terrein.

'Dit is de landingsstrook die mijn jongens gebouwd en onderhouden hebben. De meeste ijzige oppervlakten zijn erg hobbelig, maar je zult merken dat deze helemaal glad is.' Hij glimlachte. Hanley zag hoe trots hij op zijn werk was. Bovendien was ze dankbaar voor zijn onmiskenbare poging om haar af te leiden van de beschuldigingen aan haar eigen adres met betrekking tot het overlijden van dr. Kruger.

'Je kunt hier skaten,' zei Hanley.

Hij wees naar een terp, ongeveer achthonderd meter verderop. Op de top ervan eindigde de glooiing bij een plateau.

'In het midden ervan bevindt zich een meertje,' vertelde hij haar. 'Daar hebben we een wak gegraven.'

'Ik zal je op je woord moeten geloven.' Het plateau waaronder het bevroren meer zich bevond was niet te onderscheiden van de rest van de ijsvlakte en werd onzichtbaar vanaf het moment dat de wind aantrok en losse ijskristallen de hoogte in blies. De lichtbundels van de koplampen schenen in een wit ijsgordijn, waarna ze vervaagden toen Hanley en Nimit niet meer door de voorruit naar buiten konden kijken. Nimit deed de interieurverlichting aan.

'Wat is er aan de hand?' vroeg Hanley.

'De wind trekt aan. We hebben te maken met een white-out.'

'Hoelang houden we hier last van?'

'Hoewel je dat nooit zeker weet, hoort dit niet lang te duren. Voordat we vertrokken, heb ik de weersvooruitzichten gecontroleerd; er waren geen lagedrukgebieden van enige omvang waarneembaar. Dit hoort niet langer dan enkele minuten aan te houden. Maar we hebben altijd nog noodrantsoenen en overlevingsmateriaal. Ik heb ook het chemisch toilet meegenomen.'

'Nou, geweldig.'

'Probeer je te ontspannen. We moeten gewoon wachten tot het op-klaart.'

Hanley controleerde haar uitrusting. Nimit had de voorwerpen gesorteerd die ongeschikt waren voor het extreme weer waarmee ze zich naar alle waarschijnlijkheid geconfronteerd zouden zien. Hij had alle nylon-tasjes – voorzien van een ritssluiting – opzij gelegd. De plastic schaaltjes en spuiten, de laboratoriumbuisjes en glazen potjes voor het verzamelen van specimens waren hetzelfde lot beschoren. Hij verving dat alles door een bak vol met speciale flesjes die voorzien waren van oranje dopjes en tegen extreem lage temperaturen konden, en polyethyleenzakjes die be-stand waren tegen vijfenzeventig graden onder nul. Ze had er enkele spe-ciale dierenbakken aan toegevoegd voor het geval ze mogelijk een vira-le drager zouden tegenkomen.

Een tijdje zaten ze stilletjes voor zich uit te kijken. Nimit leek daar geen moeite mee te hebben, maar Hanley kon er niet tegen. Ze moest zich bewegen, het gevoel hebben dat ze iets nuttigs deed. Opnieuw dacht ze aan het stoffelijke overschot van Kossuth, dat op de autopsietafel lag.

'Hoe hebben volgens jou de laatste ogenblikken van Kossuth eruitge-zien?'

Hij zweeg even terwijl hij nadacht. 'Onplezierig. Zo zonder kleren, met een temperatuur van vierendertig graden onder nul en een wind-snelheid van pakweg vijftig kilometer per uur zou hij binnen een halve minuut zijn overleden. Maar zoveel mazzel had hij niet. Het was die middag vijfenveertig graden onder nul en het waaide amper. Ik gok erop dat hij het tien tot twaalf minuten heeft uitgehouden.'

'Heb jij hem gevonden terwijl hij daar bloot lag?'

'Ja.'

'Hoever bevond hij zich van de anderen vandaan?'

'Dat weet ik niet... een heel eind... in elk geval uit het zicht van de rest.'

'Heeft hij geweten wat hen is overkomen?'

'Hij zou icts op de intercom gehoord kunnen hebben voordat hij zijn poolpak uitdeed.'

'Hebben ze hen op het poolstation ook gehoord?'

'Nee. Ze hebben niet via het intercomkanaal gecommuniceerd. Teddy en zijn mensen houden de frequenties met een groot bereik in de gaten. Hun VHF-gebabbel zouden ze niet beluisterd hebben. Enig idee wat er met hem gebeurd is?'

Hanley schudde haar hoofd. 'Nog niet.'

Hij schonk koffie uit een extra geïsoleerde thermosfles voor haar in. Hanley deed haar handschoenen uit om de beker aan te pakken. Traag nipte ze van haar koffie terwijl ze naar de witte wand in het licht van de koplampen staarde. Ergens, ver weg achter die lichtbundels, waren de horizon en de kromming van de aarde te zien, met daarachter de zon en haar thuisland. Ze zuchtte en hield de handpalmen boven haar koffie.

'Wrijf je handen over elkaar,' zei Nimit. Hij deed het voor. 'Houd ze vervolgens op deze manier tegen je gezicht en ogen aan.' Hij bracht zijn handen omhoog, handpalmen naar voren, en hield ze iets gebogen tegen haar gezicht aan. Ze murmelde van genot. De warmte was vertroostend. Ze wilde het liefst dat hij die handen nog ergens anders tegenaan hield.

Het licht van de koplampen vormde een gloed tegen de achtergrond van de opwaaiende sneeuw. Een sneeuwgordijn dat dunner werd en uiteindelijk verdween. Hanley zag de top van een koepel op het plateau.

'Wat heeft Minskov onder het ijs van het meer aangetroffen?' vroeg Hanley.

'Veelal algenmatjes.'

'Dat klinkt niet spectaculair.'

'O, maar je had hier moeten zijn toen we dat spul naar boven haalden. We gaven ze een behandeling alsof ze zich in een tijdcapsule bevonden.'

'Wat bedoel je?'

'De glaciologen kwamen erachter dat het water misschien wel enkele miljoenen jaren van de oppervlakte was gescheiden.'

'Wauw,' zei Hanley. 'Dat noem ik nog eens oud.'

'Nee, hoor.' Nimit wendde zich tot haar. 'Ons meer is een miniatuur vergeleken met de exemplaren die ze op Antarctica hebben gevonden. Ze hebben zesenzeventig zoetwatermeren aangetroffen, waarvan er één de omvang van het Ontariomeer heeft.'

'Onder het ijs? Dat meen je niet.'

'Volledig ingepakt in ijslagen van wel drie kilometer dik. Ben je er klaar voor? Daar gaan we dan,' zei hij, waarna ze de reis hervatten en voorzichtig manoeuvrerend verder reden.

'Wordt het tijd voor de toeristenattractie?'

Nimit keek haar aan. 'Dat is geen toeristenattractie, maar een graf.'

Hanley voelde zich terechtgewezen en knikte slechts.

36

Nimit sloeg af naar het eigenaardige gebouw dat zij in het flakkerende licht van de lichtfakkels voor het eerst vanuit de lucht had waargenomen. Datgene wat van boven bezien aan een bunker deed denken, was in feite een kolossale, afgedekte geul waarin gemakkelijk vier auto's naast elkaar konden staan. Het golfplaten dak lag op spanten en was bedekt met sneeuw.

Aan een kant liep een lange helling glooiend naar beneden. Nimit stopte bij de top en reed de Sno-Cat vervolgens voorzichtig de duisternis in.

'We hebben deze tunnel met een achtbladige rotorboor uitgeboord... het soort boor dat men in de Alpen gebruikt voor het maken van wegen- en spoorwegtunnels. We deden er honderddrieënvijftig uur over om deze gang uit te boren.'

Brandstofvaten van elk tweehonderd liter stonden naast elkaar langs de wand van de ingangshelling.

'Ter decoratie?' vroeg Hanley.

'Nee... gewoon lege vaten. Te duur om ze te verwijderen,' zei Nimit. 'Het kost tweehonderd Amerikaanse dollar om ze op luchttransport te zetten. Per stuk. Op dit moment is mijn budget daar niet toereikend voor.'

'Als ik garant sta voor hun eventuele verwijdering, zou je er dan enkele voor mij naar het quarantainelaboratorium kunnen transporteren? Ik zou er minstens een zestal kunnen gebruiken om er besmet materiaal en afval in de vorm van laboratoriumvloeistoffen in te dumpen, dat wil zeggen als jij ze kunt koppelen aan onze ontsmettingsdouches en de koker voor gevaarlijk afval.'

'Natuurlijk, als ik je daarmee van dienst kan zijn,' zei Nimit. Hij parkeerde de Sno-Cat.

Ze baanden zich een weg door de duisternis terwijl ze krachtige zaklampen met zich meedroegen. Houten planken kraakten onder hun voeten. Het lamplicht reflecteerde in wel tien paar ogen. Nimit draaide de lichtbundel met een ruk in die richting, waarna de weerkaatsingen zich snel verspreidden. Hanley schrok, ze voelde iets over haar voet lopen.

'Ratten?'

'Niet bang zijn,' zei hij.

'Ik? Ik had een zwak voor de laboratoriumratten van Los Angeles. Enkele afgekeurde exemplaren hielden we als mascottes. Om maar te zwijgen van mijn persoonlijke collectie in mijn vroege jeugd.'

'Dit zijn geen ratten, maar lemmingen. Ratten houden niet van de noordpool.'

'Ik begrijp ze volkomen,' zei Hanley. Met een ruk keek hij haar dreigend aan, waarop zij haar handen afwerend in de hoogte stak. 'Het was maar een grapje.' Ze gebruikte haar helmlamp om de tunnel aan een vluchtig onderzoek te onderwerpen, waarna ze een van de dierenvallen losmaakte. 'Ik wil er een paar meenemen om ze te onderzoeken. Knaagdieren zijn beruchte virusdragers.' Ze zette de val op de grond. 'Ongeacht hoe gezond ze eruitzien, zodra ze in de val zitten blijf je afstand houden. Wanneer je dode lemmingen ziet, geef je een gil, oké?'

In de lichtbundels van hun helmlampen zag Hanley andere tunnels die dwars op de hoofdgang stonden. Quonsethutten, in geel en rood geschilderd, bevonden zich in de zijgangen die door Nimit *allees* werden genoemd en die zich haaks op de hoofdgang bevonden waardoorheen zij zich begaven. Op een straatnaambord van Toronto was *Yonge* te lezen, op die ernaast stond *Bloor*. Verderop bevonden zich enkele ornamentele, roze flamingobeelden, verder een stukje gazon van groen kunstgras en een geassembleerd geheel dat uit koperen pijpen en ketels bestond.

'Wat heeft dat te betekenen?' Met behulp van de lichtbundel van haar helmlamp wees ze naar dat eigenaardige geval.

'Een destilleertoestel,' antwoordde Nimit. 'Dat ding heeft veel feestjes van alcohol voorzien in een periode dat er in deze contreien alleen bocht te krijgen was. Een van de ingenieurs had van reuzenbruinwier een spiraal gemaakt. Weleens gezien? Zo dik als je vuist, en het ziet eruit als een lange holle buis. Ze bevroren het geheel in de vorm zoals ze dat graag wilden, verpakten de boel in ijs en begonnen te destilleren. Uiteindelijk heb ik het bruinwier vervangen door metalen spiralen.'

'Weet jij dan hoe distilleren in zijn werk gaat?'

'Natuurlijk. Heel gemakkelijk. Je hoeft geen biochemicus te zijn om bier te kunnen fabriceren.'

Of biologische wapens, dacht Hanley. Ze verbande die gedachte echter.

Hij deed zijn helm af en maakte een gebaar naar Hanley dat het veilig was om zijn voorbeeld te volgen. Behoedzaam deed ze de hare af.

'Hé,' zei ze. 'Het voelt hier warm aan.'

'Dat is ook zo. Het is hier verhoudingsgewijs ook wat warmer. Hierbeneden is het altijd zes graden onder nul.' Zijn adem walmde. 'In de zomer koelt de sneeuw de lucht af. Het houdt de muskieten buiten.'

In het halfduister wandelden ze verder. Nimit ging haar voor in een van de *allees* waarin zich geen quonsethutten bevonden. De tunnel glooide naar beneden.

'Stel dat we over een overwinterende beer struikelen?'

'Maak dan dat je wegkomt,' zei Nimit. 'Het is echter waarschijnlijker dat we een *tupilat* tegen het lijf lopen.'

'Wat is dat?'

'Een geest.'

De tunnel werd nauwer, de ijswanden kregen een onregelmatig golvend karakter.

'Ze zijn aan het verschuiven,' merkte Nimit op. 'Binnenkort moeten we dit gedeelte flink onder handen nemen. De permafrost zet uit en krimpt, waardoor de wanden er op deze manier gaan uitzien.'

'Mackenzie heeft me verteld dat jullie deze plaats instandhouden voor het geval er brand uitbreekt. Het is ongetwijfeld niet gemakkelijk om het verval voor te blijven.'

'Nou ja, een mogelijke brand baart ons veel zorgen. Je hebt gezien wat open vuur kan aanrichten.'

Ze bereikten een smallere opening die bestond uit een gat dat uit het gesteente was gehakt. Van ijs was geen sprake meer. Nimit verwijderde een stuk fijnmazig kippengaas dat voor de ingang was gespannen. 'Het houdt de lemmingen buiten,' zei hij zonder met zijn werk op te houden, waarna hij zich bukte en zich in het donkere gat van de rotstunnel begaf. Hanley volgde hem. In deze ruimte rook het compleet anders dan in de ijstunnels – muf, bijna zoetig, zoals de empiresofa van haar oma. De tunnel werd almaar nauwer. Uiteindelijk moesten ze kruipen. Nimit maakte een gebaar om haar te waarschuwen dat je hier gemakkelijk je hoofd kon stoten, waarna ze op hun buik verder kropen en uiteindelijk in een niet al te grote grot arriveerden. Hanley beschermde haar geïsoleerde camerakoffer.

Nimit ging staan en hielp haar overeind, waarna hij met ander kippengaas de ingang van de tunnel weer afsloot en de reflector van de helmlamp naar beneden draaide om de hele ruimte in het licht te zetten.

Ze waren niet de enigen in deze grot. Een twintigtal figuren zat in het midden van een zwarte cirkel op de stenen vloer, de benen gekruist, de ineengevouwen handen net onder hun kin, de gezichtshuid uitgedroogd. De leerachtige huid bleek perfect geconserveerd, ondanks het feit dat die huid op sommige plaatsen zwart was geworden. Pezige spieren hadden hun gelaatstrekken gemodelleerd. Flarden van dierenhuiden hingen boven hen aan gekruiste en gewelfde walvisribben, wat erop duidde dat dit een of ander koepelgewelf was geweest.

'Wauw!' riep Hanley uit. 'Ongelooflijk.' Ze liep in een halve cirkel om het tafereel heen, zodat ze alles goed in zich kon opnemen. Na een bescheiden aarzeling vroeg ze: 'Vind je het goed als ik met de flitser foto's neem, voor mijn zoontje?'

Nimit maakte een gebaar dat ze gerust haar gang mocht gaan. Ze liet haar lichtbundel met die van Nimit versmelten, waardoor nog meer gestaltes – vanaf de naar boven glooiende vloer achter elkaar in rijen gerangschikt – zichtbaar werden.

De mannen bevonden zich in de voorste rij, met daarachter de vrouwen en verscheidene kinderen, velen met wijdopen ogen. Hoewel de conserveringsstadia verschillend waren, bleken ze allemaal verrassend goed behouden gebleven, dankzij de kou, op twee gemummificeerde figuren na, verder aan de zijkant van de grot. Door het feit dat er sprake was van een verregaande staat van ontbinding, deden ze aan primaten denken zoals hun kaakbeenderen en tanden zichtbaar waren, alsof ze gromden. De handen, vingers en nagels waren echter verrassend goed geconserveerd en verontrustend veelzeggend zoals ze als in een smeekbede voor de borst werden gehouden.

'De lichamen zijn in dierenhuiden gewikkeld,' zei Nimit. 'Otter- en zeeleeuwenleer. Zie je hoe de ruggen van de mannen tegen wapenschilden zijn gedrukt? De meeste Inuit-stammen hebben geen woord voor "oorlog". Dit waren echter Aleut. In tegenstelling tot veel noordelijke volkeren waren de Aleut krijgshaftig.'

'Hoe werden ze geprepareerd?'

'De lijken werden van de ingewanden ontdaan en opgevuld met elymus... wilde rogge. De volkomen droge atmosfeer en de kou zorgen ervoor dat ze eeuwig geconserveerd blijven. De oudste resten die ik heb gezien, waren zestienhonderd jaar oud. Deze stoffelijke overschotten zijn afkomstig uit een recentere periode, eind negentiende eeuw. Voor de Aleut vormde het eiland een zomernederzetting. Dat was aanvankelijk de reden waarom Mac en verder iedereen hierheen trok. Maar zelfs vóór die tijd hadden de archeologen artefacten aangetroffen van voorouders uit het stenen tijdperk, en talloze aardlagen met dierlijk gebeente. In de onderste lagen waren botten aangetroffen van uitgestorven dieren. Ze hebben zelfs vingerafdrukken gevonden.'

'Vingerafdrukken?'

'Inderdaad. In het vet en in het roet van de vuurkuilen waarboven ze kookten. De vingerafdrukken werden gebakken in de klei.' Nimit draaide zich langzaam om en keek aandachtig de kamer rond. 'De Aleut kwamen veel later. Natuurlijk waren dat ook nomaden.'

Hanley staarde naar de verstilde figuren. Terwijl ze nog steeds kwaad op zichzelf was dat ze dit een 'toeristische attractie' had genoemd, aarzelde ze voordat ze vroeg: 'Zijn dit jouw voorouders?'

'Nee. De mijne worden waarschijnlijk tentoongesteld in het Smithsonian in Washington, of in het Field Museum in Chicago, of ze zijn opgezet en bevinden zich in het diorama van het Natural History Museum in New York. Deze stamleden waren waarschijnlijk op en rond de eilanden die de Aleoeten worden genoemd te vinden. Kurlak was hun meest afgelegen nederzetting. De heuvel waarop Trudeau is gebouwd, was de rotspartij waarop ze hun toevlucht zochten... een hoge plaats waar ze heen konden vluchten wanneer vijanden of vreemdelingen verschenen terwijl de mannen niet aanwezig waren. Maar het eiland lag zo ver oostelijk en noordelijk dat onze archeologen betwijfelen of de Aleut ooit feitelijk bedreigd zijn geweest.'

'Dat moet een hard bestaan zijn geweest,' zei Hanley terwijl ze de gezichten met een vluchtige, onderzoekende blik bekeek.

'Ja, maar waarschijnlijk was het leven hier nog altijd beter dan in het westen, waar ze vandaan kwamen.'

'Wat bedoel je?'

'In het midden van de 18de eeuw waren bonthandelaars bezig hun voedselbronnen te vernietigen, waardoor de Aleut als volk bijna het onderspit moesten delven. Hun cultuur heeft het negenduizend jaar uitgehouden en werd vervolgens in één seizoen vrijwel uitgeroeid door een klein aantal Alaskaanse Russen die nieuwe ziekten het land inbrachten. Ook de Aleut werden erdoor getroffen. Door de vuurkracht van de geweren en kanonnen van de Russen waren de overlevenden bijna uitgeroeid. Wie daartoe in staat was, vluchtte weg. Dat is waarschijnlijk de reden waarom ze hier überhaupt verzeild raakten.'

'Ik zie geen oude mensen,' zei Hanley. In de beeldzoeker van haar fototoestel bekeek ze de afzonderlijke gezichten.

'O, maar die waren er heus wel. Als je echter de pech had om echt oud en een last voor de omgeving te worden, gaven ze je niet langer te eten. Bovendien verplaatsten ze hun kamp zeer snel en lieten ze de bejaarden achter.'

'Niet bepaald een sociale welvaartsstaat.'

'Wat je zegt,' zei Nimit. 'Geen samenleving voor de teerhartigen.'

'Waarom denk je dat deze mensen niet langer deze contreien opzochten?'

Nimit haalde zijn schouders op. 'Volgens mij zijn ze uitgestorven. We weten dat er rond 1840 sprake was van een kleine ijstijd. De gemeenschappen waren klein en kwetsbaar. En de buitenstaanders... de Europeanen... verspreidden kwistig allerlei ziekten, waaronder de mazelen, de pokken, de griep, tuberculose. Ook de alcohol mag op hun conto worden geschreven. In een bepaalde periode werden de Inuit getest op tuberculose en was tachtig procent van hen besmet. Jullie Europeanen hebben ons bijna uitgeroeid. Maar vooruit, uit deze deal kwam een geschreven taal te voorschijn.'

'Dat hiëroglyfenschrift, zoals te zien op die Nunavut-poster van jou?'

'Je bent zeer oplettend. Inderdaad.'

'Ziet er extravagant en primitief uit, als ik dat zo mag stellen. Net runen. Of een codetaal. Heel... exotisch.'

Nimit keek haar aan. 'Vind je dat? Een missionaris die Greggs stenografie beheerste, heeft ons dit aangesmeerd. Om die reden zien de letters

eruit alsof het spijkerschrift is. Een eigenaardig geschenk van de zaken-
wereld aan de Inuit,' zei hij met spottend medelijden.

'Zoals de Aleut die hun alfabet van de Russen hadden gekregen?'

'Precies. Voor de rest hebben ze niet zoveel aan de Russen te danken.'

Hanley wees naar een van de mannen. 'Deze makker zou in zijn tijd wel
met een craniosacraalbehandeling gediend kunnen zijn. Zijn ruggengraat
is scheef en hij mist zijn onderkaak en de bovenste claviculawervel.'

Nimit knikte. 'Ze waren in die tijd een beetje slordig. Nadat hij ont-
hoofd was, werd het hoofd er weer opgezet.'

'Waarom deden ze dat?' vroeg Hanley.

'Hij was een *angakoq*, een sjamaan. Een sjamaan kon het leven van iemand nemen en de desbetreffende persoon terughalen uit het dodenrijk.
Hijzelf kan indien nodig eveneens weer tot de levenden terugkeren. Een
keelwond is de enige verwonding die voor hem dodelijk is.'

Hanley fronste. 'Waarom zouden ze een geestelijke willen vermoorden?'

'Daar kan ik alleen maar naar gissen,' zei Nimit terwijl hij naast de
stoffelijke resten hurkte. 'De sjamaan was doorgaans het lastigste en
meest asociale lid van de stam. Hij was introvert, werd lastiggevallen
door hallucinaties en dromen, was misschien neurotisch en wellicht zelfs
een beetje schizoïde. En lichamelijk broos, een slechte jager. Misschien
had hij bij tijd en wijle last van flauwtes... je weet wel, een nerveus persoon, geagiteerd. Niettemin was hij op de hoogte van zaken waar zij
geen weet van hadden. Hij had bepaalde krachten in zich.'

'Zoals?'

'Hij kon voorwerpen uitbraken, knopenreeksen maken in zijn mond,
stemmen uit zijn lichaam laten komen, zichzelf met een mes steken zonder dat er een druppel bloed te voorschijn kwam. Hij kon vliegen, vuur
slikken, in een dier transformeren, bij iemand die ziek was de aandoening uit het lichaam zuigen. En hij was in staat de toekomst te voorspellen. Hij kon zichzelf in trance brengen en vervolgens naar de maan en de
bodem van de zee reizen, in de grond wegzakken, boze geesten aanroe-
pen, met de doden praten.'

'Vond de stam dat de sjamaan geestesziek was? Of zwakzinnig?'

'Niet zwakzinnig. De dorpsidioten werden goed behandeld. De dwazen beschouwde men als helderziend en goedaardig van karakter.' Nimit
keek naar het lijk. 'De geestestoestand van de sjamaan was van een andere orde.'

'Wat was hij dan precies voor iemand?'

'Hij stond in direct verband met problemen. Vanaf het moment dat
een sjamaan zijn mystieke gave accepteerde, schikte hij zich in zijn lot en
werd hij de outsider. Het was zijn taak strijd te leveren met het boven-
natuurlijke. Het belangrijkste was dat hij de doden kon ombrengen.'

'De doden ombrengen?'

Nimit draaide zijn hoofd om en keek haar met zijn donkere ogen aan. 'Ja. Een bemiddelingsfunctie met betrekking tot de doden, dat was zijn belangrijkste taak.' Zijn blik priemde in de hare. 'Hoewel de blanken zich niet veel aan de doden gelegen laten liggen, zijn ze wel verschrikkelijk benauwd voor de dood. De Inuit zijn daarentegen niet bang voor de dood, maar vinden de doden zeer beangstigend. Het is belangrijk de doden respectvol en genereus te behandelen. Anders worden ze jaloers en gaan ze zich kwaadaardig en wraakzuchtig jegens de levenden gedragen, en dan veroorzaken ze stormen en hongersnood. De sjamaan werd geacht ze te sussen. Of om ze tijdens een seance om te brengen. Hij was de intermediair tussen de wereld van de levenden en de duisternis. Maar hij liep aldus wel risico. Het kwaad kon hem in zijn greep krijgen en een wildeman van hem maken, half dierlijk, een zielenrover. Wanneer de boze geesten... *ilisiitsogs*... iemand gevangen houden, wordt hij heftig aangegrepen, gemarteld door het kwaad dat hem verscheurt. In het geval van een sjamaan dient de dorpsbevolking hem te verstoten, hem te dwingen in de aarde en in het ijs te leven, als een beest. Maar dat werkte niet altijd. Om helemaal van hem af te komen, moesten ze hem op deze zeer specifieke manier vermoorden.'

'Door zijn hoofd eraf te snijden?'

'Anders zou hij opnieuw geboren worden in een dier, waarna elke jager die hem zou vangen ziek werd en verlamd raakte.'

'Wat eng.'

'Ja... de sjamaan was zeer machtig. De stam moet doodsbenauwd zijn geweest alvorens zoiets te doen.'

'Ze hebben hem dus omgebracht om een einde aan de dreiging te maken,' zei Hanley. Ze bukte zich voor het lijk.

'Naar alle waarschijnlijkheid.' Met zijn zwarte ogen keek Nimit haar aan. 'Daarna begroeven ze hem als een geëerd lid van de gemeenschap. Hij vormde een grote kracht in hun leven, werd gevreesd en geëerbiedigd.'

'Hoe weet jij dat?'

Nimit wees. 'Zijn mantel is vervaardigd van berenhuid, en de capuchon omzoomd met de vacht van de blauwe vos. Dat soort pelzen is zeldzaam. Zijn ogen zijn bedekt met lichtblauwe schelpen, ofwel het zeldzaamste handelsartikel op het eiland. Het iriserende kralenwerk op zijn hoofddeksel is afkomstig van de abalone, waarschijnlijk verkregen dankzij de handel met mensen uit Pacifische gebieden, en die aan zijn kruidentas zijn Venetiaanse kralen. Tegenwoordig kun je die spulletjes in elk goedkoop warenhuis kopen, maar vroeger was een van die grote blauwe kralen een slee, een hondenteam en een half dozijn vossenhuiden waard. Merk ook op dat zijn hoofddeksel half licht en half donker van kleur is. De betekenis daarvan is dat hij zich zowel in deze wereld als in de geestenwereld ophield.'

Ze boog zich dichter naar het lijk toe, voelde de priemende blik van Nimit en zou willen dat ze geen donkere kringen onder haar ogen had. Ze bracht haar fototoestel omhoog en nam enkele kiekjes van de sjamaan, waarna ze inzoomde voor een opname in close-up.

'Die petieterige tekst op de kruidentas... is dat cyrillisch?'

'Zeker weten.'

'Gebruiken de mensen die nog?'

'Net als Inukitut. Bijna een dode taal. De kinderen moeten Engels leren spreken en schrijven. Ze willen daarbij ook niet nog eens lastig worden gevallen met die oude taal. Of er is niemand meer in leven om die taal door te geven aan de volgende generatie.'

'Wat zit er in die tas?'

'Waarschijnlijk botten, om de toekomst mee te voorspellen. Zoiets als een kosmisch dobbelspel.'

'Die kleren... ze zijn...' zei ze terwijl ze haar hoofd een beetje schuin hield, '... de opschik, de halsketting, de schelpen... bijna vrouwelijk. Of verbeeld ik me dat alleen maar?'

'Nee, je intuïtie heeft het bij het juiste eind.'

'Wat drukt die kledij uit?'

'Dat hij waarschijnlijk homoseksueel was. Misschien zelfs een travestiet.'

'Een homo?'

'Veel sjamanen waren homoseksueel. De sjamaan paste niet echt in de gemeenschap. Op deze manier konden ze participeren... door de rol van medicijnman aan te nemen, hoe moeilijk dat ook was. De halsketting die het borstbeen siert, is gemaakt van rode, doornachtige oesterschelpen. Wist je dat oesters hermafrodiet zijn? Het ene jaar mannelijk, en het volgende jaar vrouwelijk. Ze veranderen van aard, net als de sjamaan.'

Hanley reikte naar voren om het gezicht van de sjamaan aan te raken.

'Niet doen,' zei Nimit. Hij pakte haar hand beet om haar tegen te houden. Bij de pols hield hij haar vast. De handpalm was zacht, eigenaardig zacht voor iemand die vrijwel altijd met zijn handen werkte.

'Ben je bang voor de sjamaan?'

'Als je dat maar weet. En de Aboriginal Grave Preservation Act verbiedt bovendien dat ze worden aangeraakt.'

'Sorry.' Zachtjes trok ze haar hand los. 'Neem het me alsjeblieft niet kwalijk... maar ik moet dat even bekijken,' zei ze. 'Die verwrongen ruggengraat, de spieren...' Ze reikte naar de linkeroogkas en verwijderde de blauwe schelp.

Nimit deinsde naar achteren.

Voorzichtig haalde Hanley ook de andere schelp weg. Ze scheen met haar lamp bij, dicht bij het gezicht van de sjamaan. Zelfs in dit vertrek, waarin zich zoveel doden bevonden, was de aanblik angstaanjagend. De geschonden ogen waren identiek aan die van de drie overleden wetenschappers.

37

'*De mensen die zich met de erfgoederen bezighouden, zullen er niet over te spreken zijn dat jij op die archeologische vindplaats aan het rommelen bent geweest,*' zei Mackenzie over de radio. Nerveus had Hanley de tas van de sjamaan betast, waarna ze haastig het riempje had doorgesneden en de tas vervolgens in een specimenzakje van polyetheen had gedaan en in haar zak had gestopt op het moment dat Nimit zich had omgedraaid om haar voor te gaan met de bedoeling de begraafplaats in de grot voor gezien te houden. Als ze al kwaad waren over het feit dat ze de schelpen had verwijderd, dan kon ze zich wel een voorsteling maken van wat ze over dit vergrijp te zeggen zouden hebben.

'*Maar in de gegeven omstandigheden dien je geprezen te worden, Jessie,*' merkte Verneau op. '*Bien fait. Goed gedaan.*'

Mackenzie klonk minder overtuigd. '*U laat in uw onderzoek uw intuïtie een grote rol spelen, dr. Hanley. Misschien laat u zich daar een beetje te veel door leiden. De commissieleden zullen nog van zich laten horen wat dit betreft. Gaat u alstublieft vanaf nu discreet te werk.*'

'Dat ben ik ook van plan,' zei Hanley. Ze was gegriefd door deze berisping. 'Het spijt me.'

'Uiteraard,' zei Verneau, die tussenbeide kwam en kennelijk een poging deed de sfeer van het gesprek wat te verluchtigen. '*En nu? Wat kunnen we onze mensen vertellen aangaande de voortgang van je onderzoek?*'

'Ik heb ook goed nieuws. Wat de oorzaak ook mag zijn, het betreft geen langs synthetische weg ontwikkelde supermicrobe uit de twintigste eeuw. Een micro-organisme uit de biotechnische hoek kunnen we uitsluiten. We weten nu dat het micro-organisme hier een eeuw geleden is beland en dat dat feit een plaatselijke sjamaan fataal is geworden. Er werd niets meer van vernomen tot uw collega's die microbe tijdens het werk tegen het lijf liepen.'

'*Dat lijkt mij onmogelijk,*' zei Mackenzie. Hij klonk verstoord.

'De Aleut-gemeenschap heeft zich afgezonderd, waardoor het micro-organisme zich niet ver kon verspreiden als deze mensen de enige dragers waren. Volgens mij heeft het in andere soorten in een slaaptoestand verkeerd en op menselijk gezelschap gewacht. Dat is al eens eerder gebeurd. Het ebolavirus in Kongo is zo'n voorbeeld...'

'*Goeie genade*,' zei Verneau.

'Wat het ook is, we hebben te maken met iets biologisch dat zich lang geleden heeft gevestigd. Het moet daar op het ijs in een of andere soort een kolonie hebben gevormd.'

'*Inderdaad*,' zei Verneau. '*En jij stevent er misschien recht op af. Wees alsjeblieft voorzichtig, ma chère.*'

'Doe ik,' zei Hanley, waarna ze het gesprek beëindigde.

Hanley kromde haar rug en keek vluchtig naar Nimit, die aan het sturen was. Pal voor haar lag de laptop opengeklapt op het platte dashboard. Ze ging on line. Het satellietvenster was open; ze was verbonden met de rest van de wereld. Ze logde in op een zoekprogramma om informatie te krijgen over Antarctica en de zoetwatermeren onder het ijs, waarover Nimit haar had verteld.

En ja hoor, daar waren ze – 'ondergrondse' meren onder een onvoorstelbaar dikke ijs- en sneeuwlaag. IJsmonsters, naar boven gehaald vanaf een diepte van drie kilometer, hadden iets onverwachts aan het licht gebracht – microben. Microben die het in bevroren toestand hadden overleefd.

Een luid gekraak klonk dreunend boven de woestenij. Een onaards geluid – net trompetterende olifanten – dat aanzwol tot het kabaal op het versterkte dreunen van een pneumatische boor ging lijken, net een gigantische specht, om uiteindelijk te verworden tot het kraken van gigantische vloerplanken. Hanley schrok ervan en controleerde snel het lampje in haar poolhelm. Vertroostend groen. Nimit lachte.

'Het zijn maar ijsschotsen,' zei hij. 'Ze kraken, piepen, breken en schuiven over elkaar heen.' Nimit haalde zijn handen een ogenblik van het stuur en demonstreerde die beweging. 'Ze drukken de gebroken gedeeltes... gekartelde, opstaande randen... omhoog. Net tektonische platen.'

Prompt verscheen er een bericht op het scherm. Joey.

MAM!
Schatje.
Wat ben je aan het doen?
Ik bevind me op het ijs, in een voertuig met een heleboel grote wielen.
Hoe groot?
De auto ziet eruit als jouw monstertruck toen je drie jaar was.

Is het daarbuiten eng?
Het is er prachtig. Net zo mooi als jij bent.
O mam. Hé, wacht effe. Papa wil je met je praten.

'Shit,' mompelde Hanley vrijwel onhoorbaar.

Jessie? Vandaag stonden er twee verslaggevers op het gazon. Ze vroegen waar jij uithing. Wat moet ik ze in godsnaam vertellen?
Zeg tegen ze dat wij beiden niet met elkaar praten.
Dat is niet eens zo erg gelogen.
Als ze daar niet van onder de indruk zijn, zeg dan tegen ze dat ik gebonden ben aan het medisch ambtsgeheim. Stuur ze naar Munson. Laat hem ze maar op afstand houden.
Ik zal het proberen, maar als ze Joey gaan lastigvallen, sla ik ze verrot... en het eerste amendement kan me daarbij gestolen worden.
Doe dat. Geef Joey een welterustenkusje van mij.

Teddy Zale nam via de radio contact met hen op om te informeren naar hun voortgang. Jack paste een koerscorrectie toe conform het GPS-signaal dat door het ARGOS-baken werd uitgezonden. Ze reden over een immens uitgestrekte vlakte, maar het baken en het GPS-systeem zouden hen tot op een meter van hun bestemming brengen; het laatste kampement van de wetenschappers. Een zender in de Sno-Cat seinde het automatische signaal terug naar Teddy Zale en vormde hun tweede radio. Er was nog een derde radio aan boord, een reserveapparaat, maar die stond niet aan. De ontvangers die ze het vaakst gebruikten, bevonden zich in hun helmen; hun communicatiesysteem was gekoppeld aan de tweede radiolink aan boord van de Sno-Cat.
  'Hopelijk komen we geen drukplooi tegen,' zei Hanley. Ze keek naar de Stiekemerd, die aan een geel koord glibberend voor hen uit reed, als een robothuisdier.
  'Er zijn ergere plaatsen waar die opeens kunnen opduiken,' antwoordde Nimit.
  'O ja? Noem eens een voorbeeld?'
  'Achter ons.'

In de verte was op de witte ijsvlakte de donkere uitstulping van een glooiing te zien. Hanley herkende die van hun kaarten. Mackenzie's Mount. Een kale steile wand die uit de bevroren oceaan stak. Zonder referentiepunten kon ze de mogelijke hoogte of omvang ervan niet bepalen, noch de afstand die ze nog moesten afleggen om er te komen. Nimit schakelde de Stiekemerd uit en parkeerde hun Sno-Cat naast de zes groengele markeerpalen die de buitengrens van het kampement van de wetenschappers afbakenden. Vervolgens zette hij de viertaktmotor van de Sno-Cat uit, maar liet de generator aanstaan.

'Waar zijn we in vredesnaam...' zei Hanley, '... relatief gesproken?'

'In het midden van absoluut nergens. We zijn hier helemaal alleen en staan midden op een verlaten oceaan van meer dan pakweg ruim drie-duizend kilometer doorsnee.'

'Hoever van Los Angeles?'

Hij dacht even na. 'Misschien wel vijfenzestighonderd kilometer. Je bent ongeveer net zo ver van Los Angeles vandaan als Los Angeles van het Amazonegebied verwijderd is.'

'Goeie genade, wat zou ik graag een café crème willen. Hoever moeten we volgens jou rijden om er een te krijgen?'

'Angsta, in Zweden, is waarschijnlijk de beste gok. Of Moermansk, al kan ik evenmin garanderen dat ze daar javakoffie hebben.'

'Dit is de precieze plaats van hun werkterrein, neem ik aan,' zei Hanley. Met haar dikke, gehandschoende hand wees ze naar de markeer-palen.

'Ja. Dit ijs rondom de kaap is heel stabiel. Het is niet in beweging ge-weest.'

'Ik dacht dat al het ijs aan bewegingen onderhevig is.'

'Zeeijs is voortdurend in beweging, maar wij bevinden ons op kustijs, verankerd op het land. Daar waar dat ijs tegen de bewegende ijsschot-sen aan drukt, is het landijs het minst stabiel. Poolstations die op zeeijs worden gebouwd, zijn onderhevig aan een drift tot wel veertien kilome-ter per dag. Hier heb je te maken met eigenaardige stromingen.'

'Het moet raar aanvoelen om op die manier voortdurend in beweging te zijn,' zei Hanley.

'Tijdens een storm in de jaren negentig verloor een Chinees schip uit Hongkong zijn lading. Kleine, gele speelgoedeendjes. In de Grote Oceaan gingen ze overboord. Zeven jaar later verschenen ze op de Atlantische stranden; ze waren door deze arctische ijsschotsen van de ene oceaan naar de andere gebracht.'

'Joey en ik zullen op het strand onze ogen goed de kost moeten geven,' zei Hanley. Nimit glimlachte. 'Zit er een bepaald vast patroon in die stromingen?'

'Ze draaien spiraalvormig oostwaarts, tegen de wijzers van de klok in, maar in een onvoorspelbare zigzagkoers. Nadat expeditieschepen ergens in het ijs waren vastgevroren, dreven ze vervolgens langzaam door de jaren heen honderden tot wel duizenden kilometers weg van de plaats waar ze in het ijsveld waren gevaren. Afhankelijk van het romp-ontwerp werden sommige verpletterd en nooit meer gezien. Weer an-dere bleven intact en drijven ook nu, verankerd in het ijs, nog steeds er-gens rond.'

Net als de moordenaar van de sjamaan, dacht Hanley. Wellicht in het ijs geconserveerd, net als de schepen, om uiteindelijk ergens de kust te bereiken.

Ze klom uit de Sno-Cat, ging bij de markeerpalen staan en liep er langzaam omheen. Nimit volgde haar, geweer in de hand. Ze nam enkele monsters van het ijs op de plaats waar de wetenschappers hadden gekampeerd. Met gebogen rug zocht ze met behulp van een zaklamp het gebied af, waarbij ze het terrein in steeds grotere cirkels inspecteerde.

'Zoek je iets bepaalds?' vroeg hij.

'Lijken.'

'Wat?'

'Van dieren, vogels, alles wat maar de drager van het micro-organisme geweest zou kunnen zijn. Bepaalde soorten die hier inheems zijn... iets dat ook die sjamaan wellicht in vervlogen dagen is tegengekomen. Ik probeer dingen uit te sluiten. Geïnfecteerde vogels huisvesten vaak virussen. Zijn hier zo laat in het jaar nog vogels?'

'Ja, sommige overwinteren hier elk jaar. De zwarte zeekoet, met name. Dat zijn arctische vogels die niet naar een gematigd klimaat migreren. Zo nu en dan blijven nog een paar Glaucus-meeuwen achter. Er zijn echter ieder jaar minder paartjes over. Mac wil ze elk jaar geteld hebben.'

'Wat eten degene die achterblijven?'

'De meeste garnalen en schaaldieren gaan 's winters dieper het water in. Bij de oppervlakte blijven er echter net voldoende over om de achterblijvers in leven te houden.'

'Als ze schaaldieren hebben gegeten, zou dat de hoeveelheid kainietzuur verklaren die we in de lichamen hebben aangetroffen. Zien jullie weleens dode vogels in of bij de polynya?'

'Soms.'

'Recentelijk? Zouden de wetenschappers zoiets hebben genoteerd?'

'Waarschijnlijk niet, tenzij hun iets zeer ongewoons zou zijn opgevallen.'

'Bestudeerde een van hen de vogelsterfte? Annie?'

'Niet dat ik weet.'

Ze liep heen en weer in het gebied achter de markeerpalen. 'De drager hoeft niet te sterven om infectueus te zijn. Ze kunnen het virus via hun adem doorgeven, of aan insecten die zich met hun bloed voeden, of het komt in hun ontlasting terecht. Ik zie geen vogels, waardoor mij... het is toch niet te geloven... niets anders overblijft dan zoeken naar vogelpoep.'

'Lukt dat?'

'Nee. Geen spoor van te vinden.' Ze rechtte haar rug, kreeg hem in het oog en begon te lachen.

'Wat is er zo grappig?'

'Ik heb nog nooit een gewapende vogel gezien. Weet je zeker dat dat geweer van jou hierbuiten niet vastvriest?'

'Ik heb er teflon-smeermiddel opgespoten.' Nimit wees in de duisternis. 'Om bij de polynya te komen, moeten we die kant op.' Ze liepen enkele minuten verder tot ze bij de rand van de donkere uitgestrektheid waren gearriveerd. Het poolmeer. Ondanks het feit dat de maan scheen, konden ze het water niet zien, en al evenmin horen. De watervlakte was rimpelloos en koolzwart, op de streep maanlicht na die er als een veeg overheen lag. De oorspronkelijke geur van de zee walmde omhoog. Het rook er scherp naar bruinwier en algen.

'Die machine in het water, dat ding dat ze kwamen controleren. Schrikt die de waterfauna niet af?'

'Het is een radiografisch bestuurde standaard-researchduikboot die eruitziet als een grote sigaar... ongeveer drie meter lang en pakweg honderdnegentig kilo zwaar. Het is echter erg langzaam en botst tegen alles aan, gaat vervolgens achteruitvaren en draait om het object heen, zoals een botsautootje doet. We hebben gemerkt dat de zeefauna het apparaat negeert.'

'Zoiets stond niet op de lijst van materiaal dat werd teruggebracht.'

'Inderdaad,' zei Nimit. 'De duikboot blijft hier en opereert min of meer onafhankelijk onder het ijs. Het motortje heeft weinig vermogen, waardoor hij bij wijze van spreken eeuwig door het water kan puffen. Er zit een geleidesysteem in, zodat de duikboot... indien geprogrammeerd... kan terugkeren naar de tewaterlatingplaats. In het andere geval maakt het overal rondjes met een snelheid van vier knopen.'

'En waar is dat ding precies voor bedoeld?'

'Hij slaat wel duizend soorten gegevens op en is in staat een profiel te maken van het arctisch waterbekken door middel van echo's die voortdurend worden opgevangen. De veldonderzoeksteams gaan hier elke drie maanden heen om de gegevens te verzamelen en het duikbootinstrumentarium te controleren.'

'Luister,' zei ze. 'Ik hoor iets.'

Ze tuurden in de duisternis. Nimit pakte een ijsklomp op en gooide het massieve stuk ijs weg. Het viel met een plons in het water, gevolgd door een ploppend geluid.

'Wat zullen we nou krijgen...' riep Hanley uit. Het maanlicht flakkerde op de zwarte golven.

'Naar alle waarschijnlijkheid een zeehond. Ze laten hun strot opbollen met lucht en slapen rechtop in het water, dobberend als een kurk.'

'Is het niet te koud voor ze?'

'Niet als de wind is gaan liggen. Als het waait, kunnen ze dankzij de luchtgaten onder het ijs slapen. Wanneer ze wakker worden, halen ze door dat gat een keer adem, waarna ze weer verder gaan met dutten. Ze zijn opmerkelijk efficiënt wat betreft hun lichaamswarmte. Zelfs met infraroodsensoren zou je ze niet kunnen zien vanwege het feit dat ze zo weinig warmte afgeven.'

Hij richtte de lichtbundel van zijn lamp op een nauwelijks waarneembare inkeping in het ijs. Nimit stak een hand op om haar tot stilte te manen terwijl hij de lichtbundel op het gat gericht hield. Een minuut ging voorbij, waarna er een waterstraal uit de opening spoot. Opnieuw maande Nimit haar tot zwijgen. De omgeving was volkomen verstild. Opeens was er in het gat een zuigend geluid te horen.

Ze sprong naar achteren.

'Een zeehond die aan het inademen is,' zei hij terwijl hij in de kleine opening tuurde.

'Wat had die kleine geiser te betekenen?'

'De zeehond drukte zich in de trechter onder de opening omhoog om het water eruit te persen zodat hij kon ademen.'

'Wat eten zeehonden?' vroeg ze.

Hij schudde zijn hoofd. 'Ze halen het voedsel van de bodem. Algen en zeewier... mosselen, ongeacht wat voor dode organismen er ook op de zeebodem zijn gaan liggen. Het water onder het ijs is veel minder koud dan het ijs zelf, of het water dat aan de lucht is blootgesteld. Kleine scheurtjes in het ijs vormen de toegang tot zeewaterholten. In het pekelwater van het ijs leven algen en vormen daar kolonies. Sommige algenmassa's zijn zeer groot en hangen in het water. Zeedieren eten ervan.'

'Bevriezen ze niet?'

'In geen geval. De vogels al evenmin.' Hij bracht zijn armen omhoog om zijn eigen op een verenkleed lijkende kledij te tonen. 'De natuur heeft ze van een isolatielaag voorzien.'

'En is er geen sprake geweest van een golf van zeehonden- of walvissensterfte?'

'Nee... maar ze hebben het noordpoolgebied met duizenden verlaten.'

'Waarom? Waar gaan ze heen?'

'Niemand heeft ze daarover ondervraagd. Volgens mij voelen ze dat er een of andere belangrijke verandering op stapel staat en maken ze dat ze wegkomen. In 1988 verschenen er tweehonderdduizend van die dieren aan de noordkust van Noorwegen.'

'Zoals ooievaars die wegvliegen voordat er vulkaanuitbarstingen en aardbevingen gaan plaatsvinden.'

'Ja, ik neem aan dat je dat fenomeen daarmee kunt vergelijken. Alleen is het tempo van de trek trager.'

'Oké, ik denk dat ik op mijn lijstje de zeehonden voorlopig wel kan doorstrepen... als het al dragers zijn, dan is er naar alle waarschijnlijkheid sprake van een of andere vector die zich als intermediair opstelt. Als het zomer was zou ik de insecten een verdachte groep hebben gevonden. Echter niet in dit jaargetijde.'

Ze keek naar een vallende ster die door het firmament flitste. 'Wat hebben Ogata, Bascomb en Minskov hier nog meer te doen gehad?'

'Ze namen ijsmonsters met behulp van een Sipre-ijsboor. Annie was in het bijzonder geïnteresseerd in de mate waarin vervuilende stoffen vanuit het zuiden in noordelijke richting uitwaaierden, en wat de gevolgen waren voor het ecosysteem.'

'Ja, we hebben de door hen verkregen monsters onderzocht,' zei Hanley. 'Dat leken de meest voor de hand liggende bronnen om onderzoek mee te doen naar een micro-organisme waarmee ze mogelijk in contact waren gekomen. In elk geval vond ik die ingeslagen weg hoopvol. We hebben echter niets gevonden.' Ze liep voor hem uit, hij volgde haar. Terwijl ze daar rondstapten, kraakte het ijs onder hun voeten. 'Het is hier niet zo'n steriele omgeving als het lijkt.'

'Wat je zegt,' zei Nimit.

Ze hield haar pas in en kromde haar rug.

Nimit zei: 'Is er wat?'

'Nee, hoor... alles is in orde. Ik ben alleen wat stijf van het zitten. En moe.'

Hanley probeerde wat van de opgebouwde spanning in haar nek kwijt te raken door met haar schouders te bewegen, waarna ze zich vooroverboog en haar vingers naar haar tenen bracht. Zonder waarschuwing vooraf kwam naast haar de door de wind opgehoopte sneeuw wel drie-eneenhalve meter omhoog. Brullend opende het witte gevaarte de bek en toonde enorme witte snijtanden en klauwen zo lang als riektanden.

Ze was zich bewust van het feit dat die muil in het licht roze zou zijn, maar in deze contreien was de bek zo zwart als de dood, en de aanblik had een uitermate verlammend effect. Haar benen leken te veranderen in was, ze kon nauwelijks staan. De beer maakte een sissend geluid. Zelfs achter het helmvizier kon ze zijn hete, naar vlees stinkende adem ruiken.

'Jack.' Ze dacht dat ze zijn naam luidkeels uitriep, maar als in een nachtmerrie kwam het woord er fluisterzacht, nauwelijks hoorbaar uit. 'Jack.'

Nimit bevond zich naast haar en hield het beest met zijn geweer in het vizier. De beer snoof. Ze zou erop durven zweren dat hij er verbijsterd uitzag en zich afvroeg waarom ze niet op de vlucht sloegen. En dat vroeg Hanley zich eveneens af. Nimit vuurde langs de beer om hem schrik aan te jagen; Hanley maakte een sprongetje. Langzaam zakte de beer op alle vier de poten, waarna hij hen de rug toekeerde, twee sprongen maakte en in het zwarte water van de polynya dook. Van een plons was amper sprake. In een oogwenk was de gigant verdwenen.

'Goeie genade,' zei ze terwijl ze de adrenaline als een hete vlaag door zich heen voelde waaieren. 'Goeie genade.'

'Haal een keer diep adem.'

'Ik bibber ervan. Alsof ik in een autowrak heb gezeten.' Ze liet haar handen op haar knieën rusten. 'Ik kan maar niet geloven dat dat beest zo opeens te voorschijn kwam.'

'Wanneer ze op jacht zijn naar zeehonden verstoppen ze zich soms in sneeuwbanken. Ze weten namelijk dat zeehonden zich daar graag ingraven om warm te blijven.'

'Zijn ze zo slim dat ze zich camoufleren?'

'En of,' zei Nimit. Hij lachte vanwege de blije opwinding dat ze nog leefden nadat ze door het oog van een naald waren gegaan. 'Met hun klauwen bedekken ze zelfs hun zwarte snuit om te voorkomen dat ze zichzelf verraden.'

Ze dacht dat ze misselijk werd. 'Ik zou die klep graag omhoog doen.' Ze tikte tegen het helmvizier.

'Daar.' Hij wees naar de Sno-Cat.

Via de zijkant van de Sno-Cat klom hij als eerste naar binnen; zij volgde hem met bibberbenen, waarbij ze de beugel gebruikte om in de laadruimte te klimmen. Toen ze enkele minuten in de Sno-Cat hadden gezeten, maakten ze beiden hun kraag los, deden ze hun helm af en trokken vervolgens de buitenste kledinglaag van het poolpak uit, dat ze tot aan hun middel naar beneden stroopten. Ze beefde nog steeds.

In de laadruimte was het kil. Hij trok de schuifdeur van een kleine koelkast open en haalde er iets uit dat de vorm van een blok had. Het scherpe snijgedeelte van zijn pickel kwam na een druk op de knop met een metalig geluid te voorschijn, waarna hij er een puntje van de blok mee afschaafde en het aan haar gaf. Ze rook eraan en keek toe terwijl hij voor zichzelf ook een puntje afsneed.

'Wat is dat?' vroeg ze.

'Daar word je rustig van.'

Ze kauwde op een stukje ervan en begon te juichen. 'Whisky!' Ze trok een gezicht terwijl het goedje smolt en het effect ervan zich niet onbetuigd liet. Ze drukte een klapzoen op zijn wang, waarop hij lachte. Ze brak nog een stukje af en liet het in haar mond smelten. Nimit kauwde op zijn portie terwijl hij het eten bereidde met behulp van verschillende bevroren spullen die zich in het keukentje bevonden. Hij bood haar bitterzoete chocolade aan en haalde vervolgens iets ronds te voorschijn dat hardbevroren was.

'Wat is dat in vredesnaam?' vroeg ze. 'Een bevroren pizza?'

'Nee. Bonen.'

'Hoort dat niet in blik te zitten?'

'Een oud trucje. Geen verpakking, geen afval. Je breekt de hoeveelheid die je wilt eten af en warmt de portie op in de magnetron, of boven een vuurtje als je buiten aan het koken bent. Als brandstof gebruiken wij in petroleum gedrenkte katoen. Het zorgt voor een hete vlam en brandt gelijkmatig, een soort eigengemaakte Sterno. Of we breken een noodgashydraatpakketje open en maken er een kookvuur van.'

'Dat klinkt mij als kamperen in de oren.' Ze trok een gezicht. 'Ik ben opgegroeid in de bossen. Ik haat kamperen. Geef mij maar gas- en watervoorziening binnen vier muren.' Nimit grinnikte toen hij haar gezichtsuitdrukking zag.

'Ik ben nog steeds bibberig,' ging ze door. Ze stak een trillende hand uit en nam nog een stukje bevroren whisky. 'Volgens mij is whisky een tamelijk goed alternatief wanneer je een beer tegen het lijf loopt en je geen noodremedie van dr. Bach bij de hand hebt.'

'Dr. Bach... huh? Hoe krijg jij het voor elkaar om je laboratoriumactiviteiten en homeopathie met elkaar te verenigen?'

'Ik doe niet eens een poging. Mijn werk heeft me een beetje hypochondrisch gemaakt, hoewel ik dat niet graag toegeef, zeker niet aan mijn collega's. Elke dag opnieuw zie ik wat een gif of een aandoening voor engs teweegbrengt in het lichaam. We zitten allemaal in een soort ontkenningsfase met betrekking tot de mogelijkheid dat ons zoiets ook zou kunnen overkomen. De Bloemenremedies vormen mijn ontkenningsfase. Het hele idee erachter is dat je je bezighoudt met het mentale proces achter de fysieke kwaal. Het heeft iets aanlokkelijks om te denken dat als je je bovenkamer maar op orde houdt, dat je lichaam dan vanzelf volgt.'

'O, maar daarin kan ik je volgen. Onze sjamanen houden zich beslist meer bezig met de geest dan met het lichaam. Ze weten waarmee ze bezig zijn wanneer ze bepaalde kruiden en kompressen gebruiken, maar daarin zit niet de echte werkzaamheid verscholen. Die vindt op een ander niveau plaats.'

Toen het eten bereid was, deed hij alles in twee kleine kommen die hij in de magnetron zette. Toen hij het deurtje opende en hun maaltijden eruit haalde, steeg de temperatuur in de laadruimte aanzienlijk. Bij het plafond vormde zich tijdelijk een wolk.

'Tjezes, ik heb het zowaar warm,' zei ze.

'Trek meer kledinglagen uit en ga zitten. Het is alleen hierboven warm.' Hij wees naar de bovenste helft van de ruimte.

'Ik kan niet meer zitten,' zei ze. 'Ik moet languit gaan liggen.'

'Ga je gang.' Hij wees naar het achterste gedeelte van het voertuig. 'Compleet met toilet en twee bedden. Opgevouwen zijn het twee stoelen, maar ik laat ze altijd opengeklapt.'

Ze begaf zich naar achteren en ging op de rand van een bed zitten. Hij volgde haar met hun kommen met daarin een lepel, voor ieder een.

'Het is niet iets om over naar huis te schrijven, maar het zorgt er wel voor dat je prompt een heleboel calorieën binnenkrijgt,' zei hij. 'Het calorieënniveau moeten we op peil houden.'

Ze aaide zijn wang even en nam de maaltijd dankbaar aan – bonen met instant-aardappelpuree, pasta, gedroogd kippenvlees in blokjes en maïs. Ze was uitgehongerd en uitgeput. Ze nuttigden de maaltijd zwijgend en zonder te pauzeren, alsof ze aan het werk waren. Toen ze genoeg had, raakte ze zachtjes zijn hand aan. 'Ik moet snel even een dutje doen.'

'Doe dat vooral,' zei hij. 'Houd twee kledinglagen aan en trek de thermische deken over je heen.' Zijn laatste twee volle lepels deed hij in de val waarin de lemmingen zaten die Hanley in Little Trudeau had gevangen.

'Bedankt dat je me gered hebt uit de klauwen van Papa Beer.' Ze nam een slok water uit haar veldfles.

Hij glimlachte en kuste haar. 'Graag gedaan. Ik vertel je niet graag wat mijn oma in zo'n geval zou hebben gedaan.'

'Vertel eens.'

'Met een houten kleerhanger zou ze ermee gaan zwaaien en aldus de beer wegjagen.'

'Een flinke meid, die oma van jou.'

'Inderdaad. Niemand anders durfde dat. De beren waren verschrikkelijk gevaarlijk, maar mijn oma joeg ze weg alsof ze gewoon hinderlijk waren.'

'Ik heb nog een hele weg te gaan, oma!' Hanley geeuwde. 'Ik moet gaan liggen.' Ze wurmde zich langs hem naar het bed en had amper genoeg energie om de buitenste kledinglagen uit te doen. Toen ze dat gedaan had, liet ze zich op haar harde bed vallen. Het plafond achter in de Sno-Cat, waar zij lag, was doorzichtig.

Jack liep naar haar terug, ontdeed zich van zijn buitenste kledinglagen en ging naast haar liggen. Hun metallieke onderlagen glansden helder in het sterrenlicht.

'Kun je slapen?' vroeg ze.

'Ja, over een poosje. Ik ben kapot. En in algemene zin absoluut niet zoals ik hoor te zijn.'

'Slaapstoornis?'

'Het heeft meer te maken met mijn voorouderlijke biologische klok. De Inuit gaan pas heel laat naar bed. Vooral in de zomer blijven we de hele nacht op, waarna we tot de middag slapen.'

'Waarom?'

'Dat weet ik niet. Dat deden we gewoon. In de zomers waren we zozeer met sociale aangelegenheden bezig dat we gewoon niet meer naar bed gingen. Hoe dan ook, de kinderen bleven ook op. We hadden geen bedtijd, hingen wat rond bij de volwassenen en gingen pas slapen wanneer zij dat deden.'

'Maar jullie moesten toch opstaan om naar school te gaan?'

'Zeker. De schoolleiding werd er knettergek van. We lagen ofwel thuis te snurken of we vielen in de klas in slaap. Veel kinderen kwamen niet eens meer op school en speelden bingo. Dit ging de hele zomer zo door. Hier ben ik opnieuw in die gewoonte vervallen... middernacht verwisselen voor het middaguur. Naarmate de winter vordert, kom ik langzaam weer in het nachtritme.'

'Geen bedtijd. Mijn zoontje zou dat tof vinden. Eiste niemand dat jullie gingen slapen?'

'Nee. We kregen geen uitbrander, en al evenmin werden we anderszins door de gemeenschap gecontroleerd, behalve misschien door het blanke onderwijzend personeel. Wij namen onze eigen beslissingen. Je kunt Inuit-kinderen niet zomaar commanderen. Iedereen diende de volwassene in ons te respecteren.'

'De volwassene?'

'Zeker. Alle kinderen hebben hun eigen *atiq*, de aan hen geschonken geest van de familievoorouder.'

'Ik kan je nu niet helemaal meer volgen.'

'De Inuit geloven dat de mens twee zielen heeft.'

'Twee?'

'Ja, de ene ziel is het lichaam en blijft. De andere, de hogere ziel, treedt bij de dood naar buiten en begint aan haar eeuwigdurende reis. Die ziel is vriendelijker van aard. En dat is de ziel die aan een pasgeborene wordt gegeven... die eeuwige ziel. Die noemen we *atiq*.'

'Dus je reïncarneert als familielid. Je ziel blijft zogezegd in de familie.'

'Precies. De *atiq*, de ziel, wordt door een pasgeborene in de familie ontvangen en krijgt dezelfde naam.'

'Geen wonder dat je ouder lijkt dan je in werkelijkheid bent,' zei ze glimlachend. 'Naar wie ben jij genoemd?'

Nimit kauwde op een stukje gedroogd rundvlees. 'De broer van mijn opa, van moederskant. Een beroemde jager. Mijn oma en mijn moeder noemden me soms "oudoom".'

'Heb jij al je grootouders gekend?'

'Ja. In het bijzonder de moeder van mijn moeder, die berucht was om haar kleerhangers. En haar man, Lightstone, die mij het jagen bijbracht. Hij was een ouderwetse Inuit en ging tot op zijn laatste levensdag op jacht. Ook al stopte hij daarmee in de wintermaanden, 's zomers ging hij altijd weer op pad. En vissen deed hij steevast. Toen hij niet langer meer kon jagen en vissen, verzamelde hij zijn uitrusting, stapte in zijn boot en voer weg. Hij is nooit meer teruggekeerd. Ik heb hem zien vertrekken.'

'Heb je geprobeerd hem tegen te houden?'

Hij schudde zijn hoofd. 'Nee, daar had ik niet het recht toe. En zijn vrouw was inmiddels overleden. Mijn moeder was verdrietig... en kwaad.'

'Was ze boos op hem? Omdat hij was overleden?'

'Wij raakten zijn bijstandsuitkering kwijt.' Berustend haalde hij zijn schouders op. 'Alle families probeerden de ouderen zo lang mogelijk in leven te houden, want we hadden allemaal honger en kregen een bijstandsuitkering. Dat was héél lang nadat de oude Inuit, die een last gingen vormen, door de dorpsgemeenschap liever in de steek werden gelaten.'

'Sorry,' zei ze geeuwend. 'Dat komt niet door jou. Ik ben zo moe dat mijn huid er pijn van gaat doen, en toch kan ik niet slapen.'

'Maar je kunt je een beetje ontspannen. Je boekt al vooruitgang.'

'Ja, het feit dat die sjamaan door die microbe is overleden, betekent dat dat beestje hier ergens moet zijn. Maar dat "hier" is zo enorm uitgestrekt.' Ze deed haar ogen dicht.

'Het ligt voor de hand waarom jij niet kunt slapen.' Jack ging rechtop zitten en haalde iets uit een zak. 'Hier, pak aan.'

Ze reikte naar wat haar werd aangeboden. 'Krijg nou wat!' riep ze uit. 'Een joint.' Ze rook de ruwe tabak. 'Waar heb jij in het midden van nergens dope gevonden?'

Grinnikend klikte hij een aansteker open en stak haar sigaret aan. 'Die knakker noemt dit Arctic High. Hij teelt het spul op een hydrocultuur in het tuinbouwkundig laboratorium. Een gemotiveerde gast. Hij werkt in de eetzaal. Waarschijnlijk heb je hem al eens gezien... de Aleut met het T-shirt waarop staat: *Herintegratie is voor losers.*'

Ze inhaleerde diep en hield met gebolde wangen haar adem in. 'Jij hebt in je jeugd zeer beslist een eigenzinnig leven geleid,' zei ze terwijl ze uitademde. Giechelend streek ze haar lokken uit haar gezicht. 'Wauw. Wauw!'

Nimit lachte. 'Ik neem aan dat dat een teken is dat deze joint de Californische smaaktest heeft doorstaan.'

Hanley voelde haar spieren verslappen. Opnieuw inhaleerde ze de rook, waarna ze hem de sigaret overhandigde en ze zich langzaam op het bed vlijde terwijl de sterrenmassa flonkerend boven haar hing. De laadruimte van de Sno-Cat was een en al zwart, wit en zilver, op het oranje puntje na dat vuurrood werd terwijl Jack de rook in zijn longen zoog en vervolgens de peuk in de hoogte hield, te midden van de koude lichtpuntjes waarmee het zwarte firmament bezaaid was.

'Vertel eens,' zei ze terwijl ze haar ogen dichtdeed.

'Wat moet ik je vertellen?'

'Wat zien de Inuit allemaal daarbuiten?'

Nimit trok de thermische deken hoger over haar schouders. 'Schepselen zoals wij. Op de noordpool vormen ze onze enige voedselbron, maar voor de rest lijken ze op ons... ze hebben een ziel, ze praten.'

'O ja?'

'Ze zijn uit ons geschapen. Herinner je je de zeehond nog die je vandaag hebt gezien? Hij is afkomstig uit de armen van een meisje. Armen die door haar eigen vader waren afgehakt.'

'Oei. Ruige liefde.' Hanley hief haar hoofd van het beddengoed en trok een gezicht. 'Waarom heeft hij haar armen eraf gehakt?'

'Ze wilde niet trouwen met degene die haar vader voor haar op het oog had... dat is één versie. De andere versie is dat ze zich tijdens een heftige storm in een boot bevonden. De vader zette haar overboord, maar ze wilde niet loslaten. Eerst sneed hij haar vingers eraf; dat werden zeehonden. Daarna waren haar handen aan de beurt... walrussen. Vervolgens haar onderarmen, die veranderden in walvissen. Uiteindelijk zonk ze naar de zeebodem en werd onze zeegodin. *Sedna*. Als je geen respect toont voor een zoogdier waarop je gejaagd hebt, dan zal de ziel van dat dier geen volgend leven meer kennen en je voortaan blijven kwellen. Die ziel verandert dan in een monster. En *Sedna* stuurt niet langer zeehonden waarmee jij je kunt voeden.'

'En als je respect toont voor het dier waarop je jaagt?'

'Als je de geest van het dier respecteert, stemt het in om herboren te worden zodat er opnieuw op gejaagd kan worden. In zekere zin jaag je je hele leven op hetzelfde dier, dezelfde geest in verschillende lichamen. In mijn jeugd zei onze plaatselijke sjamaan altijd dat we van zielen leven.'

'Een tamelijk heftige uitspraak.' Ze geeuwde. 'Wat nog meer?'

'Er was eens een tijd waarin we dachten dat er in de wereld maar enkele blanken leefden.' Hij nestelde zich achter haar rug, met opgetrokken benen, en legde een arm om haar heen. 'We dachten dat de aarde een schijf was en dat de sterren bewegende geesten waren. Ons woord voor ziel, ofwel *anerca* – de levensadem – wordt ook voor het woord poëzie gebruikt. Gedichten werden niet uit het hoofd geleerd, sculpturen niet bewaard, we maakten geen landkaarten, we hadden geen vaste woon- of verblijfplaats.' Ze ademde langzaam en regelmatig. Hij haalde een lok uit haar gezicht en streek die achter haar oor. 'We dachten dat de dood stormen veroorzaakte, dat het doden van een spin regen zou opwekken en we vonden dat Pierre Trudeau een klootzak was.'

38

Toen ze enige tijd later wakker werd, lag Nimit lekker warm naast haar. Het was donker in de Sno-Cat. Het enige licht was afkomstig van de duizenden sterren; net een zwart veld, bezaaid met microscopisch kleine deeltjes.

Ondanks het feit dat ze uitgeput was, bleef ze verstrikt in een slapeloze toestand en spiraalde haar denkwereld, zoals het pakijs van de uitgestrekte poolkap, en bracht die haar gedachten traag maar onverbiddelijk naar die eigenaardige plaats, de fase voorafgaand aan de slaaptoestand.

De meeste bacteriën en virussen leven vreedzaam met ons samen, dacht ze. Ze vestigen zich en leiden zogezegd een burgerlijk leven in de gastheer. Geen van de partijen heeft er belang bij de ander schade te berokkenen of zelfs maar te verjagen. Bovendien wijkt in normale omstandigheden geen van de partijen af van de van kracht zijnde afspraken. Wanneer ze dat wel zouden doen, zouden de gevolgen veelal desastreus zijn. In de darmen is het poliovirus onschadelijk voor de gastheer. Wanneer dat virus zich echter in de zenuwen en het ruggenmerg gaat vestigen, raakt de gastheer verlamd of hij overlijdt. Veroorzakers van meningitis in de neus en keel? Niets aan de hand. Maar gevestigd in de hersenen is de uitwerking catastrofaal. Wanneer microben zich niet verplaatsen en het evenwicht in stand wordt gehouden, coëxisteren grote en kleine organismen vreedzaam naast elkaar.

Maar niet deze microbe. Van meet af aan was het de bedoeling geweest de gastheer te doden, en wel zo snel mogelijk. Hem koloniseren en vervolgens doden. Wat was er in de gastheer zo bedreigend voor dat micro-organisme?

Deze microbe verdelgde bacteriën. Waar bestaan bacteriën feitelijk uit? vroeg ze zich af. Uit een geconcentreerd bundeltje eiwitten. Dat geldt ook voor de ogen. En ook voor de longen? Nee, dat is een ander verhaal. In de longen creëerde het micro-organisme een soort toxische vezel die de longelasticiteit vernietigde en het weefsel deed verstenen. Wat was er in het longbereik te vinden waardoor de microbe op deze wijze reageerde? Wat probeerde het organisme te doen? En waarom moesten de rode bloedlichaampjes en het oogweefsel het ontgelden?

Ze stelde zich voor dat ze in haar lichaam zat; als geheel vormden haar cellen een open, dynamisch proces waarin materiaal werd uitgewisseld. De cellen plantten zich voort met behulp van celdeling, ze stierven, werden vernieuwd. Voordat dat proces ging kwijnen, zouden ze in haar leven ongeveer veertig keer worden aangevuld. Daarmee vergeleken waren virussen inert. Geen huid, geen zenuwen, geen hersenen. Een uiterst basaal leven. Ze waren niet in staat nutriënten te metaboliseren en konden zich niet voortplanten, zelfs niet bewegen. Hun enige functie bestond eruit dat ze meer van zichzelf creëerden, een eindeloos proces. En prionen waren zelfs nóg erger – inert, maar vrijwel onverwoestbaar.

Heel even deed ze haar ogen open en werd ze bevangen door een afschuwelijk paniekgevoel.

Ze reikte naar Jack, raakte zijn arm aan en dacht dat ze daadwerkelijk ervoer dat ze van hem hield omdat hij haar vertroosting bood. Dit besef vestigde zich als een concreet feit in haar binnenste. Het maakte daarbij niet uit dat hij jonger was, dat hij afkomstig was uit een andere cultuur. Ze trok de dekens tot aan haar kin op, deed haar ogen dicht en liet zichzelf wegzweven.

Ze werden wakker van het snerpende gepiep van het wekkeralarm. Met half dichtgeknepen ogen keek Nimit naar de digitale wekker met datumaanduiding. Ze hadden zes uur geslapen. Hij deed twee koffiezakjes in water en zette alles in de magnetron. Vervolgens trok hij een zakje van aluminiumfolie open zonder de moeite te nemen te lezen waar die gedroogde proviand zogenaamd uit bestond. De magnetronklok tikte de seconden weg, het koffiearoma vulde het compartiment. Hij bracht de koffie en het eten naar Hanley, die zich bijna volledig in alle kledinglagen van het poolpak gehuld had. Alleen de hoogpolige buitenlaag hing halverwege gekreukeld rond haar middel.

'Bedankt,' zei ze terwijl ze de koffie van hem aannam en gefronst naar het gedroogde voedsel keek. Maar hij drong aan om te eten en ze liet zich vermurwen. Met tegenzin kauwde ze op iets wat voor toast met boter en ei doorging.

Jack dronk alleen zwarte koffie en at een graanproduct dat met water was bevochtigd. Hanley stak haar verbazing over deze Spartaanse maaltijd niet onder stoelen of banken.

'En ik maar denken dat we ons met calorieën hoorden vol te stouwen. Je zou er wat melk bij moeten doen, voor extra proteïnen.'

'Ik kan geen melk verdragen. De Inuit hebben niet de enzymen om melk te verteren.'

'Het spijt me dat te horen,' zei Hanley. 'Ik neem aan dat ik dan die overgebleven portie ijs krijg. Wat is er nog meer ongewoon aan de fysiologie van de Inuit?'

'Een extra arterie bij het hart. Vermoedelijk om ons warm te houden. De meesten zijn rechtshandig. Linkshandige Inuit vormen een zeldzaamheid. Bovendien hebben we kleine handen.' Hij hield zijn handpalmen tegen de hare aan; haar vingers waren een kootje langer. 'Ons bloed is bijzonder rijk aan hemoglobine en bevat helaas ook zeer hoge concentraties dioxine, iets waar Annie graag op wees.'

'Als gevolg van vervuilende stoffen, afkomstig van Amerikaanse industrieën,' zei Hanley. 'Ik heb dat al gehoord.'

'Elke schakel in de voedselketen accumuleert die chemische stoffen. Wij vormen de top van de voedselketenpiramide. Mensen die veel vet eten... zoals de Inuit... accumuleren grote hoeveelheden dioxine. Moedermelk van de Inuit bevat de hoogste concentratie PCB's. Om maar te zwijgen van de verscheidenheid aan pesticiden, oplosmiddelen en kwik van krachtcentrales. Toen ze bij ons de moedermelk begonnen te onderzoeken, bleken de resultaten feitelijk een aanslag te vormen op de meetapparatuur van de laboratoria; het aangeleverde materiaal werd aangeduid als chemisch afval.'

'Goeie genade.'

'Het sterftecijfer als gevolg van kanker is hoog,' zei Nimit, die haar strak aankeek. 'Bovendien zijn het immuunsysteem en het IQ van onze kinderen niet best. Maar in het donker zijn we tenminste gemakkelijk te vinden.'

'Radioactief, huh?'

'Hebbes.'

'Kleine handen, hè?' zei Hanley. Ze trok een wenkbrauw op. 'Is het waar wat er gezegd wordt?'

'Absoluut niet,' antwoordde Nimit vinnig. 'In dat opzicht horen de Inuit-mannen als volk bij de meest begiftigden.'

'Dat heb ik gehoord.' Hanley knikte met een uitgestreken gezicht. 'Ik neem aan dat er geen gegevens... uit de eerste hand zijn.'

'Alleen anekdotes, maar voor een experiment meld ik me graag als vrijwilliger.' Hij boog zich naar voren en kuste haar. Zijn ogen hadden iets zorgelijks over zich.

'Maak je je bezorgd?' vroeg ze.

'Ja, over jou.'

'Niet doen.'

'Ik wil niet dat jou iets overkomt. Ik wil jou niet kwijtraken.'

Ze omhelsde hem. 'Ik zal erop toezien dat dat niet gebeurt. Ik kan heel goed op mezelf passen, Jack. Ik leef al heel lang in uitzonderlijke omstandigheden. Al sinds jij een tiener was.' Hij moest erom lachen.

Na het ontbijt rapporteerde Nimit via de radio aan poolstation Trudeau dat ze het voertuig gingen verlaten en vanaf dat moment alleen via de intercom communiceerden. Ze zouden echter op de poolstationfrequentie blijven voor de weerberichten. Ze deden hun helmen op en namen voorzichtig de aan de zijkant van de Sno-Cat bevestigde smalle ladder naar beneden.

De sterren wierpen een eigenaardig licht op het landschap. Een zwerfkei die op hun pad lag kon meters of kilometers van hen verwijderd zijn; er waren simpelweg geen referentiepunten.

Nimit wees in de richting die ze zouden gaan, waarna ze op weg gingen, waarbij Hanley de specimenzakken droeg. Nimit trok de vergrendeling van het geweer dat hij bij zich had naar achteren en liet hem vervolgens naar voren springen, waardoor er een kogel in de kamer schoof.

'Voor het geval we meneer Beer tegen het lijf lopen.' Hij liet de veiligheidspal klikken.

'Is het hier zo levenloos als het lijkt?' vroeg ze terwijl ze door het land-schap liepen dat op spookachtige wijze door de maan verlicht werd.

'Nee.' Hij maakte een flauw gebaar. 'Het leven gaat gewoon door, ook al is het schaars. Je kunt alleen niet zien wat hier aanwezig is. Grote en kleine schepselen.'

'Van de grote heb ik genoeg gezien, dank je wel. En de kleine?'

'De kleine.' Hij scheen met zijn lamp op een dwarsdoorsnede van ont-wrichte ijslagen die binnenin bezaaid waren met stippels. 'Om te begin-nen korstmos en schimmels.'

'In het ijs.'

'Ja. En in de stenen, zoals in die rotspartij... daar.' Hanley nam er mon-sters van en borg ze op in de daarvoor geschikte houders.

'Bij de polynya zien we veel vlokreeften. Ze hangen onder het ijs en voeden zich met dode schaaldieren, larven en wat ze verder maar te pakken kunnen krijgen. In dat opzicht lijken ze op piranha's. Binnen een dag of twee hebben ze een karkas tot op het bot opgegeten. De biologen op poolstation Trudeau gebruiken ze soms om een specimen mee schoon te maken... gewoon in het water laten hangen. Ik heb ooit gezien dat die makkertjes binnen achtenveertig uur een dode beer in een skelet veran-derden.'

'Wat leuk. Dat klinkt of ze zich precies in het midden van de voedsel-keten bevinden. Ik moet onderzoek op ze verrichten om erachter te ko-men of ze iets bij zich dragen.'

Nimit ging haar voor over de kale vlakte. Een compacte welving duid-de op de kaap waar de vogelpopulatie zich 's zomers ophield. Hij gleed uit op het ijs en haalde uit met zijn armen in een poging zijn evenwicht te bewaren.

'Wees voorzichtig met dat geweer,' zei Hanley.

'Het is vergrendeld. Maak je geen zorgen. Ik heb nog nooit iemand neergeschoten. Althans niet per ongeluk.'

'Heb jij enig idee hoe we wat van die watercarnivoren kunnen vangen zonder onze vingers kwijt te raken terwijl we daarmee bezig zijn?'

'Ze vinden alleen dood vlees lekker.'

'Dat is een hele troost. Maar hoe moet ik die makkertjes onder het ijs vandaan lokken?'

'Daarvoor moet je bereid zijn je lunch op te offeren.' Uit de tas die aan de schouder van Hanley hing, diepte Nimit een polyethyleenzakje op. Er zat een vuistgrote bal van gedroogde reepjes rundvlees in. Vervolgens maakte hij er een plastic vislijn aan vast. Bij de waterlijn rolde hij het koord uit en liet de vleesbal in het water zakken.

'Al iets gevangen?' vroeg Hanley. Ze scheen met haar lamp op het wa-teroppervlak.

Nimit schepte wat zeewater in het zakje. 'Schud ermee zodat het zoute water niet bevriest.' Nadat hij enkele momenten had gewacht, haalde hij de vislijn langzaam uit het water. De vleesklomp was bedekt met een massa krioelende diertjes.

'Wauw,' zei ze verbaasd. Ze hadden elk de omvang van een garnaal. Nimit liet de vleesbal in het zakje zakken, dat hij vervolgens dichtmaakte.

'Wat leeft er nog meer onder het ijs waarover ik me zorgen moet maken?' Ze knielde bij de waterlijn en tuurde in de diepte.

Nimit boog zich over haar heen. 'Deze specifieke polynya blijft het hele jaar open, maar heeft zich de afgelopen paar jaar anders gedragen. In deze winter is het meer qua omvang nog maar een fractie van wat het ooit is geweest. Ik veronderstel dat die ecologische wijziging in verband staat met al het andere wat aan verandering onderhevig is. Het maakt deel uit van de opwarming van de aarde.'

'Iets wat jullie allen grote zorgen baart, neem ik aan.'

'Het noordpoolgebied is een plaats waar de aarde de warmte kwijt kan. Als de temperatuur hier radicaal stijgt en de noordpool wegsmelt, gaat die functie verloren en hebben we een wereldomvattend probleem.'

'Momenteel bestaat mijn probleem eruit dat ik specimens moet verzamelen. Ga je me nog helpen of blijf je daar maar staan?'

'Ik heb opdracht gekregen niets aan te raken. Wel wil ik graag de zaklamp voor je vasthouden.'

'Bedankt. Daar ben ik al erg blij mee.'

Ze ging staan en borg het zakje op waarin de dodelijke vlokreeften zich bevonden. 'Goed,' zei ze. 'Nu zijn we toe aan de vogels.'

Met behulp van haar lamp onderzocht ze het terrein. 'Tjeses... ik zei dat ik op zoek was naar vogelpoep,' mompelde ze. 'Wees voorzichtig met wat je wenst.'

'Voorzover ik weet bestaat de Mackenzie's Mount voor het grootste gedeelte uit vogelstront.' Met de lichtbundel van zijn lamp wees hij naar de rotsachtige uitstulping die ze nauwelijks konden onderscheiden. 'Per slot van rekening hebben we het over een vogelkolonie. Gedurende de hele zomer is het hier vergeven van vogels en kuikens.'

'Is dit de oogst van één seizoen?'

'Veeleer de oogst van dertig jaar. Het wordt niet weggespoeld. En de koude droogte conserveert alles.'

'Als het micro-organisme zich in die zeevogelmesthoop bevindt, hoe word ik dan geacht dat beestje ooit te vinden?'

Hij haalde zijn schouders op. 'Ik heb je gezegd dat op de noordpool de pleuris kan uitbreken.' Ze gromde afkeurend.

Hij liep voorop naar de Mackenzie's Mount, waar ze een keer diep zuchtte alvorens de heuvel van bevroren zeevogelmest te beklimmen. Het feit dat ze zo onbeholpen liep, had te maken met zowel het dikke poolpak als het feit dat ze zich niet op haar gemak voelde vanwege het gegeven dat ze zich zo dicht bij een mogelijk fatale besmettingsbron bevond terwijl ze niet voorzien was van haar gebruikelijke beschermende uitrusting. Methodisch baande ze zich een weg over de rotsen en deed haar best om monsters van de verschillende gedeelten van de bevroren toplaag af te schrapen en de specimens vervolgens in de houders te doen, die hij haar een voor een overhandigde.

Toen ze boven op de glooiing was gearriveerd, haalde ze diep adem, waarna ze half glibberend en rennend van de heuvel naar beneden ging. 'We zouden hier wel een maand kunnen blijven,' zei ze hijgend van inspanning. 'Maar met dit twintigtal specimens moeten we het voorlopig doen.' Ze stond gebukt, met de handen tegen haar knieën gedrukt, en probeerde op adem te komen terwijl ze uitkeek over de in de duisternis gehulde ijsvlakte. 'Wanneer ik dat micro-organisme hier aantref en het dus afkomstig is van de trekvogels, dan hebben de mensen die in het zuiden wonen een probleem.'

IJsplaten schuurden met een zenuwslopend krakend en snerpend geluid tegen elkaar aan. *Raaaaaah.*

'Goeie genade,' zei ze. 'Ik mag hopen dat dat de roep van een bronstig paartje is.'

Nimit glimlachte. Klaarblijkelijk was hij niet ongerust, waardoor Hanley een poging deed zich net zo kalm te gedragen als hij. Wéér volgde een grommend geluid, als het getrompetter van reusachtige olifanten.

'Op zulke momenten zei mijn oma altijd dat God zijn knokkels liet kraken.'

Het geluid hield op. Dankzij deze plotselinge stilte slaakte Hanley een zucht van verlichting. Ze nam het van sterren glinsterende firmament in ogenschouw.

'Het stof van God,' zei Nimit terwijl ze daar stonden en naar het flonkerende uitspansel keken.

'Grootmama was een poëet.'

'Nee,' zei Nimit. 'Dat zei oma niet, maar Jorge Luis Borges.'

'Jij zit vol verrassingen.'

'Dat mag ik hopen.'

'Jack, heb jij de werknotities gelezen die over het onderzoeksterrein zijn gemaakt?'

'Ja.'

'*Ignis fatuus*... een van de aantekeningen, herinner je je dat? Het betekent moerasgas. Dat feit op zich komt eigenaardig op me over. Is er hier sprake van de aanwezigheid van een of ander gas?'

Hij dacht even na. 'Ja, in feite wel, als je het zo kunt noemen... ik zal het je laten zien.'

Nimit gebaarde naar Hanley om hem te volgen, waarna hij zich over een heuveltje begaf en om een kleine drukplooi heen liep; de lichtbundel van zijn lamp liet het witte oppervlak schitteren in blauw en groen, net flessenglas. Een nevel van ijskristallen zweefde op een windvlaag voorbij. Nimit draaide aan zijn zaklamp; de breedste lichtbundel. In het licht ervan was een verzameling ronde verhogingen te zien. Ze hadden elk een doorsnee van ongeveer een halve meter en waren dertig centimeter hoog.

'Ze komen tamelijk vaak voor in het hoge noorden. Toen ik klein was, noemden wij ze *pongo's*. Hier zijn er misschien pakweg twintig te vinden.' Met de lichtbundel van zijn zaklamp wees Nimit naar nog eens enkele exemplaren, waarna hij naast de dichtstbijzijnde knielde. Nadat hij wat sneeuw had weggeveegd – sneeuwkristallen die in de lichte bries kringelend wegwaaiden – bleek het ijs dat zich daaronder bevond zo transparant als de fijnste glassoort, met op de bodem van die koepelvorm iets donkers.

'Zoiets heb ik nog nooit gezien,' zei Hanley. Ze was onder de indruk van de kristalheldere kwaliteit.

'Dat zijn algenputten.' Nimit ging op zijn hurken zitten. 'Gasbellen dragen fragmenten van groene algen vanaf de zeebodem naar de onderkant van het ijs waarop we staan. De algen klampen zich vast aan de onderzijde, gaan groeien en werken zich omhoog.'

'Dwars door een ijslaag van ruim anderhalve meter dik?'

'Twee tot drie meter, soms zelfs meer. Helemaal naar boven toe.' Hij wees naar de *pongo*. 'Het begint in de lente, de donkere algenlagen vangen het zonlicht op dat in het hen omhullende ijs dringt.'

'Geen probleem... aangezien het ijs zo helder is.'

'Ja,' zei hij terwijl hij de smetteloze bol aaide. 'Het constante licht en het glasachtige ijs bevorderen een snelle fotosynthese.'

'Dat zie ik. De koepel vormt een ideale natuurlijke broeikas.'

'Terwijl de algen naar het licht groeien, wordt de door de algen geproduceerde zuurstof naar boven gedrukt en veroorzaakt een koepel boven de algengroep.' Hij keek naar haar gezicht, dat omzoomd werd door haar helm. 'Volg je me nog?'

'Tot nu toe wel.'

'Dat is dus in de lente het geval. In de zomer smelt de koepel aan de bovenkant en vult zich dus met zoet, helder ijswater. De zon staat vierentwintig uur per dag aan de hemel, waardoor de algen gedijen. De groene algen zijn uiteraard donkerder dan het omgevende ijs, dus nemen ze alle zonnewarmte in zich op. Hierdoor blijft de bovenkant van de koepel open en wordt de put almaar groter. De kolonie groeit, verenigt zich met andere algengroepen en wordt nóg groter.' Hij wees ernaar met de lichtbundel van zijn zaklamp. 'Een halve meter tot een meter doorsnee. Het zonlicht dringt maximaal ruim twintig centimeter in het ijs, waardoor de putten relatief ondiep blijven. Aan het eind van de zomer vervaagt het zonlicht.'

'Waardoor de put dichtvriest.'

'Ja, heel snel. De door de algen geproduceerde zuurstof is opgelost in het putwater, waardoor het gas dus zit opgesloten in het centrum. Het water dat uitzet naarmate het bevriest, drukt op de zuurstof en veroorzaakt deze perfecte koepelvorm.'

'Gaan de algen niet dood in het ijs?'

'Nee. Ze brengen de winter ingevroren in het ijs door bij een temperatuur van misschien wel min dertig graden Celsius. De koepel beschermt de algen in feite tegen de wind en lagere luchttemperaturen.'

'Een schitterend foefje. Maar hoe zit het met dat moerasgas?'

Nimit ging staan en gebaarde dat Hanley naar achteren moest gaan. 'We horen dit niet te doen, maar voor de wetenschap moet alles wijken.' Hij pakte een losse ijsklomp, hield die boven zijn hoofd en gooide er vervolgens mee naar de put. Met een plopgeluid barstte de koepel open. Fijne kristal- en algendeeltjes walmden in een spookachtige schittering de lucht in.

'Moerasgas!' riep Hanley luidkeels, maar ook geschrokken. Heel even werd ze bang.

'Inderdaad,' zei Nimit. 'De zuurstof staat onder druk en waarborgt een flinke wolk.'

'Je hebt gelijk. Het ziet er absoluut gasvormig uit.'

Hadden de drie wetenschappers rond een algenput gestaan terwijl die openbarstte, precies zoals zij daar nu getuigen van waren? Of de sjamaan, honderd jaar geleden? Hadden ze de deeltjes die als een nevel om hen heen wervelden ingeademd?

'Wat is er?' vroeg hij. 'Je ziet eruit of je je niet lekker voelt.'

'Hoeveel van die algenputten heb jij in je leven opengebroken, Jack?'

'In mijn jeugd zijn het er tientallen geweest. Het waren geweldige schietschijven. De afgelopen jaren hebben we er minder gebroken. Tegenwoordig proberen we ze te omzeilen. De leden van de Polar Commission zullen er niet gelukkig mee zijn wanneer hen dit ter ore zou komen, maar soms rijden we eroverheen voordat we beseffen dat we ons in zo'n veld bevinden.'

'Was er sprake van nadelige gevolgen?'

'Bij ons? Nee, nooit.'

Wie zal zeggen dat al die *pongo's* dezelfde algensoorten bevatten? vroeg Hanley zich af. Negenennegentig van die putten zouden goedaardig kunnen zijn, maar de honderdste dodelijk. In het regenwoud kon een boom de thuishaven zijn van tientallen soorten insecten die nergens anders leefden, zelfs niet in de boom ernaast. Waarom zou hier niet hetzelfde kunnen plaatsvinden? Hanley haalde een plastic laboratoriumbuisje uit een zak die aan haar dijbeen hing en boog zich naar de gebroken koepel toe. Heel voorzichtig en op haar hoede, om te voorkomen dat delen ervan op haar gehandschoende handen of op de vezels van haar poolpak terechtkwamen, schraapte ze een beetje van de algenmassa in het buisje en deed het kapje erop.

'Ik ben bang dat ik nog enkele van die *pongo's* moet breken,' zei ze.

'Dat kan niet,' hoorde ze Nimit zeggen terwijl er een trilling door het ijs golfde waarop ze stonden.

'Trillen en gillen,' zei Hanley onwillekeurig; het Californische jargon waarmee een aardbeving werd bedoeld. Maar een aardbeving kon hier helemaal niet.

Het knarsende geluid klonk afschuwelijk. In het ijs verschenen gigantische scheuren waaruit klotsend zeewater tevoorschijn kwam. Zeewater dat ongelooflijk naar pekel stonk, waardoor Hanley moest kokhalzen. De adem van de man met de zeis, dacht Hanley. Elke waarschuwing die ze had gehoord sinds ze met Stevenson in het vliegtuig was gestapt, schoot nu door haar heen. *Vermijd water. In het noordpoolgebied is iedereen als het om water gaat zeer voorzichtig.*

Ze draaide zich om naar de bron van dat angstaanjagende geluid. De bek van een gigantische vis vulde de opening van de polynya, bleef even in de lucht hangen en kwam vervolgens denderend en met een klap naar beneden, waarbij grote ijsschollen doormidden werden gebroken. Er ontstonden geisers die alles aan het zicht onttrokken. Terwijl het wezen boven kwam drijven, stroomde gesmolten ijs met iriserende microbenmassa's langs de flanken naar beneden; een monsterlijke tand, als van een narwal, rees met de romp van het gevaarte de hoogte in. IJsplaten gleden als schubben langs de kolossale romp naar beneden en stortten op hun weg naar de diepte met veel kabaal in zee.

Het ijs rondom hen begon in alle richtingen scheuren en fissuren te vertonen. Als er een los gedeelte overhelde, waardoor ze in het water terechtkwamen, waren ze zogoed als dood.

'Rennen,' zei Nimit terwijl hij haar duwde. Ze draaiden zich om en zetten het op een lopen.

Pal voor Hanley opende zich een geul. Prompt maalden haar armen als vleugels in een poging haar evenwicht te herstellen. Wankelend stond ze bij de afgrond, ze kon elk moment in de diepte vallen. Plotseling voelde ze dat Nimit haar bij haar zitvlak beetpakte en haar naar zich toe trok, bij de rand vandaan.

De afschuwelijke geluiden klonken minder hard.

'Wat was dat in vredesnaam?' vroeg ze buiten adem.

'Doe je lamp uit, Jessic,' zei Nimit. Hanley gehoorzaamde meteen. Hij trok haar achter een met ijs bedekte zwerfkei. Haar vizier was volledig beslagen.

De complete polynya, en het terrein erachter, was opgeslokt door het langste, grootste en zwartste beest dat ooit uit de hel was verrezen, een monster uit de onderwereld dat het kwaad naar de oppervlakte had gebracht en dat boven hen uittorende, terwijl lichtgevend plankton langs de enorme romp in strepen en slierten naar beneden zakte.

Terwijl het scheurende ijs kraakte, klonken er ook metaalachtige geluiden van luiken die geopend werden. Luiken waardoorheen zwarte wezens kwamen gekropen. Even later stonden ze op de ruggengraat van de gigant. Ze hesen gestaltes uit het binnenste ervan naar boven, waarna men ze nauwgezet naar het ijs liet zakken, gevolgd door zwarte figuren met wapens aan de schouder, die abseilden langs onzichtbare koorden. Toen ze het ijs hadden bereikt, begaven ze zich zwoegend naar de uitrusting die naar beneden werd gelaten, waarbij ze een handje hielpen om ervoor te zorgen dat de spullen niet ondersteboven op het ijs kwamen te liggen. Logge sledevoertuigen met rupsbanden hadden het formaat van sneeuwscooters; ze maakten een metalig geluid terwijl ze tegen de romp sloegen om uiteindelijk op het ijs terecht te komen.

Er werd geschreeuwd. Een van de gestaltes verloor zijn greep op het koord en kwam te snel naar beneden, waardoor hij in de diepte op de harde, gebroken ijsplaten viel terwijl hij nog steeds het koord vasthield. Hij kwam verkeerd op het ijs terecht. Anderen renden luidkeels roepend naar hem toe. Verscheidene andere gestaltes, zwart als schaduwen, verzamelden zich bij het eerste voertuig. Hanley rook benzine terwijl motoren aansloegen, vervolgens sputterend afsloegen, opnieuw aansloegen en het vervolgens helemaal voor gezien hielden.

De wind was iets aangetrokken, nauwelijks de moeite waard, maar de gestaltes hadden er moeite mee en stonden gebogen in de bries. Ze gingen zichtbaar langzamer verder met hun werk en maakten zich klein, met de rug naar de wind toe. Klaarblijkelijk hadden ze last van de bijtende vrieskou. Alles welbeschouwd waren het tóch mensen, dacht Hanley.

Het beest had het ijs bedwongen, maar het zou niet lang duren voordat het drijfijs wraak zou nemen en het monster als een insect zou invriezen. Ze moesten zich dat realiseren. Vluchtig keek Hanley naar Nimit, die naar de gestaltes staarde alsof het bezoekers van een andere planeet waren. Hoelang zou het nog duren voordat ze de Sno-Cat, ongeveer vijftig meter verderop, in de gaten kregen?

Een van de motoren sloeg aan en haperde, waarna het toerental werd opgevoerd en de motor uiteindelijk in een monotoon, brommend geluid verviel. Uit de uitlaat pufte rook. Een grote koplamp ging aan en zette Hanley en Nimit vol in de lichtbundel. In het zwart-witte poollandschap waren de felle kleuren van hun poolpakken er de oorzaak van dat de gewapende manschappen – ze bevonden zich naast de onderzeeër – schrokken.

Wapens werden vrijwel gelijktijdig geladen en tegen de schouders gezet; de geluiden echoden in de stilte. Met half dichtgeknepen ogen tuurde

Hanley in het felle licht van de koplamp en zag vaag zwarte vuurmonden van geweerlopen die op hen gericht waren.

Instinctief stak Nimit zijn armen zijwaarts uit. Hanley volgde meteen zijn voorbeeld.

'Zijn jullie Amerikanen?' riep Nimit luidkeels door zijn vizier. '*Parlez-vous Français? Deutsch?*' Konden ze hem zelfs maar horen, zo boven de wind en het geluiddempende vizier uit?

'Kom naar voren!' klonk een trillende stem met een zwaar accent. 'Nu naar voren komen. Vooruit, vooruit!'

Ze gehoorzaamden en liepen langzaam naar de gigantische duikbootromp die boven het ijs uittorende en die zo lang als een straat en zo stabiel als een gebouw was.

'Waar zijn ze zo benauwd voor?' zei Nimit.

'Misschien hebben ook zij nog nooit een gewapende vogel gezien.'

'Ontlaad het wapen,' riep de matroos naar hen.

'Wat?' zei Nimit verbijsterd.

'Ontlaad het wapen!' De stem klonk indringend; snerpend geschreeuw. Met aangelegde wapens naderden de matrozen.

'Misschien bedoelt hij dat je je wapen moet loslaten,' opperde Hanley.

Nimit liet de geweerriem over zijn schouder en langs zijn arm zakken, de loop naar beneden gericht. Met een kletterend geluid viel het wapen op het ijs. 'Laten we het hopen,' zei hij.

Hanley liet haar armen helemaal zakken terwijl ze de eerste gewapende man naderde. Een man die, met ontblote tanden, grimaste van de pijn.

'Goeie genade,' zei Nimit zachtjes terwijl hij zich naar voren haastte. De blote wang van de wacht was aan de geweerlade vastgevroren.

39

Nimit liet hen zien hoe ze de matroos die aan zijn wapen was vastgevroren konden helpen. Ondertussen wees Hanley naar zichzelf en herhaalde telkens dat ze arts was. Uiteindelijk lieten ze toe dat ze de man behandelde die tegen de romp in elkaar was gezakt. Iemand die het bevel voerde kwam te voorschijn. Net als de rest was hij gekleed in een zwarte parka met capuchon en een bivakmuts. Rond de openingen ervan – bij de mond, de neusgaten en de ogen – hing aangekoekt ijs.

'Ik ben tweede officier Poesjkin. Admiraal Roedenko is gewond. We hebben een hospitaalsoldaat, maar geen arts aan boord. Commandant Nemerov wil hem graag naar uw poolstation vervoeren, ja? Dat was bestemming. En meneer Kojt. Hij wenst meegaan, en vier matrozen. Zeven totaal. Mogelijk?'

Nimit stak een hand in de hoogte om de officier duidelijk te maken dat hij moest wachten terwijl hij radiocontact met Teddy Zale probeerde op te nemen. Hij moest het verhaal twee keer herhalen voordat de radiocentrale in de externe radiotoren volledig had begrepen wat er was gebeurd.

'Oké, Jack, wacht even. Ik mag hier niet alleen over beslissen.'

Om toestemming te krijgen, moest Teddy ongetwijfeld Verneau of Mackenzie wekken. Enkele minuten verstreken; het marinepersoneel leek het nog kouder te krijgen; de rijplagen werden dikker. Zale meldde zich met instructies. Drie Russen waren uitgenodigd. 'Maar, eh, Jack, dat verhaal over die gewapende marinemensen moet je uit hun hoofd proberen te praten. Geen escorte.'

Nimit gaf het bericht door. 'De uitnodiging geldt voor drie personen. U moet snel handelen, anders zult u binnenkort allemaal te gast zijn op het poolstation. De polynya is dit jaar uitzonderlijk klein. Uw vaartuig zal in het ijs vastvriezen en de hele winter hier moeten blijven, als het ijs de duikboot ten minste niet eerst verplettert en tot zinken brengt.'

De oude Russische admiraal, nu steunend op twee jonge matrozen, knikte. 'We begrijpen het. We zijn dankbaar voor uw gastvrijheid. Een escorte is niet nodig.' Vervolgens sprak hij verder in het Russisch en redetwistte met commandant Nemerov. Kennelijk probeerde hij de commandant tegeninstructies te geven, aangezien de laatstgenoemde erop bleef aandringen hem naar Trudeau te begeleiden. Nemerov wilde daar echter niets van weten; hij ging mee met de admiraal.

Roedenko, die met half dichtgeknepen ogen in de wind stond, en met rijp rond de oogleden en mond, was gezien zijn toestand absoluut niet in staat zijn mening erdoor te drukken, waardoor hij inbond. Nemerov gaf zijn tweede officier opdracht het commando over de boot over te nemen en onder de polynya te duiken. Aan zijn gebaren te zien, kregen Hanley en Nimit de indruk dat hij wilde dat de boot tot nader order in positie bleef, onder het wateroppervlak van de polynya.

De Rus Kojt was met zijn volle aandacht bij de verwikkelingen. Poesjkin stond in de houding en salueerde. Nemerov salueerde amper terug.

'Deze bijtende kou is erger dan wanneer je met naalden doorboord wordt,' zei Roedenko schor. Hij deed zijn ogen dicht.

Hanley reageerde meteen. 'Nee, admiraal... houd uw ogen open.'

Even later hielden de matrozen de admiraal op de motorkap van een voertuig zittend overeind. Hanley controleerde nogmaals de enkel. Door de bizarre stand van het gewricht was er duidelijk sprake van een botbreuk. De man moest ongetwijfeld veel pijn hebben, maar hij liet zich in dat opzicht niet kennen. Wel zag hij er verschrikkelijk bleek uit. Ze immobiliseerde de botbreuk en maakte met gebaren duidelijk dat de admiraal naar achteren moest gaan zitten.

Ondertussen bracht Nimit de Russen aan het verstand dat de kleine benzinemotoren ongeschikt zouden blijken op dit terrein en in dit weer, en dat de Sno-Cat plaats kon bieden aan nog eens drie personen, zelfs wanneer de admiraal liggend vervoerd zou worden.

Hanley plaatste de enkel van de admiraal in een tijdelijke spalk om de druk op de breuk te verlichten. De voet was echter snel aan het opzwellen. Ze deed sneeuw in een stoffen zak en bracht het geheel als een kompres op de enkel aan. Nimit ging de Sno-Cat halen. De Russische matrozen bleven op eerbiedige afstand van Stiekemerd en schenen er met hun lampen naar om het ding in de gaten te houden. Nemerov en de twee matrozen tilden Roedenko in de Sno-Cat, waarna hij en Kojt aan boord gingen. Kojt ging naast Nimit zitten, half gedraaid in zijn zetel en naar het drietal gewend dat vlak achter hem op de bank zat, waarbij hij het om hen heen opgestelde materiaal van Hanley vluchtig in ogenschouw nam, waaronder de koeler voor de gelabelde specimenbuisje en de lemmingen die kronkelend door hun kooien liepen.

Nimit keerde het voertuig en reed in de richting van poolstation Trudeau. Over haar schouder keek Hanley toe terwijl de matrozen een voor een en achter elkaar de flank van hun enorme vaartuig beklommen en snel benedendeks verdwenen, weg uit de bijtende wind. De officier van de wacht was de laatste die in de duikboot ging, waarna de zwarte onderzeeër als een liftkooi recht naar beneden in de polynya zakte. Hanley zat naast Roedenko en hield zich bezig met het doorsnijden van zijn laars om de enkel nog beter te kunnen immobiliseren. Dankbaar accepteerde hij de rest van de bevroren whisky, die qua uitwerking nog het dichtst bij een verdovingsmiddel kwam, althans van datgene wat ze aan boord hadden.

Toen ze weer omkeek, was de onderzeeboot bijna onder water verdwenen, terwijl de maan er helder en wit boven scheen.

De Sno-Cat reed over de helling omhoog en vervolgens door de verlaten tunnel om uiteindelijk op een platform te arriveren waar ondanks het vroege uur veel personeel aanwezig was. Ze stonden daar en staarden, alsof het een Labour Day-parade betrof. Toen de Russen uit het voertuig stapten, barstte een applaus los, want de mensen waren opgewonden door het nieuws dat er nog meer midwintergasten waren gekomen en omdat dankzij dit bezoek – na de verschrikkelijke dood van hun collega's – zij de illusie koesterden dat ze niet helemaal alleen waren, noch afgesneden van de buitenwereld.

Niemand had nog het geringste vermoeden wat de Russen op poolstation Trudeau te zoeken hadden. Dat was de eerste vraag die Mackenzie in zijn kantoor aan hen wilde stellen. Alle hoofden van de wetenschappelijke diensten hadden zich daar verdrongen, met onder hen Vadim Primakov, het hoofd van die delegatie. Uiteindelijk bleek het kantoor veel te klein en moest er op het antwoord worden gewacht tot ze de groep naar het auditorium hadden gedirigeerd. Dee en Uli hielpen de admiraal op een brancard, waarna Dee hem naar binnen reed en Uli haastig zijn artsenkoffer ging halen om pijnstillers pakken.

Verneau zei: 'Terwijl u op poolstation Trudeau verblijft, zouden we graag willen dat u uw wapens inlevert. We hebben feitelijk nooit aanvalswapens binnen onze muren gehad, behalve dan de jachtgeweren om de ingangen te vrijwaren van beren die op jacht zijn en om onze poolvoertuigen te beschermen.'

Nemerov overhandigde zijn geweer, dat Verneau op zijn beurt aan Teddy Zale gaf. Hij opende zijn handen en wachtte tot Kojt bereid was zijn wapen aan hem over te dragen.

'Op het poolstation zelf hebt u beslist geen gevaar te duchten. Er is dus geen reden om een vuurwapen bij u te dragen,' zei Simon King, die ongeduldig klonk. 'Die automatische geweren van u zijn te dodelijk om ze in de buurt van zoveel burgers te houden, en uw pistool is nutteloos wanneer u zich ooit geconfronteerd zult zien met een beer. Aangezien u en de anderen gedurende enige tijd onze gasten zijn, moeten we erop aandringen...'

Hanley vond het fascinerend om te zien dat King boos was op iemand anders. Admiraal Roedenko ging rechtop op zijn brancard zitten en sprak voor de eerste keer, waarbij hij Kojt strak aankeek: 'Als ik gewapend was, meneer, zou het me een genoegen zijn mijn vuurwapen over te dragen zolang ik me binnen uw muren bevind.' Roedenko had zijn Engels in het bed van de assistente van de Britse cultureel attaché geleerd in de periode dat hij in Rome gestationeerd was. Hij sprak de taal op barokke wijze. 'Ook wil ik u danken voor het feit dat mijn verwonding op uitstekende wijze verzorgd wordt,' sloot hij af. Hij huiverde op het moment dat Hanley het bot opnieuw zette.

'Dat pistool van u zal in dit klimaat niet eens functioneren,' zei King tegen Kojt.

'Toevallig hebben deze kogels wolfraam als hoofdbestanddeel. Het wapen zelf is gemaakt van grafiet en plastic. Er komt geen metaal aan te pas. Je kunt het wapen onder water afvuren, en het zal ook hier functioneren,' zei Kojt. 'Dat verzeker ik u.' Hij glimlachte vriendelijk, als een verkoper die overtuigd is van de superioriteit van zijn handelswaar. 'Onze aanvalswapens zijn hier echter niet nodig.' Kojt haalde het automatische geweer met de scharnierende geweerlade en het lange magazijn van zijn schouder.

'Om antwoord te geven op uw belangrijkste vraag...' zei Kojt, die de holster van zijn pistool dichtklikte, '... we zijn gekomen om een onderzoek in te stellen naar de dood van dr. Minskov en om zijn stoffelijk overschot over te brengen. Ook zullen we erop toezien dat onze landgenoten veilig zijn, en verder iedereen die onze bescherming behoeft. Onze regeringsinstanties zijn zeer bezorgd over wat er zich op uw poolstation voordoet. Ze hechten er zeer aan te weten te komen waaraan Minskov en de anderen zijn overleden.'

'Wat grappig, want dat vragen wij ons ook af,' zei Simon King, die Hanley strak aankeek. 'Mag ik niettemin hopen dat u zich realiseert dat het eiland Kurlak technisch gesproken niet tot uw rechtsgebied behoort? Dit is Canadees territorium, een Canadese kwestie.'

'Technisch gesproken is onze landgenoot op zee gestorven, meneer,' zei Kojt. 'Om die reden heeft Canada niet het hoogste gezag inzake de kwestie met betrekking tot wijlen dr. Minskov. Ik heb toestemming van mijn regering om onderzoek te doen naar dat moorddadige iets en vervolgens datgene waaraan de wetenschappers gestorven zijn onder controle te houden.' Hij tikte tegen een lange aluminium buis.

'Wat is dat?' vroeg King.

'Een veilige transporthouder voor het dodelijke agens.'

Mackenzie draaide zich naar hem toe. Hij leek nerveus. 'Ik neem aan dat u mevrouw Hanley inmiddels ontmoet hebt. Ze komt uit Los Angeles en leidt het onderzoek naar de voorvallen.'

Kojt volgde zijn blik, waarop Hanley flauwtjes naar hem zwaaide. Primakov zei iets in het Russisch. Kojt luisterde terwijl hij de Amerikaanse vrouw geen moment uit het oog liet.

'*Nu*, een Canadese uit Californië. Interessant,' zei hij, waarbij hij Simon King vluchtig aankeek en vervolgens zijn aandacht weer op Hanley richtte. 'Op welke manier bent u betrokken geraakt in deze Canadese kwestie? Ben ik slecht geïnformeerd, waren er Amerikanen in het gezelschap dat de dood vond?'

'Inderdaad, Noord-Amerikanen,' zei Hanley. 'Om die reden heeft men mij gevraagd.'

'Wat behulpzaam, zoals het goede buren betaamt,' zei Kojt. 'Dus u bent een medisch onderzoeker. Min of meer zoals ik. Morgenvroeg zal ik me aanmelden. Verder zal ik mijn best doen u niet voor de voeten te lopen. We willen beiden hetzelfde resultaat... de boosdoener opsporen en een einde maken aan het gevaar waaraan iedereen is blootgesteld. We zouden elkaar wederzijds kunnen helpen. Ik kan u helpen om u en uw personeel veiligheid te bieden.'

Hanley wees naar het grote object, dat aan een thermosfles deed denken. 'Dat is een houder voor biologisch gevaarlijke stoffen. Klaarblijkelijk bent u van mening dat het agens biologisch is. Hoe denkt u ons met uw pistool te beschermen tegen de natuur?'

'Nou, dit is iets van de natuur dat mensen neermaait. Ik ben namelijk bang dat u een slachtoffer van die boosdoener wordt. Naarmate u dichter bij "het" komt, komt "het" dichter... bij u.'

'Bedankt, maar ik heb op dit moment voldoende personeel tot mijn beschikking,' mompelde Hanley tegen Uli. 'Wie is die klootzak die denkt dat hij zich zomaar met mijn onderzoek kan gaan bemoeien?' Roedenko, die perfect begreep wat er was gezegd, onderdrukte een lachje.

Mackenzie stak een hand omhoog. 'U bent welkom voor zolang u hier nodig bent. Zullen we deze late bijeenkomst afsluiten?'

De mensen gingen vervolgens ieder huns weegs.

Hoewel Mackenzie vrolijk keek, geloofde niemand van poolstation Trudeau ook maar één seconde dat Moskou – gezien de karige middelen – het risico had genomen om in het midden van een noordpoolwinter een onderzeeër, een admiraal en een onmiskenbare veiligheidsagent te sturen om de dood van een onbekende glacioloog te onderzoeken, of om een stoffelijk overschot over te brengen, wat gemakkelijk kon wachten tot de lente was aangebroken.

40

De adjudant opende de grote ramen in het Moskouse kantoor van Tsjernavin, waarna de kille namiddaglucht wraakzuchtig binnenstroomde. Hij huiverde en haastte zich weg. De opperbevelhebber keek echter niet eens op terwijl hij achter zijn bureau zat. Enkele minuten later was de adjudant terug.

'Het presidentiële kantoor heeft ons enkele malen opgebeld, meneer. De Amerikaanse en Canadese ambassadeurs hebben verzocht of u een afspraak wilt honoreren met ene dr. Ishikawa.'

'Prima. Kijk maar in mijn agenda of ik volgende week nog een gaatje heb.'

'Hij is hier, meneer.'

'Hier?'

'Ja, meneer. In de wachtkamer.'

Tsjernavin overwoog of hij hem meteen zou binnenlaten of hem zou laten wachten, waarna hij zei: 'Stuur hem maar naar binnen. En haal een tolk.'

Met vastberaden tred liep de adjudant weg. Na enkele minuten kwam

Kim Ishikawa met uitgestoken hand binnen. De admiraal ging staan om de hand te schudden en straalde die informele charme uit waarmee hij bij westerlingen altijd zoveel succes boekte.

Ishikawa bedankte de admiraal overvloedig vanwege het feit dat hij hem op zo'n korte termijn wilde ontvangen. Tsjernavin knikte slechts en glimlachte telkens opnieuw zodra de tolk doorgaf wat er tegen hem was gezegd. Relaxt, zo noemden de Amerikanen dat, dacht hij. Hij bood Ishikawa aan vooral iets te nemen van zijn tussendoortjes – Baltische sprotjes die op een schotel lagen, verder met dille bestrooide komkommerschijfjes, radijs, knoflookschijfjes en zout. Ishikawa keek vluchtig naar de dozen met papieren die gereed waren gemaakt voor het archief en accepteerde de aangeboden traktatie.

'Admiraal Tsjernavin, ik ben verbonden aan een onderzoeksinstituut in de Verenigde Staten en moet achter de verblijfplaats van dr. Tarakanova zien te komen. Ze heeft gewerkt op een arctisch researchstation en werd eind oktober door een onderzeeër geëvacueerd. Ik moet haar spreken. Het is zeer urgent.'

Ahhh. Tsjernavin knikte heftig. Hij ontbood een ondergeschikte en gaf beknopte instructies aan hem. De kapitein knikte na elk punt en pakte de telefoon. Stijlvol somde hij een aantal bevelen op, luisterde even en hing vervolgens op, waarna hij verstramde en iets tegen Tsjernavin zei, die daarop gebaarde dat hij het kantoor kon verlaten.

Tsjernavin richtte zijn aandacht op Ishikawa, die hem al die tijd aandachtig had aangekeken. Hij sprak langzaam en wachtte op de tolk.

'U moet begrijpen dat de marine alleen heeft zorggedragen voor de transportfaciliteiten,' legde de tolk op een zeer gemeende toon uit. 'We hebben geen officiële informatie over haar verblijfplaats. Zij is een burger en is... in tegenstelling tot de admiraal... vrij om te doen wat haar goeddunkt. Hij stelt voor dat u met haar werkgever gaat praten, het Sjirsjov-instituut voor Oceanografie. Als u dat wilt, kan hij telefonisch voor u bemiddelen.'

'Ja, graag,' zei Ishikawa.

De tolk toetste het nummer in, waarna hij de telefoon aan Tsjernavin overhandigde, die vervolgens ging staan en op een nasale toon sprak terwijl hij door het vertrek ijsbeerde, een hand nonchalant in zijn broekzak. Terwijl hij luisterde, leek het of hij de magnifieke glans van zijn schoenen aan het inspecteren was. Daarna zei hij: '*Da, konyechno,*' waarna hij het gesprek beëindigde. In het Engels – met een zwaar accent – zei hij tegen Ishikawa: 'Het Sjirsjov-instituut zal u meteen ontvangen.'

Toen Ishikawa zich weer op straat bevond, stak hij een hand uit om een taxi aan te roepen, maar de auto die stopte was een burgersedan, een van de vele chauffeurs met auto die zichzelf verhuurden voor cashgeld. Het was niet ver naar het Sjirsjov-instituut en de directeur was op geen stukken na zo coöperatief en aangenaam in de omgang als de admiraal. Zijn tolk had er de grootste moeite mee om diens woorden in het Engels aan Ishikawa over te brengen zonder dat die woorden ergernis opwekten.

'Na haar terugkeer heeft dr. Tarakanova in Moskou vrienden bezocht, waarna ze opnieuw een beladen post kreeg toegewezen, ditmaal aan de Kaspische Zee. Ze wordt pas over acht maanden terugverwacht en kan op haar verblijfplaats geen bezoek ontvangen. De communicatie met die regio staat bekend om het onbetrouwbare karakter ervan, wat niet wil zeggen dat de telecommunicatie in Moskou van een betere kwaliteit is. De directeur stelt uw belangstelling zeer op prijs, maar wenst u te verzekeren dat het dr. Tarakanova goed gaat.'

Op dat moment onderbrak een assistent hem om een telefoongesprek door te geven. De directeur nam op. Ishikawa ging staan en wilde vertrekken, maar de man gebaarde dat hij weer moest gaan zitten. Toevallig belde Tarakanova hem op om hun een uitbrander te geven over iets dat niet in de voorraden was aangetroffen. Hij gaf de hoorn aan Ishikawa, die haar vroeg of ze hem kon vertellen over mogelijk ongewone zaken die ze voor haar vertrek op het onderzoeksterrein had waargenomen. Ze ontkende nadrukkelijk.

Ishikawa legde een hand tegen zijn andere oor om haar beter te kunnen horen. 'Heeft de bemanning van de onderzeeër wellicht iets achtergelaten op het onderzoeksterrein?'

Ze ontkende op een kortaangebonden toon. Hij deed opnieuw een poging door specifiekere vragen te stellen over de activiteiten die de wetenschappers in de uren voor haar vertrek hadden ontplooid, maar ze liet zich daar niet door uit haar koers brengen. Hij verontschuldigde zich dat hij haar had gestoord tijdens haar werkzaamheden en hing op.

Ishikawa vertrok nadat hij de autoritaire man had bedankt. Op de luchthaven ging hij door de douane en stond even later in de rij voor de telefoons. Hij kreeg Munson thuis aan de lijn. Deze wilde weten of datgene wat ze hadden gevreesd was uitgekomen. Ishikawa dacht van wel. De situatie was misschien zelfs nog veel rampzaliger.

41

De bestuursraad van poolstation Trudeau had een telefonische vergadering belegd. De leden waren verre van ingenomen toen ze hoorden dat een Russisch gezelschap zomaar opeens poolstation Trudeau met een bezoek had verblijd, maar ze gingen ermee akkoord om in het kader van zijn onderzoek Kojt zoveel bewegingsruimte te geven als hij maar wilde. In het provisorische mortuarium lag per slot van rekening iemand die de Russische nationaliteit had gehad.

Op zijn beurt deed Kojt zijn best zich bemind te maken bij iedereen met wie hij contacten onderhield, en dat waren er veel, ofschoon hij zijn landgenoten – Russen – meed. Zelfs Simon kwam langs en voelde zich gevleid door de verzoeken van Kojt om hem informatie te geven over alle aspecten van het poolstation en advies betreffende de interpretatie van de veldverslagen van Bascomb en de gedetailleerde diagrammen van Minskov. De gebruikelijke grimas van King begon op een pijnlijk lachje te lijken. 'Dat of gas,' mompelde Dee.

Hanley kreeg het voor elkaar om Kojt zoveel mogelijk te mijden. Ze gaf haar personeel duidelijke instructies dat dit háár laboratorium betrof en dat hij niet welkom was.

Admiraal Roedenko kon zich goed verplaatsen op zijn krukken en vroeg aan Emile Verneau of hij het erg zou vinden om hem een rondleiding in het poolstation te geven. De admiraal was een appreciërende bezoeker en reageerde met gepast ontzag op elke uitvinding en comfort. Nemerov vergezelde hem en gedroeg zich in zijn verrukking al net zo kinderlijk.

Uiteindelijk drong Nemerov er bij de admiraal op aan niet langer zijn voet te belasten, ondanks hun gedeelde verlangen om alle hoeken en gaatjes van het poolstation te zien. Ze begaven zich naar de grote eetzaal, waar ze werden ontvangen als beroemdheden en aan een grote ovale tafel bij Mackenzie en een tiental stafleden plaatsnamen.

Emile Verneau heette hen formeel welkom aan '*notre modeste repas*' – onze bescheiden maaltijd.

Nemerov keek de admiraal vragend aan. Deze fluisterde hem toe: 'Eten.'

'Ah,' antwoordde Nemerov.

Mackenzie zag er afgemat uit. Roedenko vroeg: 'Hoe staat het met uw gezondheid?'

'De recente gebeurtenissen,' zei Mackenzie, 'vormen een aanslag op mijn concentratievermogen.'

'Drink,' drong Nemerov aan. Hij tilde een fles op die bedoeld was om uit te schenken. 'Dat vult het bloed aan.' Maar Mackenzie legde een hand op zijn glas en hield zich bij water, omdat hij nog veel werk moest verzetten voordat hij eindelijk naar bed kon gaan.

Kojt verscheen en ging op een lege stoel zitten. Hij had het gewatteerde katoenen jasje van het poolstation opgefleurd met een groen sjaaltje van zijde.

'Mag ik het volgende rondje voor mijn rekening nemen?' zei Kojt, en haalde een aantal bankbiljetten te voorschijn.

'*Mais non*, nee,' zei Verneau. 'Alles is hier inbegrepen, en u bent onze gast.'

'Dan wil ik graag een toast uitbrengen. Op onze hoffelijke gastheren,' zei Kojt. Iedereen hief het glas en er werd gedronken, behalve door Nimit, die een roebel oppakte en het muntstuk bekeek.

'Hoe wordt geld in uw taal genoemd?' vroeg Roedenko, die zijn glas neerzette.

'*Kenouyiat*,' zei Nimit.

'*Kenouyiat*,' herhaalde Roedenko. 'Heeft dat een bepaalde betekenis?'

'"Papier-met-gezicht".'

'Wat functioneel.' Roedenko was zo geamuseerd dat de rimpels in zijn gezicht zich verdiepten.

'Is het waar,' vroeg Uli, 'dat wij in jouw taal "lange neuzen" worden genoemd?'

'Ja.' zei Nimit. 'Maar we noemen jullie vaker *qaablunaat*... "mensen met borstelige wenkbrauwen".'

Mackenzie wendde zich tot Roedenko. 'Admiraal, wilt u als onze eregast misschien een toast uitbrengen?'

Hij hief het glas en zei iets in het Russisch. Kojt kleurde er even van. Iedereen keek Roedenko aan en wachtte op de Engelse vertaling. Vervolgens keken ze Nemerov aan.

'Op hen die zich nog steeds op zee bevinden,' vertaalde Nemerov.

'*Op hen die zich nog steeds op zee bevinden*,' herhaalden ze vrolijk, behalve Kojt. Hij zweeg en liet het glas niet klinken, en drinken deed hij evenmin.

Hanley boog zich naar Nemerov toe. 'Meneer Kojt was niet bepaald in zijn sas met die toast. Heeft hij iets tegen de marine?'

'O, nee hoor,' zei Nemerov fluisterzacht. 'Deze toast refereert aan de verdwenen schepen en de passagiers ervan. Een toast die te lang is uitgebracht ter nagedachtenis aan vrienden... en familie. Meneer Kojt is ontstemd dat te moeten horen... hij is een gevoelige man op dat punt.'

'Een loyale man?' zei Hanley.

'Een loyale man,' verbeterde Nemerov zichzelf al knikkend.

'Dus zijn jullie hem aan het treiteren,' zei Hanley.

'Treiteren?' Nemerov keek verbaasd.

'Plagen.'

'Ah. Plagen. Ja, plagen.' Er verscheen een schalkse blik in zijn ogen.

Mackenzie tikte met een lepel tegen de steel van zijn glas. De aanwezigen werden stil en keken aandachtig.

'Voor het geval iemand een voorwendsel nodig heeft om een feestje te houden... ik neem deze gelegenheid te baat om mijn sinds lang uitgestelde pensionering aan te kondigen.' Er werd *aaah* geroepen. Het klonk veeleer bedroefd dan blij. 'Emile Verneau zal mij opvolgen. Tijdens de volgende zonnewendereceptie in maart zal dat officieel worden bevestigd, als de commissieleden met het vliegtuig arriveren.'

Iedereen applaudisseerde. Dee, die aan het andere einde van de tafel zat, kreeg er tranen van in de ogen. En de bedrijfspsycholoog, Ned Gibson, die naast haar zat, keek mistroostig, met het gezicht naar het grote raam achter Mackenzie gewend en het verlichte terrein erachter.

Mackenzie bracht een toast uit op Verneau. Iedereen hief het glas. Roedenko ging staan en zei: '*Oedatsji*.' Veel geluk.

'*Merci*,' zei Verneau. Hij ging staan om de beste wensen en het applaus van de zaal in ontvangst te nemen. Het personeel dat achter de balie bij het eten stond, begon met theedoeken te zwaaien en sloeg de roestvrijstalen etensbakken tegen elkaar aan als reactie op het nieuws.

Roedenko herkende de valse bravoure in de groep. Net als matrozen op een stormachtige, gevaarlijke zee probeerden ze de onderliggende angst te verbloemen. Deze mensen leefden voor hun werk. Het leven op het poolstation had hun altijd voldoening geschonken. En nu liep hun wereld gevaar, zij liepen gevaar, en ze waren zich daarvan bewust. En net als matrozen waren ze op zichzelf aangewezen. Dit was de geestdrift die zeelui tentoonspreiden voordat de ophanden zijnde storm opsteekt.

De admiraal zei tegen Mackenzie: 'Weet u het zeker?'

'Ja. Meestal loop ik alleen maar in de weg. Ik heb als het boegbeeld voor de hoogwaardigheidsbekleders gefungeerd... het echte werk werd jaren geleden al voltooid. Nostalgie is geen goede reden meer om te blijven. Het wordt tijd om te gaan. Ik ben diep getroffen door de tragedie die mijn collega's hebben moeten ondergaan. Die drang om door te gaan is niet echt meer teruggekomen. In deze fase moet Emile het poolstation gaan leiden.'

Na het feestje douchte Hanley zich in de kleedruimte, waarna ze terugging naar het laboratorium. Op haar bureau vond ze een gecodeerd bericht van Cybil aangaande Ishi's vermoeden dat Tarakanova overleden was. Hanley tikte Dee op de schouder en wees naar het scherm.

'Wauw,' mompelde Dee. Nadat ze het bericht had gelezen, wiste Hanley dat bestand.

Hanley verliet Dee om de specimens van Mackenzie's Mount te onderzoeken, waarbij ze in de zeevogelmest naar microbiologisch leven zocht. De tas van de sjamaan nam ze mee naar het quarantainelaboratorium. Als dit een ontheiligende actie betrof, dan wilde ze er niemand bij hebben. Omzichtig legde ze de inhoud van de tas op de laboratoriumtafel.

Zoals Nimit al had gezegd waren het gewone botten, van zoogdieren, en afgesleten door jarenlang gebruik. Geen tekenen van ziekten. Ze schraapte wat materiaal van de binnenkant van de leren tas en onderzocht het onder de microscoop. Maar opnieuw leek alles volslagen gewoon te zijn, inclusief goed geconserveerde dierlijke haren.

Iemand klopte tegen de buitenwand van het laboratorium. Zonder op antwoord te wachten kwam Kojt binnen. Snel verzamelde Hanley de botten, liet ze in de leren tas vallen, maakte die dicht en liep vervolgens naar het secundaire lab.

'Tijdens het feestje heb ik zonder succes uw blik proberen te vangen. Komt het gelegen?' vroeg Kojt aan Hanley. Hij keek opgewekt.

'Dat kost u een sigaret,' zei ze.

'Twee,' zei Dee.

Kojt overhandigde zijn pakje. Engelse sigaretten.

'Trekt u gerust een stoel bij,' zei Hanley, die een sigaret uit het pakje schudde. 'Wat zit u dwars?'

Terwijl hij ging zitten stak hij het vlammetje van zijn aansteker naar haar uit. 'De vernietiging.'

Dee keek Hanley schichtig aan. 'Pardon?'

'Van de drie wetenschappers.'

'Drie?' vroeg Hanley.

'En natuurlijk dr. Kruger en Kossuth. Ik vraag me af in hoeverre u begrijpt wat er gebeurd is. Druk ik me duidelijk uit in het Engels?'

'Duidelijk genoeg.' Hanley wreef over haar slapen. 'Maar voor de rest laat alles zeer te wensen over. Wanneer bent u van plan dr. Tarakanova aan die lijst toe te voegen? Druk ik me ook duidelijk uit in het Engels?'

Als die vraag hem al verrast had, dan liet hij het niet merken. 'U bent dus op de hoogte,' zei hij.

'Iedereen lijkt zich daarvan bewust te zijn.' Ze trok een wenkbrauw op. 'En wat weet u van deze zaak?'

Kojt wreef even over zijn neus. 'Haar toestand kwam niet overeen met wat onze deskundigen ooit onder ogen hebben gekregen.'

'Zou ik de autopsieresultaten mogen hebben? Is de bemanning ondervraagd over het verloop van haar ziekte nadat ze aan boord was gegaan?'

'Ik ben ervan overtuigd dat de resultaten van haar lijkschouwing overeenkomen met die van de slachtoffers die hier zijn gevallen; de verhoren zijn een zaak van de marineautoriteiten. Ik ben bevoegd u te vertellen dat, gebaseerd op het onderzoek van het stoffelijke overschot, het instituut waar ik voor werk een team van medische historici de opdracht heeft gegeven om gelijksoortige voorvallen uit het verleden op te sporen.'

'En?' Onwillekeurig was Hanley nieuwsgierig en wilde ze weten of de Russen al dan niet misschien een nuttige aanwijzing op het spoor waren gekomen.

'Wat er het dichtst bij kwam, was een eigenaardige gebeurtenis in de Eerste Wereldoorlog. Een Duitse aristocraat die in Noorwegen in hechtenis werd gehouden. Onder zijn bezittingen trof men enkele suikerklontjes aan, voorzien van gaatjes. In verscheidene van die blokjes was in het midden een eigenaardige verkleuring te zien. En een opening bevatte een piepklein glazen, afgesloten buisje. De autoriteiten dachten dat er misschien miltvuur in zat. Bij de reisroute van de edelman was inbegrepen een deel van Noorwegen waar paarden en andere lastdieren op mysterieuze wijze waren omgekomen, waaronder rendieren die oorlogsmateriaal transporteerden. Het longweefsel van de rendieren was in zeer korte tijd geatrofieerd, verhard en uitgedroogd, verstoken van soepelheid. Zoals dat het geval was bij de slachtoffers van dit poolstation.'

'Maar het is geen miltvuur.'

'Nee. Ze hebben geen flauw idee wat er aan de hand is,' zei hij, alsof het een of ander kostelijk academisch raadsel betrof en geen dodelijke microbe. 'En dat zit hen niet lekker.'

'Bedankt. U hebt bevestigd dat het geen miltvuur is. Maar dat wisten we al vanaf de eerste dag. Toch bedankt.'

Kojt koos ervoor om haar sarcasme te negeren. 'Ze moeten een team van pakweg veertig mensen op deze zaak hebben gezet. Petje af voor het feit dat u hier in uw eentje aan het zwoegen bent. Ik ben benieuwd wie als eerste met de oplossing van het raadsel komt.'

'Zoals u kunt zien, werk ik niet alleen,' zei Hanley.

'Daar hebt u gelijk in. Maar niemand op poolstation Trudeau heeft de relevante scholing gehad, niemand heeft ervaring die te vergelijken is met die van u. Behalve ik dan.'

'Waar bent u precies in gespecialiseerd?'

'In het vinden van oplossingen,' zei hij. 'Net als u, min of meer. Aangezien u niet geïnteresseerd bent in mijn aanbod om te helpen, ben ik zelf een onderzoek gestart met behulp van de veldverslagen, de mariene gegevens van de polynya en de onderzoeksresultaten van Minskov betreffende ijsboringen. Net als u zoek ik naar patronen.'

Uli, in zijn gekreukte laboratoriumjas, bekeek hem en zei op een kille toon: 'Wat voor hulp hebt u te bieden?' Hanley wierp hem een chagrijnige blik toe.

Kojt haalde zijn schouders op. 'Alle hulp die jullie maar kunnen gebruiken. Ik weet iets van datgene waarnaar jullie op zoek zijn.' Vluchtig keek hij rond in het laboratorium en liep naar een schap waar korstmos lag dat geprepareerd was voor proefnemingen. Hij pakte een van die specimens die Hanley bij de polynya had verzameld. 'Dit, om maar een voorbeeld te noemen. Dit is wolfskorstmos, hè?'

'Ja,' zei Dee. 'Heel onschuldig. Inheemse bewoners van het noordpoolgebied gebruiken dat soort korstmos om hun ceremoniële dekens mee te verven.'

'Wat nuttig. In Rusland halen we er een zuur uit dat we als gif gebruiken...' Met zijn donkere ogen keek hij Uli strak aan, '...om wolven mee te doden.' Hij legde het specimen terug.

Hanley keek naar de verfijnde korstmosstrengen, vervolgens zocht ze de blik van Kojt. 'Momenteel hebben we voldoende personeel, maar we houden u op de hoogte.'

'Doe dat vooral. Het intrigeert me wat u hier aan het doen bent. Hoe vaak krijgen we de kans om als wetenschappers onze pijlen te richten op dit soort onbekend terrein? Ik wil graag een echt nuttige bijdrage leveren. Ik zou er niets om geven deel uit te maken van een team dat bestaat uit de best mogelijk gecombineerde krachten van de beste wetenschappers van mijn land. Maar dit is uiteraard úw laboratorium, dr. Hanley. Ik hoop alleen dat als u met een oplossing komt, ik daarvan op de hoogte word gesteld.'

'Geloof me, iedereen van poolstation Trudeau zal het horen zodra wij het hebben gevonden.'

'Dan zal ik zeker dicht in de buurt blijven, zodat ik de eerste ben die het van u verneemt,' zei Kojt. 'Goedenavond.'

De twee vrouwen staarden elkaar aan terwijl hij de korte gang inliep die de verbinding vormde tussen de laboratoria en de rest van het poolstation.

'Nou,' zei Uli droogjes. 'Wat een rotzak.'

Hanley zei: 'Wat fijn dat je geen internationaal diplomatiek incident hebt veroorzaakt, dr. Steensma.'

'Je hebt geen idee hoe graag ik deze sigaret op zijn voorhoofd heb willen uitdrukken. Waar haalt hij het lef vandaan om Tarakanova buiten beschouwing te laten?'

'Dat is zo,' zei Hanley. 'Maar hij lijkt ook verdomde goed te weten waar hij het over heeft.' Ze pakte het bakje op waarin zich het wolfskorstmos bevond en gaf het aan Uli. 'Zet dit maar liever boven aan de lijst.'

De rest van de dag bracht Hanley samen met Dee in het laboratorium door, en ze onderzochten de algenspecimens die ze in de buurt van de polynya hadden verzameld. Tijdens een late lunchpauze lag Dee ruggelings dwars op het bed van Hanley en staarde naar de zachte kleurschakeringen van het gewelfde plafond. Hanley zat onderuitgezakt met opgetrokken knieën en met haar voeten tegen de bedrand op een stoel van gebogen hout terwijl ze een spiegel op haar benen liet balanceren. 'Au!'

Dee steunde op haar ellebogen. 'Wat ben jij in vredesnaam aan het doen?'

'Au! Mijn wenkbrauwen aan het epileren.'

Dee lachte zo hard dat ze ervan ging proesten. 'Mensen met borstelige wenkbrauwen, hè?'

'Au!'

'Waar onthaar jij je wenkbrauwen mee?'

Hanley keek aandachtig naar het voorwerp dat ze in haar hand hield, alsof ze dat ding voor het eerst onder ogen kreeg. 'Een buigtang.'

'Een buigtang?'

'Ja. Een minibuigtang uit mijn pathologiekit, als je het tóch wilt weten.'

'Jakkes.' Dee kreeg een gekwelde trek op haar gezicht terwijl ze Hanley bezig zag. 'Wil je graag mijn pincet lenen?'

'Nee, dank je. Deze tang kan er best mee door. Wist je dat hij acht jaar jonger is dan ik?'

'Ja. Nou en?'

'Vind je dat niet... ongepast?'

'Stel dat hij acht jaar ouder zou zijn geweest. Zou je dat ongepast hebben gevonden?'

'Nee.'

'Ik beëindig mijn pleidooi.'

'Denk je dat de mensen denken dat...?'

'Hé. De mensen denken helemaal niets. En hier al helemaal niet. Als jullie beiden er geen probleem mee hebben, dan vindt men het op poolstation Trudeau ook prima. Hou op met je van alles in je hoofd te halen.'

'Uhhh... dit is barbaars,' zei Hanley. Ze gooide de tang naast zich neer en wreef over haar wenkbrauw. 'Volgens mij bloed ik.'

'Wil je een serieuze relatie met hem?'

'In elk geval zo serieus dat ik mezelf een opknapbeurt wil geven. Goeie genade, wat vrouwen al niet doen.' Ze hield een haarlok voor haar gezicht en onderwierp die aan een kritisch onderzoek. 'Het kan er bij mij niet in dat ik verliefd word op iemand die zo jong is. Bovendien ben ik een veel te griezelig type.'

'Dat geldt ook voor hem. Jullie zijn beiden geobsedeerd door jullie werk. In dat opzicht zijn jullie wat je noemt nauwelijks incompatible.'

Hanley glimlachte in zichzelf. 'Afgezien van het feit dat ik langer ben, zijn we beiden bijna té compatible. We maken de laboratoriumkonijnen te schande.'

'Zie je wel? Je lijkt er geen probleem mee te hebben dat je een jongere minnaar hebt,' zei Dee plagend, waarna ze geaffecteerd zei: 'O, Jack, schat van me... vertel me nog eens hoe je die lange, gloeiend hete palen in de grond hebt geslagen.'

Dee kreeg een kussen tegen haar voorhoofd. 'Hé!'

Hanley ging weer verder met epileren. 'Au. Ontharen met was kan niet erger zijn dan dit.'

'Dat is het wel, geloof me maar,' zei Dee. 'Ik weet het niet , hoor... volgens mij is Jack zo betrouwbaar als maar zijn kan. Ik heb nooit gehoord dat hij zich als een rokkenjager of zo heeft gedragen. Maar hij is altijd een eenling geweest, voorzover ik dat weet.'

'Dat is waarschijnlijk de reden waarom hij zo vertrouwd aanvoelt.'

Dee glimlachte meevoelend. 'De dingen gaan zoals ze gaan... laat het gewoon gebeuren. Jullie zijn beiden toegewijde werkers; het werk vormt bijna prioriteit nummer een. Hoe verschillend jullie ook zijn, op dat punt lijken jullie veel op elkaar. Het is bijna geweldig te noemen dat jullie elkaar hebben gevonden.'

'Ik hoop dat je gelijk hebt. Heb jij een relatie met iemand?'

'Dat zou ik wel willen. Sinds mijn vriend zijn biezen heeft gepakt, heb ik me moeten behelpen met een Australiër of Duitser, zo nu en dan. En ik had iets met een Japanse botanicus, maar die ging aan het eind van de zomer naar huis. Die commandant Nemerov is best wel knap.'

'Je valt wel op mannen in uniform, hè?' zei Hanley.

'Ja, maar volgens mij loopt er ook ergens een mevrouw Nemerov rond.'

'Wat jammer.'

'Ja.'

'En jij zou nooit...?'

Dee schudde haar hoofd. 'Nee.'

Hanley leunde naar achteren op haar handpalmen; haar rechte armen en bovenlijf vormden een driehoek.

'Je bent een keurige meid, Dee Steensma.'

'Ja. Maar vraag me niet of ik daar gelukkig mee ben.'

42

Nimit dirigeerde haar zijn slaapkamer in en begon haar uit te kleden.

'Denk je dat dit de winter zal overleven?' vroeg ze.

'Refereer je aan ons of aan de grote microbenjacht?' zei hij.

'Aan ons.'

'Daar valt nog geen zinnig woord over te zeggen. Ik kan alleen maar hopen.'

Ze staarde naar hem op. 'Jij bent niet de gemakkelijkste persoon om te doorgronden.'

Nimit knikte. Hij had dat al eens eerder gehoord. '*Jij* zou me best kunnen leren kennen. Wanneer je minder door andere dingen in beslag wordt genomen, zouden we eens een boom kunnen opzetten.'

'Praat jij maar,' zei ze. 'Ik luister.'

'Oké, ik zal praten.' Hij deed zijn slobberbroek uit. 'Kijk eens hoe ik praat.'

'Ja,' zei ze, terwijl ze naar hem reikte en hem daar schaamteloos beetpakte. 'Ik kan je horen.'

'Ik zou je aan een radiator willen vastketenen, als we er een zouden hebben,' zei hij.

'Niets dan beloftes.' Ze trok hem naar zich toe. 'Ik wil je diepste verlangens leren kennen, alles open en bloot.'

'Open en bloot kan zeker geregeld worden.'

'Een lekkere massage van mijn rug?'

'Ik zal eens kijken wat ik voor je kan doen.'

'Wacht. Laten we dit onder de dekens verder bespreken. De laatste die in bed stapt, doet het licht uit,' zei ze terwijl ze uit haar laarzen schoot.

'We moeten eigenlijk gaan slapen,' zei hij, terwijl hij naast haar in bed kroop. Hij drukte een zedige kus op haar voorhoofd, wat haar aan het lachen maakte gezien de plaats waar haar hand zich bevond en wat dat feit allemaal teweegbracht.

Ze ging rechtop zitten en drukte een kus op zijn kruin. 'Hm,' zei ze. 'Heb je al eens een haargroeimiddel overwogen?'

'Wat!' riep Nimit luidkeels terwijl hij met een hand naar zijn kruin greep.

'Grapje,' zei Hanley giechelend.

Hij trok haar naar zich toe, waarna ze elkaar loom kusten.

'De roep van de wildernis.' Hij omarmde haar stevig en begon haar hals te kussen.

'Oké, het is al goed, een vluggertje.'

'Wat bedoel je? We hebben de hele nacht.'

'Over zeven minuten slaap ik, schatje. Red je dat, denk je?'

Hij fronste zijn wenkbrauwen.

'Kom op nou, neem me of laat me met rust.' Ze kietelde hem.

'Hé.'

'Je verkwist kostbare seconden.'

'Waarom ik?' vroeg hij, terwijl hij haar bij de polsen greep.

'Wat?'

'Waarom ik?'

'Ik denk dat ik een bewonderaarster ben van technisch vernuft,' zei ze terwijl ze hem omdraaide. 'Heb je weleens een van die brugstandjes uit de Kama Sutra geprobeerd?'

'Niet meer sinds ik de technische school heb verlaten.'

Ze rilde. 'Het is koud.' Ze trok de sprei over hen heen en porde hem zachtjes.

'Hou op,' beval Nimit.

'Sorry,' zei ze volslagen onoprecht. 'Nog zes minuten.' Opnieuw porde ze hem speels. 'Laten we hier onze aandacht eens op richten.'

'Hé!' protesteerde hij luid en lachend. Opeens omhelsde hij haar en kuste haar hartstochtelijk. Ze vielen terug in de kussens, zweverig van verlangen.

Buiten leek het of een kudde olifanten aan het trompetteren was, gevolgd door een knarsend geluid en een gigantisch *krak*.

'Wat was dat in vredesnaam?' zei Hanley. 'Bewegende ijsschollen?'

'Sst. Niets aan de hand,' zei Jack bij haar wang. 'De planeet beweegt zich, dat is alles.'

Hanley ging rechtop zitten en zwaaide haar benen uit bed. Ze begroef haar gezicht in haar handen en boog zich uitgeput naar voren. Nimit steunde op een elleboog, vlak achter haar, en raakte haar aan.

'Je bent aan het wiebelen, schat.'

'Alsjeblieft, zeg. Als je zo praat, voel ik me oud.'

'Waarom?'

'Maakt niet uit.' Vluchtig keek ze over haar schouder naar hem en moest bijna lachen. *Je wiebelt.* Hij klonk als haar zoon. Hanley begon zich aan te kleden.

'Ga je?' vroeg hij. Het klonk gekrenkt.

'Ja, wat je noemt verleid en verlaten. Ik moet de wereld gaan redden.'

'Om drie uur 's ochtends? Het is midden in de nacht.'

'Het is hier altijd midden in de nacht,' verzuchtte ze. Ze deed haar eendelige beha over haar hoofd aan en trok het kledingstuk onder haar borsten, waarbij ze zich gedurende een moment zorgen maakte over het feit dat het hangborsten werden. Die bezorgdheid had een ritueel karakter gekregen. Ze tastte tussen het beddengoed om haar slipje te vinden en merkte zijn houding op. 'Hé,' zei ze. 'Neem het niet persoonlijk op. Het was geweldig.'

'Graag gedaan. Goeie genade, jij laat het klinken als een onovertroffen trainingssessie.'

'Nee, Jack Nimit... dat was neuken, onvervalst en sensationeel.'

'Jij neemt geen blad voor de mond, dokter.'

'Die luxe heb ik niet. Wat je ziet is wat je hebt gekregen. Ik vond het geweldig.' Ze draaide zich half om, reikte naar hem en streelde vervolgens zijn borstkas. Ze vond het geweldiger dan dat ze op dit moment genegen was toe te geven. 'Kom op nou... je bent een geweldige minnaar. Hoor je wat ik zeg?' Ze streelde zijn arm. 'Op een dag zullen we echter serieus moeten nadenken over waar dit toe gaat leiden.'

'Waar moeten we dan over gaan nadenken?'

Met een hand schikte ze haar lokken. 'Laten we het eens over mij hebben... mijn leeftijd, mijn werk en alles wat daarmee samenhangt, mijn leven in Los Angeles. Mijn zoon.' Ze trok een sok aan. 'Mackenzie is ervan overtuigd dat het om een bevlieging gaat.'

Nimit fronste zijn wenkbrauwen. 'Heb jij het met hem over... ons gehad?'

'Het was meer zo dat hij tegen mij over ons begon.'

'Waar? Wanneer heb je hem gesproken?'

'Een paar dagen geleden, voordat we naar die polynya gingen. Ik werd ontboden.'

'Als hij jou weer wil spreken, wil ik erbij zijn.'

Ze keek hem met een beoordelende blik aan. 'Weet je dat zeker?'

'Beloof je het?'

'Ja.' Ze drukte een kus op zijn ooglid. 'Denk eens over ons tweetjes na, Jack. Doe dat op een serieuze manier.'

Hij ging rechter zitten en drukte een zedige kus op haar neus. 'Dat heb ik al gedaan.'

Het was een onchristelijk uur, zelfs voor een oord dat vierentwintig uur per dag in bedrijf was. De laatste dienst was nu halverwege, waardoor er vrijwel niemand in de eetzaal zat – behalve de Russische admiraal, merkte Hanley.

'Goedemorgen, meneer,' begroette ze hem. 'Hoe gaat het met mijn favoriete patiënt?'

'Dr. Hanley.' Zijn gezicht fleurde op toen hij haar zag. 'Neem alstublieft plaats.' Hij gebaarde naar een stoel aan de andere kant van de tafel.

'Weet u dat zeker?'

'Ja, natuurlijk... gaat u alstublieft zitten.'

En dat deed ze. 'Ik weet niet eens waarom ik hier ben,' zei ze. 'Ik heb geen honger.'

'Prima,' zei hij terwijl hij zich naar voren boog en fluisterend zei: 'De kok kan er maar net mee door.' Hanley glimlachte en herkende de 'serieuze knakker' die ongeïnteresseerd in een bak met roerei porde, daar leek het gerecht althans op.

Roedenko testte of de kan die voor hem stond nog warm genoeg was. 'Koffie?'

Ze knikte. 'Bedankt. Hoe gaat het met uw enkel? Ik hoop niet dat de pijn u wakker houdt.'

'Nee, u hebt uitstekend werk geleverd. Deze pijn zit dieper.' Hij leunde naar achteren. 'Nee, ik dacht na over het verleden,' zei hij. 'Op mijn leeftijd is die pijn gevoeliger dan de lichamelijke kwalen. Waarom bent u zo vroeg op?'

'Ik ben weggeslopen om over mijn dilemma na te denken.'

'Microben?'

'Jongens.'

'Ah, dat zijn eveneens gecompliceerde organismen.'

'Jack Nimit en ik... we hebben een verhouding.'

Roedenko knikte. 'De liefde. Dat is mooi. En inderdaad, dat houd je wel wakker.'

'Ik hoop dat we de juiste weg zijn ingeslagen,' zei ze. 'Onze culturen zijn namelijk zo verschillend.'

Roedenko schonk haar een kop koffie in en vulde zijn kopje bij. 'Ik was ooit verliefd op een Engelse... een andere cultuur, een ander land, ver van mijn wereld. En we ontmoetten elkaar in weer een ander land, een andere cultuur. De verschillen leken er niet toe te doen.'

'Zijn jullie niet bij elkaar gebleven?'

'Nee.' Hij nipte van zijn koffie en schraapte zijn keel. 'Zij was getrouwd. Haar man was chronisch ziek. Uiteindelijk keerde ze met hem terug naar Engeland, om voor hem te zorgen.'

'Hoe bent u daar overheen gekomen?'

'Natuurlijk was mijn hart gebroken. Maar ik was ook trots op haar. Ze had zoveel...' Hij zocht naar het juiste woord.

'Karakter?'

'Ja, precies. Zoveel moed en toewijding. Het was een kwelling om daar getuige van te zijn, en toch zou ik teleurgesteld zijn geweest als ze niet bij hem was gebleven. Haar innerlijke overtuiging was immens. Ze leefde zoals ze liefhad.' Hij ving haar blik. 'We waren fortuinlijke mensen. Deze liefde heeft ons vervuld, ondanks het feit dat de relatie maar van korte duur is geweest.'

'Heb u haar daarna nog eens ontmoet?'

'Ze heeft me een keer een kaartje gestuurd... het was toen lente. Het adres was Gordon Walk, in Londen. Jaren later ben ik er eens heen gegaan, een schitterend, doodlopend steegje aan een straatje bij een karmelietenkerk waarover ze me had verteld. Het steegje was helemaal begroeid met klimop en rozen. Net een plaatje uit een sprookje.'

'Hebt u haar nog ontmoet?'

'Nee. Ik wist niet eens zeker of ze daar nog woonde.'

'Waarom hebt u niet aangeklopt?'

'Wij hebben onze tijd, onze kans, gehad. Het leven is je zelden voor de tweede keer zo gunstig gezind. Ik wilde niet datgene bederven wat we ooit met elkaar hadden gehad. Ik liet het zoals het was, in de herinnering.'

Ze lachte vol ongeloof. 'Wat... Russisch.'

298

'O, en wat zou een Amerikaan in zo'n geval hebben gedaan?' riep hij uit.

'Vuurwerk aansteken, muziek op straat, schreeuwen, de buurt wakker maken, haar uit haar schuilplaats jagen.'

'Ach ja.'

'Een Amerikaan zou niet stilletjes lijden,' zei ze.

Hij stak een vermanende vinger op. 'Dat is geen lijden.'

'O nee?'

'Dat is leven. En leven doet pijn. Er valt niet aan te ontkomen.'

'Alleen de dood en de fiscus zijn onontkoombaar, admiraal.'

'De dood en de fiscus,' herhaalde hij langzaam. 'Zéér Amerikaans. In Rusland zijn velen in staat om niet één keer in hun leven belasting te betalen. En ik vraag me af of de belastingontduikers zo rijk worden dat ze uiteindelijk met een manier komen om ook de dood te slim af te zijn.'

Ze lachte.

Hij zei: 'Als je lacht, straal je... en je ziet er zo jong uit.'

'Bedankt,' zei ze. 'Mag ik u een gunst vragen, admiraal?'

'Natuurlijk.'

Hanley haalde de tas van de sjamaan uit haar zak en toonde hem de cyrillische letters.

'Dat is geen Russisch,' zei hij verbaasd.

'Inderdaad, het betreft een arctische taal die gebruik maakt van Russische lettertekens. Zou u die tekst willen uitspreken in het bijzijn van de Aleut-kok? Ik moet weten wat dit betekent.'

Zonder verder nog vragen te stellen ging hij meteen staan en liep met haar naar het buffet, waar zij aan de kok uitlegde wat de bedoeling was. Langzaam sprak hij de woorden uit, in ronde Russische tonen, waarna de Aleut-kok ze met behulp van zijn eigen accent, zijn eigen beklemtoning en vol keelklanken herhaalde.

'Heeft die tekst iets te betekenen?'

'Natuurlijk, dokter. Het gaat over... hoe noem je dat... een kompres, gemaakt van een "geestplant". Ik weet niet of het een recept of een waarschuwing is. Er staat echter wel dat het een zeer krachtig medicijn betreft.'

'Bedankt,' zei ze tegen de kok, waarna ze met Roedenko naar de deur liep.

'Hebt u daar iets aan gehad?'

Ze hield haar pas in en dacht na. Waar zouden Annie en de anderen in dit jaargetijde een plant zijn tegengekomen met psychedelische of andere effecten... de *pongo's* daargelaten? Zou de sjamaan de glinsterende mist als een gevangen geest hebben beschouwd? Een spookachtige plant?

'Ik denk van wel. Ik weet het nog niet zeker. Bedankt, admiraal, voor uw hulp... Op beide gebieden.'

'Het genoegen is geheel mijnerzijds, dokter,' zei hij. 'Goede jacht, zoals ze dat in mijn business zeggen.'

43

Onderweg naar Ottawa sliep Ishikawa het grootste deel van de tijd, waarbij hij nooit diep in slaap viel en de wereld steevast aan de randen van zijn bewustzijn bleef knabbelen. Voordat hij vertrok had Petterson hem een overjas geleend, maar toen hij op het MacDonald-Cartier International uit het vliegtuig stapte, kwam vast te staan dat hij nog het meeste behoefte had aan een zonnebril. Hoewel het in Ottawa beslist koud bleek, was de lucht in november helder en gevuld met witte veerwolken. Bij een kiosk kocht hij een zonnebril en ging in de rij staan voor een taxi.

De weg naar de stad kronkelde langs een breed kanaal en door een pittoresk parklandschap. Onderweg droeg iedereen een klaproos in de revers. De bloemen zagen er bijna oranje uit tegen de achtergrond van de scharlakenrode tuniek van de bereden politie in hun gala-uniformen.

'Wapenstilstandsdag,' zei de taxichauffeur ongevraagd. 'U weet wel, ter nagedachtenis aan de gesneuvelden uit de Eerste Wereldoorlog.'

Ze verlieten de snelweg via een afrit die een bocht maakte en uitkwam op een verhoogde, voorname boulevard waaraan zijn hotel lag, het magnifieke Château Laurier. Het kanaal liep onder de boulevard door en stroomde langs het formidabele gebouw en door een nauwe kloof die opging in een steile kalkstenen rotswand.

Ishi liep naar het westelijke raam van zijn kamer en stak zijn hoofd in de verfrissende kou. Pal voor hem stond het sierlijke Parliament Building, op een hoge klif, met uitzicht op de Ottawa River en het Franstalige Quebec, aan de overkant van de rivier. Pal onder hem waren stenen sluizen die het kanaal trapsgewijs naar beneden voerden, naar het hoogteniveau van de rivier. Verderop langs de oevers, in de richting vanwaar hij gekomen was, lag een restaurant beschut in de laagte aan het kanaal.

Ottawa was, net als Washington, een stad van waaruit het land geregeerd werd. Marsmuziek waaierde vanaf de parlementspleinen in zijn richting; het wemelde er van de celebranten – bureaucraten in overjassen stonden ineengedoken van de kou, de Royal Canadian Mounted Police was aanwezig, militairen stroomden uit over de esplanades en boulevards, de ceremonies waren afgelopen. Net als de burgers hadden ze allemaal klaprozen in de revers.

Ishi was weer op krachten gekomen en belde op voor een bevestiging van de afspraak, waarna hij vroeg of ze elkaar over een uur konden ontmoeten voor een brunch in het restaurant met uitzicht op het kanaal, waarna hij zich aangekleed op het bed liet vallen en net op tijd wakker werd om niet te laat te komen voor de afspraak.

Hij begaf zich langs het kanaal naar het restaurant, waar hij naar een raamtafel werd begeleid. Stevenson had daar inmiddels plaatsgenomen.

'Welkom in Ottawa,' zei deze. 'Hopelijk was het een niet al te ruwe vlucht.'

'Een beetje deinend. Ik ben er nog steeds enigszins draaierig van.'

Stevenson voelde met hem mee. 'In dit jaargetijde kan er veel turbulentie optreden. Ik reis zelf ook vaak met het vliegtuig.'

'Wat doet u voor werk, nu u geen lid meer bent van de raad van toezicht van poolstation Trudeau?'

'In feite was ik daar tijdelijk aangesteld, in opdracht van de regering. Nu zit ik weer lekker warm in het regeringspluche.'

'O,' zei Ishikawa. 'En wat doet u precies voor de regering?'

Stevenson proefde een stukje Canadese bacon en zei: 'Op dit moment zijn we bezig met veiligheidsmaatregelen inzake de import van overtollig plutonium dat van de Russen gekocht is. Er wordt mee geëxperimenteerd als reactorbrandstof voor elektriciteitscentrales.'

'Plutonium voor militair gebruik?'

'Kernkoppen. Ik zou willen dat we ze allemaal konden kopen om ze in veilige handen te brengen, zodat we dat spul in de gaten kunnen houden. Elke dag opnieuw zijn er meer kernkoppen die op onverklaarbare wijze verdwijnen. Het is niet zeker dat ze in onze reactors gebruikt kunnen worden. De milieugroeperingen zijn hysterisch omdat we het land blootstellen aan onbedoelde contaminatie, om maar niet te spreken van onbedoelde explosies. U wilt niet geloven hoeveel beroering dit heeft veroorzaakt. Goeie genade, als Annie in de buurt zou zijn, zou ik elke dag een oorveeg krijgen. Russen. Al jaren dumpen ze radioactief afval in de Noordelijke IJszee, een heel eind uit hun kustgebieden. Vloeibaar nucleair afval. Ze laden het spul in schepen en brengen die vaartuigen tot zinken, of ze pompen de troep gewoonweg overboord. Ze laten hun versleten onderzeeërs afzinken zonder de moeite te nemen eerst de nucleaire brandstof te verwijderen.'

'Reageert de pers daar dan niet verontwaardigd op?'

'Journalisten die dapper genoeg zijn geweest om er verslag over uit te brengen, zijn beloond met gevangenisstraffen wegens verraad en spionage. En dit gaat gewoon door, zelfs nu de Russische Federatie miljoenen ontvangt van Engeland, de Verenigde Staten en Canada, van ons dus, met de bedoeling hun kernonderzeeërs te ontmantelen en de reactors op een veilige manier van de hand te doen. Het buitenlands kapitaal reikt zelden verder dan de zakken van bepaalde lui in Moskou. Of het verdwijnt naar Zwitserland. Rusland blijft Rusland, ongeacht wie het in het Kremlin voor het zeggen heeft.'

Ishikawa probeerde Stevenson uit te horen over Annie Bascomb, maar hij ging nadrukkelijk over op een ander onderwerp.

'Hoe vaart Jessie Hanley?'

'Moeilijk te zeggen.' Ishikawa smeerde boter op zijn toast. 'Ons werk staat min of meer in het teken van alles of niets. Het is wachten tot je iets hebt, en vóórdat dat moment is aangebroken, sta je vaak met lege handen. Zo ervaren we dat althans. Voordat we ergens zijn, hebben we vaak heel wat doodlopende steegjes bewandeld.'

'Hoe kan ik jullie helpen?' Stevenson kwam ernstig en somber over.

'Ik hoop op wat meer openhartigheid. We maken ons ongerust over de mogelijkheid dat we Jessie in een situatie hebben gedirigeerd die gevaarlijker is dan we hadden verwacht. We maken ons zorgen over haar veiligheid en wat er op poolstation Trudeau aan de hand is.'

'Zorgen? Geeft u eens een voorbeeld.'

'Bijvoorbeeld dat dr. Lydia Tarakanova klaarblijkelijk is overleden. Net als haar collega's op poolstation Trudeau. We zien liever niet dat Jessie Hanley aan die lijst wordt toegevoegd. We willen weten waar ze zich tegen moet wapenen en wat wij horen te doen om haar te kunnen helpen.'

Stevenson pakte zijn glas op. 'Ja,' zei hij. 'Ik begrijp het.' Hij nipte van het water. 'Kon ik u maar helpen.'

'Meneer Stevenson... misschien zit u niet te wachten op mijn vragen, maar ik betwijfel ten zeerste of u wilt dat die vragen in uw parlement gesteld worden.'

Stevenson zette zijn glas neer en ving de starende blik op van Ishikawa. 'Ik moet even telefoneren,' zei hij, waarna hij zich excuseerde.

Ishikawa bestelde koffie. Stevenson kwam terug en ging weer op zijn stoel zitten.

'Ik vrees dat ik u niet meer kan vertellen dan dat wij ook zo onze twijfels en bange vermoedens hebben, en dat we de situatie aldaar zeer scherp in de gaten houden. Dat is de officiële versie. Binnenskamers denken we dat dr. Tarakanova een Russische agente was. Hebt u admiraal Tsjernavin gesproken?'

Ishikawa schrok ervan. Niemand behalve Munson was op de hoogte van zijn reisschema. 'Ja... in Moskou. Waarom zouden de Russen in het midden van het noordpoolgebied een agent nodig hebben? Wat is hier aan de hand, meneer Stevenson?'

'Over datgene waar het altijd om gegaan is... superioriteit, overwicht.

Vanaf het allereerste begin hebben de Russen agenten op poolstation Trudeau gestationeerd gehad.'

'Waarom? Als ze daar onderzoek doen naar biologisch terrorisme, en u laat toe dat wij Jessie Hanley zonder waarschuwing vooraf naar dat broeinest sturen...'

'Goeie genade, nee... geen biologisch terrorisme.' Stevenson zuchtte. 'Ik denk dat het wel een keer móest uitkomen,' zei hij alsof hij het tegen zichzelf had. 'De Russen hebben gevestigde belangen wat betreft de Noordelijke IJszee.' Stevenson legde zijn bestek neer en steunde op zijn ellebogen, de armen over elkaar, en vervolgde met zachte stem: 'Jaren geleden, onder uw president Reagan, maakte Washington zich financieel sterk voor de ontwikkeling van verschrikkelijk kostbare defensiesystemen om Russische onderzeeërs op te sporen en te neutraliseren. Niet lang daarna waren de Amerikaanse systemen in staat alle vaartuigen van de Russische duikbootdienst te detecteren, zelfs de onderzeeërs die zich onder de poolkap van de Noordelijke IJszee bevonden. Uw onderzeese bewakingsdienst was in dat opzicht vrijwel almachtig. Om mijn punt volkomen duidelijk te maken... de marine van de Verenigde Staten had alle Amerikaanse onderzeeërs die waar dan ook op aarde sovjetduikboten schaduwden, gelijktijdig sonarcontact laten maken met de respectievelijke Russische vaartuigen, waar men zich van niets bewust was.'

'Elke Russische boot kreeg dus een sonarping te horen.'

'Ja. En meer nog, deze demonstratie verliep wereldwijd synchroon.'

'Had dat kwalijke gevolgen?'

'Het was bedoeld als een niet mis te verstane boodschap aan het adres van de Russen. Namelijk dat hun kundigheid aan het tanen was. Moskou was er bijna van in paniek. De Amerikaanse militaire overmacht was vrijwel compleet, realiseerden ze zich. De laatste mogelijkheid om superioriteit over het Westen te verkrijgen, was het aangaan van de confrontatie... nu of nooit.'

'En ze kozen voor "nu".'

'Dat mag je wel zeggen. Er werden aanvalsscenario's ontwikkeld, de zwaarden werden getrokken. In dat tumult kwam Tsjernavin met een plan dat een einde maakte aan de hysterie. Sovjetonderzeeërs, bepleitte hij, hadden een positie nodig die niet te detecteren viel en van waaruit ze hun raketten konden afvuren. Plaatsen waarbij radar, sonar en satellietbewaking het nakijken hadden.'

'Ondanks het feit dat de Amerikaanse duikbootdienst bewezen had dat men superieur was in het detecteren van Russische onderzeeërs?'

'Ja. Maar hoe moest je dat bewerkstelligen? Die onderzeeërs mochten zich niet bewegen, geen motorgeluiden maken, geen geluiden van welke aard dan ook, en geen veelbetekenende sonarresiduen achterlaten...'

'Dat zou onmogelijk zijn,' zei Ishikawa. 'Tenzij...'

'Tenzij wat?'

'Tenzij er iets anders werd gebruikt dan de onderzeeër.'

'Zo is het.' Stevenson krabde zijn wang. 'Vaste, onbemande platforms onder het ijs. Maar een bijkomend probleem was dat passieve lanceerplaatsen een onbelemmerde trajectbaan vereisten. Openingen in het ijs moesten soelaas bieden. Betrouwbare openingen. Openingen die nooit dichtvroren.'

'Polynya's.'

'Poolstation Trudeau... het oude Trudeau... coördineerde het in kaart brengen van de polynya's van de Canadese archipel en de rest van de Noordelijke IJszee. De sovjets hadden daar iemand zitten die hun de gegevens verschafte. De polynya's waarborgden bedrijfszekere posities die niet te detecteren waren door de nieuwe Amerikaanse technologieën.'

'Wat een idee... raketten op de zeebodem, op het westelijk halfrond.' Ishikawa kon het bijna niet geloven. 'Hoelang zijn die daar gestationeerd geweest?'

Stevenson zweeg.

'Werden ze niet verwijderd?'

'Zover wij weten niet.'

'Waar bevinden die zich? Hoeveel zijn het er?'

'Dat weten we niet. Tientallen? Honderden? Ze zijn niet gemakkelijk te detecteren. Ik neem aan dat het daar juist om ging. Er is er op z'n minst een in de polynya bij Mackenzie's vogelkolonie.'

'Waar het drietal is overleden?' Ishikawa werd er duizelig van. 'Wat doet uw regering hieraan?'

'Er is niet veel wat we daaraan kunnen doen. Onze territoriale aanspraken op de Noordelijke IJszee zijn door de Russen... en door jullie... jarenlang systematisch genegeerd. Buitenlandse vliegtuigen en boten doorkruisen ongehinderd het gebied.'

'Protesteren jullie niet?

'Ottawa negeerde de territoriale schendingen: doe net of ze niet zijn voorgevallen en onze soevereiniteit blijft overeind. Je hebt weinig keus wanneer jouw macht slechts een tiende deel is van die van de indringer. De sovjetstrijdmacht uitdagen met betrekking tot hun verborgen raket was absoluut geen optie.'

'Hebben jullie Washington nooit op de hoogte gebracht?'

'De Amerikanen er officieel bij betrekken zou betekenen dat we ons midden in een wereldwijde confrontatie begaven.' Hij schudde zijn hoofd. 'We deden niets. Decennia lang is die raket daar in de zee gestationeerd geweest. We zijn er vrijwel zeker van dat Tarakanova de laatste hoedster van deze wees was.'

'En nu is ze dood,' zei Ishi.

Stevenson keek hem strak aan. 'Kennelijk.'

Ishi steunde zijn gestrekte armen aan weerszijden van hem op het zitgedeelte van de muurbank. 'Dit is meer dan waar we op gerekend hadden toen uw regering onze hulp inriep. Wat kunnen we doen om dr. Hanley te helpen?'

'Ik wou dat ik dat wist,' zei Stevenson. 'Hebben uw mensen contact opgenomen met Washington over deze kwestie?'

'Nog niet,' zei Ishikawa. 'Nee.'

'U moet eten... uw eten wordt koud.'

'Ik heb geen honger meer.' Ishi legde het bestek op het bord.

Stevenson gebaarde naar de ober en vormde geluidloos met zijn lippen het woord *rekening*, waarna hij vervolgde: 'We gaan een eindje langs het kanaal lopen. Dat biedt ons wellicht wat meer privacy.'

'Wat bedoelt u?'

'Die meneer daar, achter u, in de hoek... Armani-sportjasje, zonnebril... hij is zeer geïnteresseerd in het gesprek dat wij voeren.'

Vluchtig keek Ishikawa over zijn schouder en voelde zich duizelig worden.

'Kent u hem?'

Ishikawa knikte en herinnerde zich hoe het reliëfkaartje in zijn vingers aanvoelde nadat die man hem dat op het parkeerterrein van het Center in zijn hand had gedrukt. Tjeses, had die kerel hem feitelijk gevolgd sinds hij was vertrokken uit Los Angeles? Koortsachtig probeerde Ishikawa zich te herinneren of hij hem ergens in Moskou of Tokio had gezien.

'Hij is van de pers. *L.A. Times*. Volgens mij heet hij Payne.'

'Goed,' zei Stevenson. Hij liet geld achter op het tafeltje en ging staan. 'Zullen we?'

Toen ze eenmaal buiten waren, dreef een witte wolk voorbij waarvan de schaduw de kleur van het water deed veranderen – blauw werd zwart en uiteindelijk weer blauw. Ze slenterden met opgezette kraag langs het kanaal. Vervolgens liepen ze de stenen trap op naar de straat en kuierden tussen de drommen goedgeklede mensen door langs het Parliament Building en vervolgens eromheen. Aan de achterzijde van het gebouw hielden ze hun pas in op een plaats met uitzicht op de bevroren rivier.

'Dit werd in de jaren zestig van de negentiende eeuw gebouwd,' zei Stevenson. Hij duidde op de waterweg en de sluizen die zich verderop bevonden. 'Een belangrijk bouwkundig werk van weleer. Met de hand uit de rotsen gehouwen. Tegenwoordig is het kanaal slechts bedoeld voor recreatiedoeleinden, maar oorspronkelijk had die waterweg een strategisch doel. Na een vroegere oorlog realiseerde men zich hoe kwetsbaar Canada was met betrekking tot een nieuwe aanval, waardoor het besluit werd genomen het kanaal uit te graven als defensieve voorzorgs-

maatregel om ervoor te zorgen dat we troepen en voorraden snel landinwaarts konden krijgen.'

'Tegen wie vochten jullie indertijd?' vroeg Ishikawa.

'Tegen jullie. De Verenigde Staten.' Hij trok zijn jas dicht. 'De geschiedenis is wispelturig van aard. Vrienden worden vijanden, en vijanden
vrienden. Als we jullie destijds overwonnen hadden, zouden we dit gesprek in het Amerikaanse Ottawa hebben gehouden.' Met zijn kin wees
Stevenson naar het kanaal. 'Mettertijd verandert een in opdracht van
een regime uitgevoerd herculisch werk in een wandeling in het park.
Aartsvijanden worden toeschietelijker jegens elkaar, en wederzijdse open
vijandschap wordt eenzijdige rancune.' Hij glimlachte droefgeestig. 'De
slagvelden zijn uit, de vrije markt is in.'

'Voor welke instantie werkt u precies?' vroeg Ishikawa.

'Voor de CSIS.'

Vluchtig keek Ishikawa hem aan. 'Waar staat die afkorting voor?'

Stevenson hield een gehandschoende hand boven zijn ogen om beter
naar de andere oever te kunnen turen. 'De Canadian Security Intelligen-
ce Service.'

Ishikawa keek Stevenson aandachtig aan en schatte hem opnieuw in.
'Wat kunt u mij vertellen over de Russen die op poolstation Trudeau zijn
gearriveerd?'

'Roedenko en Nemerov zijn beroepsmilitairen die carrière hebben gemaakt.'

'En Kojt?'

'Hij heeft doctoraten gehaald... biochemie en economie. Het laatste
aan de London School of Economics.'

'Is hij een spion?'

'Ja, net als ik.' Stevenson keek de Amerikaan aan. 'U lijkt verontrust
door wat ik u allemaal heb verteld.'

'Dat mag u wel zeggen.'

'Waarom? Heb ik iets gezegd dat beledigend is?'

'U wist wat de Russen daar hadden geïnstalleerd, en u was op de hoogte van het dilemma waarmee poolstation Trudeau zich op zeker moment
geconfronteerd zou zien. Desalniettemin hebt u Hanley daar geplaatst,
en met name omdat ze geen Canadese is. Dat is wat ik me begin te realiseren, en ja, dat verontrust me.'

'Zij werd beschouwd als iemand met de beste kwalificaties.'

'O, maar dat weet ik heus wel. En dat kwam jullie goed uit, toch? In
plaats dat jullie iemand met de Canadese nationaliteit namen, konden
jullie midden in dat wespennest van jullie een Amerikaanse droppen.'

Stevenson verdedigde de onschuld van zijn organisatie niet.

'Als zij een Canadese wetenschapper was geweest, zouden jullie niet zo
lang het deksel op de beerput hebben kunnen houden. De gezondheids-

306

en Laura, en Arthur Randall III. Eveneens dank aan Rosalie voor haar alziend oog, David Cadwell voor zijn transfusies, Leah voor het mij overtuigen, Allan Lang voor zijn vriendschap en begeleiding, en Stuart Fishman voor zijn ervaring en *manga pokie*. *Paldeis* aan Vilnis Korfs, mijn drijvende kracht.

De ploeg in het noorden: Kim McArthur, Janet Harron, Ann Ledden en Tanya Manias – jullie zijn een zegen en worden zeer door mij gewaardeerd. Nanavut-rotsen!

Dank ook aan Frances Miller en Aaron voor hun inzicht; hartelijk dank. En dat geldt ook voor de onverzettelijke Molly Stern, de beste redacteur die een schrijver zich kan wensen. En aan Allesandra Lusardi; de zo toepasselijk genaamde Brett Kelly; en aan de baas, Jane von Mehren. Aan Carolyn Coleburn, die haar gewicht in goud waard is, aan de scherpe Yen Cheong en de loyale Laura Tisdel.

Eveneens dank aan Jennifer Carlson voor haar openhartige kritiek, aan Henry Dunow voor het feit dat hij zichzelf is gebleven, een uiterst zeldzame eigenschap in deze extatische tijden. En dank ook aan jou, Jane Starr, mijn wegbereidster, voor het mij eindeloos en onbaatzuchtig aanmoedigen.

Mijn liefde en dankbaarheid gaan uit naar jullie allen.

dienst van Canada zou niet hebben toegestaan dat de boel verhuld werd. Een Amerikaanse was veel gemakkelijker te controleren. Per slot van rekening wordt ze als een gast beschouwd. En onze eigen belangen om de aanwezigheid van die raket stil te houden zouden uiteindelijk ook uw noden dienen, is het niet zo? Het gaf u de ruimte te voorkomen dat alles openbaar werd gemaakt.' Ishi zweeg even.

Stevenson ging niet in de verdediging. 'We zagen er inderdaad een mogelijkheid in om poolstation Trudeau draaiende te houden.'

'Ja. En daarom ben ik nijdig. U hebt daar iemand geplaatst die ik goed ken terwijl u zich ervan bewust was dat het gevaarlijker en gecompliceerder zou worden dan wie dan ook van ons zich kon voorstellen.'

Stevenson kneep zijn ogen halfdicht als gevolg van de felle zonlicht. 'Goede reis naar huis,' zei hij. Hij liep weg zonder hem een hand te geven.

44

Het bericht van Moskou kwam binnen via de kortegolf. Het was niet gecodeerd, een eenvoudig stembericht in het Russisch. Teddy Zale ontbood Kojt, Roedenko en Nemerov naar de externe radiotoren zodat ze het nieuws konden ontvangen dat admiraal Tsjernavin na een herverdeling van de regeringsportefeuilles zijn functie had neergelegd en nu plaatsvervangend opperbevelhebber van de krijgsmacht was geworden. De delegatie op poolstation Trudeau was officieel niet langer operationeel.

Kojt was furieus. 'Dit is onacceptabel. Hij kan het in deze fase toch niet zomaar voor gezien houden?'

Nemerov maakte een gebaar van machteloosheid. 'Een promotie. Wat valt daaraan te doen?'

Kojt ademde langzaam uit, met getuite lippen, in een poging zijn kalmte te bewaren.

De discrete reactie van Zale suggereerde dat ze hun gesprek maar beter ergens anders konden voortzetten, waarna ze naar het verblijf van de admiraal vertrokken.

'Denkt u niet dat het gepast is onze felicitaties aan het adres van de nieuwe plaatsvervangend opperbevelhebber over te brengen voordat we gaan plannen wat we na onze actieve dienst gaan doen?' zei Nemerov terwijl ze verder liepen.

'Ik heb een strand in gedachten. Een strand aan een heerlijk warme zee,' zei Roedenko. Hij leunde even tegen een wand om zijn enkel te ontlasten. 'En jij, beste jongen, zult in de gelegenheid worden gesteld het bevel te voeren over ongewapende transportschepen die onder een strikte dienstregeling vallen. Je vrouw zal zich daarop verheugen, en bedenk eens hoe blij je dochtertjes zullen zijn. Mijn peetdochters zullen hun *papatsjik* 's zomers en tijdens de schoolvakanties gaan opzoeken terwijl hun vader weg is en zich met de scheepvaartbusiness bezighoudt.'

Kojt zei zachtjes. 'Het feit dat Tsjernavin van zijn functie is ontheven, is niet bepaald iets om lichtvaardig over te doen.'

Nemerov was niet in staat zijn opluchting te verbergen. 'Wel,' zei hij toen ze bij de kamer van de admiraal waren gearriveerd. 'Als u zover bent wat uw enkel betreft, kunnen we maar beter met Verneau gaan praten. We hebben een escorte nodig om bij de onderzeeër te komen.'

Roedenko liep zijn onderkomen in en ging in een leunstoel zitten, waarna hij zich meteen overal begon te krabben waar hij maar rondom zijn gespalkte enkel bij kon. Nemerov schonk cognac in uit een fles die Verneau hem had gegeven. Kojt maakte een gebaar dat hij niets wilde.

'We vertrekken niet,' zei Kojt.

Roedenko nam het glas aan en zei: 'Meneer Kojt, ik heb begrepen dat deze missie onder mijn commando zou vallen, dus niet onder het uwe.'

'Doe niet zo naïef. Mijn bevelen hebben voorrang, dat weet u best.'

Roedenko veinsde een verbaasde blik. 'Wat voor bevelen? Het gezag van admiraal Tsjernavin is verleden tijd.'

Kojt grijnsde zelfgenoegzaam. 'Ze zullen altijd een opvolger aanwijzen. In de tussentijd is het niet aan ons af te wijken van onze eerdere bevelen of om onze nationale belangen eenzijdig in gevaar te brengen.'

Nemerov werd nijdig vanwege het gebrek aan respect dat die jonge kerel voor admiraal Roedenko toonde. 'En hoelang verwacht u dan wel dat de onderzeeër moet wachten?'

'Tot ik er klaar voor ben om te vertrekken.' Met grote passen liep Kojt de kamer uit.

Nemerov draaide zich om naar de enorme ramen en de niet-aflatende duisternis die zich daarachter bevond. 'Wat moeten we nu doen?'

Roedenko nipte van zijn cognac. 'Bemoei je niet met datgene waarin Kojt is verwikkeld, ongeacht wat dat moge zijn. Houd je schuil in mijn kielzog. Op de lange duur zal het moeilijker blijken eventuele beschuldigingen aan mijn adres te pareren. Er is geen reden die het aanvaardbaar maakt dat wij beiden dat risico lopen. Jij hebt veel meer te verliezen.' De admiraal genoot van het aroma van zijn drankje.

'Waar denkt u over na?' vroeg Nemerov. 'U kijkt zo ongelukkig.'

'Over de kersverse plaatsvervangend opperbevelhebber van de krijgsmacht, Tsjernavin.' Hij wreef over zijn ogen. 'Arme Panov.'

'Arm Rusland.'

Nemerov keek omhoog naar het zwarte uitspansel. Roedenko zette zijn glas neer en tilde zijn gewonde voet op het voetenbankje.

'Dit is een wonderlijk oord,' zei Nemerov. Met een vinger tikte hij tegen het raam. 'De technologie, het concept.'

Roedenko knikte. 'Inderdaad. Ik ben er niet zeker van of ze zich dat volledig realiseren. Misschien zijn ze gewoon te bang geworden door wat hier is voorgevallen. Het zou ook kunnen dat ze eraan gewend zijn geraakt en er niet meer door ontroerd worden.'

'Hoe is het mogelijk dat je daar niet door wordt aangegrepen?' zei Nemerov.

Er werd op de deur geklopt. Beiden draaiden zich om naar het geluid.

'Binnen,' zei de admiraal.

'Heren,' zei Jessie Hanley. Ze stond op de drempel. Nemerov ging staan om haar te groeten.

'Hoe gaat het met uw enkel?' vroeg ze aan Roedenko. 'Veroorzaakt het gipsverband jeuk?' Ze zag dat de huid aan de bovenkant van het verband rood was.

'En of. Maar ik ben aan de beterende hand en heb geen pijn... dat is alles wat ik op dit moment belangrijk lijk te vinden.' Hij stak een kruk in de hoogte. 'Binnenkort wordt mijn vooruitgang gesymboliseerd door een wandelstok. Zeer geschikt om sympathie mee te kweken. Bent u gekomen om te kijken hoe ik vooruitga?'

'Niet echt. Ik ben hier om u te ondervragen.'

'Waarover?' vroeg Roedenko. Hij keek op naar Nemerov.

'Alstublieft, dr. Hanley,' zei Nemerov, die zijn hand uitstak naar een moderne leunstoel. 'Gaat u zitten.'

Hanley trok de stoel bij en ging langzaam zitten. De admiraal zat roerloos, zijn voet rustte op een kruk. Nemerov bleef staan en leunde met een hand boven het hoofd tegen de koepelwelving boven hen. Hanley realiseerde zich dat hij na zijn jarenlange dienst in onderzeeërs gewend moest zijn geraakt aan zulke wanden.

'Ik heb verontrustend nieuws gekregen van mijn collega's in Los Angeles,' zei ze. 'Het is vrijwel zeker dat Lidiya Tarakanova niet meer leeft. Ook hebben ze me... zomaar tussen neus en lippen door... verteld dat we als het ware op een afgedankt nucleair vaartuig zitten dat zich al pakweg twintig, dertig jaar onder de poolkap bevindt, en mogelijk van Russische makelij. Wat je noemt een probleem, daar ben ik van overtuigd. Maar eerlijk gezegd ben ik daar op dit moment niet echt in geïnteresseerd. Ik maak me veel ongeruster over de mate waarin die mysterieuze besmetting zich mogelijk heeft verspreid dan over die raket die... over het hoofd werd gezien. In dat opzicht is meneer Kojt verre van hulpvaardig geweest. Dus wend ik me tot u. Hebt u enig idee wat Lidiya Tarakanova is overkomen? Hebt u de bemanning gesproken? Kunt u mij vertellen wat er is gebeurd in de periode nadat ze aan boord ging en uiteindelijk overleed?'

Nemerov en Roedenko keken elkaar vluchtig aan, waarna Nemerov de handen in zijn zakken stak. 'Inderdaad, we zijn ons van bepaalde zaken bewust. Wanneer we deze informatie echter met u delen, kan dat voor ons zeer onaangename gevolgen hebben.'

'Als u zich niet discreet opstelt,' zei de admiraal, 'zouden wij weleens beschuldigd kunnen worden van landverraad.'

'Landverraad?' Ze lachte bijna. 'Dat meent u niet,' zei ze terwijl ze zich naar de admiraal omdraaide.

'En of ik dat meen. Maar u hebt gelijk. Dat afgedankte vaartuig is uw probleem niet, dokter. In tegenstelling tot de Russische zeelui die op dezelfde manier als de wetenschappers van Trudeau gestorven zijn.'

'Zeelui?' vroeg Hanley. 'Meervoud? U gaat me toch niet vertellen dat het de bemanningsleden betreft die uw wetenschapper naar huis hebben gebracht?'

'Dr. Tarakanova was geen wetenschapper. Ze hield zich, beter gezegd, niet alleen met wetenschap bezig,' zei Roedenko. 'Een geheim agent...' Hij draaide zich om, keek Nemerov aan en gebaarde om met het juiste Engelse woord op de proppen te komen terwijl hij het in het Russisch zei: 'Njanka.'

'Kinderoppas?' gaf Nemerov in overweging. 'Zoiets als chaperonne.'

'Ja, inderdaad.' Roedenko knikte. 'Zij was hier aanwezig om het geheim te beschermen en om Moskou te informeren.' Hij keek snel even naar Nemerov om de jongeman aldus de kans te bieden hem ervan te weerhouden verdere informatie te geven, maar Nemerov zweeg.

'Een geheim?' zei ze.

'Dat "nucleaire vaartuig" zoals u het noemt, was bedoeld om op de noordpool over een afstand van ongeveer tweeëndertighonderd kilometer een kunstmatig noorderlicht te waarborgen, uitstralend vanaf de plaats waar de lijnen van het magnetisch veld uitwaaieren. Hier dus, vlakbij de noordpool. Een "krachtig stralenschild": een uitbarsting van elektronen met een hoge energetische waarde zou dan in het magnetisch veld terechtkomen en zich vervolgens als een dunne film langs de lijnen van dat veld rond de aarde verspreiden.'

'Waarom in vredesnaam?' vroeg Hanley.

'Om jullie te verblinden,' zei Nemerov.

'Wat bedoelt u, commandant?' vroeg ze, bang om het antwoord te horen.

'De positie is van cruciaal belang. Detonatie in de atmosfeer boven de noordpool zou het complete magnetische veld gedurende achtenveertig seconden sterk beïnvloeden. In die tijd zou de Amerikaanse radar nutteloos zijn.'

'De installatie was bedoeld om een aanval te verhullen,' voegde Roedenko eraan toe. 'Het eerste schot.'

'Detonatie *boven* het noordpoolgebied? Lieve hemel.' Hanley vouwde de handen achter haar hoofd, ze was niet meer in staat stil te blijven zitten.

De admiraal zei: 'Maar de Sovjet-Unie stortte in, de geschiedenis nam een wending. Onze wapenfabrieken sloten de poorten en de beurzen gingen open. Vijandschap maakte plaats voor overeenkomsten. De genoemde strategie werd stilletjes prijsgegeven en vervangen door *bizness.*'

'Goeie genade,' zei Hanley. 'Het is zelfs nog erger dan mijn mensen vermoeden. Als dit uitkomt, verandert poolstation Trudeau meteen in het politiek heetste hangijzer ter wereld. Waarom kan die regering van u die installatie niet gewoon in alle stilte verwijderen?'

Roedenko zette het glas naast zich neer. 'Niemand voorzag de mogelijkheid dat de installatie gedurende zoveel jaren ongebruikt zou blijven. In mijn thuisland bestaat er geen methode, en ze hebben er bovendien het geld niet voor, om die installatie te bergen; de gedachte daaraan wordt zelfs niet in overweging genomen. Geen capaciteit. Geen politieke wil. Een kleine raket in de Noordelijke IJszee, nou en? In de zee worden de door de mens vervaardigde zaken immers geconserveerd door de lage temperaturen. Dat is hun simplistische zienswijze. Alsof het een product is in de groentebak van een koelkast. Ze maken zich veel ongeruster over de reactie van de Amerikanen dan over de installatie zelf. Wij hebben het rapport van Lidiya Tarakanova ontdekt. Zij informeerde haar superieuren over het slachtoffer Bascomb. Volgens mij heeft Annie Bascomb ontdekt wat er in de polynya ligt.'

'Wist Annie ervan? Misschien was dat de reden waarom ze zich zo geobsedeerd gedroeg. Wat je noemt de vervuiling ten top?'

'Pardon?'

'Niets. Gaat u vooral door. Wat is er precies met Tarakanova gebeurd? Hoelang heeft ze nog geleefd nadat ze de polynya had verlaten?'

'Ze is in de onderzeeër overleden,' zei Nemerov zachtjes.

'Ja,' zei Roedenko. 'Samen met de bemanningsleden.'

'Was ze besmet? Hoeveel mensen zijn er nog meer besmet geraakt?'

Nemerov staarde haar bedroefd aan. 'Iedereen.'

'Iedereen?' zei Hanley schor. 'De hele bemanning?' Deze informatie was als een steen in haar maag. 'Zijn er overlevenden?'

'Nee,' antwoordde Roedenko.

'U ziet bleek, dokter,' begon Nemerov bezorgd.

'Ik heb vandaag een min of meer slechte dag achter de rug.' Hanley wreef over haar voorhoofd. 'Of is het nacht? Over hoeveel bemanningsleden hebben we het?' Ze ging staan en deed enkele passen naar voren, waarna ze zich met de handen tegen haar heupen nerveus omdraaide.

'Er waren vierennegentig manschappen aan boord.'

'Met Tarakanova erbij waren dat in totaal vijfennegentig mensen,' zei Hanley langzaam. Ze sloeg haar armen om zich heen en liet de informatie tot zich doordringen. 'Vijfennegentig personen. Verharde longen, de ogen spoorloos verdwenen... Vertoonden ze allemaal dezelfde symptomen?'

Nemerov knikte.

Hanley bracht haar handen naar haar wangen. 'Het micro-organisme heeft zich dus voortgeplant,' dacht ze hardop. 'Het is beslist van cellulaire aard. Viraal of nog kleiner. De bemanning van de onderzeeër was blootgesteld aan een besmettelijk micro-organisme, net als de wetenschappers op het ijs.'

'Daar lijkt het op,' zei de admiraal.

'Hebben ze voet aan wal gezet toen ze haar kwamen ophalen...? Ik bedoel de bemanningsleden.'

'Nee,' zei Roedenko.

Met haar handpalm tikte Hanley nerveus tegen haar sleutelbeen. 'Het organisme doodt drie personen en bevindt zich in sluimerende toestand in het lichaam van Kossuth. Hij wordt er niet door gedood, in tegenstelling tot dr. Kruger op het moment dat ze het lichaam opent tijdens de lijkschouwing. Ook Tarakanova is eraan blootgesteld, maar zij en de hele bemanning van de onderzeeër overlijden pas veel later, en op een plaats die veel verder weg ligt. Waar zien we ons mee geconfronteerd?'

'Negenennegentig slachtoffers,' zei Nemerov.

'Tjeses, wat is dat organisme krachtig! Wat echter niet betekent dat we dat niet van meet af aan hadden verwacht. We mogen van geluk spreken dat het zich niet over het hele poolstation heeft verspreid, maar wie zal zeggen waardoor het uiteindelijk zal worden tegengehouden?' Zwijgend keek ze de Russen aan. 'Zijn er nog meer details waarvan u op de hoogte bent?'

Roedenko en Nemerov schudden hun hoofd. 'Het postmortale onderzoek op een van de geborgen slachtoffer heeft niets opgeleverd,' zei de admiraal.

'Die Russische wetenschapper... die geheim agent... is niet met de drie anderen op het ijs gestorven. Waarom niet? Op welke manier is dat micro-organisme met haar aan boord gegaan? Droeg ze het bij zich? Zat het in haar bagage?'

Nemerov haalde zijn schouders op. 'Misschien dat het speciale luchtmengsel en de atmosferische druk in de onderzeeër een bepaald proces hebben versneld in datgene wat die zeelui heeft gedood. Misschien hebben we het gewoon over de dodelijkste microbe ooit. Er zijn geen feiten. Alleen theorieën. En er heerst angst.'

45

'Ik weet niet wat ik schokkender vind.' Dee liet zich ruggelings op haar sofa vallen, gedeprimeerd als ze was door het nieuws van Hanley. 'Weet je zeker dat je het goed hebt gehoord?'

Hanley knikte.

Dee ging rechtop zitten en trok haar benen op, alsof ze zich klein maakte tegen de kou. Haar kin rustte op haar knieën. 'Dit is surrealistisch. Bedoeld om in de lucht te exploderen? Boven de poolkap?'

'Ja.'

'Zijn ze gek geworden? Het noordpoolgebied is als ecosysteem zo ontzettend kwetsbaar en zou die inbreuk nooit meer te boven komen.' Ze viel stil en dacht na terwijl ze heen en weer bewoog. 'Dit kan het einde van het poolstation betekenen. Zodra de Amerikanen weten dat zich hier een raket bevindt, gaan ze die meteen ophalen. Natuurlijk, wat anders? De sponsors zullen zich rotschrikken en het laten afweten. Goeie genade, wat is erger... de Russen die dat ding achterlaten of de Amerikanen die het komen ophalen?'

'Hé,' zei Hanley, die op haar knieën voor haar vriendin zat. 'In elk geval hebben wij geen permanente thermonucleaire installatie onder jullie kont geplaatst, vervolgens de plaat gepoetst en het ding aan de genade van de oceaan overgelaten. Zij laten jullie hier zonder de minste waarschuwing vooraf op dat eiland komen en poolstation Trudeau bouwen. Hoor eens, Dee, wij hebben echter geen tijd om ons kwaad te maken over een of andere verdomde nucleaire cocktailshaker.'

'Waarvan de instanties in Ottawa net doen of die niet bestaat. Waarom laten we ons in verlegenheid brengen wanneer het armageddon mogelijk de enige andere optie is? Shit!' Ze gooide een schoen weg, die vervolgens tegen de wand bonkte. 'We zijn altijd zo verdomde gevoelig.' De tranen stroomden over haar wangen.

'Luister naar me, Dee, laat je nu niet gaan. Kalmeer. Ik moet namelijk met je kunnen praten. Waar we naar op zoek zijn is namelijk een veel directer gevaar dan dat nucleaire afval onder het ijs. In die onderzeeër zijn vijfennegentig mensen gestorven. Iedereen is overleden. Je moet me helpen met het vinden van de plaatsen waar dat micro-organisme zich schuilhoudt, om het vervolgens onder controle te krijgen. De mensen op poolstation Trudeau zijn nauwelijks bekomen van die vijf sterfgevallen. Zodra ze horen dat er nog eens vijfennegentig doden zijn, breekt de hel los... en niet alleen hier. De gezondheidsdienst van Canada zal dit gebied afgrendelen. Niemand zal het risico nemen dat dat organisme zich onder de bevolking gaat verspreiden. De regering van jouw land niet, en die van het mijne evenmin. We komen op de voorpagina van alle kranten. In geen geval zullen ze toelaten dat we naar huis gaan en ons dus overal ter wereld verspreiden. Herhaal vooral tegen niemand wat ik nu zeg... vergeleken met dit beest is het ebolavirus het vriendelijke spookje.'

Hanley ging ineengedoken zitten. 'We mogen onze aandacht nu niet op die afgedankte oorlogsraket richten. Dat wapen heeft daar tientallen jaren gelegen... we moeten erop vertrouwen dat het zich nog enkele weken langer gedraagt, dat is alles.'

'Jessie?'

'Wat is er?'

'Ik ben echt bang. Eerst die microbe en nu dit...'

Hanley legde haar armen om Dee heen. 'Er is niks mis met bang zijn. Het betekent dat je in contact staat met de werkelijkheid. Bang zijn is gezond. Net als stoppen met roken.'

'Jíj rookt nog steeds,' zei ze snotterend.

'Ik ben net weer gestopt. Geweldige timing, hè? Ik probeer te voorkomen dat ik naar een asbak ga smaken, als je snapt wat ik bedoel.'

Dee lachte. 'Oké, we doen het samen. Ik zal je wat nieuwe pleisters geven.'

'Bedankt, Dee,' zei ze terwijl ze haar vriendin zachtjes wiegend in haar armen hield.

'Graag gedaan. Jess?'

'Wat is er?'

'Ben jij niet bang? Dit voelt aan als het einde van de wereld zoals wij die kennen.'

'Bang zijn komt niet eens in de buurt van hoe ik me voel. Als jij weer een beetje gekalmeerd bent, ga ik naar hiernaast. Ik moet nadenken.'

'Het gaat best. Ik blijf hier nog een paar minuten zitten, daarna ga ik weer aan het werk.'

'Ik ben hiernaast, vlakbij, als je me nodig hebt.'

Hanley deed haar Tyvek-pak aan, bevestigde de respirator en opende het belendende vertrek. Ze staarde naar de stapels uitrusting en spullen van het onderzoekskampement; alles lag keurig verspreid over een aantal genummerde vierkanten. Ze wist dat ze letterlijk en figuurlijk terug was bij vierkant nummer een. Ze voelde zich totaal afgemat.

Nauwgezet hadden ze de bezittingen en de uitrusting van elke overledene afzonderlijk gecatalogiseerd. Hanley onderzocht de voorwerpen en de corresponderende lijst in de vorm van een diagram, die ze in haar hand hield. De spullen van Tarakanova – het was niet veel – hadden de kleinste ruimte toebedeeld gekregen; voor het grootste deel lagen van haar poolpak. Methodisch maakte Hanley een ronde en pakte alle voorwerpen een voor een op, liet er haar gedachten over gaan en legde ze vervolgens op exact dezelfde plaats terug. Ze had er twee uur voor nodig om niets te bereiken. Als de *pongo* de boosdoener was, en ze het goedje allemaal hadden geïnhaleerd, hoe was het dan mogelijk dat het in de onderzeeër terecht was gekomen en de bemanning had gedood? Was er sprake van een korte cruciale periode vóór de dood? Een periode waarin de persoon in kwestie zeer besmettelijk was?

Dee kwam binnen. Ze schoof de laboratoriumbril omhoog en ging achter Hanley op een klapstoel zitten. Uli was haar gevolgd.

'Sneeuwballengevecht aan de voet van de helling, om drie uur vanmiddag,' zei Dee. 'De Duitsers tegen de rest.'

'*Ja*. Het blijft het oude liedje,' zei Uli. Hij overhandigde Hanley het rapport over het algenmonster dat bij de *pongo* was genomen. '*Nichts*,' zei hij. Hanley knikte en gaf het rapport door aan Dee. Uli glimlachte lusteloos en vertrok weer. Het specimen was goedaardig. Uli glimlachte flauwtjes naar haar en vertrok vervolgens.

Dee was uitgeput. 'De verkeerde *pongo* dus? Of al met al de verkeerde gok? Ik zou willen dat je eens opschoot met je als een genie te gedragen, en dat je een oplossing vindt voor dit probleem.'

Hanley bood sigaretten aan. Dee nam er een. Beiden staken ze een sigaret op en staarden elkaar aan door een nevel van sigarettenrook.

'Vanaf nu stoppen we met roken, hè?' zei Dee, waarna ze een grijze rooksliert via haar neus weer inademde. 'De laatste trekjes?' Ze schroefde een klein schotje in de holte van de koepel open, waarna de lucht in een mum van tijd werd weggezogen. 'Ik ga het laboratorium afsluiten.'

'Goed, ik moet mijn baas spreken en de consequenties aanvaarden.'

Los Angeles was om negen uur 's avonds – West Coast-tijd – on line. Ze kon het niet langer uitstellen. Hanley vergewiste zich ervan dat het Zero-coderingsprogramma aanstond voordat ze ging typen.

EVALUATIERAPPORT

Plaats:	ARS Trudeau
Agens:	organisch
Toxiciteit:	niveau 4
Slachtoffers:	100 dodelijke slachtoffers wereldwijd, waarvan 4 bevestigd
Mortaliteit:	100%
Besmettingsbron:	aërosol (hypothese)
Vector:	onbekend

Van het aantal slachtoffers zouden ze geschokt zijn. Honderd dodelijke slachtoffers als gevolg van een micro-organisme dat als niveau 4 stond geclassificeerd. Dit gegeven zou wereldwijd de alarmbellen doen afgaan. Erger dan dit kon het niet worden, want er bestond geen niveau 5. Dit micro-organisme was wat men officieel een *hot virus* noemde. Munson werd geacht contact op te nemen met een epidemiologisch beambte van de inlichtingendienst voor Noord-Amerika, verbonden aan de CDC in Atlanta, en de autoriteiten aldaar te informeren over een uitbraak. Hun Canadese tegenhangers zouden er onmiddellijk bij geroepen worden, hoewel strikt vertrouwelijk. Alles zou als vertrouwelijke informatie worden behandeld.

Munson antwoordde formeel om 16.46 uur en gaf aan dat hij het begreep. Vervolgens kwam een lijst met pro forma-waarschuwingen betreffende de handelingen wanneer het om zo'n gevaarlijk micro-organisme ging. Daarna volgde een opsomming van verplichte procedures waarvan iedereen wist dat Hanley daar geen gehoor aan zou geven. Ze was daartoe niet in de gelegenheid gesteld, gezien het feit dat er haast was geboden en dat de plaats waar ze zich bevond zich daar niet toe leende. De betrokken personen in Los Angeles waren enkel maar een dossier aan het aanleggen voor het geval de ellende zich zuidwaarts verspreidde.

Dee kwam binnen en liet zich ruggelings op het bed van Hanley vallen. 'Het laboratorium is gesloten voor de nacht.'

Hanley liet zich met een plof op de grond zakken en zat met de rug tegen de zijkant van het bed. Ze hadden vandaag veel uren gemaakt. Dee pakte een laars op en probeerde de andere te vinden.

'Waar ga je heen?'

'Even checken of ik nog leef. Ik word geacht een ritje in het maanlicht te maken met de knappe Kjell Eliasson, die voor Verneau op de afdeling Astronomie werkt. Hij zegt dat we misschien een astronomisch fenomeen te zien krijgen.' Ze grinnikte spottend. 'Als die Russische raket besluit vanavond wakker te worden, dan zijn we straks gegarandeerd getuige van een speciale gebeurtenis.'

'Onwaarschijnlijk,' zei Hanley. 'Die raket heeft zich al tientallen jaren gedragen. Ik ben ervan overtuigd dat-ie zich ook vanavond gedeisd houdt. Ga gauw. Ga even naar buiten, ontspan je.'

'Ik ben te moe,' zei Dee, die het opgaf en de tweede laars niet langer probeerde te vinden. 'En te veel afgeleid.' Ze liet zich op het bed terugvallen en schopte de andere laars uit. 'Ik zou ter plekke kunnen slapen.'

'Waarom geef je daar dan niet aan toe?'

'Misschien doe ik dat gewoon.' Dee trok haar beige shirt uit. 'Ik heb zo'n slaap dat het pijn doet.'

'Stort gewoon in. Nadat ik de deur van het laboratorium heb afgesloten, breng ik de nacht bij Jack door. Ik zal tegen die Zweed van jou zeggen dat je het vanavond niet redt.'

Dee had zich inmiddels uitgekleed en sliep al. Toen Hanley haar instopte, dacht ze aan Joey.

46

Terwijl Dee sliep, boog Hanley zich over haar laptop; een televergadering met Cybil.

'*Wat is er bij jou in hemelsnaam aan de hand, meid? Honderd doden? Niveau 4? Wat moet dat worden met die zaak waarmee jij bezig bent?*'

'Ik heb sterk de indruk dat het iets met die *pongo's* te maken heeft, Cyb. Het moet op precies hetzelfde moment in hun lichaam zijn gedrongen. Wat brengt zoiets teweeg, behalve als het een bijna gasvormige substantie betreft?'

'*Dat is precies waar we zijn begonnen... de suggestie dat ze het spul hebben ingeademd,*' zei Cybil.

'Ik weet dat de algen die ik heb meegenomen negatief waren. Toch passen die algenputten perfect in het scenario. Het is de enige aërosolsubstantie die daar te vinden is.' Ze vertelde Cybil over de Aleut-tekst die ze op de tas van de sjamaan had aangetroffen. 'Cyb, zodra je die *pongo's* breekt, zien ze er echt uit als geesten. Zouden ze allemaal op hetzelfde moment zeevogelmest hebben ingeademd? Ik denk van niet. Maar als een *pongo* wordt gebroken, zijn ze daar allemaal tegelijk aanwezig en ademen ze het goedje in.'

'*Herinner jij je nog toen het ebolavirus zich voor het eerst deed gelden? Zoiets hadden we nog nooit gezien, behalve in de wereld van de plantenvirussen.*'

'Tjonge, wat waren we bang voor wat dat te betekenen zou hebben.' Vervaarlijk wiegde Hanley op de achterste poten van haar stoel. 'Als het ebolavirus een plantenvirus zou zijn geweest, dat niet alleen soorten maar complete evolutietrappen had overgeslagen... denk je dat we daar nu mee te maken hebben? Een plantenvirus dat die gigantische stap heeft genomen?'

'*Dat zou best kunnen. Ik weet het niet,*' zei Cybil. '*Ik zeg alleen dat het raar is hoezeer de structuur van chlorofyl op die van hemoglobine lijkt. En jij hebt iets bij de staart dat achter hemoglobine aan gaat. Maar*

317

springt die agens er meteen bovenop of is er een vector, een intermediair voor nodig?'

'Het zit me dwars dat er in hun werkjournaals en verslagen niets te vinden is dat erop duidt dat ze ook maar in de buurt zijn geweest van een *pongo*, behalve dan die vage verwijzing naar dwaallichtjes. Zouden ze het hebben opgeschreven als ze gedrieën... nee, met z'n vieren, met Tarakanova... bestoven zouden zijn geweest met algendeeltjes?'

'Niet als ze er niet van overtuigd waren dat zoiets het vermelden waard was, Jess. Nee, niet als ze dat voorheen al zo vaak hadden gedaan bij die algenputten.'

'Misschien hebben ze het niet genoteerd omdat ze niet op hun donder wilden krijgen van de Canadese milieu-instanties met het verwijt dat ze het delicate ecosysteem hadden geschonden.'

'Dat ook.' Cybil klonk niet overtuigd. *'Maar voordat je te lang dat bepaalde pad bewandelt, moet ik je wijzen op datgene wat je me hebt verteld over de ervaringen van Jack Nimit... de pongo's zijn dan in feite ongevaarlijk, onschadelijk. Hij heeft die dingen zijn hele leven al gebroken, en is dat statistisch gezien niet een overtuigend gegeven? Ze zouden allemaal bij een algenput zijn aanbeland waar nog nooit iemand is geweest, behalve die sjamaan.'*

'Ja, en als ze de *pongo* hadden gebroken die iets bevatte dat zo zeldzaam en zo dodelijk is, hoe kom ik daar dan ooit achter? Ik laat het algenmonster streng bewaken, maar de kans is vrijwel nihil dat het om dezelfde soort gaat. En dan?'

'Bevinden die pongo's zich allemaal op één plaats bij het onderzoeksterrein?' vroeg Cybil.

'Nee.' Hanley keek naar het kleine venster, in de hoek van het computerscherm, waar Cybil te zien was. 'Ze bevinden zich overal.' Hanley keek hoe ze de zoveelste sigaret aanstak, waarna ze er zelf een nam. Cybil zei: *'Kijk eens naar deze database, meid; dertigduizend algensoorten. Je kunt er maar beter snel achter komen welke inheems zijn.'*

Teddy Zale riep Hanley via de intercom op met het bericht dat er een telefonische Imersat-verbinding voor haar in de wacht zat.

'Joey probeert me te bereiken, Cybil.'

'Tot later, mama Beer,' zei Cybil. Ze kuchte.

Zale verbond haar door.

'Schatje, hoe laat is het bij jou? Wat is er aan de hand?'

'Ze laten me achter, mam,' zei Joey. De tragiek van zijn lot sijpelde door in zijn stem.

'O, schat.'

'Al mijn vrienden gaan over naar het volgende semester. Afgezien van wiskunde moet ik leesvaardigheid en al het andere helemaal opnieuw doen. Jij zei dat de laptop dat in orde zou maken... nou, vergeet het maar. Ik was nog steeds niet goed genoeg. Het leesgedeelte van de staats-test heb ik verknoeid.'

'Het is maar één semester, schat. Het is geen ramp,' zei ze, hoewel ze niet wist of dat waar was of niet. 'Je zult er uiteindelijk zelfverzekerd en goed onderlegd uitkomen.'

'En wat als dat niet gebeurt?' vroeg hij snikkend. 'Stel dat ik weer zak voor mijn toets?'

'O, schat van me... dat gebeurt heus niet.'

'Dat kun jij niet weten! Jij weet helemaal niets! Jij bent niet eens hier!'

'Lieverd. Joey.' Er zat statisch geruis in de verbinding, 'Joey?' Ze belde het externe radiostation.

'Hij heeft opgehangen,' zei Zale. 'Moet ik proberen weer contact met hem op te nemen?'

Ze dacht even na.

'Dr. Hanley?'

'Nee,' zei ze uiteindelijk. 'Nee, hij heeft tijd nodig om tot bedaren te komen.'

De waarheid was dat ze niet wist wat ze tegen hem moest zeggen. Hij had zo zijn best gedaan, maar uiteindelijk had dat geen verschil gemaakt. Zij deed eveneens haar uiterste best, dacht ze, en dat maakte evenmin wat uit. Je uiterste best doen was niet altijd voldoende.

Ze ging naast Jack in bed liggen en probeerde de slaap te vatten. In volslagen duisternis lag ze daar uitgeput, en toch waren haar hersenen zeer actief en weigerden ze zichzelf af te sluiten. Hanley gaf het op. Ze glipte uit bed, zonder Jack wakker te maken, deed haar kleren en laar-zen aan en liep zachtjes weg.

'Bedankt dat u mij op zo'n korte termijn hebt willen ontmoeten, dr. Sku-dra. Ik probeer het rijtje kleiner te maken van algensoorten die zich mis-schien in die *pongo's* bevinden. Ik wil graag zoveel mogelijk van de in-heemse soorten zien die u hier bewaart.'

'In feite zijn de algen het pakkie-an van Simon King. Hij heeft zich ech-ter laten verontschuldigen vanwege het late uur. Het feit dat ik een nachtuil ben, stelt mij in de gelegenheid met veel genoegen voor de twee-de keer uw gastheer te zijn.'

'Dat waardeer ik zeer.' Hanley legde haar armen over elkaar. 'Simon King. Nu hebben we het over iemand die wel een beetje zelfverwerkelij-king kan gebruiken. Waar zit King mee in zijn maag?'

Skudra haalde zijn schouders op. 'Simon heeft een hekel aan de Ame-rikaanse cultuur en vindt dat die samenleving moreel bankroet is. Eer-lijk gezegd is hij evenmin buitengewoon enthousiast over mij en mijn werk.' Vluchtig keek Skudra even om zich heen en zei op een samen-zweerderige toon: 'Simon beschouwde zichzelf als de rechtmatige opvolger van dr. Mackenzie. Hij werd met name moeilijk in de omgang toen duidelijk werd dat Emile Verneau Mac zou opvolgen, die tot directeur van het nieuwe Arctic Preserve wordt benoemd. Zo, ik zal u de algencollectie tonen. Een zeer uitgebreide verzameling, mag ik wel zeggen. Wist u dat er in het DNA van algen dagelijks terugkerende ritmes zijn ingebouwd, en dat ze dag en nacht kunnen onderscheiden? We hebben onderzoek gedaan naar de wijze waarop het poolgebied invloed heeft op die ritmes.'

Behoedzaam ging Skudra haar voor naar drie afgesloten zoutwatertanks. Door het zoutgehalte vertoonde het glas witte strepen. De algen in het eerste reservoir waren groen van kleur. Die in het tweede waren rood en in het derde vat hadden ze een bruine kleur. In de eerste tank was de temperatuur tropisch, in de andere twee reservoirs gematigd. Op de bodem lagen minuscule verweven algenkoordjes in het pekelwater, als afgedankte deurmatjes.

'Onze alledaagse algen,' zei Skudra. 'De groene soort.' Hij boog zich naar voren om de inhoud van het eerste reservoir te inspecteren. 'De oudste levensvorm. Ooit hebben ze de aarde gedomineerd en zijn nauwelijks veranderd sinds ze drieëneenhalf miljard jaar geleden op deze planeet verschenen. Ik zal u met alle plezier monsters geven van alle inheemse soorten die we hier bewaren.'

'Bedankt.' Hanley wees naar het belendende reservoir. 'Die zien eruit als bloesem. We noemen die rood getij wanneer ze voor de kust van Californië verschijnen en massale vissterfte veroorzaken. Soms moeten zelfs grote zoogdieren, zoals dolfijnen, eraan geloven.'

'Het ís rood getij, en het doet precies wat u aangaf. Het haalt de zuurstof uit het water en blokkeert de verse aanvoer ervan.'

'Wat is het precieze effect van rode algen op andere organismen?'

'Verdoving. Hoewel er zelfs een dodelijker variant bestaat die als een plant begint te groeien. Zodra er echter een kritische massa is ontstaan, verandert het organisme in een dier en zwermt als geheel uit... het valt aan. Als socioloog is juist dat hetgeen mij uiteraard fascineert... een plant die deze onduidelijke grens overschrijdt en dierlijk gedrag gaat vertonen.'

'Voert het aanvallen uit?'

'Ja. Het organisme heeft het gemunt op de weefsels, op de rode bloedlichaampjes. De eerste twee wetenschappers die deze variant onder de microscoop aan het bestuderen waren, hebben het niet kunnen navertellen. Het organisme boorde zich in hun ogen, vervolgens in hun huid en in de spieren.'

'In de ogen?'

'Ja.'

'En leeft deze dodelijke variant waarover u het hebt hier in het meer?'

'O, nee, nee, nee.'

'Verdomme. Het haat bloed, het haat de ogen...'

'Ja, ik begrijp waarom u er zo gefascineerd door bent. Kom,' zei hij. 'Ik zal u de specimens laten zien die in het meer inheems zijn.'

Hij gaf Hanley een infraroodbril, ging haar voor naar een draaideur, achter in het laboratorium, en drukte tegen de rechterkant van de deur, waarna die opendraaide. Ze begaven zich in een geïsoleerde gang; achter hen draaide de deur weer dicht.

Meteen voelde Hanley de kou in haar wangen en handen prikken.

In het vertrek rook het naar brak water, hoewel niet naar pekel. Het water in de ronde tank was gevuld met water uit het meer. Zoetwater, hoewel het veeleer troebel was. De algen die erin hingen, waren doorzichtig, zo kleurloos als een röntgenfoto, en vrijwel verweven in een afzonderlijk matje dat bestond uit dunne, bleke strengen.

'Vrijwel elk wezen op aarde heeft een transparant neefje dat zich onder water bevindt,' zei Skudra. 'Schaaldieren, slakken, wormen.' Hun effectieve verdediging bestaat uit het feit dat ze bijna onzichtbaar zijn.'

'Ze stinken net als de wormen die u mij hebt gegeven,' zei Hanley, terwijl ze een gezicht trok. 'Rotte eieren.'

'Ze metaboliseren zwavel.'

'Maar wat eten ze?' Ze boog zich naar voren en tuurde naar de specimens. 'Áls ze al een mond hebben om dat te doen.'

'Het manna van de hemel,' zei Skudra verrukt. 'Ionen. De eigenaardige configuratie van de magnetische velden in deze contreien, in de buurt van de noordpool, zorgt ervoor dat de subatomaire deeltjes in buitengewoon grote hoeveelheden in het water afdalen. Zowel dit ionenbombardement als de elektronen vormen het poollicht én de nitraten waarmee de algenkolonies en de schimmels zich voeden.' Skudra boog zich dichter naar het reservoir toe.

'Dit specimen werd uit ons meer gehaald, onder het wak,' zei Skudra. 'Heel anders dan de varianten die ik u tot nu toe heb laten zien. De andere komen uit verschillende diepten en wateren, en ze groeien in verschillende lichtniveaus. De meeste zijn zuurstofvriendelijk, in elk geval stellen ze zich tolerant op. Maar deze makker niet. Deze doorzichtige algensoort...' hij wees naar het kleurloze matje, '... zit in evolutionair opzicht tussen de bacteriën en de hogere algensoorten in en is afkomstig uit een periode waarin er op aarde nog geen zuurstof was gevormd, maar wel veel straling.'

'Het Wezen uit de Witte Lagune,' zei Hanley. Deze algen deden Hanley denken aan die mysterieuze maar vrijwel transparante kwal waar Joey zo graag naar ging kijken in het zeeaquarium van Monterey.

'Ik mag ze graag *de geesten van de onmetelijke diepten* noemen,' zei Skudra.

'Inuit-legende?'

'Shakespeare.'

Hanley, die gebiologeerd naar het reservoir keek, zei: 'Ze glinsteren als een goedkoop toupetje. Ik vraag me af wat al die straling met het DNA van dat toupetje heeft gedaan. Het verbaast me dat er zich geen ogen en giftanden uit ontwikkeld hebben. Hoe zag de atmosfeer er indertijd uit?' vroeg Hanley. 'Ik bedoel vóórdat er zich zuurstof had gevormd.'

'Denk aan vulkanen. Kooldioxide, stikstof, en zelfs formaldehyde, en ammoniak, waterstofsulfide, methaan, zelfs waterstofcyanide, dat vooral bekend is geworden vanwege het prominente gebruik in de gaskamer. Niet bepaald onschadelijk, maar deze jongens waren er dol op.' Hij stak zijn hand uit naar de algen. 'Deze algen en vroege bacteriën leefden van waterstof. Daar was zeer veel van beschikbaar rondom de vulkanen. De levensvormen in de begintijden verafschuwden zuurstof, dat toxisch was; het oxideerde alles, zelfs de cellen. Maar elk schepsel gebruikte waterstof en uiteindelijk was er niet genoeg van. De oorspronkelijke bacteriën en de meeste algensoorten moesten niets van zuurstof hebben. Sommige vochten terug en ontwikkelden methoden om van de zuurstof af te komen, zoals een combinatie met waterstof om...' Verwachtingsvol keek hij Hanley aan, net een leraar van de middelbare school.

'Water te vormen?'

'H_2O. Exact! Maar de vijandige algensoorten splitsten de watermoleculen in de samenstellende delen om er de waterstof uit te halen, waardoor er nóg meer zuurstof vrijkwam. De oceanen raakten verzadigd van dat gas, waardoor het aan de lucht werd afgegeven en zich in de atmosfeer begon te verspreiden. Uiteindelijk ontwikkelden zich meer complexe organismen, waardoor deze algensoorten en hun symbionten zich terugtrokken en zich wat hun levensruimte betrof sindsdien tot de onderzeese vulkanen en de aardpolen beperkten. Ze mijden licht en moeten nog steeds niets van zuurstof hebben. Deze bepaalde soort trok zich erg diep in de oceaan terug, in de ijskoude waterniveaus. Maandenlang zonder zonlicht vertoeven, vormde een ideale situatie, want dat betekende dat er geen fotosynthese plaatsvond en daaruit voortvloeiend geen zuurstofproductie.'

'Dat bevroren meer moet wel een heksenketel zijn. Hoelang is het geïsoleerd geweest, een paar miljoen jaar? Bevinden er zich nog andere levende wezens in het meer onder het wak?'

Skudra schudde zijn hoofd. 'De algen maken het meer vrijwel onleefbaar voor zuurstofafhankelijke levensvormen. Dat is niet verwonderlijk, vanwege het feit dat het meer geen echt zuurstofrijke zones kent. En er is geen licht, dat bovendien dieper dan pakweg vijfentwintig meter vrijwel onzichtbaar wordt, zelfs als midden in de zomer de zon vierentwintig uur per dag aan de hemel staat. Deze algensoort gebruikt een tiende van een procent van het licht dat het voor elkaar krijgt om die diepte te bereiken. Ze leven eenvoudigweg niet van fotosynthese. Hier hebben we de natuurlijke leefomgeving van die algen nagebootst: geen licht, geen zuurstof, en veilig onder een laag ijs. Zelfs zijn ze op die wijze vanaf de waterinstallatie hierheen getransporteerd om het ecologisch systeem niet te verstoren.'

Sereen beschouwde Skudra de specimens. Hij wees naar de reservoirs. 'Zo zag de wereld eruit voordat er zich een leefbare atmosfeer ontwikkelde.'

'Voordat er zich een leefbare atmosfeer ontwikkelde,' herhaalde Hanley. Ze voelde dat haar hart sneller ging kloppen. 'Dr. Skudra, wat zou er gebeuren als deze algen wakker werden in een zuurstofatmosfeer?'

'Wat er dan met de algen gebeurt?'

'Nee,' zei ze, zowel tegen zichzelf als tegen hem, 'wat zou er gebeuren met de zuurstof?' Ze wachtte niet op antwoord. Ze hoefde dat antwoord niet te horen.

47

Hanley verstuurde snel een bericht naar Los Angeles en rende naar Dee om haar het nieuws te vertellen. Als ze gelijk had, dan zou ze hulp nodig hebben om de volgende stappen uiterst voorzichtig uit te voeren, zoals de wijze waarop ze de algen moest veiligstellen en hoe ze die diende te onderzoeken zonder daarbij het leven van de andere laboratoriummedewerkers in de waagschaal te stellen.

Hanley trof Dee aan waar ze haar had achtergelaten: op het bed in het woonverblijf van Hanley. Dee had verre van rustig geslapen. Het beddengoed was een rommeltje. Hanley haalde een kussen van de vloer en gooide dat naar de bult onder de dekens.

'Sta op en wees het zonnetje in huis, dr. Steensma. Heb ik effe goed nieuws voor jou! Hé, Dee, wachtte je op een genie? Je wens is uitgekomen!' Maar Dee verroerde zich niet.

'Hé, luilak. Word wakker!' zei Hanley. 'Je zult niet geloven wat er is gebeurd. Ik heb het raadsel opgelost.' Ze trok de deken weg terwijl ze lachte om het feit dat Dee niet te porren was. Een lach die verstikte in haar keel.

Dee lag er met een holle rug bijna dubbelgevouwen bij, de enkels nagenoeg bij haar schouders. De afschuw – of het besef – was op haar gezicht geëtst. Hetzelfde gold voor de pijn. Een onvoorstelbare pijn. Ze lag daar met wijdopen mond, de nekspieren verstramd, het lichaam verwrongen en verstijfd als gevolg van de heftige spasmen. En dan die ogen... Hanley kon niet helemaal bevatten wat ze zag, althans van datgene wat er nog van over was.

Achterwaarts liep Hanley de kamer uit, waarna ze met de elleboog zachtjes de deur dichtduwde. Ruggelings tegen de muur gleed ze naar beneden tot ze op de vloer zat. In die houding vond Uli haar.

'Jessie,' zei hij. 'Alles in orde?'

'Stop!' schreeuwde Hanley. 'Kom niet dichterbij. Op dit moment is er niks met mij aan de hand, maar of dat zo blijft weten we over enkele uren pas zeker. Haal in de tussentijd een portofoon voor me en blijf vervolgens weg. Houd iedereen uit mijn buurt.' Ze deed haar horloge af en legde het naast zich plat op de vloer. 'Vier uur. Iedereen blijft weg. Grendel de koepel af. Ik ben mogelijk besmet.'

Uli liep achteruit van haar vandaan. 'Wat is er gebeurd? Waar is Dee?' vroeg hij.

'In mijn kamer.'

'Moeten we haar er niet uithalen voordat we de koepel afgrendelen?'

'Nee. Maak dat je wegkomt. Ga gauw.'

'Maar ze is in gevaar.'

'Nee,' zei Hanley. 'Dat is ze niet.' Uiteindelijk begreep hij wat er was voorgevallen.

Het had geen zin om haar pols te controleren of de temperatuur op te nemen, want de adrenaline ging grondig te werk – haar hart klopte razendsnel, ze beefde en transpireerde.

Jack sprak met haar via de walkietalkie. Hij bleef een gedachte herhalen, als een mantra: zij had deze ramp niet veroorzaakt.

'Jessie? Je moet je vasthouden aan die gedachte.'

'Ik doe mijn best.'

Hij wierp een vol pakje sigaretten naar haar toe. 'Ben je weleens eerder in quarantaine geweest?'

'Twee keer. Een keer tijdens een veldonderzoek in Afrika, tijdens een ebola-epidemie. En een keer in Atlanta. Ik was toen in een laboratorium blootgesteld. Dat was verdomde eng, hoor.'

'Wat gebeurde er toen?'

'Alsof je in een bankkluis zit opgesloten. Je bent dan totaal afgezonderd, van de wereld afgesloten. Ze helpen je terwijl ze zich van top tot teen in beschermende pakken hebben gehuld, van top tot teen ingepakt; ze ademen zelfs niet de lucht in die jij inademt. Ik heb mijn zoon toen één keer gezien, op een monitor terwijl hij door een veiligheidsraam naar binnen keek.'

'Jullie twee hebben een hechte band, hè?'

'Ik mis hem voortdurend. Mijn ex zegt dat ik geen echte moeder ben... te geobsedeerd door mijn werk, liever bij lijken dan bij levende mensen. Misschien heeft hij gelijk. Soms denk ik dat ik een slechte invloed heb op mijn kind. Stel dat hij dezelfde belangstelling krijgt als ik?'

'Is dat erg?'

'Mijn ex denkt van wel. Hij vindt dat onnatuurlijk.'

'En jij?'

'Ik maak me ongerust dat hij gelijk heeft. Ik wil niet dat Joey net zo'n excentriek kind wordt als ik in mijn jeugd was. Toen ik zijn leeftijd had, was ik een tamelijk raar wicht. Mijn ex begon zich pas zorgen te maken toen ik zwanger was. Hij vond mijn "klinische belangstelling"... zoals hij dat noemde... van mijn zwangerschap abnormaal.'

'Wat bedoel je?'

'Hij beweerde dat ik ons ongeboren kind als proefkonijn gebruikte; ik was van plan de placenta te gaan onderzoeken om er zeker van te zijn dat het navelstrengbloed werd opgevangen voor stamcelpropagatie. Mijn ex maakte toen een flinke scène.' Hanley zweeg even. 'Ik weet niet wat ik ervan moet denken. Wat ik wel weet, is dat ik van mijn kind houd.'

'Moet ik je laptop gaan halen? Of zal ik aan Teddy vragen of hij via de satelliettelefoon contact met Joey opneemt?'

'Nee, het is voor iedereen te gevaarlijk om in mijn buurt te komen. En wat Joey betreft, ik denk niet dat ik de situatie echt goed kan verbergen. Ik wil hem niet de stuipen op het lijf jagen. We hebben allemaal afzonderlijk een videoband opgenomen voor de respectieve gezinnen en families. Je kunt niet... je wilt nu eenmaal niet dat je kind je ziet lijden, dat het de symptomen, je lijdensweg, onder ogen krijgt, bedoel ik.'

'Je praat er zo nuchter over.'

'In dit vak raak je daar vertrouwd mee. Telkens wanneer we op pad worden gestuurd, maken we dezelfde procedure door. Als we dat niet als een gewoon deel van ons werk gaan zien, kunnen we de definitieve stap niet zetten. Dat zou een verlammende uitwerking hebben.' Ze verstilde. 'Ik blijf in gedachten het gezicht van Dee zien, Jack. Ze heeft zo verschrikkelijk veel pijn gehad. En ze was zo bang.'

Jack hoorde haar klappertanden. 'Stil maar... alles komt goed.'

'Ik wil niet op deze manier sterven, Jack. Ik weiger mijn ex het genoegen te schenken dat hij gelijk heeft gehad... dat dit ongeschikt werk is voor een moeder.' Haar adem stokte even toen ze eraan dacht dat Joey op zijn elfde wees zou zijn.

Om haar af te leiden vertelde hij verhalen uit zijn jeugd, Inuit-legenden, hoe je een sneeuwbrug moest bouwen – alles om de wachttijd maar door te komen. Soms lamenteerde ze alleen maar, dan weer luisterde hij en wachtte af. Nadat er vier uur waren verstreken en zij nog steeds geen symptomen vertoonde, haalde hij haar op. Hij sloeg een deken om haar schouders en omarmde haar. Hoewel ze geen tranen meer over had, kon ze zich niet beheersen en bleef ze beverig. Nog nooit had ze op deze manier gereageerd bij het zien van een lijk. Ze was duizelig, kon zich niet concentreren op wat ze had gezien. Gedachten schoten door haar hoofd en weigerden langer dan een seconde ergens hun licht op te laten schijnen. Ze merkte dat haar handen nog steeds trilden. Ze hallucineerde bijna als gevolg van de heftige emoties. Hanley besefte echter dat ze tot zichzelf moest komen, dat ze weer aan het werk moest gaan.

'Volgens mij heb ik die spookplant gevonden, Jack.' Ze zei dat zonder een spoor van triomf in haar stem, terwijl dat vroeger op zo'n moment wel het geval was, nadat weken en maanden van frustratie plaats hadden gemaakt voor de oplossing van een raadsel.

'Spookplant?'

'Shit, Jack, ik heb het je nooit verteld. Neem het me alsjeblieft niet kwalijk als ik tegen je zeg dat ik in Little Trudeau de tas van de sjamaan heb meegenomen. Ik moest te weten komen of er iets aanwezig was dat me zou helpen om erachter te komen hoe hij was gestorven.'

'En? Heb je er iets aan gehad?' Hij klonk koeltjes, neutraal. Ze kon er niet uit opmaken wat hij daarvan dacht.

'Het spijt me dat ik dat heb gedaan, Jack... dat is nu eenmaal mijn werk. Ja, ik denk dat ik er iets aan heb gehad. Die Aleut van de cafetaria heeft de tekst voor mij vertaald. Hij had het over een "geestplant", gebruikt door de sjamaan voor het maken van een kompres. Ik denk dat ik zijn "geestplant" heb gevonden.'

'Waar?'

'Het zijn de doorzichtige algen die zich in het meer onder het wak bevinden. De algen die eruitzien als de Sluier des Doods.'

'Bevindt datgene wat hen heeft omgebracht zich onder het wak?' zei Nimit.

'Ja, verborgen in de transparante algen.'

'Maar we hebben een heel reservoir van dat water uit het meer gehaald. Niemand heeft er gezondheidsklachten aan overgehouden.'

'De reden daarvan is dat jullie de leefomgeving van die algen niet hebben verstoord... geen licht, geen zuurstof. Een aanval was niet nodig. Ze bleven in een sluimerfase.'

'Het bevond zich dus niet in een *pongo*?'

'Nee. De transparante algen zouden zo dicht aan de oppervlakte niet kunnen overleven vanwege het licht en de zuurstof.'

Nimit zweeg even. 'Dan zouden ze ermee in contact moeten zijn gekomen bij het wak of in het laboratorium. Dee is al maanden niet meer bij het wak geweest. Zou het kunnen dat ze besmet is geraakt in de koepel waar zich de specimens bevinden?'

'Nee. Ze moet eraan zijn blootgesteld geweest nadat ik haar gisteravond alleen heb gelaten.'

'Hoe?'

'Ik heb nagedacht over wat Kojt heeft gezegd, niet lang nadat hij op het poolstation was gearriveerd... herinner jij je dat nog? Zoiets als hoe dichter ik er in de buurt zou komen, hoe dichter het bij mij zou komen? Iemand heeft dat goedje naar Dee gebracht.'

'Goeie genade, nee. Op welke manier?'

'Dat moet ik te weten zien te komen, en snel ook. Ik moet terug naar het laboratorium. Ik heb hulp nodig, Jack, om... om Dee... op een brancard te krijgen. Ik laat je zien hoe je een biopak aandoet.'

'Natuurlijk. Ik laat je niet alleen.'

Terwijl ze zich in de kledij staken die volledige bescherming bood, probeerde Hanley zich te concentreren op wat ze op dat moment aan het doen was, maar haar gedachten lieten haar telkens in de steek en tergden haar met flarden van flashbacks die ze zich onwillekeurig herinnerde. Toen ze zich met het stoffelijk overschot van Dee geconfronteerd zag, leek haar geest op te houden met functioneren, waardoor ze verscheidene minuten moest blijven staan om haar denkwereld te kalmeren opdat ze in staat zou zijn datgene wat daar pal voor haar lag tot zich te laten doordringen. Hanley had dit nog nooit bij een lijk ervaren: verlatenheid. Geen wetenschappelijke opwinding, geen majestueuze indruk van afwezigheid, alleen een verwoestend gevoel van verlies. Niets kon verlichting brengen. Het was er gewoon.

Tegen de tijd dat ze het lichaam van Dee op de brancard hadden getild, realiseerde Hanley zich dat ze bijzonder oplettend en gemotiveerd was. Haar denkwereld stroomde over met vragen, zelfs nadat ze het geschonden lichaam van haar vriendin nauwgezet in de quarantainehoes had gedaan.

Meteen nadat ze de brancard naar het provisorische mortuarium hadden gereden en ze de beschermende pakken voor gewone kleren hadden verwisseld, nam Jack haar mee naar het kantoor van Mackenzie. Verneau, Roedenko en Nemerov zaten in een verslagen stemming bij Mackenzie. Ze waren veeleer samengekomen om troost bij elkaar te vinden dan om feitelijk iets te ondernemen. Wat konden ze trouwens doen?

'Waarom Dee?' zei Hanley. Ze liet zich op de sofa vallen, waarbij ze naar haar rug greep. De kramp was het gevolg van de spanning en de ongewone houding waarin ze op de vloer in de gang had gezeten. Ze keken haar allemaal bezorgd aan en waren gedeprimeerd, op de onverstoorbare Kojt na, die zich bij de deur ophield.

Nimit ging naast haar zitten en deed een poging haar gevoelige schouderspieren te masseren. Hoewel het een intieme handeling was, kon het haar niet meer schelen wat iedereen dacht of wist van haar relatie met Jack.

Verneau probeerde haar gerust te stellen. 'Je mag jezelf geen verwijten maken. We weten allemaal hoe voorzichtig je te werk bent gegaan. Dit is niet jouw schuld.'

Hanley schudde haar hoofd. 'Het zou echter nooit zijn gebeurd als ik niet...'

Roedenko begon iets te zeggen om Hanley gerust te stellen, maar hij leek de juiste woorden niet te kunnen vinden.

'Dr. Hanley slaat de spijker op de kop,' zei Kojt bij de deur.

Verneau keerde zich tegen hem. 'Wat een wrede opmerking. Luister niet naar hem, Jessie.'

Kojt bleef afstandelijk en was niet aangedaan door de uitingen van verdriet en verbijstering van de anderen. 'Dit is met opzet gedaan.'

Hanley keek geschrokken naar hem. 'Inderdaad, wat dat betreft ben ik het met u eens. Maar waarom zou iemand haar dit willen aandoen?'

'Iemand was daartoe bereid,' zei Kojt. 'Dit is een gevaarlijke omgeving. Wilt u nu wellicht extra voorzorgsmaatregelen nemen, zoals ik die voorheen heb aangeboden?' zei hij.

'Bent u gek geworden?' riep Mackenzie uit. Hij schreeuwde bijna.

'Voorzorgsmaatregelen zouden nu wenselijk zijn,' drong Kojt aan.

'Wie zou Dee Steensma willen vermoorden?' zei Verneau.

'Niemand,' antwoordde Kojt.

'Nu kan ik u niet meer volgen,' zei Verneau. 'U zegt dat niemand haar heeft willen vermoorden, terwijl u dat pistool van u in uw bezit blijft houden en bescherming aanbiedt?'

'Inderdaad,' zei Hanley schor. Ze zat tegen Nimit aan. 'Hij bedoelt te zeggen dat zij niet het beoogde slachtoffer was. Dat was ik namelijk.'

48

'Goeie genade,' zei Mackenzie nadat Hanley haar conclusies betreffende de dodelijke slachtoffers op poolstation Trudeau nog eens de revue had laten passeren. 'We moeten regelingen treffen voor uw veiligheid.'

'Nee,' zei Jack luid. Iedereen draaide zich naar hem toe. 'Daar zorg ik voor. Dr. Hanley zal niets overkomen. Dat garandeer ik.'

'Natuurlijk,' zei Mackenzie beverig. 'Er zal dr. Hanley niets overkomen. Dat kunnen we niet laten gebeuren.'

'Bedankt, Jack,' zei ze. 'Zou ik met je mee kunnen lopen naar het laboratorium?'

Langzaam liepen ze door het complex. Hanley hield haar pas in bij de gang naar het laboratorium en haalde diep adem. Ze verzamelde moed om verder te lopen.

'Gaat het?' vroeg Jack.

'Niet echt. En jij lijkt me evenmin helemaal in orde. Wat ga je hierna doen?'

'Ik moet hoognodig wat zaken regelen. Zodra ik daarmee klaar ben, kom ik je halen.' Hij hield haar dicht tegen zich aan en drukte teder een kus op haar oogleden. 'Het spijt me zo verschrikkelijk, Jess. Ik heb er meer moeite mee dan je je kunt voorstellen. Er zal jou echter niets overkomen, dat beloof ik je.'

Hanley stond in contact met het Centrum in Los Angeles en rapporteerde haar vermoedens. De origine van het agens was biologisch en vrijwel zeker geïdentificeerd. De overdrachtsmethode was echter door de mens vervaardigd en nog steeds onbekend.

Bij Munson viel het nieuws slecht. Via het relaiscircuit met Californië bleef hij boven Ishi uit schreeuwen, waardoor zij en Ishikawa elkaar amper konden verstaan. 'Dat maakt geen deel uit van de overeenkomst,' bleef Munson onvermurwbaar zeggen. Hoe machtelozer hij zich voelde, wist ze, hoe luidruchtiger hij werd. Inmiddels was hij volledig op stoom gekomen. Hanley was het spuugzat. Ze typte een bericht dat niet door Munson gezien kon worden, aangezien hij het te druk had om al gebarend zijn misnoegen kenbaar te maken.

Dit heeft geen zin, Ishi. Ik ga off line tot hij kalmeert of vertrekt.

Hanley ijsbeerde door het laboratorium. Ze spreidde een slaapzak uit op de vloer, naast haar gedeelte van de laboratoriumtafel, ging erop liggen en rolde zich op. Hoe was het mogelijk dat ze zich zo moe voelde?

Enkele uren later werd ze wakker. Een ogenblik lang was ze uitgerust, opgefrist. Opeens kwam de herinnering weer, die als een steen in haar hart zakte. Het was stil in het laboratorium. Toch was ze niet alleen.

'Goedemiddag, dr. Hanley,' zei Nemerov.

'Wat doet u hier?' mompelde ze.

'Ik ben een van uw nieuwe lijfwachten.' Hij ging gehurkt naast haar zitten en schoof het vuurwapen dat in zijn schouderholster zat opzij.

'Wie heeft dat geregeld?' vroeg ze.

'Uw chef.'

'Dr. Mackenzie?'

'Jack Nimit. Hij heeft ons gevraagd te verhuizen naar de lege vertrekken tegenover die van u. We gaan u om beurten beschermen.'

Ze wreef over haar gezicht. 'Dat is waarschijnlijk een goed idee.'

'Kan ik iets voor u doen?'

Ze beefde slechts.

'Nou, nou,' zei hij terwijl hij haar lokken streelde alsof ze een van zijn dochtertjes was.

Uli en Kiyomi meldden zich om aan de slag te gaan. Ze hadden extra voorzorgsmaatregelen getroffen en droegen dubbele chirurgische handschoenen, respirators en Tyvek-pakken. Door het feit dat ze überhaupt weer aan het werk waren gegaan, bleek Hanley echter zo geroerd dat ze opnieuw begon te huilen. Dankzij een stilzwijgende overeenkomst zouden ze respect betonen aan Dee door het micro-organisme te vinden waaraan ze was gestorven.

Ze vertelde aan hen waar ze in het laboratorium van Skudra achter was gekomen.

'Mensen, ik denk dat de boosdoener altijd al op poolstation Trudeau aanwezig is geweest. De transparante zoetwateralgen onder het wak. Volgens mij vormen die de geestplant van de sjamaan.'

'Maar waarom waren de algen zo specifiek in hun aanvalsgerichtheid?'

'Omdat ze niet tegen zuurstof kunnen. Als ze in een zuurstofrijke omgeving worden losgelaten... bloed, longen... moeten ze daar een einde aan maken om te kunnen overleven.'

'*Ja*,' stemde Uli in. 'Ze vallen dus de zuurstof aan die ze in de longen en bloedcellen niet kunnen dulden.'

'Spelen misschien de fibrillen in de longen een rol in de bescherming van de boosdoener?' vroeg Kiyomi zich af.

'Ja! Waarom heb ik me niet eerder met die algen beziggehouden?' Hanley verhief haar stem. De opwinding over het feit dat de puzzel langzaam werd opgelost, was tijdelijk groter dan haar verdriet over het verlies van Dee. 'Het kainietzuur. Cybil heeft me verteld dat het veel op domoiczuur lijkt, dat schaaldiervergiftiging veroorzaakt. Toen we de wulken die door de wetenschappers waren gegeten verder buiten beschouwing konden laten, begon ik de vectors in het bóvenste gedeelte van de voedselketen te controleren, zoals vogels, zoogdieren en wat al niet meer. Ik dacht er niet bij na wáár de schaaldieren het gif vandaan hadden gehaald... van de algen dus.'

'Of waar de álgen het op hun beurt vandaan hadden gehaald,' zei Uli.

'Inderdaad,' ging Hanley verder. 'De algen zouden gemakkelijk een reservoir kunnen vormen voor een symbiotisch virus dat met behulp van water sulfaat in de samenstellende bestanddelen uiteen doet vallen en waterstofsulfide vrijmaakt.'

'Zoals onze specimens in het meer dat doen,' zei Kiyomi.

'Toxisch voor de meeste organismen,' voerde Uli aan.

Hanley stak een vinger op. 'Maar niet voor dat gemene beest van ons. De microben in de algen maken de meerbodem vrijwel onbewoonbaar voor de meeste andere levensvormen, behalve voor de algen zelf. Cybil zei daar iets over: datgene wat in de algen de fotosynthese blokkeert en niets van chlorofyl moet hebben, heeft tevens een hekel aan hemoglobine. Het wil in een wereld zonder zuurstof leven. Verdomme, waarom heb ik me dat niet eerder gerealiseerd? Dat is een andere bevestiging: het waterstofsulfide in het longbereik.'

'Ben je overtuigd?' vroeg Uli.

'Ja. Maar we weten nog steeds niet waarom datgene wat er in de algen zit, wat dat ook moge zijn, specifiek proteïnen aanvalt. Maar tot nu toe kunnen we stellen dat op een schaal van tien de algen minstens een zeven of een acht scoren, en in mijn business is dat voldoende. Maar er staat ons nog een zwaardere taak te wachten,' zei ze tegen de ernstige gezichten rond de tafel. 'We moeten erachter zien te komen hoe die algen de drie wetenschappers in het kampement hebben besmet, en niet te vergeten dr. Kruger en Dee. Als het alleen die drie mensen op het ijs waren geweest, zou ik zeggen oké, op de een of andere manier zijn ze die algen bij de polynya tegen het lijf gelopen, waardoor wij datgene wat er is gebeurd als een verschrikkelijk ongeluk kunnen beschouwen, een toevallige blootstelling in de vrije natuur. Maar het kan niet anders of Dee werd gisteravond besmet. Als er wat betreft de dood van Dee opzet in het spel was, hoe zit het dan met de anderen?'

'Maar waarom?' Het open gezicht van Uli straalde oprechte verbijstering uit.

'Ik heb geen flauw idee. Wat ik wel weet, is dat we erachter moeten zien te komen hóe we dienen te voorkomen dat dat in de toekomst opnieuw gebeurt. Kiyomi, ik wil dat je een volledig beschermend biopak met luchtverversingssysteem aantrekt. Loop de kamer van Dee in en catalogiseer alles wat je daar ziet. Alles wordt in een aparte houder gedaan en gelabeld. Uli, ik wil dat jij een complete lijst opstelt van de effecten die het agens op het lichaam heeft gehad. Aldus kunnen we de werkwijze van het agens gaan analyseren en de gegevens vergelijken met hetgeen we te weten kunnen komen over de transparante algen.'

Gelaten liep Kiyomi weg om de bezittingen van Dee te inventariseren. Hanley haalde diep adem. Op welke wijze hadden de algen bij de wetenschappers op het ijs kunnen komen? Of bij dr. Kruger? Wat was er gebeurd tijdens de lijkschouwing van Kossuth? Zij en Dee waren voorzien van een eigen luchtverversingssysteem, dus moest Kruger de algen ingeademd hebben. Maar hoe? Wat was er aanwezig tijdens de lijkschouwingen van Kossuth en niet bij de anderen?

Hanley stopte de dvd, waarop de autopsieën van Bascomb en Ogata te zien waren, in haar laptop. De dvd met de lijkschouwing van Kossuth schoof ze in de computer die zich op de werktafel van Dee bevond. Ze speelde de dvd's gelijktijdig af. Ze keek naar de beide schermen en vergeleek de geordende instrumentenverzameling, waaronder beenzagen, scalpels, scharen, hamers, handzagen en sondes van verschillende lengtes en afmetingen – de instrumenten waren van gehard staal, om ervoor te zorgen dat ze zonder moeite de botten en gewrichten aankonden. Gezien de opzet en het doel van de ingrepen was het instrumentarium tijdens beide ingrepen hetzelfde. Waar was datgene wat het patroon doorbrak?

Aandachtig keek Hanley naar de schermen. Links opende Ingrid Kruger de membranen die het hart en andere vitale organen omgaven. Ze sneed een plakje van een gedeelte van elke long af en woog de specimens. Het normaliter sponsachtige weefsel was verhard. De parelvormige blaasjes waar het lichaam duizenden keren per dag zuurstof voor kooldioxide 'verhandelde', waren vernietigd, waardoor het slachtoffer nog slechts enkele minuten bij bewustzijn was gebleven. Kruger ging verder met haar onderzoek en scheidde de huid van ander weefsel, waarbij ze haar bevindingen van commentaar voorzag.

'De neusschelpen in de neuspassage hebben geen rol gespeeld in het voorkomen van de binnendringing van het agens. Hetzelfde geldt voor de trilharen in de bronchiën. De passages, de buisjes en de longblaasjes zijn feitelijk broos geworden. De slijmvliezen en ademhalingsspieren lijken geatrofieerd.'

Ze verwijderde de longen en woog ze afzonderlijk. Elk bijna een kilo, driemaal de normale waarde. Zoals nu die van Ingrid Kruger. En van Dee.

Hanley keek vervolgens naar het andere scherm. Daar was dr. Kruger bezig met de voorbereidingen om een klein stukje van de zwart geworden huid van Alex Kossuth om te slaan. Hanley zette het beeld stil en vroeg zich af of het haar simpelweg ontging waar ze naar op zoek was, of dat het iets was dat zich buiten het directe blikveld bevond.

Hanley speelde de eerste dvd vanaf het begin af. Op het scherm waren de handen van dr. Kruger te zien. Opnieuw reikte ze in de borstholte van Annie Bascomb. Haar blik gleed naar het andere scherm, waarna ze verstramde. Haastig sloeg ze op de pauzeknop van beide computers. Op het scherm van haar laptop zag ze dat de handen van Ingrid Kruger een stukje weefsel van haar geliefde vasthield. Het hart van Hanley klopte sneller. Ze vergeleek de twee beelden.

'Violet,' zei ze. 'Violet.' Voilà, de breuk in het patroon. Het ging niet om de verschillen tussen de ene en de andere autopsie, maar om wat er anders was aan Kruger.

49

'Uli!'

Hij zat op een kruk aan de werktafel en draaide zich om. '*Ja*, wat is er aan de hand?'

'Kom eens hier.'

Ze ging hem voor naar de plaats waar de nauwgezet gecatalogiseerde spullen lagen die waren teruggehaald uit het kampement van de gedoemde expeditie.

'Wat is er?' vroeg Uli.

'Volgens mij hebben we de boosdoener te pakken... de besmettingsbron.' Ze maakte de deur open, waarna ze naar binnen liepen. Ze bloosde van opwinding.

'*Ja?*' Hij was sceptisch, maar begon ook opgewonden te raken. 'Weet je het zeker?'

'Denk eens aan de zaken die we allemaal gemeen hebben. Hoofd, handen...'

'*Ja*. Maar die zijn individueel verschillend.'

'Wat mag je bij drie mensen *níet* verschillend noemen? Wat is bij iedereen hetzelfde, ongeacht over wie we het hebben?'

Uli trok een gezicht. 'Ik weet het niet. Bloed? Nee, nee. Te veel bloedgroepen.'

'Precies, daarin heb je diverse variaties.'

'De longen?'

Ze schudde haar hoofd. 'De longen zijn aan verandering onderhevig... leeftijd, of de persoon in kwestie rookt, enzovoort.'

'De lichaamstemperatuur!' riep hij uit. '*Ja*, de lichaamstemperatuur.'

De ogen van Hanley flonkerden. 'Inderdáád! Wat nog meer?'

Uli wreef over zijn wangen. 'Ik kan je helemaal volgen.'

'Als we terroristen zouden zijn en van plan in een bevroren woestenij een biologisch wapen te maken, hoe zouden we dan te werk gaan?'

'Porties van het kwalijke goedje in elkaar flansen en het vervolgens vriesdrogen. Makkelijk zat, hier in het noordpoolgebied. Daarna zouden we van het goedje een korrelige structuur maken. Misschien zouden we de deeltjes zelfs van een coating voorzien voor een glad oppervlak, waardoor ze gemakkelijker in de lucht blijven zweven. Daarna zouden we het spul boven onze slachtoffers sprayen om het ze te laten inademen.'

'Precies,' zei ze zachtjes terwijl ze koortsachtig nadacht. 'Stel dat ik dat spul in mijn bezit had... de gevriesdroogde, sluimerende boosdoener, verpulverd tot deeltjes... maar ik zou geen mogelijkheid zien om het in iemands longen te krijgen, hoe zou ik drie mensen op het ijs dan toch kunnen besmetten met die microbe?'

Uli trok een gezicht. 'Sorry. *Nichts.*'

'Denk opnieuw aan de timing. We hebben het er zelf over gehad. De drie personen zijn zo snel achter elkaar gestorven dat de boosdoener niet via het maag-darmkanaal is binnengedrongen. Er moet sprake zijn geweest van inademing. Er zijn echter geen tekenen van aërosol aangetroffen, behalve dan als het gaat om de ijskoepels die ze tientallen keren hebben opengebroken. En deze boosdoener leeft niet in een *pongo.*'

'Ik kan me niet voorstellen wat er dan nog overblijft,' zei hij.

'Waarom had dr. Kruger violette handschoenen aan?'

'Ik neem aan dat ze allergisch was voor latex, dus trok ze handschoenen van polyvinyl aan.'

'Juist.'

'Je suggereert niet dat ze zijn overleden als gevolg van een allergische reactie.'

'Nee.'

'Dan kan ik je nog steeds volgen. Wat hebben we allemaal? Handen, vingers?'

'Huid.'

'Huid.' Peinzend herhaalde Uli het woord.

'Ja, Uli. Het grootste orgaan van het menselijk lichaam.'

'De huid zou het agens in dat geval op gelijkmatige wijze absorberen, en de lichaamstemperatuur van het drietal zou vrijwel identiek zijn om het agens te activeren. *Ja.*'

'Zo is het. In een of andere sluimerende vorm, gedroogd, komt het vervolgens in contact met kleine hoeveelheden vocht en warmte. Nadat het agens actief is geworden, wordt het door de huid opgenomen. Het omzeilt alle gebruikelijke alarmsignalen en tegenmaatregelen waarvan in het maag-darmkanaal sprake is. Het misleidt bliksemsnel de cellen, die de stof vervolgens accepteren, waarna er celdeling volgt en er sprake is van een explosieve groei, als een reactor die warmte genereert. Door een of ander biochemisch signaal wordt het virus, of wat het agens ook is dat in de algen zit, simultaan door de cellen verwijderd. Daarna volgt er een aanval zoals we die nooit eerder hebben gezien.'

'*Ja,*' zei hij. 'Maar ze hadden allemaal een poolpak aan. Hoe moet dat agens dan de huid hebben bereikt?'

'Vertel jij het me maar.'

Uli staarde voor zich uit. 'Je moet dat zien te bewerkstelligen wanneer ze hun poolpakken nog niet hebben aangetrokken. Dus wanneer ze hun poolpakken uit hebben en,' zei Uli terwijl hij hardop nadacht, 'in hun blootje staan.'

'Precies.'

Ze richtten hun aandacht op de talloze verzamelde voorwerpen die op de vloer verspreid lagen, elk afzonderlijk op de daarvoor bestemde plaats, keurig genummerd, van labels voorzien en de prioriteit ervan aangegeven voor verder onderzoek.

Hanley legde haar handen op haar hoofd terwijl ze voorzichtig tussen de verzamelde spullen liep en die vorsend bekeek.

'Het bevindt zich hier. Ik weet dat het zich hier bevindt,' mompelde ze terwijl ze langzaam over een pad tussen de uitgestalde spullen liep. Ze voelde hoe de adrenaline zich door haar lichaam verspreidde, haar hart bonkte.

Uli slenterde achter haar aan.

'Wat gaat er in de chirurgische handschoenen?' vroeg ze. 'Wat doen we allemaal voordat we het poolpak aantrekken?'

Prompt hield Hanley haar pas in en staarde roerloos naar de stapels bezittingen en uitrusting, gelabeld en gecatalogiseerd in de met krijt aangegeven vierkanten.

'Ja. We brengen talkpoeder aan.'

50

Hanley en Uli controleerden de overzichtslijsten, maar konden slechts één bus talkpoeder vinden. Niet het merkloze poeder dat ten behoeve van het poolstation in grote hoeveelheden werd ingekocht – opgeslagen in witte blikken zonder logo – maar een poederproduct dat je in de winkel kon kopen. Eentje maar.

De breuk in het patroon.

Gezien de plaats waar het werd aangetroffen, had Dee het op de lijst van spullen gezet die van Annie Bascomb waren geweest. De bus met talkpoeder stond als nummer driehonderdnegenentwintig gereed om onderzocht te worden. Uiteindelijk was ook dit poeder aan de beurt geweest, misschien met desastreuze gevolgen als iemand het verkeerd zou hebben behandeld. Behoedzaam liep Hanley tussen de voorwerpen door die op de vloer lagen. Uiteindelijk bereikte ze het vierkant waar volgens de lijst het talkpoeder moest liggen. VEILIG VOOR BABY'S, stond er op de bus.

Gehuld in een volledig beschermend pak, compleet met handschoenen en voorzien van een respirator met een onafhankelijk luchtverversingssysteem, namen zij en Uli de laboratoriumkoelbox voor de drankjes in beslag, bestemd voor de medewerkers van het laboratorium. Het was de bak die het dichtst bij stond. Ze trok elders laden open, op zoek naar een tang, en terwijl ze daarmee bezig was liet ze de inhoud ervan ongeduldig op de grond vallen. Kalm fabriceerde Uli er een met behulp van twee van haar kleerhangers en overhandigde het ding aan Hanley. Uiteindelijk, en zeer nauwgezet, hield ze met de geïmproviseerde tang de bus vast en plaatste die in de koeler van piepschuim, waarna Uli het deksel met kleefband afdichtte.

Hanley zuchtte. Onder de respirator liep het zweet over haar kin naar beneden. 'Tjonge, hoe warm is het hier?'

'Geen idee,' zei Uli. 'Geen zevenendertig graden Celsius. Misschien vijftien graden.'

'We weten niet precies bij welke temperatuur het micro-organisme geactiveerd wordt,' zei Hanley. 'Laten we het spul ergens koud bewaren.'

'Ja, ja.' Uli knikte en nam de koelbox voor zijn rekening. Hij verzegelde hem met een grote sticker die biologisch gevaar symboliseerde.

'Wat betreft de volgende te nemen stappen is uiterste omzichtigheid geboden. We willen namelijk niet nog meer onrust veroorzaken,' zei ze zachtjes.

'Wat bedoel je?' vroeg Uli, die met zijn ogen knipperde.

Hanley liep heen en weer terwijl ze sprak. Haar gedachten en intuïtieve ingevingen kwamen als een stortvloed.

'Naar alle waarschijnlijkheid heeft iemand de algen uit het meer gehaald, of misschien wel uit het reservoir dat zich op het poolstation bevindt, en ze zonder moeite kunnen vriesdrogen door ze simpelweg mee naar buiten te nemen om aldus het micro-organisme in een sluimertoestand te dwingen. Vervolgens heeft hij dat algenmatje tot poeder vermalen en het geheel vermengd met talkpoeder. Zo verschrikkelijk eenvoudig, en zo ongelooflijk dodelijk.' Ze drukte een hand tegen haar voorhoofd. 'Vervolgens is het poeder er de oorzaak van dat Tarakanova overlijdt, en met haar de hele bemanning van de onderzeeër.'

'In die duikboot is nog iets anders gebeurd, is het niet? Dat moet wel... er zijn zoveel doden gevallen.'

Hanley inspecteerde de geïnventariseerde voorwerpen. 'Wacht eens even... Tarakanova heeft haar poolpak achtergelaten in het kampement. De buitenste lagen zijn hier. Ik heb ze op de inventarislijst zien staan.'

'Wat wil je daarmee zeggen?' Uli keek of hij in verwarring was gebracht.

'Voordat ze in de onderzeeër vertrok, had ze haar poolpak en haar helm op de werkplek achtergelaten. Die pakken zijn per slot van rekening duur en eigendom van poolstation Trudeau. Haar pak is teruggebracht en gelabeld, samen met de rest van haar spullen... maar niet alles. Niet de onderlaag van het poolpak. In de onderzeeër heeft ze de bodystocking aangehouden.'

'Zij gebruikte het poeder ook, net als de anderen,' zei Uli.

'Ja, maar in de onderzeeboot moet ze de bodystocking hebben uitgedaan. Misschien vóórdat haar lichaamstemperatuur en de transpiratie de kans hadden gekregen het micro-organisme te activeren, zodat het lichaam in staat was het te absorberen.'

'Inderdaad!

Hanley dacht nu diep na. ' Volgens kapitein Nemerov is het zuurstofgehalte in een onderzeeër hoger dan aan de oppervlakte. Wat betreft hun vermoedens hebben de Russen het denk ik bij het juiste eind gehad. De kunstmatig met zuurstof verrijkte lucht gedroeg zich als een versnellingsmiddel. Zij... wie dan ook... kreeg het poeder op het lichaam of heeft de sporen ervan in de lucht van de gesloten ruimte gebracht.'

'En het luchtverversingssysteem, met een zuurstof regenererende installatie, heeft de virusdeeltjes gelijkmatig door de hele onderzeeër verspreid, wat denk jij?' zei Uli.

'Ja, volgens mij wel. En in een onderzeeër is die omgeving nóg zuurstofrijker. Het virus gaat af als een raket... de woordspeling is onbedoeld.' Hanley legde een hand op de arm van Uli. 'Ja, ik denk dat het zo is gegaan.'

Hij straalde. 'Oké, ik ook.'

'Uli, we moeten in alle stilte het aquarium met de meeralgen onder quarantaine stellen. Zelfs als we het talkpoeder vernietigen, als iemand vastbesloten is dit experiment te herhalen...'

'Men hoeft daarvoor alleen maar naar de specimenkoepel te gaan.'

'Precies. We moeten een luchtdichte verzegeling bewerkstellingen, eventueel met behulp van paraffine. Ik kan op dit moment nog niet zo ver vooruitzien. Op dit moment moeten we er in elk geval voor zorgen dat de boel wordt dichtgeplakt en veiliggesteld. Opnieuw gebruiken we daarbij een Tyvek-pak, handschoenen, een respirator en een onafhankelijk luchtverversingssysteem.'

'Goed.'

'Morgen in alle vroegte moeten we Verneau en Mackenzie meteen te spreken krijgen, zodat ik voorzorgsmaatregelen kan treffen om het wak onder bewaking te stellen. Ik ga Jack wekken; hij moet me helpen met het verzegelen van die opening. Intussen zeggen we er tegen niemand iets over.'

'Geregeld.'

'Oké, het net sluit zich.'

Hanley riep Nemerov, die buiten het laboratorium op wacht stond. Ze legde uit dat ze zijn hulp en die van de admiraal nodig had om het algenmeer te bewaken tot zij een permanente oplossing had bedacht.

'En u dan?' vroeg Nemerov. 'Moet ik het wapen achterlaten bij Uli, zodat hij u kan beschermen?' Ze moest er bijna om lachen. Mannen. Als iemand vastbesloten was haar te vermoorden zoals dat bij de anderen was gebeurd, dan zou geen enkel vuurwapen dat kunnen verhinderen. Ze moesten fungeren als proevers en oppassers, ze dienden alles waarmee ze in contact kwam aan een test te onderwerpen, van voedsel tot parfum, om ervoor te zorgen dat het dodelijke agens geen kans kreeg om actief te worden. Zij hoefde zich tenminste geen zorgen te maken over make-up. Ze glimlachte terwijl ze zich Dee herinnerde die om lippenstift aan het bedelen was.

De glimlach verdween toen ze zich realiseerde dat zij het beoogde doelwit was geweest. Vervolgens besefte ze dat datgene wat Dee noodlottig was geworden iets was dat ze beiden gebruikten. Zouden ze iets in haar sigaretten hebben gestopt? Nee, niet de sigaretten... Ze reikte naar haar hals en trok aan de rechthoekige pleister die op haar huid was geplakt. Hoewel ze zich er redelijkerwijs van bewust was dat ze onmogelijk besmet geraakt kon zijn, wist ze toch niet hoe snel ze die pleister moest verwijderen.

'Snotverdomme!' riep ze luid.

'Wat is er aan de hand?' zei Uli bezorgd.

'Ik weet hoe Dee is vermoord.'

'Hoe dan? Op het poolstation heeft ze geen talkpoeder nodig.'

'De nicotinepleister. Een ongelooflijk effectief middel om medicijnen in het lichaam te brengen. Ik ben ervan overtuigd dat die besmet is. En ik wil wedden dat alle pleisters in mijn medicijnkastje dat zijn. Dee moet een van de mijne hebben gebruikt.'

Kiyomi kwam terug, ze had gegeten. Hanley vroeg aan haar om alle nicotinepleisters in haar woonverblijf veilig te stellen, waarbij ze het volledig beschermende pak diende aan te doen. 'Uli zal je helpen. Ik wil niet dat een van jullie dat alleen doet.'

Kiyomi boog diep en liep weg.

Enkele minuten later kwam Uli te voorschijn en stond onder de overwelving die naar de tunnel voerde. Hij zei niets en stond daar alleen maar. Uiteindelijk merkte Hanley hem op en liep naar hem toe.

'Wat is er aan de hand?'

'Jack. Hij bevindt zich op de binnenplaats... waar we 's zomers altijd gaan zonnebaden. Je weet wel, waar hij zijn arctische spoedcursus geeft, bij de externe helling.'

'Is alles in orde?'

'Ik denk van wel. Je moet zelf maar eens gaan kijken.'

Hij ging haar voor terwijl ze het laboratorium uitliepen. Ze begaven zich naar een nis in een van de corridors die langs de binnenplaats voerden. Aldaar kon ze Jack Nimit zien, gekleed in inheems bont. De dikke capuchon van bont bedekte zijn hoofd, en een bivakmuts had hij tot ver over zijn neus getrokken om hem te beschermen tegen de bijtende kou. Hij had rotsblokken, bijna zo groot als zwerfkeien, in twee kolommen opgestapeld, die hij vervolgens verbond met behulp van een rechthoekige platte steen, waardoor er een brug was ontstaan. Daarna legde hij kleinere rotsblokken op de verbindingssteen. De wanggedeeltes van zijn bivakmuts waren bedekt met rijp, net als zijn wenkbrauwen.

'Hoelang is hij al buiten?' vroeg Hanley. 'Wat doet hij daar?'

'Hij bouwt een *inuksuk*.'

'Wat is dat voor iets?'

Met veel moeite tilde Nimit een grote steen op en legde die op het verbindingsgedeelte. De stenen figuur begon langzaam een menselijke gestalte aan te nemen. 'Volgens mij is het een soort gedenkteken.'

'Voor Dee.'

'Ik zou zeggen van wel.' Opnieuw tilde Nimit een steen op en legde die op de plaats waar hij die wilde hebben. Zijn adem walmde om hem heen.

'Hij moet uitgeput zijn,' zei Hanley.

'In lichamelijk opzicht vraagt hij ongetwijfeld veel van zichzelf,' meende Uli.

Hanley vroeg aan Uli of ze zijn donsjack mocht lenen. Uli hielp haar terwijl ze die jas aantrok en haalde de capuchon, die in de kraag was verwerkt, over haar hoofd. Hij trok zijn geïsoleerde handschoenen uit de zakken en wilde per se dat ze die aantrok.

'In die kleren kun je ongeveer vijf minuten buiten blijven,' zei hij.

Ze knikte en rende naar buiten. De kou sloeg meteen toe, waardoor ze instinctief haar hoofd boog. Godzijdank was er geen wind. Niettemin had ze al een brandend gevoel in haar wangen en dijen. Toen ze hem was genaderd, legde hij de laatste steen, een vierkante, op de figuur die hij had gebouwd. Met veel moeite wriggelde hij die op zijn plaats en viel daarbij bijna van moeheid tegen het bouwwerk. Hij hijgde. Hanley bracht haar gezicht dicht bij het zijne.

'Ga mee naar binnen, schat.'

Hij knikte, was niet in staat iets te zeggen.

'Nu,' vervolgde ze. Ze pakte hem bij de arm vast en ondersteunde hem terwijl ze zich terug naar de deur en de externe binnenplaats begaven, en vervolgens in het poolstation zelf.

Ze liep met hem terug naar de nis waar Uli naar het stenen bouwwerk stond te kijken. Jack had zijn handen bezeerd als gevolg van de grote rotsblokken die hij op hun plaats had versleept en getild. En op zijn gezicht was een grijze vlek te zien. 'Bevriezingsverschijnselen,' zei Uli terwijl hij dat stukje huid aanraakte.

In het vage licht van het poolstation ging de inuksuk een eigen leven leiden en was van een primitieve pracht en verhevenheid. En dat was, vermoedde Hanley, het idee erachter. Dit was een monument ter ere van Dee's geest, zodat anderen zich haar zouden herinneren en eren, precies zoals hij had gedaan.

Ze leunde tegen hem aan, voelde zich uitgeput. 'Prachtig, Jack. Het is prachtig.'

'Ik voel me zo beroerd, Jess.'

'Wij allemaal, schatje,' zei ze, waarna ze hem omarmde.

51

Nimit laadde een geïsoleerde watertank in de Sno-Cat. Hanley hielp hem het zware vat in de hoge laadruimte te tillen. Vervolgens trokken ze in de omkleedruimte hun poolpakken aan. Met veel moeite hees Hanley zich in haar strakke bodystocking. Ze kon er zichzelf namelijk niet toe brengen om talkpoeder te gebruiken.

Zale riep hem op vanuit de externe radiotoren. *'Uli heeft de algentank verzegeld. Admiraal Roedenko zal die bewaken tot jullie terug zijn.'*

'Geweldig,' zei Hanley. 'Hoor eens, het is van het grootste belang dat niemand ons volgt of zich met onze zaken bemoeit. Commandant... u en Teddy moeten ervoor zorgen dat niemand toestemming krijgt zich naar het wak te begeven.'

'Begrepen,' antwoordde Zale.

Om eenendertig minuten over vijf 's ochtends waren ze onderweg en zwaaiden naar de externe radiotoren terwijl ze langzaam over de westhelling naar beneden reden.

Het maanloze uitspansel was prachtig. Miljoenen sterren flonkerden aan het firmament.

'En denk jij dat die algen de dood van de sjamaan hebben veroorzaakt?'

'Ja, dat denk ik zeker. Die sjamaan kon niet hebben geweten hoe je van dat spul een concentraat diende te maken,' zei Hanley. 'Waarschijnlijk heeft hij het als nat kompres op de patiënt gelegd. In die omstandigheid zou het bij lange na niet zo krachtig zijn geweest. Er gaat niets boven de geconcentreerde vorm, net een laaiende heidebrand. Zolang je het niet aanraakte, was je waarschijnlijk veilig. Door de verwerking van de algen kwam de sjamaan aan zijn einde, maar kennelijk niet zo snel als bij deze slachtoffers het geval was.'

'Dus is het probleem verleden tijd zodra we het wak hebben dichtgemaakt?'

'Niet echt. Ik ben erachter gekomen hóe ze zijn gestorven. Iemand moet zich met het raadsel van het waaróm gaan bezighouden.'

Nimit overhandigde haar een thermoskan met koffie. Hanley keek om. Het poolstation was helemaal verlicht. Iedereen was wakker, want het nieuws was zich aan het verspreiden.

Met een brommend geluid ging de Sno-Cat de helling op naar de bovenzijde, waar zich het platform bevond. Het door Nimit gebouwde complex vertoonde zich als een uitgestrekte heuvel van ijs. Een heuvel die op de top vlak was gemaakt en gekroond met een geprefabriceerde koepel zoals die ook op poolstation Trudeau te vinden waren, maar niet geïsoleerd, zelfs niet gesloten. Een felgele trap leidde pakweg twee meter omhoog naar een platform dat de schuilkoepel als een veranda omgaf. Nimit parkeerde ernaast en hielp haar met uitstappen, waarna zij even later op het bevroren oppervlak stond en hij het geïsoleerde reservoir ging uitladen. Vervolgens sleepten ze het vat over de felgele trap omhoog, het ijsplatform op en de schuilkoepel in, waar hij de schakelaars van de lichten bediende. Het duurde even voordat de accu's voldoende waren opgewarmd om ervoor te zorgen dat de lichten aangingen.

Ze waren omgeven met felgele steigers die verankerd waren aan open koepelribben. Her en der stonden strandstoelen, zes in totaal. Touwen aan een windas, boven hen, hingen naar beneden. Midden op de koepelvloer bevond zich een metalen rooster van ongeveer twee meter in het vierkant, met daaronder een metalen luik dat de afmeting van een mangat had en een opening afdekte; een gat dat in de drukwal van ijs was geboord. Nimit liet zich in een van de strandstoelen vallen, met de voeten clownesk omhooggestoken. Op handen en voeten ging ze hijgend naast hem zitten. Vluchtig keek ze rond.

'Rust even uit,' zei Nimit. 'Dan sjouw ik de watertank naar het luik, dat we vervolgens met water besproeien om het te laten dichtvriezen, wat trouwens meteen gebeurt. We moeten voorzichtig zijn, anders vriezen wij ook vast. Beschouw het niet als water, maar denk veeleer aan beton.'

'Goed,' zei Hanley, die naar de strandstoel kroop, nadat Nimit daar afstand van had gedaan.

Nimit stond bij het luik en was er klaar voor. Hij bevestigde een waterslang aan het verbindingsstuk van de tank. 'Blijf uit de buurt,' zei hij. Terwijl hij de slang dicht bij de vloer hield, besproeide hij het metalen rooster, waarbij hij de plastic slang bovendien vlak bij het luik hield, waardoor het water niet zo snel zou bevriezen dan wanneer hij verder weg zou staan. Bovendien spatte het minder, terwijl het water, dat onder druk stond, eruit spoot. Niettemin ontsnapte er wat water, dat onmiddellijk vernevelde, waardoor er een dikke mist in de koepel ontstond. Gedurende korte tijd hield die nevel het licht van de lampen tegen; hun wit met oranje pakken werden zwart en hun vizieren leken op ondoorzichtige schelpen. Vervolgens veranderde de mist in grote ijskristallen die als sneeuwvlokjes naar beneden dwarrelden, waardoor de lucht in de koepel opklaarde.

'Oké,' zei Nimit, die de slang vasthield. 'We laten het ijs enkele minuten hard worden, waarna we besluiten of er nog een laag nodig is.'

Het water in de aanvankelijk druppende slang was bevroren, waardoor er zich een ijspegel vormde. Nimit brak die eraf, verwijderde de stugge tuit, die zo hard was als een stok, en sloeg ermee tegen een reling. Het ijs viel eruit. Toen de tuit weer buigzaam was, bevestigde hij het ding opnieuw en controleerde het luik. 'Er is geen tweede laag nodig,' zei hij terwijl hij zijn werk inspecteerde. 'We zijn klaar.'

In de schemerige kamer vergrendelde Uli de bovenkant van de watertank en deed er plakband omheen, waarna hij die omzichtig van een dagtekening voorzag en het plakband vervolgens op vier strategische plaatsen aanbracht. Daarna overhandigde hij het quarantainelint aan admiraal Roedenko om dat voor de deuropening te spannen en sloeg met een hand stickers op de deur. Stickers waarop het symbool stond dat er biologisch gevaar dreigde. Om het af te maken liet hij de temperatuur in het vertrek zakken, waarna hij zijn donzen vest aan de admiraal gaf en wegging om te kijken hoe Kiyomi opschoot.

Kort daarna ging de deur open. Kojt dook onder het lint door naar binnen. In het purperen licht was zijn gestalte amper een schaduw te noemen.

'Gegroet, admiraal.'

'Meneer Kojt,' zei Roedenko. Hij was op zijn hoede.

'Ze heeft de vector geïsoleerd.'

'Inderdaad,' zei Roedenko. Waarom de moeite nemen iets te veinzen, dacht hij. Het lag voor de hand wat er gebeurd was.

'Goed. Dan is het nu aan mij om me erom te bekommeren.'

'Pardon?' Roedenko stond tussen Kojt en het verzegelde reservoir in. De erop vastgeplakte biostickers deden denken aan verkeersborden. 'Dr. Hanley wil niet dat er met specimens gerommeld wordt. Dat is voor iedereen veel te gevaarlijk. U hebt de gevolgen met eigen ogen gezien.'

'Ik ben gemachtigd dit materiaal in zijn totaliteit te confisqueren.'

'Alles?' zei Roedenko vinnig. 'Dat meent u niet. Hoe wilt u die watertank verplaatsen?'

'Ik heb alleen een specimen nodig. Datgene wat ik moet hebben, kan ik gemakkelijk naar de onderzeeër vervoeren.'

'Dit monster heeft al eens de bemanning van een duikboot vermoord. Ik kan onmogelijk toestaan dat u de bemanning van een andere onderzeeër in gevaar brengt.'

Kojt ging dicht bij hem staan. Met een starende blik bekeek hij de admiraal. 'Tsjernavin dacht dat uw loyaliteitsgevoelens wellicht een probleem zouden vormen.'

'O ja?'

'Ja. Maar ik heb hem ervan verzekerd dat die kwestie geen negatieve gevolgen zou hebben.'

'Hoezo niet?'

'Ze zullen worden aangepakt. U neemt alleen maar onnodig plaats in het nieuwe Rusland in, oude man.'

'Aanpakken? Op welke wijze?' vroeg Roedenko met een zweem van vermaak op zijn gezicht.

Kojts van een geluiddemper voorzien pistool klonk alsof er een potlood doormidden werd gebroken. Door de snelheid en de inslag van het projectiel tuimelde Roedenko naar achteren en viel tegen een poot van de watertank. Het bloed stroomde in het gipsverband van zijn enkel en vormde een plasje op de vloer.

Kojt deed de dikke werkhandschoenen aan die door Uli vlakbij over de kraan van een gootsteen waren gehangen en pakte een gedeeltelijk geperforeerde scheplepel. Aan een kort koord om zijn pols bungelde een mes. Behendig manoeuvreerde hij het ding tot het in zijn hand lag, waarna hij het van een veer voorziene lemmet eruit liet springen; het stak uit het verlengde van het handvat naar voren. Terwijl hij om de watertank heen liep, sneed hij de verzegelende stroken plakband een voor een door en scheidde het deksel van de tank alsof hij een envelop opende. Nadat hij dat had gedaan, liet hij het lemmet weer in het handvat schieten. Opnieuw bungelde het mes aan zijn pols. Nadat hij de uit Moskou meegebrachte langwerpige houder voor biologisch materiaal had geopend, nam hij de scheplepel en liet die voorzichtig in het zoute water zakken, tot bij het bleke algenmatje op de bodem. Een gedeelte van de algenstructuur zweefde omhoog in het in beroering gebrachte water. Hij schepte het op, waarna hij nog meer van het algenmateriaal opviste en het geheel samen met het meerwater van de verzonken algenkolonie in de voor biologisch materiaal bestemde houder deed.

Met trillende vingers kneep Roedenko de arterie in zijn arm dicht. Een arm die plakkerig en glibberig was geworden van het bloed. Zijn hand schokte, maar het lukte hem niettemin. Nu was het alleen nog zaak om bij bewustzijn te blijven.

Kojt liet de scheplepel in het water achter en schroefde het deksel stevig op de specimenhouder, waarna hij over een kreunende admiraal Roedenko heen stapte die bloedend op de vloer lag. Vervolgens draaide hij zich om en ging op zijn hurken naast hem zitten.

'Dat zal ik nooit vergeten,' siste Roedenko knarsetandend.

'Dat betwijfel ik,' zei Kojt. 'En voor het geval uw door ouderdom krakkemikkige geheugen het laat afweten, volgt nu een geheugensteuntje.' Opnieuw knalde het vuurwapen.

Roedenko kronkelde en schreeuwde het uit. Het meedogenloze gat in zijn knie liet een misselijkmakende pijnvlaag door zijn lichaam waaieren. Bloederig peesweefsel en botsplinters staken uit de donkere wond, en hij kreunde terwijl hij oppervlakkig naar adem hapte, alsof het hartslagen waren; wanhopig bleef hij de arterie in zijn arm dichtknijpen.

'Goed zo,' zei Kojt. 'Knijp de boel maar zo goed mogelijk af. Jij moet toch voorkomen dat je leegbloedt, hè?' Kojt ging staan. '*Das vedanya*, admiraal,' zei hij. Behoedzaam liep hij naar de deur en deed die achter zich dicht.

Het gezichtsveld van Roedenko vertroebelde. Het zicht werd glazig, de ogen verzwakten terwijl zijn bloeddruk snel daalde, waardoor zijn gezichtsvermogen werd aangetast. Hij had de indruk dat hij viel, een gevoel dat hij deinde, dat hij werd opgetild en weer naar beneden zakte. Hij bevond zich in een vrije val.

Plotseling versmalde zijn gezichtsveld, de gloed aan de andere kant van de tunnel verflauwde. Nemerov zei iets, maar hij kon hem niet verstaan. Het licht in de tunnel werd groener en doofde uiteindelijk, waarna zijn wereld zwart werd.

52

Hanley hielp Nimit het vat terug naar het voertuig te dragen. Terwijl ze pauzeerden om op adem te komen alvorens het vat in de hoge laadbak te tillen, hielden ze beiden op met wat ze deden en keken naar poolstation Trudeau. Alle lichten waren aan.

'Wat is daar in hemelsnaam aan de hand?' zei Nimit. In het poolstation was iedereen wakker.

'Ze weten dat we de oorzaak hebben achterhaald,' zei Hanley.

'Ja... daar lijkt het op.'

Niet alleen waren alle lichten aan, ze zagen ook dat één koplamp zich van het poolstation verwijderde.

Nimit klikte de langegolffrequentie van zijn helmradio aan. 'Externe radiotoren. Negen bij meerkoepel. Wie gaat daar met volle snelheid in noordoostelijke richting?'

Geen antwoord. Nimit herhaalde de oproep. Opnieuw bleef het stil. Vervolgens keek hij Hanley verbluft aan en klom in de cabine van de Sno-Cat, waar hij fel aan een radioknop draaide en de frequentie veranderde. 'Teddy,' zei hij in de microfoon.

'Sorry, Jack,' antwoordde Zale. Hij was buiten adem.

'Alles in orde, Teddy?'

'Alleen een paar blauwe plekken. Kojt heeft de hoofdradio onklaar gemaakt en admiraal Roedenko neergeschoten.'

'Wat is er gebeurd?'

'Geen flauw idee. Behalve dan dat ik van Uli tegen jou moest zeggen dat Kojt de specimens in zijn bezit heeft.'

'Hoe gaat het met Roedenko?' vroeg Nimit.

'Slecht.'

'Shit.'

'Kojt heeft een sneeuwscooter meegenomen,' zei Zale. 'Ik kan zijn lichten zien. En hij heeft zijn GPS-systeem aanstaan. Hij rijdt over het ijs in de richting van de polynya.'

Met de grootste moeite kreeg Hanley de watertank in de laadbak.

'Heb je kunnen meeluisteren?' vroeg Nimit.

'Ja,' zei ze hijgend. 'Arme Roedenko. Waar gaat Kojt in vredesnaam met die algen heen?'

'Volgens mij is hij op weg naar de onderzeeër. Hij weet hoe hij het GPS-systeem moet gebruiken om de polynya te vinden; de onderzeeër sleept een antenne achter zich aan. Kojt roept zijn kameraden via de radio op om hem hier op te halen.'

'Kan de commandant het commando in de duikboot opdragen Kojt niet op te pikken en stand-by te blijven?'

'Ik weet niet hoe de hiërarchische lijnen daar lopen. Vooruit.' Nimit hielp haar met het vat en startte de Sno-Cat. 'Opschieten.'

Hanley klom in het voertuig.

'Doe de veiligheidsgordels om.'

De Sno-Cat schoot naar voren en begaf zich in snel tempo naar de rand van het plateau, om er vervolgens stuiterend overheen te gaan en op de gigantische banden al zigzaggend de helling naar beneden te nemen.

'Kunnen we hem nog inhalen?'

'Hou je vast.'

Stuiterend begaven ze zich naar het zeeijs in de laagte; Hanley bukte zich toen uitrusting en proviand uit de kastjes vielen. De motor gierde. Het lichtje in de verte werd iets feller.

Nimit zei: 'We halen hem langzaam in.'

Hanley hield zich vast. De motor van de Sno-Cat maakte een hoger toerental. De Sno-Cat was groter en sneller, de afstand werd steeds kleiner. Hanley keek over haar schouder en zag de koplampen – kleine lichtpuntjes – van voertuigen die hen volgden. Pal voor hen draaide de sneeuwscooter van Kojt naar links.

'Wat is hij aan het doen?' vroeg ze.

'Hij is ongetwijfeld een obstakel tegengekomen... een drukplooi. Hij rijdt er nu in de lengterichting naast, in een poging ergens een doorgang te vinden.'

Nimit richtte zich op een punt vóór de sneeuwscooter van Kojt om hem te onderscheppen, waarbij hij de joystick al die tijd naar achteren hield om het tempo maximaal te kunnen opvoeren.

'Als hij een doorgang vindt, hebben wij een probleem.'

'Waarom?'

'Als hij een smalle opening vindt, zal ons voertuig misschien te breed zijn om hem te kunnen volgen.'

'Geen denken aan,' zei hij. 'We moeten hem te pakken krijgen. Als hij met dat specimen op de loop gaat...'

De Sno-Cat won terrein. De sneeuwscooter keerde en reed vervolgens de andere kant op om even later opnieuw te keren.

Wanhopig probeerde Kojt een opening te vinden, maar de drukplooi – een grillig gevormde steile wand van wel drie tot vijf meter hoog – vertoonde geen gaten. Toen ze de sneeuwscooter naderden, ging Nimit langzamer rijden. Kojt keerde zijn voertuig en reed in hun richting, weg van de drukplooi. Nimit stormde op hem af, de lichtbundels van de koplampen van beide voertuigen werden feller naarmate ze over elkaar heen schoven.

Kojt reed recht op hen af. Zijn voertuig schoot naar voren en gierde als een elektrische zaag. Op het laatste moment gaf Nimit een ruk aan de joystick, waarna de enorme banden van de Sno-Cat krakend over de linkervoorkant van de sneeuwscooter draaiden. Nimit liet zijn Sno-Cat in een scherpe bocht keren en achtervolgde de kreupele sneeuwscooter. Hij kende de kwetsbare gedeelten op zijn duimpje, en ook hoe hij die moest beschadigen. Hij ramde de sneeuwscooter opnieuw en reed over de achterkant ervan.

Kojt was nu alleen nog in staat een kleine cirkel te maken, aangezien de stuurinrichting van de sneeuwscooter was beschadigd. Op systematische wijze ramde Nimit de sneeuwscooter tot het voertuig tegen de wand van de drukplooi was gemanoeuvreerd en geen kant meer op kon terwijl hij in het ijs werd gedrukt. Kojt haastte zich uit het bestuurderscompartiment en rende met getrokken vuurwapen naar hen toe – hij was daar duidelijk in getraind. De trekkerbeugel, merkte Hanley, was overdreven groot, geschikt voor gehandschoende vingers.

Hij sprong op de zijkant van de Sno-Cat en klauterde naar het portier. Nimit schopte de deur open, waardoor Kojt van het voertuig werd geslagen. Vervolgens gooide hij de watertank naar hem toe, maar miste hem omdat de Rus net op tijd wegrolde. Kojt sprong overeind.

'Uitstappen,' beval hij. Met de loop van zijn machinepistool wees hij naar hen. Nimit stak een hand omhoog en klom uit het voertuig, waarbij hij zijn andere hand gebruikte om zich aan de reling vast te houden. Hanley wierp een blik in de richting van Trudeau. De anderen waren nog ver van de Sno-Cat verwijderd.

'U ook,' schreeuwde Kojt naar haar. Terwijl ze zich met beide handen vasthield, klom ze eveneens uit de Sno-Cat. Even later stond ze op het ijs.

'Jack Nimit. Dr. Hanley,' zei Kojt. 'Ik heb jullie nodig, jullie moeten met mij samenwerken. Als jullie dat doen, kunnen we op een vriendschappelijke manier afscheid nemen. In het andere geval...' Hij bracht het vuurwapen omhoog, richtte op hen. 'Ik heb jullie voertuig nodig. Stap opzij.'

'Je kunt me wat,' zei Nimit.

De houder met biologisch materiaal was bij het middel van Kojt vastgemaakt. Hij tilde hem op om zijn woorden te beklemtonen. 'Dit moet in veiligheid worden gebracht om te voorkomen dat anderen er schade van ondervinden. Er is echt geen ruimte voor discussie.'

'Ja, dat zal wel,' zei Hanley. 'Jij bent op een humanitaire missie, hè? Jij wilt het specimen naar je superieuren brengen en het ruilen voor een snelle promotie. Of je gaat misschien freelancen en het aan de hoogste bieder verkopen, nadat je de waarde ervan hebt gedemonstreerd.'

'U hebt me verkeerd beoordeeld, doctor,' zei Kojt. 'Ik ben een dienaar van het Russische volk. Dat is alles.'

'En je hebt je zo toegewijd van je taak gekweten,' zei Hanley.

'We hebben allemaal onze rollen te vervullen, dr. Hanley. Mijn karakter laat te wensen over, maar ik ben wel een goeie jager, vindt u niet?'

'En welke rol vervulde ik in dat opzicht?' vroeg Hanley. 'De jachthond die jij gebruikte om de vos op te jagen?'

'Ik zou u nooit met een hond willen vergelijken, dr. Hanley. Nee, u fungeerde als lokaas,' zei hij.

'Wij zullen je niet helpen,' zei Nimit.

Kojt wendde zich tot Hanley. 'Een wel zéér domme optie.' Hij stapte opzij met de bedoeling om hen heen te lopen. Nimit bewoog zich echter met hem mee en blokkeerde zijn pad.

'Kojt,' zei ze. 'Heb jij werkelijk enig idee wat dit organisme in het menselijke lichaam kan aanrichten?'

'Naar ik meen is het gevolg als geheel van een vernietigende aard,' antwoordde hij.

'Je verzuimt te vermelden dat een duikboot vol medeburgers... de mensen met wie jij zo begaan bent... eraan heeft moeten geloven.'

'Ja, heel betreurenswaardig. Maar wel boeiend bewijsmateriaal inzake de effectiviteit van de microbe die u hebt ontdekt,' zei hij snaaks.

'Denk je verdomme nou werkelijk dat wij het risico zouden nemen dat zoiets iemand anders kan overkomen?' zei Jack terwijl hij een stap in zijn richting deed. De loop van het vuurwapen ging een eindje omhoog, waardoor Hanley het onwillekeurig uitschreeuwde. Ze betwijfelde of Kojt een slechte schutter was.

Kojt keek langs hen naar de langzaam naderende koplampen en spande de haan van zijn vuurwapen. 'Het wordt voor mij tijd om op te stappen. U bent nog jong, meneer Nimit. Uw dood zou betreurenswaardig zijn en is te voorkomen. Het is belachelijk zoals u zich opstelt.'

Hanley zei: 'U laat het klinken alsof wij onszelf neerschieten.'

Kojt keek de Amerikaanse aandachtig aan. 'Niet samenwerken komt neer op zelfmoord.'

'Misschien bent u gemachtigd Russen te mishandelen,' zei Hanley. 'Maar het neerschieten van een Amerikaan en een Canadees zal niet zonder gevolgen blijven.'

'Goeie genade,' zei Kojt vol ongeloof. 'Jullie zijn knettergek.'

Nimit sprong op hem af. Er klonk een schot, een ploffend geluid. De arm van Nimit werd karmozijnrood en viel langs zijn zij.

Hanley boog zich naar voren en greep de tuit van de watertank, waarna ze Kojt natspoot met het warme water dat onder druk stond. Het vuurwapen ging af terwijl de waterdamp walmde. Met het doordrenkte wapen kon uiteindelijk niet meer gevuurd worden omdat het mechanisme was bevroren.

Kojt hield een hand omhoog om zich te weren tegen het water dat hem besproeide. Hanley spoot hem van top tot teen nat tot het water ophield met spuiten, omdat het mondstuk van de slang was dichtgevroren. Kojt realiseerde zich dat het slechts water was. Op een geërgerde, spottende toon begon hij een preek tegen haar af te steken. Toen hij het effect van het water gewaar werd, veranderde de toon in zijn stem en praatte hij een octaaf hoger.

'*Bozhe moi!* Wat krijgen we verdomme nou?' Het lichtje in zijn helm was rood.

Hanley kon niet geloven dat het poolpak van Kojt zo snel bevroor. Zijn borstkas was als een verwrongen rotsblok, zijn benen bewogen niet meer. De houder waarin het biologisch materiaal zich bevond, viel op het ijs en rolde weg. Als aan de grond genageld stond Kojt daar en glinsterde als een manshoge matriosjka-pop. 'Help me, verdomme. Help me!'

'Jack!' krijste Hanley.

Nimit kwam achter Kojt te voorschijn en hield de pickel in zijn hand. Hij had het bloeden gestelpt met sneeuw dat de wond verijsde zodra het in contact kwam met zijn huid. Nimit drukte op een knop waarna de lemmeten met een metalig geluid uit de behuizing schoten. Hij duwde Kojt om alsof de man een standbeeld was. Met één hand hief hij de pickel op. Kojt schreeuwde hysterisch, maar het ijs dempte zijn smeekbede.

Het gezicht van Nimit was verwrongen van inspanning terwijl hij met volle kracht toesloeg en de punt van het pickellemmet diep in het poolpak doordrong. Hanley schreeuwde en Kojt krijste van de pijn. Het lemmet kwam er met bloed besmeurd uit.

'Jack!' gilde ze.

'Idioot,' schold Nimit terwijl hij met de pickel tegen de borstkas van Kojt leunde. 'Verroer je niet.'

Jack rechtte zijn rug en sloeg overdreven venijnig toe tot het lemmet na de vijfde slag bleef haken. Vervolgens zette hij zich met een voet schrap tegen het lichaam van Kojt en trok een homp weg. Telkens weer doorboorde hij het verharde poolpak en haalde het voorste gedeelte ervan naar zich toe alsof het de deksel was van een blik. Als een schil liet dat keiharde deel zich wegtrekken, waardoor de huid bloot kwam te liggen. Nimit haalde een hamer met een steel van fiberglas uit de Sno-Cat, maar na enkele slagen versplinterde de steel als gevolg van de vrieskou. Met haar handen trok Hanley wanhopig de ijslagen weg terwijl Nimit de betonharde plakken in stukken brak.

Uiteindelijk was Kojt overeind gekomen en beefde onbeheerste terwijl zijn huid van kleur veranderde. Het speeksel en slijm waren bevroren, zijn stem klonk schor en diep vanuit zijn keel, en zijn lichaam walmde in de vrieskou. De zilverachtige 'huid' van zijn poolpak was gescheurd en in stukken gebroken. Koortsachtig werkte Hanley verder om de beschadigde buitenste laag te verwijderen.

'Haal de isolatiedeken uit de Sno-Cat,' beval Nimit. Gehoorzaam haastte Hanley zich naar het voertuig. Toen ze terugkwam, stond Kojt daar in slechts zijn bodystocking en *gilet*; om zijn enkels hingen twee omslagen in de vorm van ijs, net enkelboeien. Nimit wikkelde de metallic deken om hem heen.

Nimit zei: 'Erg comfortabel is dit niet. Probeer het te doorstaan. Je lichaamstemperatuur zal zich herstellen zodra je in je voertuig zit.'

Kojt knikte schokkerig en probeerde met een ruk weg te komen, maar Nimit hield hem stevig vast. 'Als je haar weer een keer bedreigt, zullen ze je in een ijsblokjesbak naar huis verschepen.'

Kojt keek hem behoedzaam aan, maar zei niets. Hij liep naar zijn sneeuwscooter, klappertandend en grommend van ellende. 'Alles zou bespreekbaar zijn geweest,' krijste hij schor over zijn schouder. Zijn hoofd walmde, op zijn haardos lag een laag rijp. 'Dit was niet nodig geweest. Niets van dit alles had gehoeven. Jullie zijn barbaren.' Furieus draaide hij zich om en slingerde schor grommend in het Russisch het laatste verwijt in hun richting. 'Als jij en Bascomb ons afgedankte wapen onder het ijs niet hadden gevonden, dan was dit niet gebeurd, verdomme.'

Nimit schudde zijn hoofd.

'Jack?' zei Hanley. Ze keek hem strak aan. 'Wat zei hij?'

Klappertandend en bevend gaf Kojt in zijn plaats antwoord. 'Heel eenvoudig. Toen Annie Bascomb de raket vond, was Jack Nimit daar ook bij aanwezig.'

'Weet jij van die raket af?' vroeg Hanley aan Nimit.

Kojt draaide zich om en deed een paar stappen in hun richting. 'En? Ga je tegen haar liegen?'

Nimit stond naast Hanley en zei: 'Annie en ik hebben dat ding afgelopen zomer in het water aangetroffen.'

'Geweldig!' gooide Kojt eruit terwijl hij met onhandige passen naar de sneeuwscooter liep. Zijn kaken klapperden als castagnetten. 'De biecht is zo heilzaam voor de ziel.'

De lichten van het eerste voertuig dat met grote snelheid vanaf poolstation Trudeau was komen aanrijden werden groter.

Vluchtig keek Nimit naar Hanley en wendde zich vervolgens van haar af, liep naar de Sno-Cat en klom over de ladder naar het bestuurdersgedeelte. Hanley volgde hem en klauterde naar de passagiersstoel. Hij deed zijn helm af, zij volgde zijn voorbeeld.

'Laat mij eens naar je arm kijken, Jack.' Zwijgend stak hij die naar haar uit, zodat ze de wond kon inspecteren.

'Je mag van geluk spreken... het is maar een schampschot.' Ze reikte naar de eerstehulpdoos die bij de uitrusting van de Sno-Cat hoorde en trok een pakje gaasverband open.

'Vertel op,' zei Hanley. 'Je moet me vertellen wat er is gebeurd.'

'De hele week heeft Kojt overal zitten neuzen en de projectjournaals van het veldonderzoek doorgenomen. Ongetwijfeld heeft hij gelezen dat ik Annie de afgelopen zomer geassisteerd heb terwijl ze bij de polynya met de onbemande duikboot bezig was.'

'Wat gebeurde er toen?' vroeg ze.

'We bevonden ons bij de polynya om gegevens te downloaden. De radiografisch bestuurde duikboot cirkelde dieper dan de bedoeling was, waardoor de sonar en laservideo iets eigenaardigs hadden waargenomen. Door de grote hoeveelheid metaal ging het kompas een eigen leven leiden. In een mum van tijd had Annie gezien wat het was. Ze ijsbeerde over het strandijs en was razend, des duivels. "Die imperialistische yankees gaan het noordpoolgebied in geen geval in gevaar brengen".'

'Yankees?'

350

'Ze veronderstelde dat het een Amerikaanse installatie was, wat ook gold voor de andersoortige mariene vervuiling die ze op het spoor was gekomen. "Hiermee vergeleken doet de rest van hun afgrijselijke gifstoffen onschuldig aan!" Ternauwernood kon ik er haar ervan weerhouden Mackenzie en Verneau te waarschuwen, en voorkomen dat ze de zaak nog dezelfde middag wereldkundig zou maken. De nieuwe onderzoeksperiode kondigde zich al aan. Elke dag arriveerden er nieuwelingen. Wanneer zij openbaarde wat wij hadden gevonden, zou er paniek uitbreken, zou de nieuwe onderzoeksperiode naar de mallenmoer zijn geholpen en het poolstation Trudeau omwille van onze eigen veiligheid gesloten worden, misschien wel voor altijd.'

'En wat deed jij toen?' Hanley was er niet zeker van of ze het antwoord wilde horen.

'Ik? Niets.'

'En Annie?' Ze begon te rillen.

'Nadat we weer op Trudeau waren gearriveerd, ging ze het internet op om informatie in te winnen. Enkele dagen later sleepte ze me naar het permanente kustijs, waar het prachtig en vredig was. Ze schreeuwde toen tegen me, fokte zichzelf op om met iedereen ruzie te maken. "Wist jij dat de chemische reactie tussen zeewater en raketbrandstof zwavelzuur tot gevolg heeft? Het is slechts een kwestie van tijd voordat dat kloteding gaat lekken! Uiteindelijk kan niets de eroderende werking van zeewater weerstaan. Het complete arctische ecosysteem zal radioactief worden." Ze had gelijk. Dat scenario was onaanvaardbaar.' Hij beet op haar lip terwijl ze het verband strakker aantrok.

'Volgens haar moest wereldkundig worden gemaakt dat die installatie zich hier bevond, ook al betekende die informatie dat het poolstation gesloten zou worden. Wie dat ding hier ook had geïnstalleerd, diende terug te komen om de installatie te ontmantelen... en wel meteen. Ze bereidde een publieke verklaring voor.'

'Wat deed jij met het gegeven dat Annie ermee in de openbaarheid wilde treden?'

'Ik heb haar gesmeekt om dat niet te doen. Een mediahype zou fataal zijn voor het poolstation. De sponsors zouden het dan laten afweten, de staf zou wegvluchten. Ik weet dat het egoïstisch was, maar ik heb dit poolstation gebouwd. Ik wilde geen getuige zijn van de teloorgang ervan. Ze wilde echter niet naar me luisteren en hield een preek tegen mij over de Canadese ontkenning.' Hij zweeg even. 'Ik dacht dat Alex haar misschien tot rede kon brengen.'

'Waarom Alex?'

'Ze kennen elkaar al heel lang. Zij respecteerde hem. Dus nam ik het risico en vroeg aan hem of hij wilde helpen haar ervan te overtuigen deze zaak stil te houden. Hij zag meteen het dreigende gevaar met betrekking tot poolstation Trudeau en smeekte haar de informatie niet in de openbaarheid te brengen. Hij zei dat we dit probleem zelf wel konden oplossen. Zij beschouwde het als een wereldomvattende schandvlek. Wanneer die installatie eenmaal ging lekken, zou de noordpool een dodelijk gebied worden.'

'Een kust vol lijken...'

Nimit keek haar met een eigenaardige blik aan.

'Ga verder.' Ze was klaar met het wondverband en begon vervolgens het poolpak te repareren.

'Alex bleef op haar in praten. Dagenlang ging dat zo door. Ze kwam tot bedaren, hoewel haar woede soms weer in alle hevigheid opflakkerde. Kossuth had haar deze baan aangeboden op poolstation Trudeau. Als zij dit oord zou verwoesten door dit publiekelijk te maken... hij voelde zich verantwoordelijk. Hij sliep niet meer, begon te drinken, mopperde in zichzelf. Vlak vóórdat ze die veldonderzoeksopdracht bij de polynya zou vervullen, vertelde ze aan hem dat ze de duikboot naar beneden zou sturen om een video te maken, waarna ze die op het internet zou zetten... De hele boel kon wat haar betrof naar de hel lopen.'

'En hoe reageerde Kossuth daarop?'

'Hij was zichzelf niet meer... in poolstation Trudeau had hij zijn ziel en zaligheid gelegd. Hij noemde haar een intolerant kreng van een wijf en zei dat ze op deze manier alles kapot zou maken waar we voor gewerkt hadden. Hij bedreigde haar. Maar zij lachte hem slechts uit.'

'Nam ze die bedreiging niet serieus?'

'Ze zei tegen hem dat hij zich belachelijk gedroeg. Dat had ze althans volgens hem gezegd. Hij heeft mij gevraagd hem te helpen haar de mond te snoeren.'

'Heb je dat gedaan?'

'Nee.'

'Godzijdank.'

'Maar ik heb hem ook niet tegengehouden.'

'Jij wist wat Kossuth had gedaan. Waarom heb je me dat niet verteld?'

Nimit kreeg het niet over zijn hart om haar aan te kijken. 'Ik kon niet geloven dat hij dat daadwerkelijk had gedaan. Ik was op de hoogte van het feit dat hij haar de mond wilde snoeren, maar het wilde er bij mij niet in dat hij om dat doel te bereiken ook bereid was de anderen te doden. Toen jij arriveerde, bleef ik hopen dat je een natuurlijke verklaring zou vinden. Ik had me niet gerealiseerd dat hij ook in staat was hen zomaar te vermoorden.'

'Wie was nog meer op de hoogte van de tekst op de tas van de sjamaan, Jack?'

Nimit zweeg.

'Little Trudeau was een archeologische opgravingsplaats, nietwaar? Er moet een deskundige hebben rondgelopen die Aleut kon lezen. Iemand moet het hebben vertaald en met de anderen van de opgravingsplaats over de betekenis ervan hebben gepraat. Daar gaat het op poolstation Trudeau om, over het delen van bevindingen en informatie, is het niet zo? Dus iedereen die destijds hier aan het werk was, had het kunnen weten... waarbij inbegrepen Alex Kossuth.'

'Ja, we wisten allemaal wat het betekende.'

'Dus waarom heb jij mij verdomme niet op de hoogte gebracht?'

'Een "geestplant" klonk verre van inheems. De consensus tussen de wetenschappers en de botanisten was dat het wellicht een plant betrof die hij van elders had meegenomen. En degenen die de tas hadden onderzocht werden niet ziek of zo. Hoe was het mogelijk dat die plant zowel de sjamaan als Annie en de anderen van het leven had beroofd?'

'Hij heeft de algen gevriesdroogd en in haar talkpoeder gestopt. Het is mij een raadsel waarom hij ook Ogata en Minskov heeft gedood.'

'Ik kan me niet voorstellen dat dat zijn bedoeling is geweest. Ongetwijfeld is dat per ongeluk gegaan. Wellicht had hij niet verwacht dat ze misschien allemaal haar talkpoeder zouden gebruiken, of dat de gevolgen zo desastreus zouden zijn.'

'Dat zou zijn wroeging verklaren... en het feit dat hij zelfmoord heeft gepleegd.'

'Hij moet via het lokale kanaal geluisterd hebben naar de anderen die het poolstation erbij riepen om Annie te helpen. Toen hij hoorde wat er was gebeurd, is hij volgens mij gek geworden. Het verbaast me niets dat hij zelfmoord heeft gepleegd.' Nimit boog zijn hoofd. 'Alleen al door erover na te denken, voelde ik me ellendig genoeg.'

'Jij hebt ze niet vermoord, Jack. Dat heeft Alex gedaan.'

'Ik kon niet geloven dat ik niemand had gewaarschuwd dat hij deze bedreigingen had geuit. En het wil er bij mij nog steeds niet in dat hij iemand blijvend schade heeft willen berokkenen. Volgens mij had hij slechts het plan opgevat Annie een poosje uit de roulatie te halen.' Nimit beet op zijn lip. 'Het mag een wonder heten dat Alex ons niet allemaal heeft uitgeroeid.'

'Waarom heb je er mij niets over verteld? Ik zou dan hebben gezocht naar iets dat gefabriceerd was, niet naar iets dat in de woestenij te vinden was. Bovendien vertel je me nog steeds niet alles. Want hoe zat het nou met Dee? Kossuth kan Dee niet hebben vermoord.'

Nimit trok bleek weg.

'Of Ingrid Kruger.' Hanley ergerde zich. 'Zijn lichaam was niet besmet. Dat kon dus niet de dood van Ingrid hebben veroorzaakt.'

Hij gaf geen antwoord.

'Jack. Luister naar me...'

Nimit maakte een gebaar over zijn schouder. 'Ik heb achter in de Sno-

Cat een opblaasbare, zeewaardige kajak liggen, en elektrische reserve-drijfassen en waterstofcellen, voedsel, en een windturbine-uitrusting die ik in noodsituaties kan gebruiken.'

'Nee, Jack... nee. Je hoeft niet te gaan. Je hebt niets gedaan. Jij hebt deze ramp niet veroorzaakt.'

'Daar gaat het nou juist om. Ik heb níets gedaan. Ik wist dat Alex van plan was Annie hoe dan ook de mond te snoeren. Ik heb niets gedaan om hem tegen te houden. Ik kon niet accepteren dat alles in de open-baarheid zou komen over wat zij had ontdekt, en meemaken dat pool-station Trudeau gesloten zou worden; al het werk dat we hebben ge-daan, al mijn werk, alles verwoest. Ik liet hem met haar het ijs op gaan. Ik ben schuldig. En ik heb jou niet op tijd gewaarschuwd om Ingrid te kunnen redden. En Dee.'

'Waar wil je van hieruit in vredesnaam heen gaan?'

'Naar het zuiden.'

'Het zuiden? Vanaf dit oord gezien ligt alles in het zuiden.'

'Naar Nunavut, het Inuit-territorium. Het ligt pakweg zeshonderdvijf-tig kilometer hiervandaan.'

'Maar daar heb je niets te zoeken... dat gebied bestaat alleen uit wil-dernis.'

'Hier heb ik evenmin nog wat te zoeken,' zei hij. 'Ik kan niet op pool-station Trudeau blijven. Dit is een afgesloten hoofdstuk voor mij.' Hij was wanhopig.

Hanley legde een hand op zijn schouder. 'Alsjeblieft, Jack... jouw be-trokkenheid in deze zaak komt misschien niet eens boven water.'

'Uiteindelijk zal alles bekend worden. Je kunt niet tweehonderd men-sen het stilzwijgen opleggen. Ik kan die confrontatie niet aan. Ik moet vertrekken, dat is mijn straf, want je kunt je niet voorstellen hoezeer ik hier thuishoor.'

'Jack!'

'Er zit voor mij niets anders op. Ik heb geen andere keus, terwijl ik ei-genlijk nergens anders heen kan. Wanneer ik Alex niet had gevraagd die kwestie uit haar hoofd te praten... het spijt me, je hebt geen idee hoezeer het me spijt. Ik heb me nooit gelukkiger en nuttiger gevoeld dan hier. Ik zal me deze plaats blijven herinneren als het beste wat mij in mijn leven overkomen is. Ik ben hier... verliefd geworden.'

'Alsjeblieft, Jack, schat van me. Je kunt niet zomaar...'

Nimit startte de motor. De naderende lichten bevonden zich nu dicht-bij. 'Ik moet gaan.'

Hanley wilde iets zeggen om hem tegen te houden, maar ze kon dat niet over haar hart verkrijgen. Ze opende het portier aan de passagiers-kant om vervolgens uit te stappen, maar Jack trok haar terug.

'Doe het portier dicht, Jessie! Nu!' Terwijl ze dat deed, zag ze door de voorruit dat Kojt zich weer naar de Sno-Cat begaf. Van de isolatiedekens die in de sneeuwscooter lagen had hij een provisorisch poolpak gemaakt. En van de zittingkussens had hij noodlaarzen vervaardigd. Bovendien had hij een groot geweer geschouderd – de berendoder die in de sneeuwscooter had gelegen. Hij schuifelde naar hen toe, zijn blik gericht op de houder waarin zich het biologisch materiaal bevond en dat achter de Sno-Cat lag. Hanley merkte waarnaar hij op zoek was en stapte snel uit het voertuig om hem voor te zijn. De lucht beet in haar longen; ze had haar poolhelm in de Sno-Cat laten liggen.

Een schot knalde.

Het lawaai liet haar prompt pas op de plaats maken. Met een ruk draaide ze zich om. Nemerov liep naar voren in het licht en was gekleed in zijn zwaar uitgevoerde, zwarte marineparka. Hij kneep zijn ogen halfdicht tegen de kou. Zijn arm hield hij gestrekt, op een beschuldigende wijze, en in zijn gehandschoende hand hield hij een klein pistool op Kojt gericht. Ondanks de met bont gevoerde capuchon van zijn parka had de vrieskou om zijn mond en ogen al rijp gevormd. Achter hem waren nog meer lichten van voertuigen te zien.

Kojt leunde zwaar op de kolf van zijn geweer, waarvan de loop in het ijs was gedrukt. Met zijn vrije hand voelde hij rond zijn borstkas. Een hand die vervolgens walmde en rood werd van het bloed dat in de openlucht bevroor. Hij keek ernaar; met kleine ogen van de rijp.

Met een gestage tred liep Nemerov naar Kojt, het vuurwapen nog steeds op hem gericht.

'Jij en de admiraal zullen hier flink voor boeten,' zei Kojt hoestend. Hij leunde op het geweer alsof het een kruk was.

De kogel sloeg een klein gat in de keel van Kojt. Met wijdopen ogen bleef hij even staan, rechtte zijn rug, waarna hij naar achteren viel.

Nemerov liet zijn armen zakken, het pistool bij zijn zij. Nadat hij zich ervan had verzekerd dat Kojt geen schade meer kon aanrichten, liep hij langs haar naar de houder. Hij gaf die aan haar. 'De admiraal is... hij is dood,' zei hij.

Met de handen diep in de zakken, en ineengedoken tegen de dodelijke kou, liep hij terug naar zijn sneeuwmobiel.

De grote wielen van Nimits Sno-Cat knarsten terwijl het voertuig wegreed. Hanley zag haar helm op het ijs liggen. Jack had die voor haar uit de Sno-Cat gegooid. Ze zette de helm op, klom op een ijsschots en keek hoe de lichten in de duisternis priemden. De lichtbundels van de koplampen werden steeds smaller terwijl de Sno-Cat over het ijs hobbelde. Tegen de tijd dat de anderen haar hadden bereikt, waren het slechts piepkleine lichtjes.

53

Het was niet gemakkelijk om naar Dee te staren terwijl ze in de quarantainehoes van dik plastic lag, en het was nog moeilijker de neiging om haar aan te raken te onderdrukken. Hanley en Uli bleven enkele minuten zwijgend staan. Uiteindelijk maakte Hanley een van de sluitingen aan de zijkant van de hoes open.

'Dr. Hanley!' riep Uli uit. 'Maak je je geen zorgen over besmettingsgevaar?'

Droevig schudde Hanley haar hoofd en reikte in de zak om een twijgje van de witte arctische klaproos op Dee's schouder te leggen. Haar gelaatsuitdrukking zag er nog steeds verwrongen en gekweld uit, vond Hanley. En dat zou altijd zo blijven. De gedachte haar op die manier te herinneren was afschuwelijk.

Ze boog zich dichter naar Dee toe en bleef zo enkele ogenblikken heen en weer wiegend staan. 'Ik weet het niet,' zei ze met een zucht. 'Ik weet het niet.' Ze klonk diep getroffen. Opeens verroerde ze zich niet meer.

'Wat is er?' vroeg Uli.

'Haar lippen.'

'Wat is daarmee aan de hand?'

Hanley was verbijsterd. 'Ze zijn droog.'

Ze kwam weer op verhaal, wreef over haar eigen wang en reikte vervolgens in de opening van de hoes om met haar tranen de lippen van Dee aan te raken.

Uli huiverde. 'Het is koud. Ik krijg de rillingen.'

Ze knikte afwezig en deed de sluiting dicht. 'Ja. We hebben afscheid genomen. Kom, we gaan.'

Mackenzie verbaasde iedereen door aan te kondigen dat hij met onmiddellijke ingang met pensioen zou gaan. Zijn kantoor werd opgeruimd om plaats te maken voor Emile Verneau, zijn opvolger.

'Ik hoop niet dat ik ongelegen kom,' zei Hanley tegen zijn secretaris. Ze liep het vertrek in, dat nu het leeg was vreemd genoeg kleiner, minder ruim leek. De ramen kwamen echter groter op haar over. Ramen die het licht van de sterrenhemel doorlieten.

'Nee, hoor,' antwoordde de jonge man. 'Ik ben hier bijna klaar. Alleen de kunstwerken en de plaquettes moeten nog van de muren. Ik weet niet waarom hij dit juist nu geregeld wil hebben. Het duurt nog maanden voordat de winter voorbij is en de vliegtuigen kunnen landen. O, vergeef me, dr. Hanley. Zal ik u een kopje thee brengen? Of koffie?'

Ze schudde haar hoofd. 'Dat hoeft niet, bedankt. Is hij in de buurt?'

'Hij is naar de plantenkoepel gegaan.'

Hanley bedankte hem en liep door de inmiddels vertrouwde gangen naar de plek waar Dee zo van gehouden had. Nadat ze door de rode draaideur naar binnen was gegaan, merkte ze dat alleen Mackenzie er was. In het atrium zat hij ruggelings tegen een rotspartij en voerde de kleine vinken met de hand. Het was verbazingwekkend te zien dat de vogeltjes op zijn handpalm neerstreken en het voer oppikten. Hun lied vormde het enige geluid in de koepel. Een vrediger aanblik was moeilijk voorstelbaar.

Hij begroette haar door zijn vrije hand op te steken, waarbij hij die langzaam bewoog om de vogels niet te laten schrikken. Voorzichtig liep ze over de platte trottoirtegels naar hem toe in een poging te voorkomen dat haar aanwezigheid de vogels zou verjagen.

'Als u afstand bewaart en heel behoedzaam gaat zitten, zullen ze blijven,' zei hij zachtjes terwijl hij naar de vogels keek.

Omzichtig kwam Hanley naderbij en ging op enkele meters van hem vandaan op een van de treden zitten terwijl hij met die kleine schepsels communiceerde. Ze vlogen allemaal weg, op ééntje na. Het eenzame buitenbeentje bleef zich te goed doen aan het voer.

'Elke groep heeft er wel een,' zei hij, waarna hij haar aankeek. 'Ik krijg de indruk dat uw ontmoeting met meneer Kojt op het ijs een ingrijpende ervaring is geweest.'

'Ja, dat mag u wel stellen. Hij was er zeer op gebrand om in het bezit te komen van dat besmettelijke agens. Ik vraag me af wat er gebeurd zou zijn als commandant Nemerov niet was gearriveerd.'

'Godzijdank is dat wel het geval geweest. Als dat ooit in een biologisch arsenaal terechtkomt... van wie dan ook. Wat zeg ik eigenlijk?' Hij zuchtte. 'Ik vermoed dat dat inmiddels het geval is. Beslist in het arsenaal van Amerika, misschien ook in dat van Canada, als we daar de faciliteiten voor hebben.'

'Inderdaad,' zei ze. 'Waarschijnlijk is dat het geval.'

'Maar dat zijn zorgen waar anderen mee te stellen hebben. Ik heb mijn werk gedaan. En u het uwe.'

'Niet helemaal,' zei ze. 'Er zijn vragen overgebleven die mij nog steeds zorgen baren. De kwestie betreffende het overlijden van Dee heb ik nog altijd niet opgehelderd.'

Mackenzie, die naar de vogel staarde, keek naar haar op. 'Daar hebt u gelijk in.'

'Of het overlijden van Ingrid Kruger, nu we het daar toch over hebben. Ik probeer mezelf geen verwijten te maken. Volgens Ned Gibson moet ik dat vooral niet doen. Volgens hem is het heel natuurlijk om je zo te voelen. Het schuldgevoel van degene die het overleefd heeft.'

'Ik neem aan dat hij weet waarover hij het heeft,' zei Mackenzie. Het vogeltje hupte even van zijn hand af, waarna het weer terugkwam. 'Gulzig schooiertje,' zei Mackenzie. 'Hoe bent u te weten gekomen dat ik hier was?'

'Ik ben even in uw kantoor geweest.'

Mackenzie knikte. 'Heeft mijn secretaris inmiddels alles ingepakt? Emile moet daar zijn intrek nemen.'

'Bijna. Alleen nog de foto's en de plaquettes, waarbij inbegrepen de foto die ik zo mooi vind.'

'En welke is dat?' vroeg hij.

'De in bont gehulde Inuit-jager. De man ligt naast een zeehond, waarbij het bijna lijkt of hij het dier kust.'

'Die vindt u mooi, hè?'

'Het tafereel fascineert me,' zei Hanley. Ze legde haar armen om haar opgetrokken knieën, waarop ze haar kin liet rusten. 'Een krachtig beeld, zoals die man zo intiem is met het dier.'

'Herkent u hem?'

'Niet toen ik de foto voor het eerst onder ogen kreeg.' In gedachten zag Hanley de dode zeehond die uitgestrekt op het ijs lag. De man, gehuld in dik bont, lag ernaast als een geliefde, met de armen om de romp van het dode dier. 'Het is Jack, hè?'

'Ja, deze foto is jaren geleden genomen; hij was toen nog een tiener. U hoort die foto te krijgen. Ik zou het fijn vinden wanneer u die van mij accepteert.'

'Ik wil hem graag hebben. Wat symboliseert datgene wat hij op de foto aan het doen is?' vroeg ze.

'Wanneer een Inuit-jager een dier doodt, bedankt hij het voor het feit dat het zijn leven heeft gegeven door sneeuw in zijn mond te laten smelten en het vervolgens in de vorm van water aan het dier aan te bieden. Dat is wat Jack op de foto aan het doen is met de zeehond die hij heeft gedood.'

'Geeft hij de zeehond water?'

'Ja, uit zijn mond.'

Hanley knikte nadenkend. 'Vertelt u er eens wat meer over.'

'Het betreft een spirituele geste, een vriendelijk gebaar aan het adres van de dierenziel. Een intieme handeling. Men gelooft dat de zeehond die aan land komt en toestaat dat hij gedood wordt dorstig is. De jager dient daarop te reageren door de dorst van het dier te lessen. Een rituele uiting van dank en berouw.'

'Een soort verontschuldiging.' Water, vol goedaardige bacteriën, niet afkomstig van het slachtoffer, dacht ze.

'En reiniging, bevrijding,' zei Mackenzie

'Zullen de Canadese autoriteiten hem vervolgen?'

Het leek of hij daar niet graag antwoord op wilde geven. 'Ja, waarschijnlijk wel, plichtshalve. Of ze hem ooit zullen vinden, is een andere kwestie. Hij is op weg naar een verschrikkelijk uitgestrekt land. En ze weten zelfs niet zeker waarom ze hem achtervolgen. Uiteindelijk zullen ze de zaak laten rusten.'

'Weet u...' zei ze, terwijl ze over haar ogen wreef, '... de gevoelens die hij voor u koestert, dr. Mackenzie... Ik werd er daadwerkelijk jaloers van. Ik bedoel het feit dat hij zoveel om u heeft gegeven, en hoezeer uw mentorschap hem heeft beïnvloed.'

Mackenzie knikte ernstig.

'Hij houdt onvoorwaardelijk van u,' zei ze.

'Een voortreffelijke jongeman.'

'Verbaasde het u dat hij in staat was zijn mond te houden over wat Alex Annie had aangedaan? En uiteindelijk ook zijn andere collega's?'

'Nee.'

'Waarom niet?'

'Gezien het feit hoeveel het poolstation voor hem betekent.'

'Zoals in uw geval.'

'Ja, en met mij vele anderen. En gezien datgene wat er op het spel staat... of stond.'

'Wat bedoelt u?'

'Geothermisch gesproken ziet de situatie er wanhopig uit. De veranderingen in het noordpoolgebied zijn onheilspellend. Ongeacht wat de planeet van plan is met de broeikasgassen, het zal eerst hier, in het noordpoolgebied, zijn invloed doen gelden. Zo gaat dat nu eenmaal met de aardse atmosfeer. Weinig staat de opwarming van de aarde in de weg, behalve dan het onderzoek dat op die zeldzame buitenposten, zoals hier op Trudeau, gedaan wordt. Jack was zich daar zeer goed van bewust. Ik denk dat hij ons en het noordpoolgebied probeerde te beschermen.'

'Zelfs als dat mensenlevens zou kosten?'

'Zo blijkt,' zei Mackenzie. 'Een afschuwelijke gedachte.' Hij keek bedroefd.

'Wat heeft u doen besluiten om nu af te treden?' vroeg ze. Haar stem trilde een beetje, maar anderzijds straalde ze ook kalmte uit.

Hij haalde zijn schouders op. 'Mijn... mijn tijd is aangebroken. Mijn collega's zijn weg. Onze Russische collega's nemen massaal ontslag. De Japanners misschien ook. We verliezen sponsors. Primakov, Ned Gibson... ze vertrekken. Jack is al weg. Het is hier niet meer zoals vroeger. En wanneer het nieuws over wat de Russen daar hebben achtergelaten in de openbaarheid komt... Wanneer het moment aanbreekt dat ze zich met de raket moeten gaan bemoeien, zullen ze het poolstation beslist sluiten.'

'De poorten sluiten van poolstation Trudeau?'

'In elk geval gedurende het zomerseizoen. Als ze niet kunnen uitvogelen hoe ze die monstruositeit veilig moeten verwijderen, sluiten ze het poolstation voor altijd. Wie zal het zeggen?' Hij schudde zijn hoofd. 'We hebben hier een droom werkelijkheid willen laten worden, een groot aantal van ons heeft dat gewild.' Hij keek omhoog. 'Het vereiste veel opofferingen om die droom in dit oord bewaarheid te laten worden.' Hij klonk verbitterd.

'Misschien maakt u uzelf eveneens verwijten.'

'Ik kan het niet voorkomen,' zei hij.

'Wat gaat u hierna doen? Waar wilt u heen?'

'Met die vragen heb ik me nog niet grondig beziggehouden. Om eerlijk te zijn heb ik deze winter als zeer mistroostig ervaren. Ik voel me min of meer opgebrand.'

Ze beet op haar lip. 'Ik denk dat anderen dat gevoel eveneens met u zouden delen, als ze daartoe de mogelijkheid hadden gekregen.'

'Anderen?'

Met haar vingers somde ze het rijtje op. 'Junzo Ogata, Minskov, Annie Bascomb, Tarakanova, dr. Kruger, Alex Kossuth. Al die jonge marinemensen. Dee.'

Mackenzie staarde recht voor zich uit. Wezenloze ogen in een vermoeid gezicht. Zijn gelaatstrekken deden denken aan een aspect van de minerale monsters waarmee zijn bureau was bezaaid... keihard en gegroefd.

Hanley verschoof iets. 'U ziet eruit of u wel een vakantie zou kunnen gebruiken, als u het niet erg vindt dat ik dat zeg. Ik dacht dat u Little Trudeau misschien wel weer eens zou willen bezoeken, een nostalgische reis naar de dagen van weleer, toen alles ondubbelzinniger en duidelijker was.' Hij keek haar aandachtig aan. 'Laat de geavanceerde techniek achter u, draag bontkleren en ga u bezighouden met wat elementair archeologisch werk.'

'Ik weet niet of ik me in staat voel tot nostalgische dagtrips.'

'Ik bedoel de resterende dagen van dit winterseizoen. Kamperen op Little Trudeau.'

'U hebt het over maanden.'

'Misschien wilt u het een en ander opgraven.'

'Opgraven?'

'Ja,' zei ze. 'Een contemplatieve onderneming om weer voeling te krijgen. Ik bedoel, u hebt daar benzine, voedsel, een generator.'

'Ik zal het in overweging nemen.'

'Goed.' Ze keek vluchtig op haar horloge. 'Uli en commandant Nemerov staan klaar om u te brengen. Alles is daar aanwezig. U zult niet veel nodig hebben.'

Mackenzie keek haar met een afwegende, bezorgde blik aan. 'Gaat alles goed met u?'

Hanley schudde haar hoofd. 'Het grootste deel van de tijd niet. Dee heeft veel voor mij betekend.' Ze keek hem strak aan. 'Hoe staat u tegenover die nostalgische reis?'

'Ik... ik denk niet dat gerommel aan benzinegeneratoren en oliekachels veel rust zullen geven.'

'U realiseert zich ongetwijfeld dat nu alles in de openbaarheid komt,' zei ze. 'Ottawa is altijd al op de hoogte geweest van het feit dat die raket zich daar bevond. Annie Bascomb en de anderen zijn voor niets gestorven. Alles komt aan het licht, tenzij er iets wordt ondernomen.'

Alvorens iets te zeggen keek hij haar een ogenblik met een afwegende blik aan. 'Ik kan u niet volgen.'

Hanley raapte een takje van een struik op, liet het tussen haar vingers rollen en herinnerde zich hoeveel Dee van dit oord had gehouden.

'Ik heb het evenmin begrepen,' zei ze. 'Later dacht ik na over wat Jack me had verteld over Inuit-zielen. Over het gegeven dat de Inuit twee zielen hebben. Een eeuwige ziel die onsterfelijk is, en de lagere ziel die teloorgaat. Ik denk dat u eveneens twee zielen hebt. Een ziel die voortreffelijk is, de andere... aangetast.'

'Verklaar uzelf nader,' zei hij met een gespannen gezichtsuitdrukking.

'Er is niemand anders voor wie Jack zichzelf opgeofferd zou hebben. Beslist niet voor Alex Kossuth. Alleen voor u zou Jack zichzelf tot zondebok willen maken. Hij probeerde al uw zonden met zich mee te nemen, de wildernis in. Van zichzelf een verdachte maken om de aandacht van u af te leiden. Ik wil graag denken dat dat zijn handelen heeft bepaald, want ik kan de gedachte niet verdragen dat u hem hebt geruïneerd en weggejaagd. Ik vraag me af of u zich realiseert hoe diep zijn loyaliteitsgevoelens werkelijk gaan. Zelfs tegen mij deed hij of hij en Alex de enigen waren die hebben geprobeerd Annie de mond te snoeren. Misschien is hij vertrokken omdat hij het niet langer meer aankon hier te zijn, bij u, terwijl u weet wat hij weet.'

Ze zweeg om af te wachten of hij zou gaan protesteren. Hij zei echter niets, bleef roerloos zitten. Hanley vertelde vervolgens verder.

'Jack heeft tegen me gezegd dat hij naar Alex Kossuth is gegaan om Annie ervan te overtuigen die kwestie beter niet in de openbaarheid te brengen. Hij zou echter niet naar Alex zijn gegaan, maar naar u, zijn mentor, de man voor wie hij dit oord heeft gebouwd. Ú ging daarentegen naar Alex, uw oudste vriend op Trudeau. U overtuigde hem ervan dat Annie Bascomb alles in gevaar bracht waar u en hij voor gewerkt hadden. Iemand moest haar het zwijgen opleggen. En Alex heeft daarvoor gezorgd, hij deed dat voor u. Maar Alex was nagenoeg een wrak geworden. Ik betwijfel ten zeerste of hij in staat was de algen uit het meer in verband te brengen met de spookplant van de sjamaan, laat staan dat hij in staat was het plantenpoeder te maken van de algen die uit het wak waren gehaald. U deed dat in zijn plaats en stuurde hem op pad met dat goedje. Toen hij en Annie waren overleden, dacht u dat het poolstation weer veilig zou zijn. Jack zou nooit een woord loslaten over die raket onder het ijs, en hij zou nooit iets doen waarmee hij u of dit oord schade zou berokkenen. Opeens was Ingrid Kruger vastbesloten alles te weten te komen over de activiteiten die haar geliefde in de laatste weken van haar leven had ontplooid. Dus moest u ook korte metten maken met haar.'

Hij bedekte zijn ogen en kon het nauwelijks aanhoren Ze bleef maar doorpraten.

'U hebt gewacht met het uitschakelen van Annie tot het voor wie dan ook te laat in het jaar was om poolstation Trudeau nog te bereiken, laat staan voor iemand die zich wellicht uiteindelijk zou realiseren dat die blootstelling op het ijs geen ongeluk was, maar opzet. U zou mij ook hebben besmet. Was u er om die reden zo op gebrand uzelf ervan te overtuigen dat ik niets voor Jack betekende?' Haar gezicht verstrakte.

'Jack is alleen vertrokken op voorwaarde dat u niets zou overkomen.' Hij reikte naar haar, maar zij trok zich terug en stootte onwillekeurig een kreet uit. 'U moet begrijpen wat er speelde,' zei hij, terwijl hij van een hand een vuist maakte en die naar zijn gezicht bracht. 'Ik kon onmogelijk aanvaarden wat die installatie voor ons allen zou betekenen, wat het zou vernietigen.' Hij wendde zijn blik af. 'Ik heb iets verschrikkelijks gedaan.'

'In feite heel veel akelige dingen. U hebt deze verschrikkelijk gebeurtenis over iedereen afgeroepen.' Even wendde ze haar blik van hem af. 'U hebt Ingrid Kruger en Dee niet vermoord om poolstation Trudeau te redden. U hebt dat gedaan om uzelf te beschermen.'

'Ik was bang.' De tranen stonden in zijn ogen. 'Ik vreesde dat mijn levenswerk verwoest zou worden door mijn onvergeeflijke daad.'

'Dat hebt u goed gezegd, dr. Mackenzie. Uw gave bestaat eruit dat u goed kunt samenvatten, dat u anderen inspireert en kunt leiden. Een geweldige gave.' Ze sloeg haar armen om zich heen om het feit dat ze beefde een halt toe te roepen. 'Uw handelen was erop gericht uw schepping te beschermen. Maar als Trudeau het niet redt, zal Annie daarvan niet de oorzaak zijn. U bent het grootste blok aan het been van poolstation Trudeau. U bent de verwoester. U en niemand anders. U zult dat feit moeten verdoezelen als u wilt dat het smetteloze blazoen van de uitmuntende Felix Mackenzie ongeschonden blijft.'

'Ik...'

'U moet uw duistere project voortzetten. Als u dat doet, zal uw medeplichtigheid een geheim blijven.' Diep in haar binnenste roerde zich iets;

ze beefde ervan. 'Poolstation Trudeau zal dat bespaard blijven, ongeacht wat anderszins het lot van dit oord zal zijn.'

De tranen welden op in zijn ogen. Hij zuchtte.

'U hebt weinig tijd om dit recht te zetten.'

'Hoe?' vroeg hij.

'De archeologische opgravingsplaats.'

'Wilt u mij daar opsluiten? Is dat mijn straf? Denkt u niet dat dat gevaarlijk is?'

'Daar twijfel ik niet aan. Uitermate gevaarlijk zelfs. In het bijzonder door die ondergrondse benzinegeneratoren. Je hoort dan veel aandacht aan de ventilatie te besteden.'

'Jessie. U kunt toch niet voorstellen om...'

'Wie stelt hier iets voor?' Hoewel ze haar blik van hem wilde afwenden, bleef ze hem zijdelings aankijken. 'Denkt u soms dat ik de slaap zou kunnen vatten wanneer ik wist dat de man die ons als dieren heeft opgejaagd, die Dee in mijn onderkomen heeft omgebracht, zich onder hetzelfde dak bevindt...' Ze keek hem dreigend aan, '... en hier van de heide geniet? U hebt bijna honderd mensen vermoord. Wat moeten wij nu doen? Over de goeie ouwe tijd zingen en verder gaan met ons leven?'

Hij bleef een ogenblik bewegingloos zitten, waarna hij de knieën tot aan zijn borstkas optrok. 'U begrijpt het niet. Ze hebben ons als volslagen idioten te kijk gezet, een aanfluiting gemaakt van dit oord dat als een geschenk moet worden beschouwd, en het in een levensgevaarlijke plaats veranderd.'

'Dat kan me niet schelen. Dat kan me geen donder schelen! Dee was ook een geschenk aan de wereld. Net als Annie. En Ingrid Kruger... iedereen. Ik ben arts. Ik kan u niet ombrengen. Maar goeie genade, wat zou ik graag willen dat u dood was.'

Hij keek verbijsterd, angstig uit zijn ogen. 'Hoelang... hoelang heb ik nog om mijn zaken op orde te brengen?'

'Op poolstation Trudeau? Die tijd is verstreken. Op deze planeet? Laat dat uw beslissing zijn. Maar als u morgenmiddag nog steeds... onder ons bent, zal alles wat hier is gebeurd publiekelijk worden gemaakt. Als u een poging doet vroegtijdig op het poolstation terug te keren, dan zal die regeling eveneens van kracht zijn.'

'Is er...'

'Nee.'

'Dr. Hanley...'

Ze kwam soepel overeind. 'Ik zal het vervelend vinden te moeten vernemen dat u bent verongelukt,' zei ze, waarna ze zonder om te kijken vertrok.

Nemerov en Uli hielden haar tegen toen ze uit de plantenkoepel stapte. Ze haalde het zwarte pistool van de commandant uit haar zak en gaf het aan hem terug. Hij stopte het vuurwapen vervolgens in de jas van de Admiraal. Een jas vervaardigd van zeehondenleer, zo oud en verweerd dat het leer glansde.

'Hoe heeft hij het opgenomen?' vroeg Nemerov.

'Hij heeft erin berust de eer aan zichzelf te houden, denk ik.'

'We zullen hem begeleiden,' zei Nemerov.

Bezorgd legde Uli even zijn hand op haar onderarm. 'Je bent dapper geweest om hem in je eentje te confronteren. Hoor eens, we hebben in zijn kamer een poeder aangetroffen dat er verdacht uitziet. Kiyomi kamt de vertrekken uit om er zeker van te zijn dat we alles hebben gevonden.'

Nemerov zei: 'Teddy Zale wil jou onmiddellijk in de externe radiotoren spreken.' Hij bood haar zijn zakdoek aan. Toen pas realiseerde Hanley zich dat ze huilde. Ze bedankte hem.

'Wil je graag met ons vertrekken?' vroeg hij. 'We nemen het stoffelijke overschot van de admiraal mee; hij krijgt een zeemansgraf.'

De gedachte om naar huis te gaan was overweldigend, maar ze schudde haar hoofd. 'Ik heb me vrijwillig aangemeld om in de elementaire medische zorg te voorzien tot er in de lente vervanging komt. Voor de verandering ga ik mijn ervaring ten dienste stellen van levende mensen. Dat houdt me bezig, en ik hoef dan niet zo vaak te denken aan... zodra ik het aankan, ga ik terug naar het laboratorium en probeer zoveel mogelijk te weten te komen over die toxische microbe in de algen. Ik vermoed dat ik maar een korte voorsprong heb voordat iemand ergens in de wereld een poging doet er gebruik van te maken. Ik kan net zogoed profiteren van dat voordeel. Eens kijken of ik een manier vind om ons tegen dat micro-organisme te beschermen. Mijn laboratoriummedewerkers hebben al toegezegd mij te willen helpen.' Met de zakdoek bette ze haar ogen. 'Ik ga ook minstens elke dag een tijdje met mijn zoon praten. Voorlopig blijven het virtuele bezoekjes, maar dat is beter dan niets, en dat is alles wat hij de afgelopen tijd van mij heeft gekregen. Zijn mijn ogen rood?'

'Dat zie je in dit licht toch niet,' zei Nemerov. Met zijn handpalm raakte hij haar wang aan.

Hanley snoof en begaf zich in haar eentje naar de externe radiotoren. Onderweg hield ze haar pas in bij de ramen en staarde over het gescheurde ijs naar een wereld zonder kleuren. Een wereld die bestond uit zwart, wit en grijstinten. Ze ervoer de volle uitwerking die de gigantische uitgestrektheid van het noordpoolgebied op haar had.

Toen ze de externe radiotoren had bereikt, waren de lichten gedimd.

'Uiteindelijk zal er 's middags een dof veegje roze aan de horizon verschijnen,' zei Teddy. 'Dat duurt pakweg een kwartier, waarna het roze in wijnrood verandert. Er komen hier elke dag mensen om dat te bekijken, alsof het om de zonsopgang op Mars gaat.'

'Wat is er, Teddy? Jij wilde me spreken?'

Zale ging haar voor onder de koepel van het communicatiecentrum en wees naar een grote kaart van het noordpoolgebied, geprojecteerd op het gewelfde plafond. 'AVHRR thermische infraroodsatellietbeelden.'

In tegenstelling tot de meeste atlassen weerspiegelden de schaalverhoudingen op deze kaart de werkelijkheid. Hanley ervoer de immense afstanden tussen het poolstation en de andere gebieden. De poolregio was als elk ander continent, met in het midden daarvan Trudeau in de vorm van een oneindig klein oranje puntje. Teddy wees naar een kwadrant dat zich bijna pal boven hen bevond. 'Een rechtstreeks uitgezonden satellietbeeld,' zei hij. 'De hoogste resolutie.' Hij vergrootte het beeld.

Hanley was inmiddels lang genoeg op Trudeau geweest om de scheidingslijnen tussen zee- en landijs te herkennen. Een piepklein warmtepuntje op het zeeijs verschoof uiterst traag in de richting van een wit veld, ofwel landijs. Een stipje in een donkere leegte. Een stipje dat gestaag bewoog. Met alleen spoken die hem achtervolgden.

'Dat is het nieuwe Inuit-territorium,' zei hij. 'Een gigantisch uitgestrekt gebied, doc. Als hij daar eenmaal is gearriveerd, zullen ze hem nooit meer terugzien.'

Wij evenmin, dacht Hanley terwijl de tranen stilletjes over haar wangen rolden. Wij evenmin.

'Maar als er over een jaar of zo een vriendin van hem in die contreien opduikt, weet ik zeker dat hij daarvan op de hoogte is en die vriendin zal vinden,' zei Teddy terwijl hij omhoogkeek.

'Denk je dat?'

Teddy knikte. 'Ik moet ervandoor,' zei hij. Met zijn duim maakte hij een vage beweging over zijn schouder, en Hanley bleef alleen achter met het stipje dat langzaam door die uitgestrektheid schoof, op weg naar huis.

Dankwoord

Dank aan mijn dochter, Rosa Audrey Colwin Jurjevics, want zonder haar zou dit boek niet nodig zijn geweest. En aan Jeanne, zonder wie het onmogelijk zou zijn geweest.

Mijn dank gaat ook uit naar dr. Audrey Jacobson, vanwege haar medische expertise en goede raad. Alle eventuele fouten in medische termen komen, uiteraard, voor haar rekening. Ik weet dat ze niet anders zou willen.

Dank ook aan Lila Karpf voor het geloof in dit boek; aan de Writers Room, waar het allemaal begon; aan Nick Lyons vanwege de inspiratie, aan Susan Ann Protter en Dennis Dalyrmple omdat ze me de weg wezen. Aan wijlen David Segal en aan Fran McCullough. En aan Hal Scharlatt en Jim Bryans voor hun overvloedige levenskracht – waarvan ik nog steeds gebruikmaak.

Ik ben eeuwige dankbaarheid verschuldigd aan Bella, die met ons in de sneeuw heeft gespeeld; aan Julie, die moedig het ijs en de kou heeft getrotseerd om ons warmte te brengen; aan Ralph en Ann en Colin, alle Flying Brackens, de Gelerters en de Pennybacker-Wallaces voor hun aangeboren scherpzinnigheid en warme iglo's tijdens de storm; aan Christine Pittell; aan onze geliefde Gabels; aan de enorme hartelijkheid van Alice en Laurie, aan Carolyn Firesides gouden vlam; aan Judith vanwege het feit dat ze me net zolang heeft voorgelezen tot ik in slaap viel; en aan Patrick omdat hij zijn Alaska Pipeline-jack heeft opgeofferd om me tegen het duister te beschutten. Dank ook aan Rob en Charles, voor de talloze daden van vriendschap.

Dank ook aan de ijzige genadeloosheid en warme oprechtheid van Karen, en Margarets grootmoedigheid. Tevens dank aan Franny 'The Chin' Taliaferro en James 'The Studio' Reyman; aan Mr. Dan, mijn aanspreekpunt; aan Paul Donovan, voor zijn inzicht; aan Sander, die veelvuldig en in een vroegtijdig stadium heeft gelezen; en aan Geneviève, die me te hulp schoot. *Danke*, Barbara, en vooral aan Jorge Schmidt en de uitzonderlijke Hans-Ulrich Möhring. Mijn dank ook aan Jeannette, voor het gebruik mogen maken van haar illustere naam, en aan Rick Stolz voor het feit dat hij ongewild model heeft gestaan in vroegere incarnaties (mijn excuses voor de jurk). Ik ben ook dank verschuldigd aan Alan